作者简介

柳建伟：

解放军八一电影制片厂文学部副主任，中国作协全委委员，中国作协影视委员会委员，中国电影家协会会员。曾获茅盾文学奖、中宣部"五个一工程奖"、夏衍电影文学奖一等奖、冯牧文学奖、庄重文文学奖、人民文学奖、华表奖、金鸡奖、飞天奖、金鹰奖、解放军文艺大奖等奖项。主要作品有：长篇小说《时代三部曲》（《北方城郭》、《突出重围》、《英雄时代》），电影《惊涛骇浪》，电视连续剧《突出重围》、《英雄时代》等。

杨海蒂：

《长篇小说选刊》编辑，中国作家协会会员，中国散文学会会员，中国报告文学学会会员。著有散文集《杂花生树》、杂文随笔集《乱弹》以及长篇报告文学、电视连续剧等多部。

石破天惊

柳建伟　杨海蒂　著

解放军文艺出版社

图书在版编目(CIP)数据

石破天惊/柳建伟　杨海蒂著.—北京:解放军文艺出版社,2005

ISBN 7 – 5033 – 1904 – 6

Ⅰ.石...　Ⅱ.①柳...②杨...　Ⅲ.长篇小说 – 中国 – 当代

Ⅳ.I247.5

中国版本图书馆 CIP 数据核字(2005)第 146797 号

书　名:石破天惊

作　　者:柳建伟　杨海蒂

责任编辑:余天宝

装帧设计:十亩工作室

责任校对:马　涛

出版发行:解放军文艺出版社

社　　址:北京地安门西大街 40 号　　邮编 100035

电　　话:66531659

E-mail:jfjwycbs@ public. bta. net. cn

经　　销:新华书店发行所

印　　刷:海军政治部印刷厂印刷

开　　本:A5

字　　数:370 千字

印　　张:14.875

印　　数:1—50000

版　　次:2006 年 1 月第 1 版

印　　次:2006 年 1 月北京第 1 次印刷

ISBN 7 – 5033 – 1904 – 6/I · 1501

定　　价:26.00 元

谨以此书

献给共和国战略导弹部队

目　　录

第 一 章

　　大功团团长石万山今年真是流年不利。这不,刚一开春,他就遇到了自己命运的倒春寒,本来该他好好露脸的节骨眼上,却找不见他的踪影。

　　石万山本该露脸的机会就是在 DF－88 新型导弹定型实验的观摩场上。DF－88 已基本定型,今天要一次性发射三枚,一枚打到西北,一枚飞至西南,一枚射向东北。这样的展示,在导弹部队的历史上,即便不说绝无仅有,至少也是屈指可数。如果它表现出色,就标志着中国新的护国长剑铸造成功,马上可以批量生产。导弹工程兵师的下一个主要任务,就是为这把神奇威武的巨无霸长剑打造安全牢固的剑鞘。

　　观摩大厅正前方竖立着巨大的液晶显示屏幕,屏幕上方张挂着十六个鲜红夺目的大字:严肃认真,周到细致,稳妥可靠,万无一失。这是当年周恩来总理为测试导弹发射操作的官兵题写的,一直成为二炮官兵的工作标准和座右铭。大厅前两排将星闪烁,几个白发皓首的导弹专家夹杂其间。第二炮兵副参谋长周剑锋少将坐在第一排正中,一反往日的威仪,与专家们谈笑风生。不时有人到前排来向首长敬礼,谦恭地聆听上司亲切而不失威严的问话。

音乐响起的同时,巨大的水晶吊灯暗淡下去,大厅安静下来,所有目光都投注到正前方。屏幕上,自左至右显示出四个画面,深邃的山谷里耸立着一个高大的塔架,宽阔的海面上停泊着一艘驱逐舰,辽远的草原上露出一口发射井,茫茫的戈壁滩上摆放着一只巨大的白色球体。

果断沉着的操作口令响起,准备! 开始!

山谷中的隐蔽发射井口悄然打开,八个战士合作操纵着一台移动导弹发射车,一枚导弹从井口慢慢伸出头来,随着塔架的缓缓竖起,灰色弹体上鲜红的 DF－88 字体映入众人眼帘。大厅里的寂静正可以用老掉牙的"地上掉了一根针都能听得到动静"来形容。猛然,DF－88 像一条不耐蛰伏草丛的巨龙,腾空而起,喷吐着火舌斜刺苍穹,向数千里之外的目标怒飞而去。一时间,人们屏住了呼吸。

紧接着,驱逐舰上的导弹发射架升出甲板,湛蓝的海面上迸射出一道耀眼的强光后,DF－88 如火山喷射,裹挟着烈焰直刺蓝天。

转眼间,大漠孤烟直、长河落日圆的景象映入众人眼帘。地老天荒的茫茫沙漠中,巨大白色球体静静地等待着飞来的导弹。

雄浑豪迈的男声通过扩音器回荡,"一号飞行正常,二号飞行正常,三号飞行正常。预计十五分钟左右相继飞临目标。报告完毕。"

等待中,观摩大厅依然鸦雀无声。

三枚导弹几乎同时准确击中目标,白色球体靶标被彻底摧毁。

静穆的大厅里,突然爆发出热烈的掌声,夹杂着后排炸雷般响起、很富穿透力和感染力的"哈哈哈哈",以及"真神!""太棒了!""国威军威,看我二炮!"的欢呼雀跃声。大家都不由自主地回头张望,然后就笑了。不出众人所料,发出"哈哈"的,果然是人称"狮长""狮子王"的导弹工程兵师师长顾长天,他虎背熊腰的右侧,正是细臂瘦腿的师政委成南方,这两人在一起很有漫画效果。虎踞龙盘两人左右的,是导弹师三员猛将——英雄团团长杨得胜、红旗团团长张志勇、先锋团团长高建瓴,在"狮长"的感召下,他们兴高采烈地跟着连喊带叫。前排马上有将军以目光和下巴示意,让顾长天坐到前面去,"狮长"使劲摇头,比划着手势表示自己不去"越位"。

　　紧接着,满屋子喜悦和自豪的人,全都情不自禁地站起身来。周剑锋中等个头的健壮身躯比平时更为挺拔。平时不轻易动感情的他,紧握住右边老人的手,使劲摇晃,满脸是笑,"贺院士,祝贺祝贺,热烈祝贺!成功了,太棒了!"

　　贺院士眼镜片后隐约有泪花闪烁,声音颤抖,"发射也很精彩,同贺同喜。"

　　周剑锋仍然把贺院士抓得牢牢实实的,眼睛熠熠发光,"院士,什么时候可以装备部队?"

　　"这是计划中最后一次试射,估计一年后能批量生产,那时就可以装备部队了。周副参谋长,DF - 88 需要的阵地,什么时候能建成啊?"贺院士紧盯住周剑锋的眼睛,反问道。

　　周剑锋终于松开手,转身喊道,"顾长天——"

　　"到!"顾长天狼行虎步奔过去,圆脑阔脸上,一双豹眼闪闪发光,蒲扇般的大手始终举在耳旁行礼。

　　"顾师长,现在告诉你吧,你们正在修建的石破天惊—世纪龙工程,就是为 DF - 88 筑的巢。这柄新型护国长剑的威力,刚才显示过了。请你告诉贺院士,什么时候能把剑鞘打造出来?"

　　顾长天情绪高昂,带着对工程兵师绝对自信的笑容,"啪"地又一个敬礼,"是!"一转身,扯开高门大嗓,"石万山——"

　　没人回答。

　　声音至少提高八度,"石万山——"

　　还是没人答应。

顾长天急了,忘了身处的场合,忘了眼前是总部领导,也忘了旁边还有专家和其他首长,狮吼起来,"怎么回事?石万山呢?"

成南方在后排急得直向他摆手,顾长天意识到自己的失态,赶紧压低声音对周剑锋解释,"首长,这个工程的龙头是大功团承建的,石万山是大功团团长。"

这时,一个中尉气喘吁吁从外面跑进来,敬礼报告,"首长,观摩开始前,石团长就走了。"

"走了?他吃豹子胆了吗?""狮子王"的黑脸气得煞白。

"报告首长,山体滑坡,把龙头工程的主洞口埋住了,情况紧急,石团长回部队了。他说不敢打扰首长,交代我等观摩结束后再向首长汇报。"

顿时,观摩大厅重归沉寂。工程兵师刚才龙腾虎跃的几个人全傻了眼。片刻后,周剑锋声音低沉,"有多少人在洞里,你知道吗?"

中尉低下头,"八个。"

霎时,所有人雕塑般凝固了,大厅里静得可怕,每个人都听得见自己的心跳。

顾长天铁青着大黑脸,豹眼几乎要突出来。成南方瘦削的脸上挂上一层霜,两片薄薄的嘴唇死死地抿着。片刻,周剑锋威严地对秘书说,"马上接大功团。"大步流星往外走。

群雕活动起来。人们一个个神情肃穆地离开,偌大的厅里,只听得一声声叹息,一阵阵沉重的脚步声。

山体滑坡,这个突如其来的坏消息,一下把新型战略导弹发射成功的喜庆气氛破坏殆尽。

早春时节,北京阳光灿烂花娇柳媚,而在太阳山地区,却正是气候最恶劣的时候。绵绵不绝的连阴雨,淅淅沥沥凄凄惨惨地昼夜下个不停,日息月隐,苍穹冥冥。满地都是污泥浊流,满世界都阴晦潮湿。在这样的地方,在这样的日子里,人也似乎阴湿发霉,随时能被拧出水来。

一年里难得见几次太阳的太阳山,山体庞大,纵横绵亘,在导弹阵地设计工程师眼里,它的等高线也很符合条件,这样的山体和地貌,是让战略导弹藏龙卧虎的好地方,再加上太阳山地区终年多雨的气候条件,都使得它被首选为建筑战略导弹洞库的最佳地域,因为无论是隐蔽还是机动作战,它都是一个天然的伪装网。

天时地利都具备,"石破天惊"龙头工程自然落户于此。然而,谁也难以预料,龙头工程主坑道的切口刚被切好,就遭遇到连续几十天的霏霏淫雨。终于,坑道切口不能承受山体泥石滑坡之重,被泥石流淹没了。

曲折蜿蜒的盘山公路上,一辆迷彩外壳的切诺基开着大灯,在迷蒙雨雾中颠簸穿行着。石万山紧绷着脸坐在副驾驶的位置上,浓眉下一双深邃锐利的眼睛直视前方。线条硬朗棱角分明的脸庞,刚毅霸气的板寸发型,笔直挺拔的腰板坐姿,使得这位四十多岁的导弹阵地工程主攻团团长,周身透出一股肃杀的英武之气。

连阴雨对这个切口的杀伤力就这么大吗? 是天灾还是人祸? 到底是哪个环节的问题呢,施工不当,还是设计上的纰漏? 石万山蹙起眉头,苦苦思索。可是,按理说,这么重要和大型的导弹阵地的设计,历来都是由二炮工程院总设计师秦怀古亲自主持,秦老历来以工作严谨和要求严格著称,从来没有出现过失误,怎么可能呢? 不,绝对不可能!

他下意识摇头,否决了这个思路。

且不论是什么原因吧,整个工程兵师一年的伤亡指标是多少? 只能在万分之一点五以下! 这下倒好,自己团里一下就给埋进去八个! 这些人目前是死是活? ……忧虑和焦灼,使他的眼神更为深邃,面容更为凝重。万一……万一他们有什么闪失,自己的军旅生涯走到了尽头不说,从此心灵一辈子都不得安宁。

修了二十几年导弹阵地,石万山早已熟谙导弹阵地的特征和脾性。为了隐蔽,开口要小;为了防御核袭击,坑道要长;为了能多存放导弹,库容要大。小口子、长脖子、大肚子的导弹阵地,哪一块骨头最难啃,他一清二楚。刚一切口就出了天大的事,真不是好兆头啊!

想到这里,石万山不由打了个冷噤,命令司机,"开快点,再快点!"

司机用左手飞快地擦一下额头的汗水,偷觑一眼右邻的脸色,小心翼翼地回答,"团长,下雨,路滑,这路上很危险。"话虽这么说,速度还是有了提高。

寒风挟着冷雨,似乎永不疲倦地向玻璃窗袭来;黛色的山峦,静默的莽林,陡峭的峰岩,峻壁下奔腾的涧流,犹如一幅幅苍凉凝重的油墨画卷,不断从车窗两边漫过。

突然,一股山洪席卷着泥石流呼啸而下,"哗"地落在车后。

好险!

浑身泥泞像只脏猴子的切诺基,七拐八弯,上坡下坳,渐渐地,连山坳上寥落依稀的村寨民居也见不到了。除了汽车发动机的轰鸣,山林间死一般的寂静。

一根横木杆出现在眼前,旁边是醒目的告示牌,上书鲜红的大字:"军事禁区,未经允许,不准入内。"两个战士头戴墨绿色的钢盔,手持乌黑锃亮的冲锋枪,肃穆庄严地伫立在雨中的告示牌旁。切诺基减缓速度到面前时,两人立正,挥舞着小红旗,姿势很优美。

汽车戛然停下。七星谷禁区第一哨——七星谷检查站到了。

"首长,请出示特别通行证。"哨兵神情严肃冷峻,口气不卑不亢。

司机的验过了,石万山还在一个口袋一个口袋地掏,额头上沁出了冷汗。糟糕,身上根本没有。

司机看看石万山，跳下车，拍拍哨兵肩膀，"你没见过团长？出事了你不知道？今天请你们就特事特办，通融一下吧。"

圆头圆脑十分壮实的哨兵庄重地向司机敬个礼，然后一副六亲不认的架势，"对不起，没有证件不能放行，这是规定。"

司机瞪圆了眼睛，"工地塌方了，你不知道？"

哨兵对已经站到面前的石万山敬礼，"对不起，团长，不管什么情况，我们只认证不认人，这是规定。如果您的证件实在找不到，那就只能请保卫股长来领您进去。这也是您给我们定的军规。请原谅。"

石万山庄重地向哨兵回敬军礼，"好样的！没有证件，就是天王老子玉皇大帝来了，也不让进！"一拍脑瓜子，"这记性！"

他奔回车里，从驾驶舱的小抽屉里翻出证件，如释重负递给小胖，脸上露出笑容，"哪个营的？叫什么名字？"

受到表扬，哨兵笑得天真灿烂，"谢谢！"还回证件，清脆响亮地回答，"我们是一营的！我叫王大伟，他叫孔跃，跳跃的跃。团长，再见。"

"再见。你们都是好样的！"

司机抹一把脸上的雨水，拉开车门刚要上车，被一只大手拽住动弹不得。他一愣神，石万山噌地跳到方向盘前，迅速系上了安全带。司机一脸无奈，赶忙从另一边上车。

"把我的证件拿好。二道岗，三道岗，不能再耽误时间。"石万山猛地一踩油门，切诺基轰的一声迅疾蹿过检查站。

"团长，路滑……"

"啰嗦！快系上安全带！"

沿着盘山公路，切诺基上下左右不停地颠晃着，朝黑黢黢的深谷驶去。

群山笼罩在灰蒙蒙的雨雾中,时隐时现出黑黢黢的粗犷轮廓,七星谷深谷山体滑坡处,丝丝密密的雨帘下,两台挖掘机不停地工作着。

三十多岁的大功团一营营长张中原皮肤熏黑,面相淳朴厚道,中等个子壮硕敦实。他带领战士蹚着没膝的黑色泥浆,在挖掘机的空隙里抢挖泥石,头上脸上不时滚下汗滴和雨水。

一级士官方子明一边挖着,嘴里同时嘀嘀咕咕,"营长,我说了开工那天要杀只鸡祭山神,你们领导不听,还批评我,你看现在……"

"还胡说! 话太多了,给我加紧干!"张中原瞪他一眼。方子明做个鬼脸,低头闷声挖起来,动作频率比刚才翻了倍。

又有两辆挖掘机面对面开了过来,左边一辆尚未停稳当,身材矮小其貌不扬的团政委洪东国就跳了下来,大声吼道,"张营长,把你的人撤下来! 别添乱了!"

平时总是温文尔雅笑眯眯的洪政委突然发火,把张中原吓了一跳,一时有些不知所措。他抬起头,脸上的水流趁机溜进他嘴里,他喉间咕噜一声吞咽下去。

战士们停止挖掘,都露出不解的表情。

洪东国马上为自己的态度自责起来。取下蓝色头盔,抹去脸上的水珠,刚才面目模糊的他,立刻显现出一张白净的脸庞。他冲张中原笑笑,那意思就是道歉。好脾气的洪政委发脾气自有其原由,他刚接到师部电话,师长政委在指示要不惜一切代价抢救士兵的同时,言语之中责备他没有把好安全关。

张中原走过来,憨厚地笑笑,咂咂嘴,"政委,这么多挖掘机,施展不开呀!"

是啊,刚开过来的两台挖掘机,就像两头红了眼的斗牛,相互死死抵着犄角,互不相让去路。

洪东国长叹一声。这叹息似乎是对挖掘机的专门指示,两台机器应声停了下来。

几乎与此同时,泥牛般的切诺基一个急刹车横亘到挖掘机前。

"老石!"洪东国叫起来。

张中原惊喜地叫道,"团长回来了!"

"老洪!"石万山以猛虎下山的姿势跳下车,趋前与洪东国握手,"情况怎么样了?"

"还没有大的进展。"洪东国脸色暗淡下来。

"走,带我去看洞口。中原,你也来。"

三人深一脚浅一脚往坍塌的洞口走去。

正环绕着洞口四处走八方看时,石万山突然脚下一滑,挣扎两下,最终没有站稳,仰面摔倒在泥水里。洪东国和张中原赶紧把他拉起来。泥浆从石万山头上往下流淌着,他往后捋了捋头。

"老石,你赶紧回去换衣服。"洪东国看着他,直心疼。

"没必要。现在分秒必争。"

"团长,这样会生病的……"张中原眼睛里饱含焦灼。

"别说了,战士们的棉袄早就湿透了。"他抬腕看手表,"现在四点二十七分。准确的出事时间清楚吗?"

"上午九点零五分。"张中原回答。

天爷,都七个多小时了,洞里肯定没有多少氧气了。人命关天啊,他们现在到底怎么样了? 千万别出大乱子啊……一时间,石万山脑子里乱哄哄的。

"张中原,这么长的时间里,你们都干了些什么?"

"我们一刻也没停过,一直在挖。还有,为了尽快将坑口挖开,我们用了简易快速架设的抗滑桩,把上边的滑渣挡住,防止它们继续下滑,"张中原显出委屈的神情,嗫嚅着,"挖掘机施展不开,起不了大作用,又不敢用大型机械,大张旗鼓干的话,怕敌人的间谍卫星拍照……"

"嗯，抗滑桩用得好，不然都是在做无用功，"石万山神情缓和下来，"中原，你马上去准备炸药。"语气一下又变得斩钉截铁。

洪东国吃了一惊，"老石，用炸药干什么？"

"刚才看了滑坡后的地形，我发现必须把这个土包炸掉，再从三营调来两台挖掘机，六台机子，形成一个环行阵势，轮番挖，才能以最快的速度救人。中原，快！"

"是！"张中原转身就跑，心里直骂自己，你怎么就想不到呢？真蠢，真笨！

洪东国忧心忡忡，"老石，用炸药会不会影响主坑道？万一把主坑道给震塌了，那可就适得其反……"

"老洪，考虑周全是必要的，但掌子面太小，兵力展不开，时间不等人啊，"石万山目光炯炯，"按这种挖法，明天早上都还挖不到，即使挖到了，恐怕也晚了。坑道只有二百多米长，缺氧严重。"

大事临头，石万山立刻显示出他鹰派人物的性格，"老洪，工程上的事，由我负责，出了事故，是我的……"

"老石，你这是什么话，"洪东国制止住他，诚恳地说，"我不是不同意用炸药，更不是怕担责任，只是担忧……不说那个了。事故是你不在家的时候发生的，如果有个什么万一，责任当然应该由我担当。你赶快回去吧，瞧你，脸都冻紫了，嘴唇是黑的，快回去换衣服吧，我留在这儿。"

洪东国脸上眼里都是疼惜。

"我还能挺得住，没事，"对洪东国的真切关怀，石万山打心底里感动和感激，但这个铁骨雄风的硬汉，嘴巴历来不会"来事儿"，只是用感激的目光看着自己的搭档，真挚地说，"老洪，我是工程总指挥，用炸药又是我下的命令，一旦出现什么情况，我还能撇得开责任吗？还有，我是二十多年的老工兵了，这种场面经历得多，经验丰富，当然得留下来指挥战斗。老洪,你快回去吧,团部还有很多事情等着你这个政委去处理,师里随时会来电话,我们两个不能都不在。"

洪东国再找不出理由,只好无可奈何地,"好吧。老石,千万小心啊!"

"放心,我会注意的。老洪,再见。"扭头高喊,"张中原!"

"到!"

"炸药备好了吗?"

"报告团长,备好了!正在等候命令!"

"好!你们听着,现在,挖掘机后退五百米待命!爆破手准备!"

战士们迅疾退出刚才的岗位,分头忙碌起来,其中十几个戴着红色头盔的战士,操着新拿到的各种工具,又纷纷冲了上去。

张中原大喊,"再上一个班,快!齐东平,方子明,跟我去埋炸药。快!"

一连一排代理排长齐东平、一级士官方子明应声而到,抱着雷管和炸药飞快地冲了上去。

石万山喊道,"挖掘机都不要熄火,先在这边排成一字梯队,等爆破后,马上从右侧向左侧挖,然后形成一个环形阵势,轮番挖。张中原,你们要一次性把土包削平,不能炸个大坑。"

张中原、齐东平、方子明异口同声,"保证完成任务!"

"砰!"惊天动地,地动山摇。阻碍兵力展开的土丘瞬间被夷为平地。

"成功了,成功了!"灰头土脑的齐东平和方子明欢呼雀跃。满脸黑硝的张中原憨憨地笑,露出一口洁白整齐的牙齿。

六台挖掘机依次向出事地点开去,六组战士紧紧跟随着,见缝插针地清理它们残留下的泥石。

没等硝烟散去,张中原一头冲了进去,旋即跑出来,兴奋地大叫,"团长,快来看,主洞口现出来了!"

石万山疾步过去,看到洞口,长长地嘘出一口气,"一九九四年那回,你们闷进去多长时间?"

"二十一小时零十八分钟。"

"那时坑道打了多深?"

"三百二十七米。"

石万山一把抓住张中原的臂膀,"中原,他们还有救!"

石万山松开手,双腿有些颤抖,感到自己好像要虚脱。他闭上眼睛,喃喃自语,"谢天谢地。"手哆嗦着上下摸烟。猛然想起已经戒好几年了,脸上浮现出自嘲。

扫除障碍后,挖掘机层层深入,速度突飞猛进;剩下不大的一个土丘时,战士们改用铁锹挖;最后,大家用双手刨,刨啊刨,很多人的指甲都刨没了,鲜血直流,但没有人停下来。他们一边刨着石渣泥块,一边呼喊着战友的名字,有人失声痛哭,有人喃喃祈祷上苍保佑洞中战友平安无事。他们的泪水、汗水和血水融合到一起,滴渗进地上的污泥浊水之中。

横七竖八倒在洞里的八个战士,终于被战友们柔韧的手给刨了出来。大家用最快的速度把他们抬上担架,抬到洞外的救护车上。早已等候着的医生护士们急忙围上去,麻利地做应急处理。

石万山焦急又充满希冀地问,"老刘,他们没有生命危险吧?"

"应该没有。只是有两个人伤势比较重,必须尽快输血,"医务队队长老刘忙得顾不上抬头,"团长,尽快送他们到小广场,直升机等在那儿。"

一群战士又七手八脚忙碌起来。救护车载着八条年轻的生命,带着大功团官兵殷切的期望,"呜呜"鸣叫着,风驰电掣而去。

大功团八个战士施工受伤入住医院的消息,很快传遍二炮各级单位各个部门,搅得上上下下忐忑不安。年届花甲的工程院总设计师秦怀古，得知此事后，趁医生护士不注意，立刻从病房里"逃"了出来。回到家，身体消瘦面容憔悴的他，立即戴上老花镜，弯腰盯着摊开在写字台上的设计图纸，一个图标一个图标仔细地观察。他的书房整洁雅致，南面是一排高顶天花板的大书柜，其他三面墙壁上全都挂着各式各样的设计图纸。

咚，咚，咚，响起三声轻柔的敲门声。

"是丹雁吧？请进。"

门被轻轻推开，一张轮廓分明的脸庞随即闪现出来，一双仿佛能透视世间一切的美目，灵动，内涵无比丰富，也使这张原本显得个性强烈的脸平添上妩媚生动。有人把"美女"分为三等，说只有一等美女才是真正的美女，远看漂亮不能近看的女人属三等美女，近观漂亮不能细看的女人属二等美女，远看近观都耐看、怎么看怎么漂亮、且须具备脱俗出众的气质的女人，才算是不折不扣的一等美女。林丹雁符合"一等美女"的全部条件。

"秦老师，您好。"林丹雁推门进来，高挑的个子姿态优美。

"丹雁，你过来。七星谷一号洞出事了，山体滑坡，埋住了洞口，闷进去八个人……"秦怀古指点着图标上的"七星谷"，声音嘶哑。

"啊?!"她惊叫起来，声音仍是轻柔的。

"幸好没死人，但重伤了两个。工程部王部长叫我们去现场看看。"

林丹雁呆立着，一时心乱如麻。虽然年龄才三十出头，她已经是秦怀古的助手，是石破天惊一世纪龙龙头工程的主要设计者，七星谷阵地，正是她独立担纲的第一个大作品。好半天，她才缓过神来，幽幽地说，"设计时，我充分考虑到了太阳山地区复杂的地质结构……"

"我相信你的责任心和能力，它应该与你的设计没有关系，别担忧，哦?"秦怀古安慰道。

“那,会不会施工上有问题?”

“应该也不是。我也了解石万山,了解他的大功团。山体滑坡,估计连阴雨是罪魁祸首……”

“石万山? 他还在大功团?”林丹雁抑制不住,几乎是喊了起来。

“是啊。”秦怀古抬起头,端详着她,“小林,怎么啦?”

“哦,我对石万山还在大功团有些意外,”林丹雁伏下身子,察看着图标上的“七星谷”,借以掩饰自己的失态,“以为他早就高升了。”

“丹雁,你早点回去吧,准备一下,明天早上六点钟我们飞汉江,多带点资料,换洗衣服也多带几件。这次你可能要在七星谷呆一段时间。我们必须在技术上确保施工人员的生命安全。”

“好的。那我回去准备一下,老师再见。”出了门,林丹雁的心脏依然狂跳不止。

凄凄切切连绵数月的小雨,在人们似乎看不到尽头的绝望中,终于停住了。一轮久违的太阳,隐藏在厚厚的云层后面,偶尔犹抱琵琶半遮面般羞答答露一下脸,又急惶惶地躲了回去。营房远处,群山被雨水洗得一尘不染,碧绿的颜色近乎失真;窗外,百年大槐树老枝发出新芽,诱人的嫩绿,告示着春天终于来临。

一营营部的活动板房里,张中原两眼直勾勾地盯着窗外的大槐树,呆呆地想着心事。齐东平站在门口好几分钟,等着被召见,发现这招行不通,只好高声地,“报告!”

张中原回过神来,“进来。学完了?”

“学完了。”

“查清楚了吗,昨晚在一号洞口放的说是辟邪的鞭炮,是谁买的?”

“方子明。”

“混账! 他还嫌乱得不够?”张中原的火气抓住时机,轰地蹿了上来。

齐东平慌乱解释,"营长,上个月,雷电劈了太阳树村两棵老柏树,有人说必须……我批评了他,他已经承认不对……"

"行了行了,你们这叫什么,我看是叫兵兵相护。"张中原没好气,"这次就算了,这串鞭炮,算是庆祝他们八个人死里逃生。以后,谁再受这种迷信传言的影响,看我怎么收拾他。去吧。"

齐东平磨磨蹭蹭的,显然还不想"去",却又不开口。

"还有什么事吗?"

"没有,没什么。"忽然下定了决心,"营长,听说要追究责任……"

"追究也追究不到你头上,你已经尽职了。放心吧,这件事不会影响你提干的。团长说了,还要为安全员请功呢。"

齐东平顿时眉开眼笑,运足精气神,"啪"地一个敬礼,"谢谢营长!"欢天喜地跑出去,路遇正往小广场去的石万山和洪东国,笑吟吟行礼,"首长好!"

"有什么好事,笑成这样?"洪东国问。

"有……没有! 两位首长再见!"一阵风似的没了踪影。

洪东国浅浅地笑笑,"不知要到什么时候,那八个战士才能这样活蹦乱跳。不过他们没有生命危险,也够庆幸的。我一生中最漫长的时期过去了。"

"不是一生,是前半生,"石万山认真纠正他,"老洪,看七星谷的石头,我早就知道龙头工程很难一帆风顺。只有伤没有亡,而且重伤只两个,老天够照顾我们的了。怕的是,这还只是个下马威……"

"团长,政委,我正找你们呢。"张中原风风火火跑过来,"我是不是带人把一号洞口清理一下……"

"急什么? 现场先留着! 让首长和专家看看,到底是天灾还是人祸。"石万山瓮声瓮气。一股情绪上来,他飞起一脚,一块碎石便划着弧线连滚带爬。

洪东国拍拍张中原肩膀，"整顿学习，整顿学习，可以多学习嘛！内务条令，保密规定，都行。其他事情先别操心了。去吧。"

张中原遵命，走出十几米远，又听石万山在背后高喊，"张中原，今天在谷口值班的王大伟，还有孔跃，原则性强，严守纪律，每人给一次嘉奖。"

洪东国走近石万山，"老石，师首长马上就到了，你这情绪，少说话。不管怎么说，咱们团确实出了事故。"

"老洪，你也听到了师里郑浩副参谋长打电话的口气，把我们当新兵蛋子啊？我憋气……"

"哎，老石，等会儿见到他，脸可别拉这么长，他毕竟是师首长，是咱们的上级领导。"

"放心，党的组织生活原则我倒背如流。"

洪东国笑笑，"我哪能对你不放心啊，只不过天生一副婆婆妈妈的心肠，老忘了看对象是谁。郑浩怎么看，由他去，不是还有专家组吗？他说什么，咱先听着。"

"放心吧，我不是爱斗架的乌眼鸡。"

两人互相看一眼，都大笑起来。

石万山用手搓搓脸，"我还以为自己再不会笑了呢。等专家的意见吧。师长他们该到了。"

说曹操，曹操到。一架小型军用直升机沿着山谷飞过来，降落到伪装成彩色的小广场中央。顾长天一马当先冲出机舱，成南方紧随，师副参谋长郑浩断后。郑浩中等个子瘦而不弱，斯文沉静的脸上架着一副金丝边眼镜，看上去矜持稳重，彬彬有礼，使他显得比三十七岁的实际年龄要老成。只有走近他，盯住那副镜片后的一双眼眸，才能察觉到他眼角眉梢间遮挡不住的狂傲之气。

石万山和洪东国急忙迎上前，一一行礼。敬礼、回礼各自完毕，顾长天问石万山，"现在在忙什么？"

洪东国抢先开口，"首长，接到师里指示后，我们意识到整顿学习十分重要……"

顾长天大幅度摆手，"行了行了，我们不是来听检讨的。龙头工程出师不利，这可是件天大的事。耽误了工期，耽误了新型战略导弹布防，谁也负不起这个责。石万山，你别弄一脸深沉给我看，觉着委屈是吗？"

"首长，石某人岂敢，表情深沉是因为心情沉痛。两个重伤战士的腿，还不知道能不能保得住。"

顾长天冷笑一声，"石万山，你应该庆幸，庆幸你的八个人还活着！切口难，刚切口又遇上连阴雨，你们的运气确实有点背，是吧？不要以为自己什么大风大浪都经历过，就满不在乎。"

"是，谨遵首长教诲！不过，我要为自己辩白一句，我对所有的山石都充满敬畏。"

成南方岔开话题，"爆破救人，是谁的主意？"

这回，石万山抢先开口，"团党委的集体决定。"

洪东国说，"是老石提出来的。如果没有老石的当机立断，后果也许不堪设想。"

郑浩一直冷眼旁观着局面，却突然轻声笑起来，移步石万山面前诚恳握手，"石团长，真佩服你的胆量，不，是胆识。谁敢横刀立马？唯此石大团长！万一炸伤炸死了人……"

石万山怔愣片刻，反应过来，"郑副参谋长过奖了。我谈不上什么胆量、胆识的。安全员说，当时看见山坡上的树在往下移动，就告诉战士们别往外跑。凭经验，我断定他们被埋在最里面。万一炸伤炸死了人，郑副参谋长这回就只能在军事法庭上看见我了。"

"石团长看来是误会我了，我是真心佩服。"郑浩讪讪地笑。

顾长天瞥他们一眼，高门大嗓嚷嚷了起来，"王部长和秦总他们到了没有?"

"王部长已经到了,秦总他们很快就到。首长,咱们走吧。"洪东国说。

一行人甩开步子朝团部走去。

军用吉普车一路上蹿下跳,把秦怀古和林丹雁颠进七星谷。一道道严密关卡,一次次严格检查,使迎驾的保卫股长卫建中有些过意不去,却是十分自豪的口吻,"真是不好意思,我们的保卫措施很严,给两位专家添麻烦了。"林丹雁开玩笑,"每次进七星谷,我都能体会过五关斩六将,难能可贵啊。"秦怀古脸色苍白,声音有些虚弱,"你们做得很好。七星谷阵地太重要了。它投入使用后,东部一百四十多万平方公里国土的安全系数,能提高很大一步。东部可是咱们国家最富裕的区域呀。敌特分子的嗅觉很灵敏,不严防不行啊。"

说话间,团部到了。

团部会议室宽敞明亮,长条会议桌摆放中心位置,桌上放着两瓶鲜艳的野山花,墙壁上,高悬着"爱二炮,爱阵地,爱本职"的大红标语。端坐长条桌正中间的是二炮工程部部长王远庆,以王远庆为界线,左边依次是正在主持会议的顾长天、石万山,右边是成南方、郑浩、洪东国。龙头工程技术分析会刚刚开始。

秦怀古和林丹雁走进会场,引起一阵小小的骚动,会议暂时中止。全都站起身来,但在这个场合中,握手问候是王远庆、顾长天、成南方的专利,"秦总,一路辛苦了。""林工程师,欢迎你。"

向来沉静持重的郑浩竟然废除纲常,一把抓住林丹雁的手,"认识一下。郑浩,工程兵师副参谋长。"

"林丹雁。郑副参谋长好。"

猛一看见林丹雁,石万山惊异得变了脸色,心跳"咚咚"作响如擂鼓。好不容易平静下来,林丹雁已经到了跟前。石万山不知该向她敬礼,还是该与她握手,犹豫间,林丹雁已经弃他向洪东国而去。

"洪东国,大功团政委,热烈欢迎",双方握手,"刚才那位是我们团长,"洪东国心细,看见了刚才一幕,特地指着石万山做介绍。

"认识,几年前见过。"林丹雁淡淡回了一句。

一番论资排次,谦让拉扯,终于都坐定下来。石万山正好与林丹雁面对面,这使他很不自在。郑浩坐在秦怀古的正对面,林丹雁的旁边,这使他很兴奋。

秦怀古向全体人员介绍,"小林是我的助手,是七星谷阵地的主要设计者,比我更熟悉情况。为了及时解决各种技术问题,工程设计院决定派她来这里担任技术总监。"

众人热烈鼓掌。

郑浩侧转身子去看林丹雁,脸上春风荡漾。

石万山脸上阴晴变幻,眼睛始终盯着虚无缥缈的远方。

"小林,你先谈谈。"秦怀古向她颔首微笑。

林丹雁站起来,深潭秋水般的眼睛波光激滟,"秦老师,各位首长,对不起,现在我无从谈起。我想现在就去现场,然后才有发言权。"

顾长天沉吟片刻,"好! 石万山,你带路,我们都去!"

大家分头坐进几辆汽车。成南方和洪东国坚决把秦怀古拦住,让他先好好休息。"身体是革命的本钱嘛。""您老的身体更是我们的宝贵财富啊。"两人你一言我一语,软硬兼施,总算把脸色蜡黄淌着虚汗的总工程师给拦下了。

石万山和洪东国坐在迷彩切诺基的后排,郑浩紧跟着林丹雁上车,与她同坐前排。一路上石万山默默无语,郑浩则对芳邻问话不断。带够了生活用品没有,在这儿习惯不习惯,家里有没有什么牵累,有什么样的业余爱好,等等;快到目的地时,话题一转,"林工,我对技术不太熟悉,以后你得多帮助我呀。"

"哪里,应该是我请郑副参谋长多指教。"

"那我们以后就互相帮助,共同提高吧。"郑浩摆出半开玩笑的姿态。

阵地离团部只有一公里多的路程,说话间就到了。

林丹雁洞里洞外不断出出进进,对每一个细节都看得非常仔细,不时在本子上记录着,间或向洪东国询问各种情况。

石万山看着,听着,一言不发,面无表情。

顾长天在另一个洞口朝林丹雁大喊,"小林,说说你当初的设计构想。"

林丹雁紧跑几步追上去,喘着粗气,"是。太阳山一带,是典型的喀斯特地貌。一号、三号两个洞口相距十六点八五公里,这么长的山体里面,具体又有些什么样的地质结构,事先很难搞清楚。这个问题,在勘察设计阶段就提出来过。"

"这种地形地貌很难对付,我知道,以前当团长时碰到过。"顾长天说。

"从目前这二百多米切口来看,这个主体坑道的开凿,难度可能会超出顾师长的想象。"

"哦? 我的想象,此话怎讲?"

"搞设计,也得知己知彼啊。"林丹雁活泼起来,开了个玩笑,马上又正色,"这么长一个主体坑道,对贵师来说,的确是个新课题。以前,顾师长的爱将,这位石大团长开凿过的最长坑道是八点七八公里,对吧? 所以,我对大功团说只用三个营的兵力,只用两年工期,就能打通这个主体洞,保留看法和意见。"

"这丫头,厉害呀! 石万山,说话啊。今天怎么跟个哑巴似的?""狮长"瞪眼。

"请林工程师相信我团的战斗力。何况,我们添置了六台大型凿岩台车……"

"问题是只能从两个方向开凿,你们就是有六十台凿岩台车也没用。"林丹雁没好气。

"办法总比困难多。"

"石万山,你让人家说完嘛。"王远庆权威性地开了口。

"王部长,我说完了。"林丹雁笑笑。

成南方保持着慢条斯理的风格,"兵力不足,确实是个问题。世纪龙工程启动后,我们师一下承担了十六个阵地的施工任务。白山黑水的东北,戈壁沙漠的西北,雪域高原的西南,到处都有我们新开辟的战场。这些阵地哪个都很重要。但是,最重要的还是七星谷这个龙头工程。所以,你们大功团在工程上要多想办法。"

"请首长放心,必要时,我们会设法增加作业面,并且要充分发挥机械作用,努力挖掘科技潜力。"石万山赶紧表态。

顾长天鼻子里哼一声,豹眼柔和起来,石万山知道这是"狮长"表示满意的一种方式,刚有如释重负之感,"狮子王"的黑脸又拉长下来,转向林丹雁,"请林工谈谈这次事故的原因。"

"是。刚才我进行了仔细的察看,细致的分析,初步得出结论,大功团的施工是合理的。这次事故,由山体滑坡引起,责任在连阴雨,与施工没有关系。当然,我还要作进一步的调查研究,也需要听取秦老师的意见,然后再作定论。炸开土丘救人的应急方案,用得大胆及时,否则后果不堪设想。"

石万山看她一眼,欲言又止。

洪东国喜眉笑眼,"林工,炸开土丘救人是石团长的主意。"

林丹雁不作任何表示,郑浩脸上浮出疑惑之色。

王远庆说,"听了林工的初步结论,我们心里的石头放下了一大半,现在,趁热打铁开个现场会吧。先传达一下首长指示。昨天,二炮刘副司令员、司令部周副参谋长,叫我去谈了仨小时。他们代表二炮党委,让我转达大首长的几点意见,一、七星谷阵地,事关国家重点地区和核心地区的战略安全,两年内建成的决心不变;二、要充分考虑到建设七星谷阵地的困难,各协作单位要把精兵强将派到七星谷,不仅要按时还要高质量地建好;三、妥善处理好山体滑坡事故。我这个工程部部长先表个态,工程部一如既往,不遗余力地支持七星谷阵地的建设。"

王远庆讲完后,顾长天说:"多谢上级部门上级领导,还有工程设计院对我们的关心和支持。昨天,我们师党委开了一天会,就是研究如何加强对重点阵地建设的指导工作。成政委马上要宣布师党委的决定。"

成南方清清喉咙,"师党委决定,七星谷,黑水岭,白石岩,沙田坝,这四个阵地,各自成立师前指,前指总指挥由师领导副职、师机关领导兼任。"

洪东国感到很意外。

石万山更是目瞪口呆,脸色急剧变化。

"石万山,你别紧张,你仍然是七星谷工程的指挥长。你在七星谷的指挥权,没人夺。师前指总指挥的权限,是负责方方面面的协调工作。"顾长天语带调侃。

郑浩浮现出不易察觉的笑容。

"我不紧张,是感到振奋。能不能问一下,哪位师首长来七星谷挂帅?"

顾长天朝郑浩一挥大手,"你来告诉石团长。"

"是。"郑浩走到石万山面前,伸出手,笑容可掬,"石团长,我主要是来向你、向洪政委学习的。"

石万山又是一怔,瞬即反应过来,握住郑浩的手,目光牢牢捉住对面镜片后的眼睛,"热烈欢迎,以后我就有幸经常得到郑副参谋长的帮助和指导了。"

"哪里哪里,本人乐意做石团长的后勤部长。"

洪东国走上前去，笑吟吟地向郑浩伸手，"我代表大功团党委，对郑副参谋长出任七星谷阵地师前指总指挥，表示热烈欢迎。我相信，在二炮首长的关怀下，在工程院专家的帮助下，在师党委的领导下，在师前指的指导下，大功团一定能把七星谷阵地建成一流的阵地。"

"谢谢！我一定努力工作，多向洪政委、石团长学习，与大家一起，把七星谷阵地建好，不辜负领导和大功团的期望。"郑浩意气风发。

成南方对眼前的情形很满意，"郑浩同志年轻，有研究生文凭，机关工作经验丰富，自己也希望能到基层锻炼。龙头工程举足轻重，事关世纪龙工程的成败，所以，师里给大功团再送来这员虎将，从此，你们更是如虎添翼了。"

顾长天又亮出他招牌的哈哈大笑，"成政委，你忘了还有一个重要因素，郑浩同志是个钻石王老五，没有家庭拖累。"

林丹雁不动声色地看着眼前的一切。

第 二 章

官场人事变动，历来最为人们关注和议论，这是几千年来的中国特色，即使在现代化的军队也不例外。师部派郑浩前来担任"监军"的决定，立刻在大功团上下引起一场五级地震，破坏性虽然肉眼看不出，但谁都能感觉到。几天来，官兵们茶余饭后的谈资，都是以此为中心议题，态度也各不相同，绝大多数人为石万山抱不平，认为郑浩有乘人之危下山摘桃之嫌；当然也有人静观事态局势，甚至还有个别人暗自窃喜。

大功团不是普通一团，它是中国战略导弹部队工程兵师第一团。曾经的中国工程兵是一个庞大的兵种，有着大军区的架子，拥有几十万兵马。然而，随着二十年前一场大裁军的风暴刮过，随着铁道兵的全部转业，几十个师的工程兵立马就只剩下一颗革命的种子，这就是现在硕果仅存的导弹工程兵师。

石万山，便是这导弹工程兵师第一团威名赫赫的掌门人。

物以稀为贵。坐在大功团团长的位置上，等于搭上了通往将军之路的特快列车。一年前，石万山就是工程兵师参谋长的强劲候选人。现任参谋长在国防大学进修,师里决定把已当了三年大功团团长的石万山调到师里当副参谋长,过渡一下,然后接参谋长的班。可当征求他本人意见时,组织得到的答复是"暂时不想动"。石万山不想当副职,再说,参谋长从国防大学回来后能否升迁,也还是个未知数呢。一来二去的,副参谋长成了郑浩。但石万山并不担忧郑浩将近水楼台而直接升任参谋长,他有自己的小算盘:只要把龙头工程顺利修好,那么,DF-88导弹进入七星谷之时,便是他石万山入主工程兵师司令部之日。

谁知一场切口事故把事情搞得错综复杂了。

林丹雁尽管初来乍到,又是局外人,却已经听到了关于石万山和郑浩紧张关系的多个版本。人有亲疏之分,感情也非一成不变。几天下来,她对石万山的感情再次发生了重大变化,她犹豫再三,终于决定主动向石万山伸出"橄榄枝"。

夕阳留下一抹残红,悄悄隐去,苍穹暗淡下来,一片暮色苍茫。林丹雁斜身倚靠在团部办公区后粗壮的苦楝树上,眼神迷蒙地眺望着远方。她约石万山前来谈一谈,可从哪儿谈,怎么谈,谈什么,她又好久找不到头绪。听到脚步声,一回头,看见石万山虎虎生威地走过来,她顿时心头小鹿乱撞,脸色涨得通红,眼睛不知该朝哪儿看才好。她告诫自己,你务必平静,过去的一切都过去了。

林丹雁努力想让表情严肃起来。

石万山岩石般立在了面前。

林丹雁绷紧着脸,神情冷漠得近乎冷峻地盯着他,又感到有点过头,想柔和表情,眼角眉梢却爬上嘲讽。石万山则眼睛里有柔情,有伤痛,更有坚毅和克制。

两人沉默地对峙着,彼此听得见对方急迫粗重的呼吸声。

"对我真的就像秋风扫落叶一样冷酷无情吗?"终于,石万山打破僵局。

　　林丹雁白他一眼，突然大笑起来，直笑得弯下腰去，捂着腹部哎哟哎哟地叫唤。

　　石万山莫名其妙，上下左右打量自己一番，觉得衣着并没有搞出什么笑料，便气恼地看着她。

　　笑够了，林丹雁直起身子，擦着笑得溢出来的泪水，"石万山，这次进山，第一眼看到你时，我就想到了一句老话，不是冤家不聚头。"

　　说罢又哈哈大笑起来。

　　"是吗？我可不敢把我们堂堂的技术总监当成冤家。"

　　"先声明一下，本人很有自知之明，知道自己是石大团长最不愿见到的人，所以绝不会主动请命当你的技术总监。事先，我根本不知道你还深藏在大山里卧薪尝胆韬光养晦，以为早就高升去了。可是，没办法啊，谁让我也是军人呢？军人以服从为天职，上级既然分配我来这儿，本人就只能给你心头添堵了。请原谅。"

　　林丹雁学着日本女人的招式，深深一鞠躬。

　　"嘴巴还是那么厉害，得理不得理都不饶人。"

　　"既然得理，干吗要饶人？我嘴巴再厉害，也不过是只纸老虎，人家不战而屈人之兵，那才叫高呢！我，小儿科，惭愧！"

　　"我怎么越听越糊涂，你说谁啊？"

　　"装什么大尾巴狼啊，你？非要我明说？"林丹雁白他一眼。

　　石万山无奈地摇头，"别误解你嫂子，她经常问起你。"

　　"那就请代为感谢我的恩人，说我经常想念她。你呢，这些年，你问起过我吗？"

　　"我成天呆在深山老林里，找谁问啊？"

　　"哼，增广贤文里就说过，穷居闹市无人问，富在深山有远亲……"

　　石万山眼睛里掠过痛楚，"丹雁，五年来，我一直想向你道歉，想请你原谅我当时的粗暴态度，想对你解释……"

"不必了。现在我感谢你还来不及呢！是你的冷酷无情拯救了我,是你的心狠手辣造就了我。如果几年前不挨你石万山当头一棒,哪有今天的女博士林丹雁？哪有七星谷导弹阵地的主要设计者林丹雁？哪有你的技术总监林……"一泓清泪顺着脸颊流淌下来,林丹雁再也说不下去。

石万山痛心疾首地凝望着她,不知如何是好。

林丹雁猛然把脸趴到树干上,剧烈地抽噎起来。

"丹雁……"声音颤抖,痛切。

"走开,你走开!"几近歇斯底里。

石万山犹豫片刻,默默地走到不远处的树丛前,仰面朝天,眼睛通红。

终于,林丹雁抽噎着抹干满脸泪水,转过身来,看见大山一样坚韧的石万山。两人对视,眼睛里都有亮光闪烁,情不自禁互相朝对方走去,不约而同地驻足。天与地都那么的宁静,他们能听得见彼此狂乱的心跳。

良久,林丹雁勉力一笑,"石团长,请放心,一切都过去了。现在,我只是你工作上的合作伙伴,只想与你一起把七星谷阵地建好。"

"丹雁,我真的不知道该说什么才好。说句谢谢吧,它是由衷的。"

"我还有话,对待工作,我从来都铁面无私。"

"你放心,大功团决不会做豆腐渣工程。"

"升官的快车道你都出让了,你是想在这儿为你的一线工程兵生涯留个豹尾,对吗？"

石万山略微有些诧异,最终还是承认,"是有这么一种考虑。"

"这才是石万山。听说你们师谢参谋长很快就要高升了,调你任副参谋长,是考虑让你下一步接他的班。"

他惊讶地看着她。

"都说前一个回合郑浩是捡了你的便宜,你怎么看?"

"这种没原则的话,可千万说不得!"

"这早都是公开的秘密了,你怕什么?主持师司令部工作的副参谋长职位,你不稀罕,可你稀罕将军衔,你留在一线是为了以战功早日实现将军梦!不过,石大团长运气实在不好,事与愿违啊,出师不利,开工两个月就碰到山体滑坡,八个战士受伤。以后还不知道会遇到什么情况呢,七星谷或许将成为你的滑铁卢也没准。"

"妹妹面前,我不敢说假话。我是想当将军,将军是当兵的都梦想修成的正果嘛。不过,我从不吃后悔药。"

"谢谢你没有对我用外交辞令。哎呀,七星谷现在有一个石指挥长,一个郑总指挥。作为技术总监,不知道我到底该向谁负责,真是个难题。"

"当然是我。这是在修工程。"

林丹雁嘴角浮起嘲讽的笑纹,"真是当仁不让啊,你就不会谦虚一下给我看吗?不过,也正是你这酷劲儿让我……"赶紧捂住嘴巴,别过脸去。

这时,两人同时看到郑浩和洪东国正走过来,都赶紧把身体往后退去。两人迅速把距离拉远了。

郑浩眼神闪烁了几下,随即送上笑脸,"两位聊天呢,打搅了。林工,什么时候可以复工?"

"石团长,你说呢?"林丹雁转头看石万山,把球踢了过去,心头涌起恶作剧的快感。

郑浩看着石万山,对方也看着他。沉默是金。

片刻,郑浩四处环顾一番,笑笑,"老石,这里该复工了。"

"泥土太潮湿,再晒几天有好处。磨刀误不了砍柴工,请郑总指挥放心。"

洪东国附和了几句。

"天黑了,我要回去了。各位再见。"林丹雁转身就走。

"林工,等等。老石,老洪,咱们都走吧。"郑浩说。

天塌不下来,日子就还得照旧过,工作也得照常进行。几天后,师里来电话,说二十多年前大功团修建的魔鬼谷阵地已被批准退役,要大功团在那儿的发射部队撤离后马上封存;另外,老首长钟副政委想去魔鬼谷看看,说顺便想见见石万山。

"好,我带一营尽快过去。"石万山在电话里表态。

一营的工程兵装满整整三卡车,沿着缠山绕水的公路,往黑黝黝的山谷里开去。长长的导弹运输车队行驶过来,卡车临时让靠到路旁,工程兵们羡慕地向车队行注目礼。车队过去后,卡车里热闹叫喳起来。

方子明伸长脖子,望着渐行渐远的车队出神,直到它们不见踪影。他叹口气,"瞧人家多牛 B!狭路相逢,咱们导弹工程兵部队就得给导弹发射部队让路!什么导弹部队是中国最现代化的军队,是中国军队的天之骄子,那都是说的人家导弹发射兵!咱们不过是成天挖土挑担的山叟村夫,连个导弹都见不着……"

齐东平拉拉方子明衣袖,"别发牢骚怪论了。哎,请教一下我的狗头军师,上面对咱们团是不是不放心了?"

方子明立即换上一副得意神情,"明摆着嘛。否则还用派个监军吗?"

王小柱左右看看,压低声音,"谁让咱们切口不顺呢。"

方子明诡秘地一笑,"郑监军的皮鞋亮得很,还喜欢戴白手套。听说……"

张中原厉声呵斥,"都嘴巴痒痒了吗?给我唱《三大纪律八项注意》!反复唱!"

"是!"异口同声,几个人你看看我我看看你,互相吐舌头做鬼脸。

"革命军人个个要牢记,三大纪律八项注意……"高亢嘹亮的歌声中,卡车七拐八弯爬上了一片开阔地,一道宽大的石阶出现在大家眼前,魔鬼谷阵地到了。

战士们迅速跳下车,在张中原的口令指挥下,排着整齐的队列,迈着整齐划一的步伐,喊着"一、二、三、四!"进到灯光昏黄的主坑道里。冷寂多时的魔鬼谷主坑道一下子热火朝天起来。两个战士端着冒着火花的电焊枪,焊封里面的两扇大门,齐东平指挥着几个战士,观察挑选好一些路段地点,然后认真仔细地布置炸药。

一位六十多岁、精神矍铄的老人走进坑道,一边四面环顾,一边认真听取石万山不时指指点点的解说。风雨岁月,染白了老人的鬓发,在他的面容上刻下了不可磨灭的痕迹,但犀利睿智的目光,硬朗挺直的身姿,仍透射出他职业军人的英气。这位既威严又和蔼可亲的老人叫钟怀国,是一个老导弹工程兵,现在是二炮离休副政委。

"小鬼,别把这门和里边炸坏了。"钟怀国慈爱地吩咐。

"是!"齐东平的回答干脆响亮。

"首长放心。您知道,这个阵地,大功团修了整整八年,牺牲了三十三个前辈,面对它,我们绝不敢乱来。"石万山神色庄重。

"不错,石万山没忘本嘛。"钟怀国转而又对齐东平殷殷叮嘱,"小鬼,你记着,保护好这个阵地,绝不是为大功团留个纪念品。这世界很不太平,中国要想不挨打,必须修导弹阵地,必须尽可能长久地保存好这些阵地。万一将来需要用它,只要把这门割开,就行了。明白吗?"

"明白!"

"万山,你叫他们抓紧点干,我们争取傍晚时能去看魏连长他们。一晃,他们离开都二十二年了。"钟怀国脸色凝重起来。

"知道您肯定要去,早就交代下去了。我还是去年开进七星谷时去过,快一年没去看他们了,心里很不安。首长,您上次是什么时候去的?"

"我都快五年没来看他们了,真不应该啊。人上年纪了,不爱动了,又常年呆在北京,远天远地的,五年眨眼间就稀里糊涂地过去了,唉!"钟怀国长叹一声,"他们牺牲时,绝大多数还没满二十岁,胡子都没长硬啊!直到现在,我这心里头,还硬生生地疼啊……"

张中原迎上来,向钟怀国"啪"地行军礼,"报告首长,一切准备就绪!"

钟怀国挺挺腰板,严肃认真地回敬一个标准的军礼。

一行人往洞外撤去。

"首长,您来起爆吧?"石万山做个"请"的手势。

"让懂专业的年轻人做吧。"

张中原命令,"齐东平,你来。"

"是!"

齐东平一转红色的把手,随着一声惊天动地的巨响,洞口被封住了。

钟怀国上前细察,露出满意的神情,"小伙子,好样的!多撒点松子。"

忙活一阵后,石万山陪钟怀国去祭奠当年牺牲的战友,他没想到在魔鬼谷里又会遇到林丹雁。石万山几乎忘了,林丹雁与魔鬼谷阵地有着命定的关系。

师首长走后,郑浩踌躇满志了几天,就开始感到沮丧和苦恼。石万山不是个吃素的主,这一点他心理上早有准备,可他没想到对方能把大功团经营得几乎针插不进水泼不进,自己呆在这儿,就像一滴掉在水桶里的汽油,根本溶不进去。

　　所幸,在这与世隔绝的大山里,遇到了女工程师林丹雁。是的,他还不了解她,也根本不知道她是否还小姑独处,但他一见她,就眼睛发亮,就涌上柔情,就有那种人们所说的"感觉",这在自己是久违的啊。她漂亮,有风韵,气质高雅,浑身散发着成熟的魅力,同时又有智慧,有事业追求,甚至还能对自己的仕途助上一臂之力,这样的女人,正是自己心中幻想过希冀过无数次的命运女神。也许,这就是上苍对我郑浩的眷顾和恩赐?人不可能拥有一切,如果能有幸与她结为伴侣——也许我太贪了?郑浩有些不自信地不敢奢望——或者,哪怕只能有缘与她在此共度一段美好时光,那我也心满意足了。至于怎样对付石万山,日后再说吧。

　　郑浩手捧一束马蹄莲,一路走着想着,走到广场上停放的迷彩切诺基旁,驻足张望,立刻情不自禁地绽开了笑容。不远处,林丹雁拎着一个大纸兜,踩着弹性的步子优雅地走了过来。

　　郑浩送上柔情的笑脸。

　　林丹雁眉毛往上挑了挑,"郑总指挥也去魔鬼谷吗?"

　　"我今天有事,去不了。不过我去过多次了。给你哥哥带了什么祭品?"

　　林丹雁惊讶,"你知道我哥哥?"

　　"当然知道。二十二年前,魔鬼谷阵地快修成时,出现了大塌方,魏铁柱、林丹阳等十八位官兵壮烈牺牲。明天是他们的祭日。你哥会抽烟,会喝酒,别忘了给他带。"

　　"带上了。你连他会抽烟喝酒都清楚?"

　　"你哥是大功团的名人,立过八次功,不过也挨过五次处分。有四次处分与喝酒有关,对吧?哦,那时你还小,可能还不如我清楚呢。"把马蹄莲递给她,"这三十三枝马蹄莲,请代我送给魔鬼谷的烈士吧。"

　　"三十三枝?"

"魔鬼谷阵地修了八年,先后有三十三位烈士倒在那里。还有,见到钟副政委,请代我问候。他是工程兵师的老师长,后来也当过我的师长。"

林丹雁更为诧异,"你也在大功团当过兵?"

"没有。大学毕业后,我分到了英雄团,不过只呆三个月就调到师部了。我的历史,以后咱们慢慢聊吧。"郑浩浮现出意味深长的笑容,转到驾驶室旁,认真叮嘱司机,"小田,二百多公里,一多半是山路,小心点开。"

"是。"

"林工,上车吧,一路保重。到了那儿,最好能给我来个电话——报平安。"

林丹雁迟疑一下,"好的,谢谢郑总指挥关怀。再见。"

切诺基扬起一路尘土远去,郑浩端立原地,一直向汽车挥手,目送着汽车身影彻底消失后,才失落地离开。

好像有人写过这样的诗句,你在窗前看风景,别人在窗前看你。对于郑浩来说,此刻真是不幸言中,他多情送别的这一幕,被站在团部值班室窗口旁的洪东国和上尉参谋李和平尽收眼底。

"都送上鲜花了,郑副参座真是捷足先登,占得先机呀!"李和平阴阳怪气。

洪东国白他一眼,"你小子别不服气,可以竞争嘛。酸溜溜的干什么? 这种腔调,我就不爱听。别一口一个参座,不好。"

"毛主席说过,人贵有自知之明。我一个小小的团参谋,怎么敢跟一个师副参谋长较量? 而且,"四下张望一番,确信没有旁人,嘴巴贴近洪东国的耳朵,"人家把七星谷这只最大的桃子摘走后,马上就会成为师里的参座,噢,参谋长。"

"越说越成了挂在墙上的狗皮,不像画(话)!"一向笑眯眯的洪东国板起了脸。

"还是毛主席说的,群众的眼睛是雪亮的。政委,一山容不得二虎啊!"上尉依然不知轻重。

"什么意思?给我说明白,别曲里拐弯的。"

"那,你得保证我言者无罪。"显然,在洪东国面前,李和平撒娇惯了。

"少贫嘴!知无不言,言无不尽。懂吗?"

"懂,"李和平压低声音,"政委,你知道,咱们师的历任参谋长,军旅生涯的终点站,最起码也是个少将。不是有四个阵地成立了师前指嘛,他去西北英雄团,去西南先锋团,去哪儿当前指总指挥都行啊,就是不能来咱大功团!团长把主持工作副参谋长的巧宗儿让给了他,他不仅不感恩,还得寸进尺……"

洪东国一巴掌拍在桌子上,把李和平吓了一跳,"够了!李和平,我警告你,你再胡说八道,以军纪论处!"

"是。"李和平一下就蔫了,眼睛躲过洪东国往窗外瞥,正好看见郑浩朝这边走来。他冷笑一声,低头忙碌起来。

血色黄昏时分,一身白衣素装的林丹雁,出现在魔鬼谷烈士陵园。在这被淡淡山雾笼罩的山坡上,松柏森森芳草萋萋,水泥砌造的三十三座青冢,沿着山脊延绵而上,排列有序;黑色大理石雕就的三十三块墓碑,错落有致,巍然耸立。三十三名魔鬼谷导弹阵地的英烈就静卧在这片山林,长眠在这座寂静肃穆的陵园里,昼夜倾听着松涛声声呜咽的悲壮挽歌,永远眺望着心魂牵萦的太空长城。

林丹雁庄重地走到一座又一座坟茔前,对着每座墓碑都深深地三鞠躬,然后轻轻地放下一朵马蹄莲。前排正中的墓碑上,镌刻着"林丹阳烈士永垂不朽"的字样,林丹雁回到这里,轻轻拂去墓碑上的落叶和尘土,仔细拔除青冢上的苦蒿野草,跪在墓碑前,拆开香烟,抖着双手点燃一支。"哥哥,我又来看你了,你爱抽烟,爱喝酒,我都带来了……"

　　她凝视着铺在地上的照片,照片上一个英武的青年军官,孩童般
纯真地对她微笑。她的心抽搐了,视线模糊起来,然后,泪水在脸上
恣意纵横。她沉浸在对亲人的缅怀和对往事的追忆中,以至纷沓而
至的脚步声到了跟前才听到。她站起身来,抬起泪眼,首先看见的是
石万山无比怜惜的眼神,以及一个既威严又慈祥的老人询问的目光。

　　钟怀国打量着她,"林丹阳是你什么人?"

　　"是我哥哥。"她低下头,把泪水擦干,再抬起头,"首长是……"

　　"钟怀国,你哥哥的师长。"

　　"哦,您就是钟副政委。首长,郑浩同志上午托我向您问候。"

　　"谢谢。"钟怀国探究地看她一眼,掉头问石万山,"郑浩给我打
过电话,说要到你这儿担任师前指总指挥,已经走马上任了是吧?"

　　"是的。"

　　钟怀国不再说话,转过身,向碑林深深三鞠躬,把一束野花放到
林丹阳的墓碑前,打开酒瓶,往他坟茔上泼洒,"丹阳是个舍得命的
好兵,敢死队总少不了他。就是爱喝酒,为这没少挨批评。"又把一
束野花放到旁边魏铁柱的墓碑前,再打开一个酒瓶,往坟茔上泼洒,
"铁柱是个护犊子的连长,也爱喝酒,同样没少挨骂。"

　　石万山看看林丹阳的坟墓,走到魏铁柱的墓碑前,蹲下身子,轻
轻拂去墓碑上的落叶和尘土,仔细拔除着青冢上的苦蒿野草。

　　林丹雁的目光追随着他。

　　"万山,你这条命,是铁柱救的吧?"钟怀国问。

　　"冒顶时,是丹阳班长拉我一把、魏铁柱连长再推我一把,才把
我给救了,他们两个却……"歉疚、悲伤、缅怀一齐涌上心头,石万山
面容悲戚。

　　钟怀国安慰地拍拍他肩膀,"都过去了,不提它了。"

　　"后来,我去找两位救命恩人的亲人,只见到了与爷爷相依为命
的丹雁,那时才十来岁。到了连长的村子里,才知道他爱人已经病

故,四岁的儿子也被人收养了,"石万山把手腕上的手表亮给钟怀国看,声音低沉,"我一直戴着连长这块上海牌手表,希望有朝一日能找到他儿子,亲手交给他。"

"也许你很快就能见到他。"钟怀国的表情意味深长。

石万山惊异地看着老首长,满脸的问号。

"你去找他们的家人,是出于感激,我去找,是出于愧疚。"钟怀国走到魏铁柱的墓碑前,深深一鞠躬,"铁柱,在这里看你最后一眼时,我对你说过,我钟怀国不但要把你儿子抚养成人,还要把他培养成国家的栋梁之才。今天,我特意到这里来,就是来告诉你,你儿子正在清华大学读研究生,马上毕业。我想让他子承父业,铁柱,你肯定会赞成的,对吗?"

石万山十分惊讶,"首长,这么多年来,我经常去您家,从来没见到过……"

"那时候,我长年累月在导弹阵地,没有时间管他,怕他学坏,把他托付给了我妹妹妹夫。当时就是他们去领养他的,也是他们把他带大的。"

林丹雁钦敬地看着眼前的老人。

石万山指着林丹雁,向钟怀国介绍,"小林是博士,是咱们工程设计院的副总工程师,七星谷阵地的主要设计者。现在是我们的技术总监。"

钟怀国再次打量林丹雁,目光里充满赞许,"看不出来。那时候要有几个博士、硕士就好了,就不会有这么大的伤亡了。值得欣慰的是,他们的子弟都成才了。万山,技术上,你们要多听博士工程师的。打造白领工兵队伍,一靠技术,二靠人才。你们要多在这两方面下工夫。"

"是。"

"石万山,七星谷阵地零伤亡已经做不到了,能不能做到零死亡?"钟怀国的口气严厉起来。

"我们一定尽力。"这是迟缓片刻后的回答。

"回答很实在,这就是你石万山。我理解你。七星谷阵地,规模差不多是魔鬼谷阵地的五倍,工期又紧,做到零死亡确实很困难。不过,我还是要多说几句,对于我们来说,导弹工程兵的生命是最宝贵的,我希望,七星谷阵地建成后,不要留下一块烈士墓碑。"钟怀国对石万山殷殷嘱咐。

"是!"石万山的回答响彻山谷,余音在山窝里久久回荡。

钟怀国、石万山一行下山时,正遇到魔鬼谷谷口发生兵民纷争。一群工程兵战士把十多辆推土机、挖掘机和翻斗车挡在路上,几十个工人与战士们吵闹着,现场一片混乱。

双方僵持一阵后,一个矮小精瘦的中年男人从挖掘机驾驶舱跳下来,自称包工头,口口声声要与领导对话。

一个排长站出来,"我就是这儿的领导,有话就对我说。"

中年男人上下打量他几眼,不情愿地开口,"我们手里有与市政府签署的开发合同,要把魔鬼谷建成生态旅游区,造福于当地人民。你们凭什么拦阻?"

排长义正词严,"凭什么? 为了国家的战略安全!"

中年男人流露出不屑的神情,"傻大兵,都什么年代了,还口口声声战略安全,经济建设呢? 这是市政府与外商签订的合同,政府还要不要讲诚信?"

"你可以骂我傻,但我既然是大兵,就要以维护国家战略安全为己任!"

"行行行,秀才遇到兵,有理说不清,今天我算是领教了。"中年男人不耐烦了,"不跟你们说了,把你们的大领导叫来吧,要不,我们坚决不走!"

钟怀国听了事情的原委,眉头紧拧,语气严厉地告诫包工头,

"我现在就去找你们的大领导。这里仍然是军事禁区,你们不得乱来,擅自闯入是要负法律责任的。把路给我让开!"

包工头和民工被将军的不怒自威震慑住,都不由自主地退到一边。

一小时后,钟怀国与石万山出了汉江市政府大楼的电梯,穿过长长的走廊,径直往最里间的六〇一房而去。两个戎装整齐步履铿锵的高大军人,突然出现在走廊,使得各办公室里的人几乎全都探出头来,向他们行注目礼。

西装革履的汉江市常务副市长汪洋,一米八多的魁梧身躯陷坐在大转椅里,正面无表情地听取秘书汇报。猛然见神兵天降,他一愣,旋即笑容满面跨上前来,向钟怀国行个标准的军礼,又紧紧抓住对方的手,语调激动,"首长,今天刮的什么风,居然把您给送来了?小汪有失远迎,恕罪恕罪!小姜,快倒茶。"

秘书应承着,沏好两杯茶,退了出去,反手轻轻把门给掩上。

"汪洋,这是石万山,现任大功团团长。"钟怀国神色庄重,"汪大市长,我们有要事找你。"

汪洋热情握手,转而双手扶住钟怀国肩膀,亲热地把他按进会客沙发,"老首长,有事您尽管吩咐,您的老部下随时效劳。您要称呼我什么市长,就是在骂我,一定是我哪儿做得不好了,惹我的老首长、大恩人生气了,您得直接给我指出来,我,我诚惶诚恐啊。"

"地级市的常务副市长,官不算小了。"

"在首长面前,我这算什么官啊?就算这些年取得了一点小成绩,那也得归功于首长您多年的栽培和提携啊。"汪洋拿过钟怀国的杯子,到饮水机前续茶,"首长,今天亲自登门,有什么重要指示?"

"谈不上什么指示,是想给你一个忠告。"钟怀国端起茶杯,呷一口茶,"上午,魔鬼谷的阵地才封存,下午就有一群民工,开着十来辆推土机、翻斗车、挖掘机到魔鬼谷,说要把那儿开发成生态旅游区。

战士们拦阻时,他们振振有词,说是公司跟市政府签了合同,还反问战士们,知道这个项目是谁批准的吗? 汉江市常务副市长!"

汪洋听着,不说话,脸上流露出不解和有些不以为然的神情。

"汪洋同志,有些钱能挣,有些钱不能挣,你曾经是导弹工程兵,应该知道魔鬼谷是个什么地方。"钟怀国瞥他一眼,提高声音,"发展经济,一定要考虑到国家的战略安全! 三十年前,魔鬼谷已经由军队永久征用,当时,我参加了有关文件的起草工作。没有国务院和中央军委的同时许可,任何人、任何单位不得开发军事禁区的所有地上、地下资源。这些年,我们的机密被敌人搞去不少,教训沉痛啊。汉江的战略地位很特殊,敌人不会看不到这一点。你们签署的那个合同是无效的,必须终止。"

汪洋沉吟道,"都是穷的。首先,我要向首长做深刻检讨,自己的战略安全意识放松了;也要请石团长原谅,因为我的工作不周,给你们带去了麻烦,很抱歉。请首长和石团长放心,这件事,我一定会尽快妥善处理。"

"那就拜托了! 对不起,我还得提个醒,太阳山地区的战略地位十分重要,请你们在规划与太阳山相邻地区的经济开发时,充分考虑这一点。"

"谢谢首长,谨遵教诲!"汪洋回以半认真半调侃的态度。

"小汪,我还是那句老话。"钟怀国一边起身,一边语重心长,"这个世界上不都是君子国,千万不要让敌特分子钻了我们的空子。这方面出了事,那就比天还大。打搅了,我们告辞了!"抬腿就往外走,石万山早已把门打开了。

"首长好不容易光临一回,就这么走了怎么行? 至少也得让我尽尽地主之谊啊! 否则,我在老战友中,不成千夫所指了?"汪洋真急了,恨不得把钟怀国拖回来。

"谢谢! 那边还在僵持,你快让那边公司的人撤回来,马上撤。"

钟怀国的声音从走廊飘过来。

两人的身影很快消失在走廊尽头。

汪洋追出几步,沮丧地回头,在办公室踱一阵方步,转几个圈后,拿起电话,对秘书吩咐,"小姜,马上给寰宇华夏投资有限公司的孙丙乾总裁打电话,请他们的人马上撤出魔鬼谷,说我晚上宴请,见面详谈。"

整个下午,汪洋都在考虑怎样向孙丙乾解释,怎样摆平这件事。

外形完全是斜拉玻璃幕墙的汉江大饭店,富丽堂皇地坐落在繁华商业区,是汉江市最豪华、规格最高的四星级酒店。三杯茅台下肚,汪洋把事情的因果讲了出来,同时,道歉和许愿的话也没少说。

孙丙乾适度地埋怨几句,转而问女助手,"白虹,美国黄石国家公园保护区,每年的旅游收入是多少来着?"

"一百五十亿美元。"

"一百五十亿美元!汉江少阳山魔鬼谷地区的风景,一点也不比黄石差,可惜呀。"孙丙乾轻轻摇头,仿佛自言自语。

汪洋举起酒杯,一仰脖子,一杯茅台咕噜下肚,"孙总,实在对不起。我自罚一杯。确实有一份军队永久性征用的文件,以前我们忽略了。希望贵公司不要因为此事而误解我们汉江市政府的诚信度。"

"汪市长言重了。国家安全,当然应该摆在第一位,这点觉悟,我这海外侨民还是有的。请放心,我马上派人去魔鬼谷,妥善解决那儿的事情。"孙丙乾一笑,"好在,我们还没在魔鬼谷投入太多。可惜的是,这么说吧,如果能把少阳山生态旅游的品牌做出来,汉江市能多出几万个就业岗位。"

黄白虹先是一颦,继而一笑,真是媚态十足风情万种,"汪市长,我们在太阳山的生态旅游项目,是不是也没戏了? 我们想开发的地方,在军事禁区以外啊。"

"黄小姐,实话实说,汉江目前还打不了生态旅游这张牌。按规定,七星谷外围五十公里范围内,只能进行农、林业的生产。七星谷事关国家战略安全,我一个小小地级市的副市长,确实无能为力。"

"汪市长,你是汉江老百姓的父母官,你说,我们开发山区,为老百姓造福,何错之有呀! 说不好听点,就目前这种投资环境,汉江市一百年也富不起来。七星谷要是建成一个核导弹阵地,二百年也富不起来。"黄白虹似娇似嗔。

孙丙乾厉声责备,"白虹,你胡说什么! 汪市长,国家利益至上,我能理解。"

"谢谢理解,理解万岁吧! 我这点权力实在微不足道。"汪洋叹息一声,"不过,贵公司如果投资别的项目,我一定鼎力相助。不瞒你们说,汉江是欠发达地区,尤其需要资金。山区的老百姓,穷啊!"

汪洋又要举杯,被秘书小姜悄悄拦下。

"汪市长放心,环宇华夏投资汉江的决心没有变。下一步,我们可以讨论别的合作项目,比如收购汉江一些国有企业,效益是好还是不好,都行,只要条件谈得拢。"孙丙乾端起酒杯,站起身,"以后还得请汪市长多关照,我先干为敬!"

汪洋站起来,"热烈欢迎! 来,孙总,许总,黄小姐,为合作成功,干杯!"

呼啦啦一片响声,双方来宾全站起身,杯盏相碰。灯红映着酒绿,如幻如梦。

尽管心底对钟怀国的草木皆兵不以为然,但做事滴水不漏的汪洋,第二天立刻把处理情况写成公函,派专人送进七星谷,送到大功团,送给钟怀国。

七星谷大功团团部领导的宿舍是一排活动板房,建在一营营区的外围高地上。石万山、洪东国、郑浩、林丹雁和其他团领导都住在这里。

复工的准备工作已经就绪。

清晨,一营营区内外热火朝天,有的连队战士在广场上出早操,各种口令此起彼伏;齐东平喊着"一、二、三、四",领着十多个战士沿着公路朝谷外跑。林丹雁穿着白色运动衣裤,向他们迎面跑来,往团部方向去。她跑步的姿势很美,身体富有韵律,起伏的曲线非常性感。

战士们的脚步零乱起来,一个又一个开始扭头看,有的在学着林丹雁跑步的样子,议论不绝于耳,"跟大明星似的,啧啧!"

"她没化妆呢!"

"比得上小燕子了。"

"小燕子算什么?大牛眼傻愣愣的。你看她的眼睛,如梦似幻,内容太丰富了!"

齐东平呵斥,"嘴闲得发慌是不是?都看着正前方,我喊一遍,你们喊十遍。一、二、三、四——"战士们做着各式各样的鬼脸,大声喊道,"一、二、三、四,一、二、三、四——……"

十几个人喊着号令唱着歌朝工地走去。

站在半山腰一棵大树下的石万山,又着腰看着齐东平这支小队伍的洋相,忍不住又好气又好笑,不由脱口骂道,"狗东西!"从树枝上取下外套,朝营区走去,看见正在另一条路上踯躅独行的张中原,大喊一声,"张中原!"

张中原驻足回首,赶紧跑到石万山跟前。

"中原,怎么郁郁寡欢的?"

"没有啊。"

"都写在脸上啦,还'没有啊',以为我智商比你低吗?复工后,给你三天假,回家陪你媳妇去。这一段用你用得太狠了。"

"没事的。"

"你们岁数都不小了,该要个孩子了。顺便去医院看看两个伤兵,千万别让他们落下什么毛病。"说着,朝团部领导宿舍活动板房走去。

团部领导宿舍的活动板房中,一间整洁雅致的卧室里,洪东国的妻子朱彩云站在窗前,拿着小镜子开始简单化妆。朱彩云三十五六岁,额头脸颊都饱满丰润,长一副人们常说的"旺夫相";她留齐耳短发,说话走路风风火火,一看就是个干练、泼辣、能干的女人。

洪东国从外面跑进来,气喘吁吁,"在七星谷,化什么妆啊?"

"这是给你长脸。咱好歹也是团政委夫人,大小也是团部大本营服务公司经理,如果黄脸婆一个,你的兵不定会怎么议论。现在的小年青,都不是省油的灯。"依然对着小镜子左照右看。

"哟,还真有人物感啊,哎,彩云,要不,你今天还是回汉江吧。"

朱彩云眉毛刚画到一半,停下动作,瞪丈夫一眼,"大星期六的,你什么意思?毛病!"

洪东国躲闪着妻子狠狠的目光,"团里规定家属每年只能来营区一次,最多只能住一个半月,咱们半个月就见一次,我觉得有些难为情……"

朱彩云把小镜子往窗台上一拍,双手交叉抱在胸前,提高声音,"洪东国,我可是来办公事的。你别自个儿在那臭美!"

"老婆,求你小声点。你看,老石家属一年才来一回,老郑还是个单身……"

朱彩云揪住丈夫的耳朵,娇嗔道,"我又不是偷人养汉,干吗要鬼鬼祟祟的?行,半年来一次,没问题,以后我公事来这里,也学大禹过家门而不入……"看见跑步回来的林丹雁从窗前闪过,用嘴巴努努外面,压低声音问,"小林结婚了没有?"

"没问过。"

朱彩云神秘兮兮,"郑钻石好像瞄上她了?"

"小声点。你的眼可真尖。"

"第六感觉。男人跟女人,能有多复杂? 你们男人对哪个女人感了兴趣,不用观察,我一鼻子就能闻出来!"朱彩云得意地笑。听到敲门声,她立刻跑去开门。

张中原立在门外,"嫂子,政委呢?"

洪东国走出门来,"中原,一大早的,什么事?"

"政委,团长给我三天假回家,要我顺便去看看伤员。我特地来向你告辞。"

"好啊。你早该回家了,我正想到这事呢,又让他石万山抢前头去了。"

"哎,中原,你还是让小高随军吧,长期分居,不利于夫妻感情啊。"朱彩云露出探究性的表情。

张中原脸上闪过一丝忧郁,"说几回了,人家不愿意。"

"那就抓紧要个孩子。女人生了孩子,想法就不一样了。"朱彩云面授机宜。

张中原叹口气,没说话。

跑完步回到房间,看到盛在盆里的洗脸水,挤好了牙膏的牙刷,摆放整齐的所有生活用品,林丹雁眉头皱了起来,走到门口,朝外面喊,"小刘,你过来。"

勤务员小刘跑过来,低头细声,"林工……"

"再给你说一遍,以后不要给我打洗脸水,不要给我挤牙膏,不要帮我收拾房间! 我自己会做。"

"郑总指挥交代过……"

"你去吧,我跟他说。"林丹雁沉下脸,转身进屋。她一翻台历,知道今天是复工的日子,赶忙收拾起来。

复工仪式安排在上午十点进行。

春日的太阳,给山谷峰峦上的密林投射下一片片斑驳,几只布谷鸟,远远近近地,一会儿叫过来,一会儿飞过去,给山林平添生机和趣味。

山体滑坡倾泻下来的泥石被清理后,一个平坦的小广场初露端倪。站在小广场往上看,山体被切出一个断面,近三十平方米大小的断面前,搭建了一个架子,架子上布满了伪装网。

石万山、洪东国、郑浩、林丹雁穿着迷彩服一起走过来,三位男士戴着白色的头盔,林丹雁戴着蓝色的头盔,三白一蓝闪烁在明媚的阳光下,很有美感。走着走着,四个人分化成两个小阵营,石万山与洪东国捉对,郑浩与林丹雁成双。

洪东国一边走一边跟石万山咬耳朵,"老石,师干部科发来传真,说给咱们分来一个心理医生。"

"男的女的?"

"女的,很年轻。"

石万山下意识地皱眉,嘀咕起来,"又来个女的,嫌麻烦不够咋的。"

"老石,你嘀咕什么呢?"洪东国似乎听清了,又没听明白。

"哦,我是说,咱们这清一色的'男人国',来女的不方便。林工在这儿也不会久留。老洪,你能不能跟他们要求要求,换个男的过来?"

"当时我就要求了,他们说没有男的。来个女的也好,可以跟林工做个伴儿。心理医生这个职业,女的一般比男的做得好。"

两个战士抬着一条横幅走过来,横幅上"世纪龙龙头工程复工典礼"的字样墨汁未干,两人小心翼翼地举着,在伪装架上左比右划。

石万山顿时黑下脸,呵斥两个比划着横幅的战士,"干什么?赶快收起来!"

　　两人吓了一跳，其中一个嗫嚅着解释，"我们只是先比划一下尺寸，马上就挂里面去……"

　　"那也不行，要比划也得上里边去。七星谷上空，每天有多少颗卫星飞来飞去，你们不知道吗？最先进的卫星摄影机，最精确的分辨直径是多少，你们知道吗？还不到十厘米！"石万山态度温和了些。

　　洪东国和颜悦色，"快点挂到伪装网里面去。你们呀，也不动动脑子，这可大意不得呀。"

　　两个战士涨红着脸，赶紧扯着横幅进到伪装网里面。

　　郑浩、洪东国、林丹雁盯着戴红头盔的一群战士，战士们正紧张有序地往几十个石洞中装炸药，坑道上面标示出石洞口的精确位置。

　　石万山把张中原拉到一边，"山体滑坡，耽误整整半个月工期，你准备用多久把损失给夺回来？"

　　"三、三个月吧。"

　　"亏你说得出口。"

　　"两个月。"

　　"一个半月。否则，就让二营和你们对调。"

　　张中原一时没说话。

　　"三天干不完四天的活，还叫什么大功团！喂，一营长，说话呀！"

　　张中原把心一横，牙一咬，"四十天。"

　　石万山展颜，重重捣他一拳，"好！"又拉他回到"领导层"中。

　　齐东平跑向张中原，"报告营长，炸药装好了。"

　　"好！你带领他们，全部撤离。"

　　齐东平大声喊道，"听好，全体——撤离！"

　　战士们如脱兔般，迅速跑向安全区。

　　洪东国看看郑浩，"老郑，你讲两句？"

　　郑浩摆手，"不不，我也没什么讲的。在机关呆得久了，正要把形式主义的东西多去掉一些。基层更需要踏踏实实做事。"

石万山走到起爆器前,伸出手,刚要按钮,突然想起眼前还有个级别比自己高的"前指总指挥",立即悻悻然缩回手,喊道,"郑总指挥,你来吧。"

郑浩高声说,"不! 你是指挥长,复工的第一炮应该由你来放。"

"那我就恭敬不如从命了。都撤下来了吧?"石万山问张中原。

"都撤了。"

石万山按下红色的按钮。

随着一声惊天动地的巨响,石壁被炸出近三米深的洞口。

战士们欢呼着冲过来。

第 三 章

张中原在工地盯上两天，一忙，把回家的事又给忘了。这天一大早他去工地时，发现石万山正在等着他。张中原疑惑地看看石万山，恭敬地叫，"团长。"

"我的话你全当耳旁风，是吧?"石万山横他一眼。

"没有啊! 我哪敢啊!"

"那你为什么还不回去?"

"哦，是这事，吓我一跳。这不刚复工嘛。"张中原舒出一口气，笑起来。

"少了你，地球照样转! 工地我给你盯着，你赶快回去，车已经给你派好了，住三天还是五天，你自己定。见到老婆，要多说好话，女人得哄，懂吗? 生孩子的事情，得抓紧。"

"团长，这事你就别操心了。"张中原嘻嘻地笑。

"别在我这儿打肿脸来充胖子。你们结婚前我就说过，她给你安安生生地生上个一男半女，才彻底成你的人了。这是大事，你别给我嬉皮笑脸的。"石万山戴上头盔，扭头往坑道里进。

这一回,张中原顺从地上车,往汉江而去。

高丽美不要孩子,确实是张中原的一大心病。工程兵的家庭,如果没有孩子作为纽带,稳定性太差。假如妻子长得有几分姿色,甚而还有一些梦想,没有孩子的工程兵家庭,随时都有可能解体,这些年来,工程兵部队已有不少这种先例。这些,张中原心里很清楚。虽然表面上对石万山装出一副大大咧咧的样子,实际上,张中原心里早有了小九九。

车到汉江大本营,看看时间还早,张中原去商场给妻子买了一套衣裙,然后坐上公交车往她公司去。他迫不及待想见到她,他想给她一个惊喜,然后夫妻双双甜蜜把家还。他想不到的是,妻子却正遇上恶心糟心的事情。

十一点来钟,年轻漂亮高挑丰满的高丽美挎着小坤包,气鼓鼓从一座大楼里冲出来,犹如一股清新而野性的山风掠过人们面前,让人不由眼睛一亮。

一个戴眼镜的小个姑娘拎着两个纸袋,小跑着跟上她,气喘吁吁地,"丽美姐,我只能送你到这儿了。"

高丽美接过纸袋,眼睛发红,"小云,公司也就你对我好,谢谢你。"

"唉,丽美姐,你呀,都是美丽惹的祸,"小云倒像个大姐姐似的安慰起她来,"别往心里去,哦? 刘总这个人,就爱吃个豆腐,占个小便宜,对美女都这样。"

"我见过无耻的人,可没见过这么无耻的人! 什么吃豆腐? 这是性骚扰! 不是怕丢军嫂的脸,真想告他王八蛋。呸! 真他妈恶心!"高丽美抬头盯着大楼的一个窗户,狠狠地骂道。

一辆黑色桑塔纳徐徐驶来,在广场右边停下,一个身着保安服的男青年下车,朝高丽美走过去。

保安用揶揄的口吻问道,"高丽美,这么快就走了?"

"还有事吗？你转告姓刘的，扣我的半个月工资，送他买药吃！"

保安佯装没有听见，拦住小云，"周小云，高丽美从公司带走的这些东西，你们部门经理检查过没有？"

高丽美忍无可忍，冲上去，揪住保安的胳膊，"你什么意思？给我说清楚！"

"你说什么意思？你接触过公司商业机密，对吧？谁知道那里面有没有不属于你的东西？还是自觉为好，免得大家面子上都不好看。"保安用力把胳膊甩出来。

"你们查吧！王八蛋，欺人太甚！"高丽美"哗啦啦"把坤包和纸袋里的东西全倒出来，撒满一地，咬牙切齿地骂，泪水在眼眶里打转转。

黑色桑塔纳车里，一个肥胖的中年男人摇下玻璃窗，奸笑着享受眼前的景象。

这一幕，恰好被赶了过来的张中原看到眼里，他赶忙跑过来，"丽美，怎么了？"高丽美猛然扑到张中原身上，抖着肩膀抽咽起来。

小云蹲下身，默默地往纸袋里装东西。

张中原拨开怀中的妻子，眼光逼住保安，一步一步朝他走去，怒喝道，"你想干什么？"

中年胖男人赶紧关上车窗，发动汽车。

保安惶恐不已，步步后退，"张营长，我只是执行命令，请你原谅。小高不在公司干了，按公司规矩，我们得检查她有没有拿错东西。"

张中原双眼喷火，怒视着贼一般溜走的黑色桑塔纳，恨恨骂道，"混蛋，人面兽心的畜生！"转身搂住妻子的肩膀，轻言细语地安慰，"丽美，他们小人之心，咱身正不怕影子斜，查就查吧，正好可以让这些混蛋看看你的清白，是吧？"

转过身来，他接过小云递过来的纸袋，感激地，"谢谢你。小云，以后多来家里玩,多来陪陪丽美,好吗? 丽美,走,咱们回家。"

张中原的家坐落在一个破旧的厂房区里,只有两间平房,一间做客厅,一间当卧室,厨房设在房外的临时建筑篷内,要解决排泄问题,得去相距百米远的公共厕所里。客厅的摆设十分简单,小电视机的式样早就过时了。

高丽美坐在客厅的木椅上洗脚,一边看电视。张中原把碗和盘子洗完放好,从厨房进来,关上门,搬个小凳子坐到妻子面前,为她擦干脚,然后拿过指甲钳,开始给她剪脚指甲。高丽美惬意地把身体往后面仰靠,娇嗔道,"别剪深了,我怕疼。"

"别担心。都效劳好几年,早成八级工了,放心吧。"

高丽美忽然坐直起来,"我当过八年工人,受够了,不想去你们的家属工厂。"

"好,不想去,咱就不去。"张中原柔声细气。

高丽美感动于丈夫对自己的迁就,摸着他的头顶,幽幽地说,"中原,你转业吧,我一个人在如今这社会上应付,太难了。"

张中原低着头,继续用心剪着,一招一式都透着熟练,"不是说好了吗? 等把这个工程搞完,再说转业的事。"

"还得两年呢,太难熬了。到时候,你可别再变卦了!"

"不会的。"张中原剪完了,把她的裤管拉下来。

"去把我的拖鞋拿过来。"高丽美用撒娇的口气命令道。

没有回应。张中原抱起妻子就往卧室里去。

高丽美乱蹬乱扭,半撒娇半任性,"快放我下来!"腿还在蹬着,人已经被横放到了床上。

屋里安静下来,充满暧昧。

"药! 家里没药了。我正在期上,会怀上的! 去,你去买药去。"高丽美猛地坐起来。

张中原从口袋里掏出一个小药瓶,脸有得色,"看,这是什么?

你老公从来不打无准备之仗。"

"坏蛋！别猴急，局部卫生搞了没有？唉，无论如何也要买个房子了。没有卫生间，没法洗澡，这叫什么日子呀！"

"完全同意。明天咱们就去看房子。"张中原翻身下床，趿上拖鞋往外走。

"干吗去呀？"

"听你的，去打扫卫生啊。"

"得了，就咱们存的那点钱，顶多能交个首付。我现在又失业了，买了房子，我喝西北风去啊？算了！喂，明天你陪我去找工作吧！"高丽美朝门外高声说着，外面"哎哎"地应着。

高丽美很满意丈夫的态度，不做声了，顺手拿起床头柜上的报纸翻着，不多时，被报上的一则广告吸引住了，又喊起来，"中原，快来看！"

"什么事？你说吧。"同时传来一阵水流声。

"你听着啊，寰宇华夏公司招聘行政人员，同等条件优先录用军嫂。"一字一顿，充满惊喜。

"天无绝人之路啊。"张中原包着块大毛巾进来，把门锁上。

高丽美认真地把广告撕下来，乐滋滋的，"还是个外资公司！月薪三千元起，办公条件……"

嘴被堵上了，她的身体一点点软下去，报纸飘到地上。

去医院看望伤兵后，张中原得意地带着药瓶返回七星谷。前前后后，他只在家住了三天。高丽美失业了，张中原反倒感到一种莫名的轻松，一路上，他不时拿出小药瓶来看看，每次都会使嘴角眉梢荡漾起笑意。老婆既漂亮又好强，对男人来说绝对不是什么好事，男人大都愿意娶弱小的女人做妻子。张中原属于多数派。

石万山和张中原超乎寻常的上下级关系，郑浩已经注意到了。

　　太阳快落山了。天色一暗,山区就会骤然降温。石万山和郑浩头戴安全帽,从一号洞口走出来,被裹着湿气的寒风一吹,不由直打哆嗦。郑浩驻足,从口袋里找出一块小绒布,摘下眼镜擦起来。石万山眯起眼睛,眺望远处的袅袅炊烟,说,"你不要只表扬嘛。"

　　"确实是有感而发。现在我明白了,七星谷龙头工程,只能由大功团来干。"

　　"郑总指挥过奖吧?"

　　"至少,我呆过的英雄团和大功团,彼此彼此。大功团的营、连干部,能力都非常强。一营教导员在师里帮助工作,副营长已经转业,但这两天张中原营长不在,一营并未受到影响。几个连长都能独当一面。"

　　石万山取下安全帽,看着郑浩,神态很认真,"老郑,你不是拐弯提醒我,让张中原休假有不妥之处吧?"

　　郑浩也取下安全帽,看着石万山,神态很认真,"怎么会呢?"

　　"那我就放心了。老郑,你在英雄团时,有没有听过这种说法,工程兵可以没有爱情,但不能没有婚姻?"

　　"听说过。为此,我专门写过文章给《火箭兵报》,批评这种错误的观点,根据是恩格斯的话:没有爱情的婚姻,是不道德的。因为我们现在建设的是一支有知识、有文化的白领工兵部队。哎,老石,你问这个是什么意思?"

　　"我跟你观点不同,我认为,爱情多半是飘渺不定的,并且需要精心培养。导弹兵,特别是导弹工程兵,没有那么多时间去寻找、等待和培养爱情,对他们来说,婚姻才是最实在的。"

　　郑浩有些吃惊地看着他,嘴巴张了张,最终把想说的话咽了回去。

　　"不能苟同,是吧?人跟人条件不同,机遇不同,命运也就不同。张营长结婚五年了,家属一直不想要孩子,也不愿随军,这就是我所担心的不稳定因素。"

"他爱人为什么这样?"

"为什么?"石万山沉默了,良久才开口,"八年来,大功团转战了七个地方,干部家属无所适从。想随军,随到哪儿? 随到留守处,还不是两地分居? 去年,洪政委爱人成立了大本营服务公司,情况稍好了些。不过,这么个小服务公司,对工作单位比较好的家属,实在没有多少吸引力。张营长家属是个白领,工作轻松,收入不错,不想随军也有道理,不能全怪她。"

郑浩感叹,"我们的工程兵,真的难能可贵啊。"

"是啊,所以我必须多为他们着想。像张营长,没有孩子,又老见不着面,不妥啊。这就是我让他休几天假的理由。"

"没想到石万山的心思这么细,心地这么软,真是无情未必真豪杰,怜子如何不丈夫啊。"

"你这是夸我,还是骂我?"石万山没好气,"大功团,二十八岁以上的未婚官兵有九十四个,找对象都是个大难题。他们可不像你,你郑总指挥是挑花了眼……"

"哎,你这是夸我,还是骂我?"郑浩打断他。

两人相视,大笑起来。

郑浩眼神暗淡下来,"老石,你说我挑花了眼,可真是冤枉了我。这么些年,我只正儿八经谈过一次恋爱。"

石万山分明不相信,"一次?"

"真的只谈了一次,一次谈了八年,八年零四个月。"

"哦,一个抗日战争,结果呢?"

"战败了,又费马达又费油。人家想出国深造,我又不愿脱这身军装,只好分道扬镳。"

"明白了,吃过了仙桃,自然看不上烂杏。你是想找一个比前女友更优秀的。所以,我说你是挑花了眼,也没有说错。"

郑浩脸色语调都灰灰的,"谈不上挑。看来石团长是个行家,眼毒得很。一晃又是几年,可以入眼的都没遇上几个。"

"看来,真是人人有本难念的经啊。"石万山替郑浩感叹,又似在自言自语。

傍晚时分,张中原一路哼着小调刚回到工地,齐东平和方子明就围了上来,一人扯住他一只胳膊,齐东平抢先"汇报情况",方子明只好礼让自己的顶头上司。

"营长,这几天,我们一排连续打破了日掘进记录!"

张中原眉飞色舞,"太好了! 我带了好吃的回来,呆会儿犒劳弟兄们!"

"营长,你不知道大家有多玩命。你看子明,嘴上起了一圈泡。"

左看,右看,张中原笑起来,"你也一球样嘛。东平,你这个代理排长,干得挺不错。"

"谢谢营长鼓励。"

"照这么干下去,你们今年提干,问题不大。"心情实在舒畅,张中原嘴上一不留神,就少了个把门的。

方子明、齐东平对视一眼,简直忍不住想笑出声来!

为了掩饰,方子明绕着张中原左瞧右看,"营长今天不是一般的高兴,肯定有喜事,把我们都感染了。营长,什么喜事嘛,说出来,也让我们分享分享啊。"

齐东平马上跟进,"是啊,今天我第一眼看到营长,就发现营长一直在偷着乐。嫂子同意随军了?"

"嘴上起泡,是缺少维生素 C。给,你们拿去分吃了。"张中原从口袋里朝外掏,掏出一个小药瓶,递给齐东平,连鼻子都在笑,"如果没什么意外,明年这个时候,你们就多个小侄子了。等我当了爹……"

两人看着小药瓶上的说明,大笑起来,方子明笑得喘不过气,

"营长,这药——我们吃,准吃成了人妖,我们——还干得动活吗?"

齐东平也笑得气喘,"嫂子——吃这药,你想当爹,不中吧?"

张中原诡秘地笑,"中,还是不中,走着瞧,咱给她来个'鸡汤里面有文章'。"然后自言自语嘀咕,"女人嘛,生没生孩子,心气不一样。"

"啊,你偷梁换柱,把药给换了?"方子明惊叫起来。

"这也是没办法的办法。不生个儿子,明年她让我转业怎么办?下岗,是个坏事,可有时也是好事,她离随军又进了一步。"张中原敛容。

洪东国走过来,三人立刻立正,"政委好。"洪东国笑容满面,"中原,气色不错嘛。丽美怎么样?"

"谢谢政委,挺好的。"

"那就好。"

"对了,政委,我去医院看了,他们个个都跟我闹,要求尽快出院上阵地,两个受重伤的战士为了证明他们已经痊愈,还在我面前又蹦又跳的。我说这事我小营长做不了主,你们别吃柿子拣软的捏,找政委和团长去,他们批准了才行。"

洪东国笑,"就你这黑铁塔样,还软柿子啊?是柿子也是铁柿子!"

张中原不好意思地笑了笑,也觉出自己的比喻不太恰当。齐东平、方子明趁机告溜。张中原朝他们比划手势,提醒他们记得要吃维生素 C。两人笑着跑了。

洪东国压低声音,"给我说实话,小高是不是丢了工作?你嫂子打电话给我说了,到底怎么回事?"

张中原顿时怒气冲冲,"那个刘总,真他妈的不是个东西!"

"明白了。中原啊,你应该让小高早点随军,你嫂子老念叨这事。"

"谢谢嫂子。现在有个外资公司在招聘,她想去试试。"

"外资公司好哇。你嫂子那个服务公司,哪能跟人家比。"

"能不能去,还不知道。"张中原叹口气。

平静的日子过得很快,转眼就是一个月过去了,这一个月里,主坑道进展顺利。

绿树掩映花草芬芳的大院里,三层楼的钟怀国将军府邸显得气势雄迈,宽畅明亮的客厅里,错落有致地摆着四个样式不同的博物架,其中两个摆满了质地、颜色、大小、形状各异的石头,另外两个摆满了由石头雕刻成的导弹模型,各种型号的导弹模型一应俱全。午饭后,钟怀国流连在博物架前,专注地欣赏着自己的宝贝。

钟怀国的妹妹钟素珍站在门口,欲进还退,欲言又止。

"素珍,又是想说光亮的事吧?"钟怀国看她一眼,继续欣赏宝贝。

钟素珍进门,恳求地说,"哥,他被美国三所名牌大学同时录取,想出国深造,没有什么错。"

"是吗? 清华大学土建系,够有名了。"

"是不错,可还是没法跟美国的名校比。"

钟怀国把眼睛从宝贝石头上挪到妹妹脸上,"素珍,你这个大学教授说说,都这么做,国家每年拿出那么多钱,在名牌大学开办国防班,还有什么意义?"

"光亮跟别人不一样……"

钟怀国露出揶揄的神情,"是不一样,他舅舅是一位退休中将嘛。"横眉竖目起来,"亏你们想得出来! 国家出钱让他读了本科,读了研究生,他拍拍屁股到美利坚了,合适吗?"

钟素珍提高声音,"我们可以双倍赔偿……"

"钱不是万能的,你不会糊涂到连这点都忘了吧? 别说了,这个恶人我来做。"

钟素珍有了哭腔,"哥,最主要的是,光亮谈了个女朋友,女孩子过几天就去上耶鲁大学了。道理好讲清楚,可他们的关系怎么办?这感情的事……"

"感情的事就讲不清楚了? 这些毛病,都是你们惯的! 你叫他来,我跟他谈。他是烈士遗孤,是中华人民共和国的公民,必须履行自己对国家的承诺。"

钟怀国说出这番话的当天晚上,魏光亮和女友那娜开车到北京后海酒吧。魏光亮二十六岁,长发及肩,高大俊朗;那娜长着一张冷艳的脸,一副弱柳迎风的身板,显得有几分妖媚。

后海有水有树,再加上织梭般往来的小船,余音袅袅的古琴声,真有些江南秦淮河的韵味。自从三里屯酒吧一条街因为桃色新闻搞得声名狼藉而衰败后,后海酒吧一条街就成了北京小资们的最佳去处。魏光亮和女友那娜来到琴声悠扬的小船上把酒临风,就是为了讨论魏光亮下一步的何去何从。

船夫不紧不慢地划着小船,一个白衣小姑娘坐在船头,怀抱琵琶轻轻地弹着古曲,让人想起白居易的诗:大珠小珠落玉盘。魏光亮和那娜倚着小桌,都紧绷着脸,各自看街边的灯红酒绿,谈话显然进行得不愉快。

"一个大男人,自己的事情都做不了主,还非要征得舅舅的同意,真是让我……无话可说。就算要听他的,让你脱军装,对一个中将来说,也不就是一句话的事情吗?"终于,那娜打破僵局,把眼光从街景上移到魏光亮的脸上。

魏光亮轻轻嘘出一口气,脸部肌肉放松了些,"你知道的,从小,我就崇拜他,从来没有违背过他的旨意。我有预感,舅舅绝对会是个反对派。所以,这将是一次很困难的谈话。"

"有什么困难的? 他不愿意帮忙也行,大不了把军队给你缴的学费什么的,加倍还回去就是。我看是你自己首鼠两端。"盛气凌人的口吻。

"你知道,考托福、考 GRE,我当时对他说是检验一下自己的英语水平。"

"那又怎么样?你把通知书给他看。哈佛大学商学院,不是谁想上就能上的。"

这边厢沮丧地低头,声音微弱,"我是国防生,这么做已经违反纪律了。"

"我呢?你眼里只有你舅舅,把我放哪里了?"冷艳的脸气得几乎变形。

魏光亮哭丧着脸,近乎哀求的语气,"这不是找你商量嘛。"

"人往高处走,这是傻子都明白的道理,还用得着商量吗?"那娜猛地站起身,胸脯剧烈起伏,高声喊道,"师傅,划到岸边去!"

船夫看她一眼,没有回应,但小船开始朝岸边靠拢;琵琶女略略停顿,手上变得"嘈嘈切切错杂弹"起来。

在两人的沉默和对峙中,小船靠了岸。

"魏光亮,这件事,没什么商量的余地。你要是退缩了、妥协了,咱们俩也就到此为止了。"弱柳迎风的小身板很敏捷,嗖地就跳到了岸上。

"小娜,别这样……"魏光亮仿佛听到了自己心碎的声音,双腿软得站不起来。

"我很忙,还有很多事情等着要做,不想在这儿跟一个分不清事情轻重大小的小男人虚度时光。你如果愿意听我一句,就应该马上去找你的中将舅舅。要是决定留在国内,就请别打电话烦我了。"声音又冷又硬,身影绝尘而去。

从心如死灰的状态中复苏后,魏光亮掏出手机,颤抖着手拨下一组数字,颤抖着声音,"舅舅,我要见你,我现在就去……"

"我正要找你。"电话里钟怀国说。

半小时后,魏光亮站在门口,恭恭敬敬地喊"舅舅。"一直等着他到来的钟怀国瞟一眼,"你的头发是不是太长了?要随时记得自己的军人身份!"

魏光亮下意识将一将头发,"这学期太忙。好在我们学校没有要求我们穿军装。"

"你根本就没穿过!你说你穿过吗?"

魏光亮低下头,眼睛盯住自己的脚尖。

"你过来。坐下。"魏光亮在钟怀国对面小心翼翼地坐下。

"首先,我为你取得的成绩感到高兴。能被美国三所名牌大学同时录取,说明你魏光亮是个人才。"

"舅舅,我……"

"今天我不想听你解释,回答我的问题就行了。"

"是。"

"请你这个即将毕业的清华大学研究生,用三个词表达一下你心目当中,男人应该具备的最基本的品质。"

魏光亮想了想,字斟句酌,"诚实,善良,一诺千金。"

"说得好。我再问你,公民对国家首先应做到的是什么?"

"忠诚。"

"好。你是否认为,知恩必报,诚实守信,勇于牺牲,是人的美德。"

"是的。"

"军人的天职是什么?"

"服从命令。"

"你是不是个军人?"

"是的。"

"我对你的回答很满意。"钟怀国端起茶杯,咕咚咕咚喝上一通,换了口气,"你那个要到美国读书的女朋友挺漂亮,是吧?"

魏光亮睁大眼睛看着面前的老人,随即低头不语。

"说话啊。"

"是的。"

"不漂亮,也不会入你的法眼。我了解你。"

魏光亮不断绞着手,不做声。

钟怀国背着手,在屋里转起了圈,"光亮,人不是可以无限自由飞翔的鸟儿。二十二年前,我让妹妹收养了你。收养你,不是指望日后你能报答我们,而是想把你培养成一个对国家有用的人才。当然,你可能会说,你学成回来后,可以用更大的成绩报效国家。但是,我必须指出,你获得的三张入学通知都不合程序。我记得你跟我说过,你参加考试只是想证明一下英语水平,没错吧?"

"没错。"声音微弱得像蚊子嗡嗡。

"六年前,你十九岁,已经获得了中华人民共和国公民的资格。和部队签订国防定向生合同,是你自己的选择。我和你的养父养母,为你的选择感到十分欣慰。既然选择了当军人,现在你就没有选择出国的自由了,你必须兑现六年前对国家的庄严承诺,我更不能帮助你撕毁与部队签订的合同。刚才,我们讨论了人必须具备的基本品质,必须遵从的基本准则,这就是我做人的基本准则,希望你能理解。"

魏光亮低垂下头,眼里有泪光闪烁。

"你来,看看这几块石头。"钟怀国把魏光亮召到博物架前,"你知道吗?这几块石头与你父亲有关。"

魏光亮怔住了。

钟怀国神情庄重,声音低沉,"关于你的身世,改日再说。现在要告诉你的是,这边的石头,是从我三十五年前修的九个导弹阵地上拣来的。这个架子上的,是我从三十年前修的十四个导弹阵地上捡来的。这些,是我从二十年前修的十六个阵地上捡来的。这些,喏,是我离开工程兵师后,别人帮我从这个时期修建的二十一个导弹阵地上搜集来的。我不是要当奇石、宝石收藏家,这些石头,在别人眼里或许一钱不值,在我这里,它们就是一部用石头修成的中国战略导弹部队建设史。同时,我个人的历史,也写在这些石头上面。

"形形色色的石头,是导弹工程兵以往岁月的最好见证,可经常也是伤害他们的元凶,它们砸死砸伤过我们五千六百七十二名军官和战士。就在三个多月前,七星谷的石头,又砸断了大功团两个战士的腿。

"光亮,你与七星谷有不解之缘,作为一名军人,你应该到那儿去,到大功团去,在那儿为国家服务。我愿意用我的影响力,帮你选择这条人生道路。那个姑娘,如果她真正爱你,应该理解并尊重你的选择。"

魏光亮突然站起身冲了出去。

一直躲在门外偷听的钟素珍追喊着,肝肠寸断,"光亮——"

魏光亮脚下顿了顿,还是夺门而去。

钟素珍追赶不及,返回来,站在门口,怨恨地,"哥,你太冷酷了!"

"一个成年男人,应该具备这种承受力。素珍,你要告诉他,如果拒绝到部队为国家服务,他不但出不了国,而且还要受到违约的一系列惩罚。"钟怀国声音苍凉。

"你就不能好好跟他说?"钟素珍哽咽起来。

"能被三所世界名牌大学录取,不容易,不板着脸给他说,我怕自己也会改变主意。"钟怀国跌进椅子里,闭上眼睛,神情疲顿憔悴。

标示着"一千八百米"字样的作业面上,几台台车排列有序地在打孔,石万山看上一阵,露出满意的神色,顺手捡起一块碎石朝外走。

途中,见林丹雁每选一块小石头,都用彩笔在上面做下记号,然后装进塑料袋里,一旁,方子明很卖力地用岩芯钻帮她采集石头样本。石头全钻完了,方子明还想表现,脸上充满期待地问,"林工,还要吗?"

"谢谢,那就再帮个忙,到一千八百米处取一块石头给我。"

"是。"方子明心花怒放,撒腿就跑,看见石万山,叫声"团长。"脚下一点也不耽误。石万山看着他的背影笑起来,双手托着一块大石头,呈给林丹雁,"这就是从一千八百米处采来的,带上吧。"

林丹雁白他一眼,"想累死我呀。你都带来了,刚才怎么不跟小方说?"

"小家伙好不容易有个效劳的机会,我就那么笨,非扫人家的兴?"石万山把石块朝地上一放,从地上拿起岩芯钻,把石头钻成几瓣,捡起大大小小的几块,"你自己选吧。"

"你现在够坏的哦。"林丹雁白他一眼,捡起一块鸡蛋大小的石头,在上面做着记号。

"不是够坏,是够好。"石万山说,"如果都是这种石质的话,我保证,提前三到四个月打通主坑道没问题。"

林丹雁把石头放进袋子里,"先别说大话。我光用肉眼都能看出这三百米石质发生了变化。"

石万山从她手里拿过沉甸甸的袋子,"有林大博士坐镇七星谷,我们怕什么?"跟着林丹雁往外走,"估计多少天返回?"

林丹雁四下看看,确认没有人能听见,"是烦我了,还是舍不得?"

"全团上下,都对林工印象很好。"

"上,是哪个上?下,又下到哪儿?"

"上,包括郑总指挥,洪政委,当然也有本人……"

"哦?关于'本人'对我的印象,本人愿闻其详。"

石万山笑笑,"本人认为,有林工坐镇七星谷,他干起活来踏实了很多。"掂掂手上的袋子,"如果这些石头没什么大问题,我希望你能在北京多呆些日子。"

"还是烦我了嘛。本人自认为没给你添任何麻烦。"

"相反,帮我做了很多事情。"

"既然如此,又何必要逐我出境呢?"

"七星谷与北京相比,天壤之别。在这里呆久了,会耽搁你很多大事的。"

林丹雁咯咯笑起来,"你啊你,庐山真面目终于露出来了吧。别担心我嫁不出去! 我要在七星谷设个比武招亲的擂台,肯定会有人登台打擂吧?"

石万山也忍不住笑起来,"千万别,你真要摆上十天半个月,我大功团人马全成伤兵了,你不能祸国殃民啊。"

"你是损我,还是抬举我?"林丹雁没好气,"石万山也学会损人了。"

两人到了洞口,远远看见郑浩朝这边走来,石万山笑笑,"来找你的,"把袋子交给林丹雁,"不能让他觉得我对你献殷勤。"

"如果不是找我的呢? 你认什么罚?"林丹雁赌气地问道。

没有回答。

郑浩到了跟前,石万山与他互相点头示意,见林丹雁沉着脸,郑浩赶紧说,"丹雁,我是来告诉你一声,车已经安排好了。"

"谢谢郑副参谋长。"林丹雁烦他多事,却无可奈何。

石万山别过窃笑的脸。

"老石,我去大本营办点事,顺便送送小林,给你告个假。"

"老郑,你别搞错了,你是师首长,怎么向我请假?"

"在大功团,是你老石占山为王嘛,"郑浩用玩笑的口吻说。

这回是林丹雁窃笑。

石万山心里头不痛快,又不好发作,仰头看天,看见一团团乌云翻滚,忙说,"要下雨。老郑,林工,你们还是早点走吧。"

"真的要下雨。丹雁,我们得抓紧时间。老石,你也赶紧回去吧。"

"我在这儿还有点事,你们先走吧,再见。"

"那好,再见。"

看着郑浩与林丹雁的身影消失后,石万山弯腰捡起地上的一块石头,用力一扔,一屁股坐到地上。

张中原坐着一辆运渣车从洞里出来,跳下车走到石万山身边,朝着郑浩和林丹雁刚才下去的方向,夸张地用鼻子嗅几嗅,"郑副参座肯定是属狗的。"

"什么意思?"

"意思是,他这个器官特别灵敏。"张中原又夸张地用鼻子嗅几嗅,"林工一来工地,他一准会跟过来。"

石万山冷笑,"你挺清闲嘛,什么事儿都能搞个门儿清!"

"若要人不知,除非己莫为嘛!大家都说,他别的能耐还没显出来,追女人的功夫倒是……"

石万山鼓起眼睛,"胡扯什么!你是一营之长,嘴上该有个站岗的。"

张中原嬉笑着,"咳,咱也就在你面前犯点小自由主义。也是,他在七星谷没事可干,正好可以谈恋爱。"

"张中原,我警告你,要是再听到别人背后议论郑副参谋长,我追究你的责任。"

张中原急了,"团长,我只不过是个小营长,管不了那么多……"

"那你就把一营的几百张嘴管好!"

张中原蔫头蔫脑,"是。"正要开溜,又想起一件事来,偷偷察看着石万山的脸色,小心翼翼的,"团长,我给你说的那个方案,就是连排干部调整方案……"

"鼠目寸光。"

"啊——"

石万山站起身,拍打着身上的泥土,"咱工程部队要想脱胎换骨,必须改变基层指挥官的知识结构。团党委研究过了,今年分来的大学生、研究生,一律到一线当一年排长。"

张中原急白了脸,"那,那齐东平和方子明他们……团长,他们可是修阵地的主力呀!"

"又给人许愿了是不是?"

张中原耷拉下脑袋,"齐东平他们早就在干排长的工作了。"

石万山甩开膀子走出几步,又折回来,"一营不是你张中原的一营,大功团也不是我石万山的大功团。近亲繁殖,早晚要生出怪物。你是营长,不要还像个连长一样考虑问题!"

良久,张中原梗起脖子争辩,"光靠学生兵行吗? 齐东平和方子明都是当排长的好材料,你今年起码得给他们解决一个。我是营长,说话不能算放屁吧?"

"我相信他们确实能当得好,今年士兵提干时,团里会考虑的。但你不能护犊子护这么厉害。部队充实学生兵,是个大趋势,我告诉你,明年你再乱许愿,就真的是放屁了。三个营,我一碗水得端平,今年顶多给你们一个提干名额,僧多粥少,没办法,骨干们的工作你得提前做,别让好事变了坏事。"

"能保证齐东平,学生兵我要。"

"你敢不要? 记着别把话说满,政策变了,谁都没辙。话说满了,到时候自己打自己的嘴巴。"

"石破天惊"龙头工程进展顺利,几个伤员的身体也恢复得挺快,在这样的大好形势下,石万山和洪东国因对事故负有领导责任,各领了一个行政警告处分。这个结果,多少出乎郑浩的预料。

　　郑浩在工程兵师呆了多年,很清楚这样的小事故动摇不了石万山在大功团的根基。哪一个搞工程出身的二炮将军,档案里没有几大功几大过的记录? 也许,自己要求任大功团前线总指挥这步棋,有些操切孟浪了。不过,世界上没有后悔药可吃,再说,搞工程,天灾人祸随时都可能降临,局势也随时都可能大变,所以风物长宜放眼量。如此看来,发展与目前林丹雁的个人关系,就成为重中之重。遇到一个自己心仪的女人太不容易,既然老天把她送到了身边,就绝不能辜负上苍。此外,有一条是郑浩也许永远也秘而不宣的,那就是,他研究过不少二炮中高级将领的家庭情况,知道娶个好妻子对一个将军苗子来说有多么重要。

　　该出手时就出手。莫等闲,白了少年头,空悲切。歌词,诗词,纷纷从郑浩脑子里跳出来。他摸摸头,笑了。送林丹雁回北京述职,是他在情感战役中采取的第一步有力行动。

　　汉江大英民用机场距市区十六公里,与国内一些大城市的新机场相比,显得小、旧而且简陋。人员寥寥的小候机厅里,郑浩帮林丹雁托运行李。工作人员拎出沉重的大旅行箱,过磅,面无表情,"超重二十五公斤。那边交费。"

　　林丹雁面露疑惑,"这么重,你这是什么宝贝?"

　　"怀疑我给老首长行贿?"郑浩抢着去交费,回头丢下一句。

　　"有这种嫌疑。"林丹雁追过去,要掏钱包,被郑浩拦下。

　　"欢迎举报。这是我给老师长,也就是钟副政委,找的几块七星谷的石头,他是个石头爱好者。已经够麻烦你了,哪还能让你掏钱?"

　　"没什么。噢,怪不得这么沉。"

　　郑浩从口袋里摸出一张纸,看一眼,又掏出一个牛皮纸信封,递过去,"北京接机的车已经安排好了。还要麻烦你一件事,帮我买几本书,信封里是五百块钱。"

　　纸片上写着一大串书名,《艺术哲学》,《帝国历史》,《曾国藩全传》,《明史》……林丹雁笑笑,"郑副参谋长读书的品位不错嘛。"

　　"再纠正一次,叫我郑浩。"看得出她的欣赏之态,郑浩暗自得意——这正是自己希望达到的效果,便抓紧机会发挥,"读书永远是人类接受信息最为惬意、自由、悠然而富于情趣的方式。当人感到孤独寂寞时,读书可以帮他排遣。惭愧的是,因为我读书主要是为了打发时光,排遣孤独寂寞,所以读得杂而不精。"

　　"听君一席话,胜读十年书。"林丹雁表情真诚。

　　"丹雁,去喝杯咖啡怎么样?"郑浩不愿坐失良机。

　　"咖啡我很愿意喝,不知道飞机肯不肯等我。"

　　出师不利啊!郑浩暗自哀叹,却笑着看手表,"是该登机了。以后找机会补吧。"

　　林丹雁拎起随身行李,往安检通道里走,"郑副参谋长,哦,郑浩,谢谢你来送我。再见。"回头粲然一笑。

　　郑浩如遭电击,呆在那儿,一时动弹不得。

第　四　章

钟怀国做事从不拖泥带水。

第二天一大早,钟怀国就亲自给工程兵师师长顾长天打电话,要求师里派人去清华大学把国防生魏光亮要过去,并分配到大功团去。他强调:这是我第一次求部下办私事。之后,又让秘书给石万山打电话,要求大功团接收下魏光亮。

半天内,石万山先后接到师部秘书处和钟怀国秘书的电话,都是一个内容,清华大学研究生魏光亮,曾与部队签订了国防定向生合同,现即将学成毕业,首长的意思是把他交给你石团长,让他在大功团锤炼成长,做军队和国家的栋梁之才。

自从中国要把军队打造成高科技、信息化的现代部队,每年分配到工程兵师的研究生、大学生不在少数。就算大功团地处深山老林,不受天之骄子待见,每年也还是能分来几个。可让师首长和老首长亲自过问的学生兵,就这一个。

凭着多年对老首长的认识,石万山认为他绝不是让魏光亮来镀金的。放下电话,石万山抬腿就上洪东国办公室。历来如此,凡有大事,两人都会去找对方商量。

石万山转达了首长们的旨意,又把暗中摸来的情况大致讲了,然后就魏光亮到来后的使用,征求洪东国的意见。洪东国蹙眉,"咱们是需要高素质、综合性的全能人才,可真的来一个清华大学研究生,又成了麻烦,使用起来高不成低不就的。你打算把他放到哪里?"

"我基本上能断定,魏光亮就是魏铁柱连长的儿子。所以,我想把他放到一营一连,让他踏着英雄父亲的足迹前进。"

洪东国吃了一惊,"当连长? 他能行吗?"

"当然不行! 连长,我要的是既高素质又能打恶仗的虎将! 据老师长秘书说,魏光亮考取了美国三所名牌大学,他本人想脱军装去美国继续深造。这样看来,让他来大功团,肯定只是老首长的一厢情愿。目前,他既没有实战经验,也没有'三爱'精神,不堪重任。先让他代理排长,一连一排的排长,具体让张中原传、帮、带,你看呢?"

"不管怎么说,清华大学研究生当排长,太大材小用了。能否考虑让他挂个副连长?"

"老洪,大学毕业生到大功团,必须先当排长,这可是你提出来的。"

"可他是个特例啊。"洪东国站起身,来回踱步,"就凭他是烈士遗孤,钟副政委的——外甥,也……何况他是研究生。"

"我的理解,扎扎实实从基层干起,对他本人有好处。"

"好吧,我同意你的意见。"洪东国把手掌往石万山肩膀上一压。每次两人通过决议,达成一致,他都会来这个习惯动作。

刚走到团部大门口,就听到李和平大喊,"团长,快点,嫂子来电话。"他紧走几步,拿起听筒,"小青啊,装上电话了? 我记一下。小山考了全县第三名? 还行。告诉他千万不能骄傲。对了,没急事,上班时间别给我打电话,有时间我会给你打。"把电话压下,吩咐李和平,"把二营、三营叫出来。"

"是。"李和平低头敲打着键盘,一边问,"小山考了什么第三名?"

石万山眼睛紧盯显示屏,嘴里漫不经心,"奥林匹克数学竞赛。"看见显示屏上露出的头像,马上戴上耳机问,"赵成武,二营怎么样?"

赵成武嘿嘿地笑,"团长,遇到什么喜事了? 笑眯眯的。"

"说正经事。"

"是。二营进展顺利,三号洞、四号洞今天能掘进四十来米。"

"好,悠着点,注意安全,注意身体。小李,叫三营出来。"

三营长王德田的头像立即出现,"团长早。我们五、六、七号洞都在大干快上。"

"不要单纯追求速度,多提醒战士们注意安全,注意身体。"

"是,安全第一。不过,中原带着一营起早贪黑的,干得太猛,我们也都坐不住呀。"王德田说,"对了,团长,石渣出多了,我们需要添加些伪装网。"

"好,给你们两千平方米,下午送去。三小时后再联系。"

三个营长如猛虎下山,你追我赶,争先恐后,使工程进度蹿得飞快。心情好得很的石万山没能想到,对于魏光亮的使用决定,日后会在一营引起一串连锁反应。

尽管二炮被誉为"中国最现代化的高技术部队",但导弹兵是和平时期责任最重压力最大生活清苦的一群人,而最艰苦的,自然是长年累月在山沟里为导弹筑巢的工程兵们。

此刻,一群赤裸着上身的士兵,正在到处弥散着尘埃的七星谷一号洞库里,用血肉之躯与奇岩怪石进行着意志和力量的较量。他们结实、黝黑的脊背上,不断滚动着汗水,手中的电动风钻轰鸣着,与齐东平正驾驭着的隆隆台车声一起,汇成一支震天撼地的咆哮交响乐。

　　石万山和张中原头戴安全帽,巡回检查完毕,驻足观看齐东平操作。看齐东平准确熟练地打完一排孔,张中原吩咐他,"让大家休息一下。"

　　"弟兄们,现在休息!"

　　齐东平从台车上跳下来,对两个全神贯注盯着他操作的战士说,"一定要重视第一感觉,不要让钻头晃来晃去。"拍左边战士一巴掌,"小宝,要用心。再不出师,就把我累死了。"

　　战士们歇息下来,三三两两地聚集着,一起抽烟聊天。只有方子明,沿着坑道一路捡着毛石,很自然地向两位首长的方向靠拢过来,耳朵竖得老长。

　　"不怕不识货,就怕货比货。齐东平开台车,效率至少高出别人一倍,战士们都很佩服他。"跟着石万山往外走的张中原语音不高,但很清晰。方子明听见了。

　　石万山脸上不显山不露水,"是有些绝活。"

　　张中原声音压得更低,"别的排长虽然都很不错,但说话不如他说话顶用。"

　　"你当年也有这个能耐嘛。十个战士里头,至少有八个都跟在你的屁股后面转。"

　　张中原嘻嘻地笑,快步紧跟,"他比我有能耐,没人不听他的。我初中毕业,人家高考只差三分。"

　　石万山头也不回,"我们的排长,都是好排长,兵也都是好兵。"

　　方子明眼巴巴地目送他们远去,不捡毛石了,跑到齐东平面前,"请客!"

　　"凭啥? 嘴巴又馋了,想找我放血?"

　　"要是营长老在团长面前夸我,我绝对放血。"方子明酸溜溜的。

　　齐东平眉毛眼睛都在笑,捣方子明一拳,"水涨船高,咱哥俩,谁受表扬,效果都一样。"把嘴凑到他耳边,"你还不知道情况吗?"

方子明恍然明白过来,笑逐颜开,登高振臂,"弟兄们,营长的事,东平排长的事,也就是大家的事。明白吗?"

"明白!"雄浑的声音,在洞库里共鸣,回荡。

齐东平很感动,"谢谢大伙儿支持!这一段,大家都很辛苦,希望大家咬咬牙,挺过这一段,别松劲儿,年底咱们立个集体三等功,给营长长长脸,也给咱爹妈长长脸,你们说好不好?"

"好!"气势排山倒海。

齐东平掏出烟盒,一个战士马上拿出打火机,把火点着,递到他面前。齐东平从烟盒里抽出一支,把烟盒扔给点打火机的战士,"每人抽一支,提提神。"他把烟点上,深吸一口,脑子又开始来神,叮嘱点打火机的战士,"小吴,中间那六个孔,石质松软,少装三分之一药。右上角那四个孔,每个孔装药集中度提高百分之二十,那块石头很可恶,硬得很。"

走出一号洞库,并肩走过岗哨,石万山突然问张中原,"高丽美去外企,到底有没有戏?"

"我也不清楚,已经报名了,要过好几关呢。这个公司也日怪得很,还要了解家庭主要成员的基本情况,包括任职、收入情况。"

"这些都是公司的潜在资源嘛,人家精明得很"石万山驻足,"中原,给你说点工作上的事。齐东平,方子明,这两年在你的调教下,进步很快,都是我们的主要战斗力。"

张中原两眼放光,"这么说,他们今年提干有戏了?"

"他们今年能不能提干,一要看提干名额有多少,二要看他们能不能经受住特别的考验。"

张中原警觉起来,"特别的考验?指什么?"

"团里即将分来一个清华大学高才生,还是个研究生。我和政委商量过了,决定把他交给你,放到一连,代理一排排长。"

"啊——"

石万山横他一眼,"啊什么啊!他是个国防生,成绩很棒……"

张中原恨恨地,"家庭背景也挺好吧?"

石万山板起脸孔,"你这是什么话?!人家本来考取了美国名牌大学,是钟副政委要求他,必须履行国防生应尽的义务……"

"还是个问题研究生!"张中原有火不能发,有气不敢撒,只好憋着喉咙,"团首长可真是爱护我一营啊!"

石万山不理会他阴阳怪气的腔调,"钟副政委希望大功团能把魏光亮培养成一个合格的工程兵。把他放到一排,我才放心。这个事情不能讨价还价,你只能执行命令。这对齐东平算是一次特殊的考验,我需要一个双赢的结果。"

"我执行命令就是了。"张中原蔫头耷脑,身体也似乎矮下去一大截。

走到小广场,两人分道扬镳,石万山回团部,张中原慢慢往土丘上踱去。一包香烟抽完了,他还是不知道该怎么对齐东平开口。回到办公室,正托着腮帮子发呆,高丽美打来电话,说寰宇华夏公司通知她明天前去面试。一脑门子官司的他心不在焉地敷衍妻子几句,就把电话挂了。

他万万想不到,寰宇华夏公司这次招聘会,日后彻底改变了他的生活。

早上八点钟,略施淡妆的高丽美准时出现在位于金鑫大厦的寰宇公司。

十九层的金鑫大厦紧挨着汉江大酒店,是汉江市最好的写字楼。寰宇华夏投资有限公司光可鉴人的金字招牌,正对大厦第八层的电梯口,仿佛向人们告示,瞧,我们财大气粗,整个八层都是我们的!这两天,寰宇华夏投资有限公司人来人往,络绎不绝——他们正在招兵买马。

气派的会议室里,长条大会议桌前,戴珐琅眼镜的人事部经理王辅文端然肃坐着,对一个大学生模样的女孩频频发问,两个下属分坐他左右,不时做着记录。

"面试到此为止,等候通知吧。小薛,通知下一个进来。"王辅文一副公事公办的神情,不带任何感情色彩说话。叫小薛的小伙子赶紧起身。

女孩拉门出去的同时,高丽美进门。灰色套装恰到好处地勾勒出高丽美的身段,使她显得健美又窈窕。王辅文的眼镜片后,不由自主地投射出两道幽幽亮光。

由小薛引领着,高丽美走到会议室中心的椅子前,怯生生地站下。

"你叫高丽美,是吧? 高小姐,请坐。"王辅文的语气比刚才温柔得多。

"谢谢。"高丽美坐下,有些僵硬的身子顿时松弛下来。女人天生敏感,何况对好色男人见得不少的美女。

"好。开始吧。请用三分钟时间,讲出你为什么选择寰宇公司。"

两个下属马上摊开笔记本,拿起笔。

高丽美站起来,说话略有些急促,"寰宇华夏公司是汉江市很有名气、很有实力的外资企业,能为这样的公司服务,是我多年的梦想。公司开展的业务,都是我喜欢从事的,公司给员工的待遇很优厚,这一点也很吸引我。我自认为有能力胜任贵公司的工作。回答完毕。"

王辅文收回在她身上游移的眼光,"很好,说的都是大实话。请坐。你提供的资料显示,你的丈夫就在本地当营长,你为什么没有随军呢?"

"这……"高丽美迟疑一下,"一言难尽。"

"回答得体,好。看你,都出汗了,这里不是部队,你可以把外套脱掉,没关系的。"

听到王辅文关切的话,高丽美犹豫一下,最终脱下了外套。

高丽美的一言一行,都被正从监视器里偷窥的人尽收眼底。监视器安装在孙丙乾办公室角落里,平常被文件柜遮掩得天衣无缝。孙丙乾盯着高丽美饱满而不失婀娜的身体,目不转睛,"性感,单纯,没见过什么世面。"

黄白虹悻悻然,刻薄地说,"小镇弄堂里的小家碧玉而已,这种人虚荣心很强。"

"与我这尤物一比,她当然相形见绌了。"孙丙乾伸手把她搂到怀里,"在你看来,她对七星谷那个营长的影响力有多大?"

黄白虹心理满足了,语气少了刻薄,"让他往东,他绝对不敢往西。"

"理由呢?"

"一个打了十几年山洞的大兵,娶到这样一个性感大妞,做梦都要笑醒的。"

"你是说值得投资?"孙丙乾的手蛇一般往她衣服里潜行,怀里的身体渐渐倒下去,开始骚动不安地扭来扭去。他笑了。

"你说呢?"反问伴着娇喘吁吁。

"好。等下你去告诉这个营长夫人,如果没改变主意,明天她就是公司人力资源部的副经理了。三个月试用期内,月薪三千,转正后,月薪四千。"

黄白虹不娇喘了,努力想坐起来,"四千是不是太高了? 会不会反而……"

"不高。那个营长的月收入,七七八八都算上,撑死两千多,"孙丙乾暗暗用劲把她按倒,"要在短时间内造成营长的心理失衡。中国的男人,我了解,大都不希望老婆比自己收入高。穷则思变,我希望这个张营长尽快思变。"

"高,实在是高!"怀里的女人由衷佩服,眼睛里能流出水来。

阅世太浅心地单纯的高丽美,对自己的处境一无所知。一得到被录用的消息,她就迫不及待去到大本营,用军线电话把喜讯告诉丈夫。

张中原打内心里希望那个魏公子变卦,不要来大功团,别上他的一营来,魏光亮不来的话,皆大欢喜的事嘛。他打电话询问石万山,遭到一顿训斥。垂头丧气地放下电话,张中原丧气地想:看来真的是"是祸躲不过"啊。他想来想去,觉得长痛不如短痛,早点告诉齐东平,自己大概也能早点安生。

见了面,张中原先从自己的恋爱故事讲起,"……第二年秋天,我都快绝望了,给你嫂子写了一封信,哦,那时还不是你嫂子,要求中断恋爱关系。当时我们刚谈不久,她恨得直咬牙。因为我预料,十有八九自己得回河南老家,没想到……"

齐东平嘻嘻哈哈,"没想到,三个月后,你直接当上了副连长,后来一路跑步前进,直到如今的营长宝座……"

"你,这么清楚?"

"对营长的革命史,战斗史,恋爱史,我能如数家珍。"

张中原看着他,一时再也找不到话说。不忍看对面这张纯真的笑脸,他别过脸,掉开目光。很快,齐东平意识到情形不对,他不知道究竟发生了什么事情,只是隐约觉得肯定与自己有关。沉默半晌,他艰难地开口,"营长,你肯定有什么话要对我说,不管是什么情况,你都直说吧。"

张中原知道,错过这个机会,自己恐怕再没有勇气开口了。他毅然决然地,一字一句都破釜沉舟,"那我就直说了。东平,营里分来一个清华大学研究生,团里指定派到一连一排,代理排长……"

　　齐东平的心脏狂乱起来,脸色变得异常苍白,眼前金星乱冒,只看得见对面的嘴巴张张合合,再也听不见它在说些什么。后来,他似乎听到张中原在叫"东平,东平!"他像是被招魂回来的人,神志渐渐清醒过来,身上却被汗水浸透了。

　　"东平,是我无能——"张中原脸色灰暗,神情痛切。

　　"营长,我知道你已经为我尽心了,是我自己不争气。"齐东平凄然一笑,转身跑了出去。张中原在后面叫他,追他,他不管不顾,只顾疯了一般地跑。反正都完了,理想,前途,命运,一切的一切,全都完了! 我还在乎什么呢?! 他脑子里反反复复的就是这个念头,他也不知道自己要干什么,但双腿就像美国影片《阿甘正传》里的阿甘一样,不断地跑啊跑啊,不知疲倦,不知歇息。一口气跑到百花岭最高峰上,他一下瘫软下去,浑然倒在地上。两颗晶莹的泪珠,慢慢地,轻轻地,从他紧闭的眼角渗出来。一阵阵寒冷的山风掠过,树摇草曳,他一动不动。

　　脚步沉沉,气喘吁吁,眼圈红红,呼唤声声,"东平,东平……"张中原追了上来,看着地上的齐东平,感到痛彻心肺。

　　地上的身体纹丝不动,只是泪水开始汹涌而出。

　　张中原无言地坐在他身边,良久,猛然站起身,对着血盆般的残阳,像一匹受伤的野兽般,嗷嗷地叫喊起来。嗓子喊累了,疼了,歇息一会儿,接着叫喊。

　　终于,地上的身体坐了起来。

　　"东平!"张中原奔过去,悲喜交加。

　　"营长,对不起,让你操心了。"

　　"哪儿的话! 好些年没喊山了,刚才喊一喊,人感到畅快多了。东平,你也喊一喊吧,别憋着自己,当心把人憋坏了。"

　　"营长,三分人事七分天命,我已经想开了,你别为我担心了。"齐东平目光忧伤,幽幽地说。

"东平,你能这么想,我就放心了,"张中原露出欣慰的神情,顿了顿,关切地问,"你要有个三长两短,还让你爹活不活? 哎,你爹的病怎么样了?"

"还那样。"

"你和姐姐还是想给他换肾?"

"别的本事没有,孝道还是可以尽的。"

张中原扶住他肩膀,"东平,如果你说你心底里没有一丝怨气,那是假话,对吗? 你心里难过,有些怨气,这是正常反应,我完全理解。可我问你,你知不知道研究生到部队定什么级,授什么衔?"

"管他呢!"

"我告诉你,定正连职,授上尉军衔。"张中原苦口婆心,"东平,以你的兵龄,提干后,顶多能定个副连职,授个中尉军衔。这个研究生只是在一排代职,明白吗? 你可千万要冷静,别到时弄得鸡飞蛋打!"

齐东平默然点头。

"东平,你记着,魏光亮在排长位置上呆着时,你就只能在士官的位置上呆着,这对你是不公平,但大丈夫要能伸能屈! 我在看着你,团长他们也都在看着你,我希望一排的表现,你当不当排长都能一个样。"张中原加重语气。

齐东平脸上的阴霾渐渐退开,神色庄重起来,"营长,你放心吧!"

"谢谢你东平。其实啊,咱们这些人也不可能一辈子当兵,早点想到后路也好。告诉你吧,今天你嫂子上班了,月薪四千。所以,到地方上干也不一定没出息,你说对不对?"

郑浩很快就知道了魏光亮要来大功团的消息。他与钟怀国秘书有多年交情,私下里说话无须遮拦。傍晚,秘书把钟怀国"强行把光亮放到大功团"的情况说给他,当即受到郑浩责备:清华大学研究生打坑道,这不暴殄天物吗? 浪费留美的机会,更是让人痛心疾首,毁掉的没准是个诺贝尔奖得主呢。首长原则性太强,但你当秘书的,怎么就不会从中转圜呢?

放下电话,郑浩马上打电话给钟素珍,了解到全部详情,知道事情已无可挽回,只好说有我在七星谷,会保证光亮有足够的时间学习英语,请钟阿姨放心。

想了想,郑浩抬腿往洪东国家里去。

此时,洪东国斜躺在沙发上,手拿电话一脸苦笑地对付朱彩云发来的连珠炮,"去去去,你什么时候回来是你的事,下星期二本经理在不在大本营,难说。哼,东风吹,战鼓擂,现在世界上,看究竟谁能熬过谁! 汇报一下工作,三千双手套,今天已经派人送到贵团了。另外,告诉你个消息,也是为了让你少操心,高丽美找到工作了——少说漂亮话! 我这个编外政委做的事儿再多,也顶不了经常去骚扰洪政委,动摇大功团军心的大罪过。哼! 还是性骚扰! ……"

"老婆大人,求求你,别再生气了。我准备马上上山,去砍几根荆条回来,明天背着它们去见你,行吗? 你可要高抬贵手……"洪东国正告饶,听到敲门声,赶忙压低声音,"有人敲门了。我又不知道你在哪儿,回头你再打过来,行吗?"

"安内"完毕,赶紧"攘外",洪东国一边问"谁啊?"一边把门打开。

郑浩进屋,看到一派冷灶凉锅的景象,"嫂夫人不在家?"

洪东国摇头,"这女人啊,折腾起人来可真要命。请坐。红茶、绿茶还是花茶?"

"绿茶吧,不上火,不会失眠。怎么,把嫂夫人惹恼了? 嫂子怎么折腾你了?"

洪东国沏着茶水笑起来,"这种事,未婚青年还是不听为好。"

郑浩也笑,"咳! 不就是不让你上床了嘛,还把我当祖国的花朵了。"

"我犯教条主义了,现如今,未婚也可享受已婚待遇嘛。唉,一句话没说对,她给我捉了两个月迷藏,人都找不着了。"洪东国把茶杯端过来。

"洪政委不仅犯了教条主义错误,还犯了主观主义错误。我连个女朋友都没有,哪有你说的那种好事啊。"

两人大笑起来。

"郑副参谋长光临寒舍,有何指示?"洪东国半开玩笑。

"何谈指示,老洪,你也跟我客气。我散步路过,顺便拜访,想跟你聊聊天。每天形只影单的,除了工作上的接触,连个说话的人都没有。"

"老郑,你也真该成个家了,老这样,也不是个事儿啊。心气别太高了。"

"唉,都以为是我太挑剔,我真是有冤没处伸啊。前天,钟副政委的妹妹打电话来,说要给我介绍女朋友,也是这么告诫我……对了,老洪,钟副政委的外甥要来大功团,你知道了吧?"

"听老石说了。"洪东国轻描淡写。

"师长、政委早就跟我说过这事。一直想找你们商量,看怎么使用他合适。"

"春节后,团党委专门为大学毕业生使用问题开过会,最终决议是,分配到大功团的大学生,必须先当一年排长。"

"老洪,按规定,研究生毕业到部队,起点应该是正连、授上尉军衔吧?"

"确切地说,是代理一年排长。学生兵到部队,直接当连长,或者副连长,工作中会遇到很多困难。这个办法,是总结经验教训后想出的。"洪东国起身续水。

"魏光亮来,也当排长?"

"一视同仁。"

"是石团长的主意吧?"

"是团党委的决定。郑副参谋长要是觉着不妥,可以批评。"

"这是你们大功团的事情,我不便评论。只是,我主张具体问题具体分析,凡事不能搞一刀切。老洪,把他留在团部当个参谋不行吗?"

"这是郑副参谋长的个人意见,还是……?"洪东国觑起目光。

"就算我的个人意见吧。当然,我知道你也很为难。"郑浩眼光别有意味。

"我没什么为难的,"洪东国笑笑,"只是团党委的集体决定,我个人无权推翻。"

"老洪,你看这样行不行? 魏光亮到大功团报到后,到师前指上班。我的师前指,正需要这么个人。"

"老郑,我建议,你找时间把老石叫上,咱们一起商量一下吧。"

"咱们现在就去吧。"郑浩拉上洪东国,直奔石万山房间。

奉行"生活简单就是享受"准则的石万山,尽量把生活上的一切都简单化。他的房间里,只有床、衣柜、书桌、书架和两把椅子,书桌上摆着一台电视机,地上放着一个小电风扇。房间显得宽敞,整洁,明亮。

郑浩开门见山,表示团里对魏光亮的使用方案有所不妥,希望团长重新考虑。

石万山说,"这是大功团党委的意见,又不是我个人定的家法,这种使用方案最初还是洪政委提出来的,怎么叫做希望我重新考虑?"

郑浩说,"让魏光亮代理连长,或者让他留在团部,当参谋也行,做我的助手也好,只要你石团长通得过,洪政委不反对。"

石万山看着洪东国,洪东国没有表情,一言不发。石万山一下就来火了,"我下级可以服从上级,但请别忘了,个人得服从集体,任何个人意见,都不能凌驾于团党委之上!"

三个人的脸色都变得很不好看。坐在椅子上的郑浩和洪东国,与坐在床沿的石万山,面面相对,默默无语。小电风扇左摇右晃,把风轮流送给它的主人和两个客人,又好像是小心翼翼的,一会儿看看这个,一会儿看看那个,嗡嗡嘤嘤的声音似乎在说:你们别吵了,好不好?

良久,洪东国打破沉默,说我们最终还是尊重老首长的意愿,你们两位都是他的老部下,与他接触多,比我更了解他,请你们说说,老首长把魏光亮放到大功团,真正的意图是什么? 他看着郑浩,郑浩紧绷着脸,也紧绷住嘴。他只好看着石万山,希望对方能回答自己的问题,否则大家都下不来台阶。

石万山觉得自己刚才态度过头了,心里有些愧疚,现在理当领情,便和缓表情和语气,"我个人认为,老首长把魏光亮放到大功团来,绝不会是让他象征性地点个卯,履行一下与部队签订的合同,然后再到北美的名牌大学深造。老首长不是那种人! 到基层锻炼一段时间,对魏光亮的成长有好处。当年,毛主席还把长子送到乡下务农,送到朝鲜战场打仗呢。其实,党、政、军高级干部,大都会让儿子从底层干起,这样才锻炼人,才能培养出栋梁之才,使儿子不至于成为八旗子弟。我的理解,老首长就是这种良苦用心。"

郑浩站起身来,摆出要走的架势,眼睛不看石万山,话是说给他听的,"既然你认为让魏光亮上一线就是老首长的意思,那就按你说的办吧。我不再说什么了。"

石万山赶紧站起来,"那我送送你。"

洪东国也站起身。

"不用了。"郑浩头也不回,扬长而去。

屋里,两人面面相觑,一时无语。

"唉,弄成这种局面! 老石,你措辞就不能委婉一些?"洪东国终于开口。

"我没兴趣跟他练太极推手。人家说性格决定命运,我认了。"

"毕竟是上下级关系,弄僵了影响工作。"

石万山围着椅子绕圈,"矛盾回避不了怎么办? 总不能都绕着走吧? 今天,我可以说是有意为之的。我就是要让他知道,大功团的团长是我,政委是你,你我有权处置团里的事情,不需要他郑浩来说三道四;也告诉他,石万山是龙头工程的法人和指挥长,轮不到他郑浩来指手画脚! 他想做好人,可以从师里直接把魏光亮要到师前指。"

"还这么血气方刚,这么锐气逼人。倒也难能可贵。"洪东国苦笑着摇头,站起身,"我去郑浩那里坐坐。多沟通沟通,没坏处吧。"

石万山送他出门,"抱歉,我的态度可能有问题,但是⋯⋯老洪,你知道,打仗的第一大忌,是多头指挥。"

"我没说你有错啊,好了,你回去吧。再见。"

回到房间,石万山四仰八叉倒在床上,目不转睛地盯着天花板,似乎要把上空盯穿。半小时后,他终于坐起来,叹口气,看看手表。时间还不算太晚,给小青母子俩去个电话吧,听听妻子小溪流淌过青石板般温柔清凉的声音,听听儿子小马驹撒欢般童真欢快地喊"爸爸",自己的心情就会平静下来,心底也会柔软起来。

石万山拿起话筒。想到自己很久没有给母子俩去电话了,他心里一阵愧疚。

七星谷里为魏光亮引发如此大的风波,当事人魏光亮却一无所知;当石万山与郑浩为对他的使用问题吵得不亦乐乎时,魏光亮正风驰电掣赶往首都国际机场。

首都机场"国际出发"门口,车水马龙熙熙攘攘。魏光亮火急火燎地把"丰田尼桑"停好,以最快的速度下车,疯子般冲进大厅,四下张望。

那个熟悉的倩影终于出现了,出现在他的视野里。那娜满面春风,在一大群人的簇拥下,谈笑风生地朝安检口走去。魏光亮的心猛烈抽搐起来,他本来只是想到这儿远远地看她一眼,默默地为她送别,没想到自己会失控地大喊起来,"小娜!"

袅袅婷婷的身体停住了,顺着声音的方向,那娜看到了失魂落魄的魏光亮。她眼睛闪烁一下,似笑非笑地看着他。

血液全部往魏光亮头上涌去,他冲过去,从人群中把那娜拉到一边。

那娜的脸冷下来,眼睛里放寒光,"放手!脱军装了?"

"小娜,能不能给我一年时间?"魏光亮的脸因痛苦而扭曲。

那娜把目光挪开,"光亮,你又不是不知道,我是一个很现实的人。你还记得自己说过的话吗?现如今,爱情保质期顶多三个月。我很同意!一年后,如果我还没有新恋情,不反对咱们在美利坚来个破镜重圆。现在我必须登机了,就此别过吧。亲爱的,祝你好运!"

那娜毅然决然而去,立刻被前呼后拥着离开。

魏光亮不由自主地退到旁边,绝望麻木地看着那娜的身影远去,突然,他发疯般从里面往外冲,猛一下撞到一辆行李车上。正推着行李车的中年男子打个趔趄,两个行李箱翻滚到地上。魏光亮回头看一眼,步伐减慢,但没有停下。

人生,有时候是多么的奇怪。魏光亮这一漠然的动作,让他结识了中年男子身边的年轻女孩,军校学员周亚菲。

周亚菲二十出头,五官清秀,皮肤偏黑发亮,身形苗条刚健,乍看不太惹眼,细品则很有味道。她性格泼辣,有几分男孩的豪气和胆魄。她与母亲来送父亲出国讲学,没想到会遇到这么个不懂礼貌不讲规矩的混蛋。

"你给我站住!"周亚菲大喝一声,飞也似的冲到魏光亮前面。

魏光亮怒气冲冲,倒似被对方冒犯了,"怎么了?"

"你说怎么了! 就算你没学会道歉,至少也该把这箱子放好。"周亚菲杏眼圆睁,柳眉倒竖。

魏光亮鼻子里哼一声,转身就走。

此人简直不可救药! 你让我下不来台? 今天我倒要看看你怎么脱身! 周亚菲一把拽住魏光亮的衣服,"想溜? 没那么容易! 你不道歉,我跟你没完! 长得还人模狗样,不过是金玉其外败絮其中罢了!"

"看我帅,缠上我了? 那好,今天我奉陪到底!"魏光亮双手叉腰,摆出一副浑不吝的架势。

周亚菲见过浑的,可没见过这么浑的,她恼羞成怒,咬牙切齿,恨不得扬手扇他两耳光。一派教授风范的周父赶快拉住女儿。周教授弯腰拎起箱子,放到行李车上,"亚菲,他可能心情不好,咱们得饶人处且饶人。"

见对方这样宽容大度,魏光亮反而不自在起来,尴尴尬尬地站在那儿,走也不好,不走也不是,有些手足无措。丰腴风韵的周母舒亦文见状,对他笑笑,"没事了,你走吧,我们还得赶飞机呢。"

魏光亮如获大赦,感激地看舒亦文一眼,逃之夭夭。

"有病! 你绝对心理有缺陷……"周亚菲冲着他的背影,跺脚叫骂。

父亲看着女儿,含笑摇头,舒亦文揶揄她,"你也有病,职业病——见人就觉得人家心理有病。"

"爸,你老是做东郭先生,又放走一条中山狼!"周亚菲冲父亲撒娇,又冲母亲扮鬼脸,"老妈,你也有病——心病! 非让我给你招回一个东床快婿不能好。"

舒亦文用手指刮女儿的脸,"大姑娘家,也不知道个害臊! 就你刚才这小母夜叉样,我这心病,也不知道哪个年头才能去掉。"

母女俩打打闹闹,好似一对闺中密友。

也许魏光亮今年命犯桃花。一路狂飙汽车的他,竟然又遇上了林丹雁。

林丹雁与秦怀古情同父女。只要在北京,林丹雁三天两头都往秦家跑,魏光亮在机场高速疯狂飙车时,她正在秦家。

似乎为了与名字配套,秦怀古家的客厅陈设古色古香,凝重大气。

秦怀古坐在太师椅上,剧烈咳嗽着,秦夫人赶快端来茶杯,拿来药片。见老师吃好了药,伫立一旁的林丹雁,赶紧把手里的大纸包打开。

秦怀古探头探脑,看到一堆黑乎乎、面目丑陋的虫子,不禁倒吸一口凉气,"这又是什么东西?"

"蜈蚣,还有蝎子。有个朋友说,他父亲的病跟您的一样,吃了一千条蜈蚣和一千只蝎子,没事了。这叫以毒攻毒。"

秦怀古笑起来,"所以,你马上给我弄来蜈蚣和蝎子。以后,要是有人说我该吃毒蛇猛兽,怎么办? 你又弄不来,我只好去住洞穴,当野人了。"

林丹雁也笑,"那您就彻底返朴归真了。"

"我只相信科学,是彻底的唯物主义者。癌症,特别是我得的这种晚期小细胞肺癌,不做手术,能再活三年就是奇迹……"

秦夫人嗔怨丈夫,"真不该让你知道! 一点自信心都没有。其实,一多半癌症病人,都是因为心理恐惧,最后是被吓死的。"

"我不过是在陈述事实。与病魔斗争,与死神抗争,我当然有信心啦。我要能拖过五年,丹雁他们就能独当一面了。所以,我的最低目标是再活五年,上不封顶。"

"那您一定要吃这些东西。"林丹雁女儿般地撒娇。

"好,好,我吃,一定吃。还有人要我吃屎壳郎呢,也是说以毒攻毒。蜈蚣和蝎子,总比屎壳郎好。"

三个人都笑起来。

"不说这该死的破病了。丹雁,早点回七星谷吧。从你带回的岩石来看,这条主坑道的地质结构很复杂,我们可能低估了它的复杂性。"

"过两天就回去。快下雨了,我得赶紧走。老师,师母,我明天再来。"

秦怀古摆手,"可别天天来,你天天来,我就感到压力,好像见一次少一次似的。听到世纪龙工程进展顺利,龙头,龙身,龙尾,都安然无恙,比吃什么药都强。"

林丹雁显出调皮的神情,"老师放心吧,弟子一定加倍努力。"

从清河坐公交车到西直门的途中,果然大雨滂沱,等林丹雁下车时,则变成了细雨霏霏,林丹雁暗自庆幸。她想去西单图书大厦帮郑浩买书,所以下车后四处转悠找地铁口。有截路段正在检修地下设施,因为刚下过雨,路上积出成片成片的污水。林丹雁小心翼翼地走着,竭力避免污水溅到雪白的裙子上。

孰料,一辆从她身边疾驰而过的丰田尼桑,一下就把她的裙子彻底糟蹋了。她火冒三丈,气急败坏地朝前追赶,没想到车主却渐渐减速下来,直至把车停住。显然,车主在等着她。

林丹雁敲打玻璃窗,厉声责问,"有你这么开车的吗?"

魏光亮打开车门,眼睛斜睨着她,"裙子漂亮,人更漂亮。"

林丹雁一怔,冷冷地回应,"先生,我想听的是道歉,不是赞美诗。"

"小姐这种档次的美女,可遇不可求,男人见了都会忍不住要唱赞美诗。请上车吧,去燕莎,还是赛特?赔你一条裙子,再共进晚餐,怎么样?"

对方竟然这么混账!林丹雁决定教训一下这个不知天高地厚的纨绔子弟。她粲然一笑,"何乐不为?我喜欢开车,让我开,行吗?"

对方这么痛快,魏光亮心里反而忐忑起来,犹犹豫豫迟迟疑疑地,"会开?"

"开过几年公共汽车。"

"是吗?看不出来。也行,让我纯粹享受一下香车美女的感觉。"

"我先试试,行不行?"

"没问题。"魏光亮从驾驶舱下来。

林丹雁坐上去,手上先找感觉,"就不怕我把车开跑了?"

"上了保险,你开跑了,正好让保险公司赔我一辆新的。美女偷车贼?嘿嘿,有意思,侦探小说里见过,很让人向往,今天正好见识一下。"

"挺大气,像个豪门里的花花公子嘛。"林丹雁关上车门,把车后倒一百多米,看看魏光亮身边的积水,自言自语,"跟我玩这一套?你差远了!"

车子向前缓行,距离魏光亮十几米远时,她一踩油门,车猛然朝前蹿去,污水飞溅魏光亮一身。

魏光亮愣住了,回过神来,拔腿狂追。

林丹雁停下车,从车里下来,歉意地笑笑。

魏光亮极力抑制住气恼,"怎么搞的,你?"

"很久没开了,生疏,踩刹车时踩到油门上了。真不好意思。"

魏光亮抹着脸上和身上的污水,意气难平,"人倒霉,喝口凉水都塞牙!"

有辆出租车开了过来,林丹雁赶忙拦住,上车。魏光亮急了,跟过去拍打车窗,"干吗?不是说好了去……"

林丹雁摇下车窗玻璃,嫣然一笑,"咱俩扯平了,再见!"

一肚子的火无处发泄,魏光亮抬起脚来,朝轮胎狠命踢上一脚,结果痛得自己龇牙咧嘴。他气急败坏,恼羞成怒,"女人,都他妈的一个样!"

正擦着身上的污泥,手机响了。是养母钟素珍打来的,说钟怀国明晚要设家宴为他送行,特别叮嘱他一定要准时到。此时,魏光亮觉得全世界都在与他作对。

第二天去钟怀国家吃饭,魏光亮是非常不情愿的。

钟怀国夫妇和小保姆在家里忙乎了大半天,辣子鸡、云腿蛋、红烧肉、西蓝花、桂鱼等一盘盘色泽诱人的菜肴从里面端出,摆放到餐桌上,令人垂涎。

秘书和公务员走进客厅,从一个旅行包里把几块奇形怪状的石头取出来,摆到茶几上。进到厨房,秘书见钟怀国系着围裙在烟熏火燎的灶台前,正把锅铲挥舞得七上八下的,感到很新鲜很好奇,心想打我跟了首长起,他从来都是古训"君子远庖厨"的忠实实践者,不知今天有什么样的贵客登门。

"首长,有什么事情,您吩咐我来做吧。郑浩在七星谷给您挑拣了几块石头,让同事带回北京,我们给您取过来了。您去看看。"秘书说。

钟怀国把炒好的菜盛到盘里,放下锅铲,解下围裙,来到客厅。见到几块花纹挺漂亮的石头,他欣然于色,"嗯,郑浩选石头,眼光不错。东北龙身工程的石头已经有了,现在,龙头工程的也有了,什么时候再添一块西北龙尾巴上的,我就能凑成一条世纪龙了。"

门铃响起,秘书过去打开门,不禁愣住了。魏光亮剃一个锃亮的光头,穿着学员服,跟在钟素珍后面,面无表情地走进来。

钟怀国瞥他一眼,脸阴沉下来,"怎么理了个光头?"

"如果受伤,便于包扎。《内务条例》没有禁止剃光头。"

钟夫人从厨房里端出汤锅,看见魏光亮,笑纹立即在脸上荡漾开来,"光亮来了? 光亮,今天你舅舅居然下厨房了,你最喜欢吃的菜都是他做的。"

魏光亮勉力想对舅母笑笑,但笑不出来,"谢了,我受宠若惊。"

钟素珍生气地责备道,"你这说的是什么话?"

"人话,大实话。"

"你这叫什么态度!"钟素珍气得脸通红,却无可奈何。

钟怀国几乎要发作,想到今天是全家为魏光亮赴部队送行的日子,压抑住不快,关切地问,"行装收拾好了吗?"

"差不多。"

"他什么都没带。"钟素珍没好气。

"笔记本电脑,军服,不算行装吗?"魏光亮不给养母好脸色。

钟素珍不敢再惹他,转而向哥哥求援,"哥,他一套便服都不带,你说说他。"

"我是去修导弹阵地,带那些东西干什么?"

钟怀国瞪住他,"你说的话都没错,可听上去都不对劲。还有情绪,是吧? 有气朝我撒,别冲你妈撒气!"

魏光亮窝着脸,不敢吭声了。

第 五 章

　　林丹雁乘坐的班机晚上七点准时到达。在行李传送带前等候领取行李时,她遇上了大学校友黄白虹。

　　斜对面也在等行李的黄白虹看见林丹雁,心里猛然一咯噔,开始目不转睛地打量起来,觉得对方很像大学里的"校花"、后来成了军事院校博士的林丹雁。她走过去,轻轻拍一下林丹雁的肩膀,试探地叫"林小姐——"

　　林丹雁惊异地回头,定睛看黄白虹,努力搜寻记忆,"小,小黄,黄白虹!"

　　"我的丹雁师姐,真是你呀,真是太巧了"黄白虹非常高兴,上下打量穿着黑色套裙的林丹雁,"听说你穿上军装了,真的假的?"

　　一旁的孙丙乾摘下墨镜,用力看林丹雁一眼。

　　"咳,有碗饭吃吃而已。"林丹雁把自己的行李箱拎下来,"别看我呀,看行李。"

　　"行李有同伴盯着呢。不看师姐不行啊,你比以前更漂亮了,而且还多了风韵,真让我嫉妒,心里是不想看,可眼睛不听话啊,没办法。"黄白虹说罢,低头看林丹雁行李箱上的托运标签,"噢,你从北京飞过来的,怪不得我在飞机上没看见你。"

"别净挑好听的给我灌迷魂汤,我有镜子,看得见自己老了。白虹,你倒是真的越来越漂亮了!"林丹雁拉着箱子,往外走两步,又回头问道,"海外华侨回国观光啊?"

"师姐官僚了吧,两年前,我就加入海归一族了。"黄白虹拉住她,"一起走吧,我们有车送你。"

"谢谢,单位有车。真佩服你,什么时候都是弄潮儿。自己当老板?"

"咳,我哪有那本事啊? 给人打下手,背靠大树好乘凉呗。"黄白虹从精致的钱夹里抽出名片递过去,表情真诚,"师姐,这些年来我经常想念你。也是咱们有缘,在这个地方还能碰上。以后多联系。"

"寰宇华夏公司总裁助理,厉害啊。"林丹雁念道,把名片收进包里,向黄白虹打告别手势,"白虹,再见。"

黄白虹有些急了,"你就不留张名片给我?"

"对不起,我从来就没印过名片。"

"部队不允许? 不会吧?"

"不是。我不习惯用名片。"

黄白虹从手提袋里翻找出钢笔和电话本,递给林丹雁,"留个手机号吧。"

"抱歉,我没有手机。白虹,我会与你联系的。"拉着箱子往外走。

孙丙乾墨镜后面的眼睛紧紧盯住林丹雁,走到黄白虹身边,声音低沉,"快,跟上她。"

穿军服佩带上校徽章的郑浩,怀抱一大束鲜花,在汉江大英机场候客的人群中,显得非常醒目。他在激动而耐心地等林丹雁。见到林丹雁,郑浩举起鲜花朝她招扬。待她走近,他把鲜花递过去,把箱子接过来,"丹雁,辛苦了。"

林丹雁有些意外,有些不情愿,但也有些感动,"你怎么知道我今天回来?"

"在导弹工程部队林丹雁是公众人物。只要有心探她的行踪,总是能如愿的。"

"首长亲自来接,我都有点受宠若惊了。"

"怎么又叫成'首长'了?一些日子不见,又生分了?秦总身体不好,你代老师视察了我们师八个工程点,劳苦功高。我这个师副参谋长,也该代表师首长表达一点诚意嘛。请上车。"

"你先请。"

"跟我客气什么?女士优先。丹雁,我先以个人名义给你接风,然后一起去火车站接个人,你看行不行?"

"恭敬不如从命。"

郑浩的越野吉普欢快地奔跑着,它不知道自己被人盯了梢。

黑色奔驰车后排,孙丙乾戴着墨镜,头向后一仰,"说说你这个师姐。"

"她叫林丹雁,读研时比我高一级,我们不约而同选了同一个论文指导老师,算真资格的师姐妹。我出国那年,她考上了博士,指导老师叫秦怀古,很有名,是中国工程院院士。人家长得漂亮嘛,别人都关注,所以她的情况大家也差不多都知道。"

孙丙乾陡地坐直身子,"秦怀古?名字如雷贯耳,很熟悉啊。对了!他是著名的核防御专家,参加过上一届国际原子能大会,还是中国导弹工程研究院的总工程师。中国这一批导弹阵地,十有八九是他设计的。"

黄白虹恍然大悟,"怪不得林丹雁不用手机,不留电话,怪不得在汉江能碰到她。她肯定是七星谷导弹阵地的核心人物。"

孙丙乾把嘴贴近她耳朵,"想办法接近她。"

"她大三时就入了党,估计很难。"黄白虹也是耳语。

"没有做不到,只有想不到。每个人都有自己的弱点,找她的薄弱点。"

不是冤家不聚首。魏光亮和周亚菲竟然在火车站又相遇了。

周亚菲正是那个石万山不想要的女心理医生。

往火车站去的出租车上,周亚菲一口一个"老妈",与"老妈"舒亦文一路唧唧喳喳,亲热的情形不像母女,倒像一对闺中密友。

舒亦文佯作恼怒,"天天'老妈''老妈'的挂在嘴上,我就是被你叫老的!"

周亚菲往"老妈"怀里一倒,撒起娇来,"老妈不老,都说我们是姐妹呢!"

舒亦文拍她一巴掌,"起来! 大姑娘家了,还没个样子,谁敢要你呀?"

"谁要嫁呀? 你想把本姑娘赶出家门啊?"

舒亦文拿她没办法,隔一会儿,又开始唠叨,"有飞机不坐,一个女孩子,带这么多行李,看你怎么办?"

"不是给你省钱嘛。老妈放心,吉人自有天相。"

"哼,等着遇狼外婆吧!"

正你一言我一语逗得开心,北京西客站到了。两人从出租车上下来,拖出大箱小包,急匆匆往候车室赶。路遇可以提前送人送货进站的"小红帽",周亚菲问,"一件多少钱?"

"十块。"

"都放上去,四件。"

"小红帽"把两个箱子、两个大旅行包放到行李车上,用绳子拦住。周亚菲得意地向舒亦文做鬼脸,"怎么样?"

"小红帽"刚要走,周亚菲突然看见肩挎电脑包、手拎纸袋子的魏光亮,正晃晃悠悠地朝这边过来。她很反感这个穿军装的光头,觉得简直有辱军格,立刻皱眉瞪眼起来。再一看,觉得这个不伦不类的混蛋很面熟,一时又想不起在哪儿见过,便拉舒亦文的衣服,"老妈,我怎么觉得那人这么眼熟啊?"

"你说谁啊?"

"就是那光头!"

舒亦文死盯着魏光亮,也觉得此人似曾相识。为了确认对方,她趋前对魏光亮左瞧右看。魏光亮察觉到了,回头狠狠瞪她一眼,见是个风韵犹存的半老徐娘,心下不快,又不好发作,咽下溜到嘴边的刻薄话,继续吊儿郎当往前走。正是那吹胡子瞪眼的样子,使舒亦文认出了他:是机场遇到的那个无礼家伙,今天在火车站又遇上了,天下竟有这么巧的事!

她快步回来,悄悄对周亚菲说,"狼外婆没有从童话里出来,中山狼却真的从寓言里出来了。"见周亚菲一时反应不过来,补充说明,"那光头,就是咱们在机场遇到的中山狼。"

周亚菲先是一惊,继而大喜,"哈哈,天赐良机,今天老爸不在,看我怎么收拾他。"她一脸坏笑走到魏光亮面前,"哥们,咱们真是有缘啊!上次见,你还没剃光头嘛,怎么,惨遭感情打击,万念俱灰,看破红尘,准备出家当和尚?"

魏光亮莫名其妙,继而认出了这不怀好意的小妮子,知道她今天肯定来者不善,气得干瞪眼,却只好自认倒霉:得,惹不起,我躲得起。

周亚菲哈哈大笑,笑得无比开心,笑得那么恣肆,笑得扬眉吐气。笑够了,对"小红帽"说,"对不起,耽误你们时间了,咱们走。"

舒亦文看着这疯丫头,又好气又好笑。

周亚菲向舒亦文连连飞吻,"老妈,再见,一到就给你打电话!那儿要是能上网,咱们QQ!"

古人之所以发明出"无巧不成书"的俗语,说明这个世界的确充盈着太多的巧合，使人惊奇，让人感叹。比如说，现在，就在北京——汉江的普快列车上，魏光亮与周亚菲更加巧合地冤家路窄。

对于魏光亮来说，真正是屋漏偏遭连阴雨，船破恰逢迎头风。

魏光亮拿着车票，比对着，在十九号硬卧车厢找到了自己的床位。他抬头看行李架，上面满满当当，大箱小包摆得密密匝匝。他生气——那些人怎么这么霸道？后来的人还要不要放东西？把电脑包朝中铺上一放，他噌噌地登上两级梯子，连拉带扯，发狠地挪动着眼前的箱包。这时，周亚菲正好从盥洗室回到车厢，看见悬在半空中的魏光亮，扑哧一下笑起来，"光头先生，即便是乘务员要动旅客的行李，也要事先打个招呼的。我希望我的行李们，能够安安静静呆在原处。出家人应心存慈悲宽厚为怀，阿弥陀佛！"

又是这丫头片子！真他妈倒霉透了！魏光亮窝火得要命，心里暗暗骂着，却不敢再惹恼她，只好把挪开的箱和包放回原处，跳下来，坐到小凳子上。稍顷，又觉得自己这样忍气吞声未免太窝囊，头皮一硬，摆出一副挑战的架势，"有你这么多吃多占的吗？"

周亚菲站到他面前，杏眼挑衅地俯视他，"这叫先来后到，懂吗？"

这种居高临下的姿态，让魏光亮更受刺激，他决定豁出去了。他站起身，把嘴巴凑到她耳旁，轻声地，但一字一句都很清晰，"老处女都是你这样的，外强中干。我看出来了，你想勾引我！可惜，我对你毫无兴趣！"

说完，魏光亮立即掉头朝车厢外头走去。

到底是女孩，性格再怎么厉害，遇到男性用这样侮辱性的语言冒犯自己时，都会乱了阵脚。猝不及防的周亚菲，顿时脸红耳赤，气急败坏，对着魏光亮的背影破口大骂，"王八蛋！"

次日晚上八点多，北京—汉江普快进入终点站。

月台上的工作人员一片繁忙，下车的乘客和接站的人们你迎我往,大呼小叫,站台好不热闹。进到月台接站的洪东国和李和平,各自拿着一张照片,守候在十九号车厢门口,不时比对一下下车的乘客。

魏光亮下来了,洪东国看看手中的照片,马上迎上去,再一看他的光头,又犹疑起来,试探地问,"是魏光亮同学吗?"

"我是。"

洪东国伸出手,"欢迎欢迎,我是大功团政委洪东国。你的行李呢?"

魏光亮提提纸袋,"在这儿。现在走吗?"

"请稍等一下,还有一个人,也是这班车到。小李,快上车找找周亚菲同学,帮她提行李。女孩子,行装肯定不少。"

话音刚落,周亚菲吃力地拎着两个大包,满头大汗地走下车。

李和平看一眼手里的照片,眉开眼笑地迎上去,"请问,你是周亚菲吗?"

"是。"

李和平赶紧把两个大旅行包接过来,怜香惜玉地,"这么沉,累坏了吧?"

"还有呢!"周亚菲从旁边两个旅客手里接过两只旅行箱,大大咧咧地递给李和平和洪东国,转头对两个旅伴,"谢谢你们,再见!"

洪东国朝周亚菲伸出手,"欢迎你,亚菲同学。我是洪东国,大功团……"

"政委。洪政委好。"周亚菲快嘴快语。

"咦! 你怎么知道?"洪东国感到奇怪。

周亚菲笑得天真无邪,"大功团洪政委和石团长,在我们学校的知名度很高。"

洪东国也笑起来,"一不小心,我也成名人了?"回头招呼李和平和魏光亮,"小李,光亮,咱们抓紧走吧,还有八十公里山路呢。"

周亚菲跟着一回头,正好看见与李和平站在一起的魏光亮,惊讶不已。

魏光亮朝她耸耸肩,挤出一脸的无可奈何兼幸灾乐祸。

周亚菲瞪他一眼,忍不住骂道,"花和尚!阴魂不散!"

洪东国看看这个,又看看那个,眼睛里流出问号。

火车站出站口,郑浩、林丹雁已经到了,两人聊着天,眼睛不时往人群中逡巡。见洪东国率一干人马走了出来,郑浩马上拉着林丹雁迎上去,"老洪,人接齐了?"

"齐了。"洪东国向林丹雁伸手,"丹雁也到了,今天咱们是大团圆。"

郑浩向魏光亮伸出手,"光亮,在这儿见你,意义非同寻常。师前指三个战友热烈欢迎你。"

"郑叔叔好。"

"别叫叔叔了,如今我们是战友。其实,我充其量也就是你大哥。你舅舅身体好吧?"

"好。"

看见林丹雁,魏光亮大吃一惊,立刻浑身不自在起来。

林丹雁脸上浮起嘲弄的笑容,朝他走过去,"花花公子摇身一变,成和尚了。没把宝座开过来?"

洪东国看看这个,又看看那个,眼里又是问号,"你们认识?"

郑浩流露出满脸的惊讶和狐疑。

"有过一面之交。"林丹雁看看周亚菲,问洪东国,"这小姑娘也是来报到的?"

"对。她叫周亚菲,新分来的心理医生。"

林丹雁向周亚菲伸出手,"亚菲,按先来后到,我欢迎你。愿意跟我住一起吗?"

"愿意,非常愿意。"一直全神贯注地盯着林丹雁,为她的超众美丽暗暗惊叹和折服的周亚菲,简直有些受宠若惊。

洪东国一拍巴掌,"这老石,真是成精了! 丹雁,我真要谢谢你了。"

"政委,此话怎讲?"

洪东国乐颠颠的,"你知道,团部的移动板房再没有多余的房间了。昨天,我为安排小周的住房愁得不行,老石说,你愁什么? 丹雁肯定会邀请小周一起住的。还是老石英明啊! 丹雁,你帮我解决一个大问题,我能不谢你吗? 老郑,咱们回吧。丹雁还坐老郑的车,小李,光亮,小周,跟我走。"

车到七星谷谷口检查站前,周亚菲把两个箱子和两个大旅行包打开,让拿着仪器的保卫股股长明建中一件件仔细检查。

"行李没问题,过关了。"明建中转而对魏光亮,"把手提电脑的电源打开。"

魏光亮很不情愿,磨磨蹭蹭地从电脑包里取出电脑,打开电源,嘟嘟囔囔,"草木皆兵! 这台电脑,我用两年多了。"

周亚菲一边锁箱子,一边不失时机地奚落他,"这两个箱子我都用四年了! 箱子里,电脑里,有没有不该带的东西,只有仪器才能清楚。人很多时候是靠不住的。"

洪东国用力鼓掌,用欣赏的眼光看着她,"说得好!"

魏光亮和周亚菲的导弹工程兵生活开始了。

该来的肯定会来,小兵们谁也挡不住。魏光亮前来代理排长,齐东平就得把原来的床铺让出来。

宿舍里,齐东平默默地坐在床上,一支接一支地抽烟,直到嘴里苦得完全麻木了。他站起来,开始卷自己的铺盖。方子明们早就一脸疑惑,此刻,终于忍不住都围了过来。

王小柱拽住他,"排长,你……"

"以后谁也不许叫我排长！叫我老齐，东平，齐东平，都行。"

方子明问，"东平，到底出了什么事？"

"没什么事。我本来就是代理排长。一排有排长了，我不能再睡这里了。"

"真的假的？你可别吓唬我们。"方子明一时惊得变了脸色。

"我没工夫跟你们闲扯淡。"

方子明按住齐东平的手，"不可能！不然，事先怎么会没一点风声呢？"

"你以为你是谁？政委已经去接新排长了。他姓魏，是清华大学的研究生。我知道的就这些。"齐东平推开他，抱起自己的铺盖，扔到一张空着的上铺上。

王小柱赶忙过来，"排长，不，老齐，你怎么能睡上铺呢？你睡我的床。"

方子明走到靠窗的一张下铺前，把铺盖一卷，"东平，你睡我这儿，我睡小柱的床，小柱换到上铺去。"气哼哼拎起铺盖，"哎，东平，你知不知道这魏排长是何方神圣？"

齐东平阴沉着脸，"不是哪个大官的儿子，也是哪位大领导的侄子，反正不会是农民的儿子。"

魏光亮进到宿舍时已是后半夜，齐东平他们早已沉入梦乡。有几个睡眼惺忪的士兵支起身子寒暄了几句，然后又打着哈欠回到梦乡。齐东平感觉到这个光头排长有些傲气，也有些冷漠。

谁知三天过去，魏光亮竟没有主动跟任何人说一句话。排长的冷傲确实有点过头了。齐东平无奈地向张中原讨要对策，得到的答复是"工作的事情还得由你负起责任来"。可是部队有部队的规则和章程，魏光亮的我行我素，很快就影响到一排的集体荣誉，魏排长的内务卫生怎么办，就是一排目前面临的最大难题。

一排一宿舍内总共有八条军被，其中七条被叠成豆腐块状，只有魏光亮床上的被子松松垮垮不成样子,被子旁还有一台手提电脑正在充电。王小柱出早操回来,帮着把魏光亮的牙缸和毛巾都按指定位置放好,再走到他床边,想了想,还是弯腰把被子打开。

方子明正巧进门,一声断喝,"小柱,干什么?"

王小柱转过身,"班长,你看这被子,还有这电脑。这要是一检查,咱们门上的两面小红旗就保不住了。"

门上,"国防施工尖刀排"和"内务卫生优胜排"小红旗,就在方子明的耳朵边。方子明情不自禁摸摸它们,缩回手,"你是老几?"

"我不该管吗?"

"你想不想今年转士官?"

王小柱睁大眼睛,"怎么会不想呢?做梦都在想啊。今年要是退伍了,我只能去当民工。"

"想转士官,就别瞎操心。你说,年底谁能不能转士官,排里谁说了算?"

"排长,副排长,还有你。"

"我这个班长可以忽略不计。你帮魏排长整理内务,他是不是愿意,齐副排长又是怎么想的,你知道吗?"

王小柱眨巴着眼睛,"不知道。"

"不知道你瞎动什么?"

"看着不舒服嘛。"

"你可别把自己当棵葱啊,谁在乎你舒服不舒服啊?听老哥的,你就把魏排长的被子放回原样,老哥不会害你。"

王小柱仍是一头雾水,但听话地把魏光亮的被子放回原样。

方子明满意地"嗯"一声,"这就对了。"

与此同时,齐东平正在营部看着张中原打电话,话筒里石万山的声音很大。

"团长,我水平低,想不出好办法。"张中原有情绪。

"让齐东平当副排长。魏光亮这颗头你要真剃不了,我来。你张中原这点事都办不了吗?"话筒被石万山一把砸到电话机子上。

"东平你听到了吧,一排还得你来管。"张中原窃喜。

"我没法管。有排长,我管什么!"

"这是团长的命令,你就执行吧。魏光亮现在在干什么呢?"

"看山呢。"

"看山?唉,老首长真是聪明一世糊涂一时,怎么就不知道强扭的瓜不甜呢?"

连绵的群山,把七星谷与外面的大千世界隔绝,却隔不断魏光亮对大千世界的向往。清晨,被军号和军乐吵得再也睡不着的他,一骨碌爬起来,腋下夹着一本英文版的《莎士比亚戏剧集》,溜到后山上,背靠一棵大树,叽里咕噜地念英语。念着念着,声音开始没精打采,最后完全停了下来。他望着大山出神一阵,狠劲摇了摇头,把夹在书里的一封航空信取出来,反反复复地仔细阅读。这是那娜从美国寄来的信,他已经读过无数遍了,早就能够倒背如流。

他把信件重新夹回书里,发一阵呆,再叹口气,蹲下去,顺手捡起一把把树叶,开始在地上拼写英语句子:To be or not to be, this is a question. 一阵脚步声由远而近,他不理睬,继续自己的动作。

"光亮!"来人喊他。原来是正进行登山运动的郑浩。

"To be or not to be, this is a question."郑浩念出声来,"《哈姆雷特》的著名台词,生存还是毁灭,这是个问题。"

魏光亮赶忙把句子搅乱,"郑副参谋长,你的英语很标准嘛。"

郑浩走过去,把魏光亮放在地上的英语书拿起来,"跟收音机学的,我也做过几天留洋梦。光亮,你英语不能丢。"

"我每天就对着这些山,这些树,这些草,对着虫子和鸟雀讲英语?"

"光亮,慢慢来吧,我老家有句俗语说,石头还有翻身的日子呢,你还愁没机会？眼下，我暂时帮不了你，你就必须认真对待排长这个职务。

魏光亮脸露不屑，"我要是不认真对待呢?"

"光亮，你还年轻，把问题想得太简单了。听我的，别书生气，别意气用事。一年半载，你无法离开七星谷，既然走不了，你就必须适应这儿的大环境。人是环境的产物嘛。哈姆雷特感叹:生存还是毁灭，这是个问题。的确是个问题，是个大问题。生存是个最基本的问题。不能在现有的环境中好好生存，其他一切你就无从谈起，现实就是这么残酷。走吧，该回去了。"

魏光亮无言以对，站起身来，跟着郑浩下山。

七星谷营区内唯一有些粉红色彩的房间里，赖床不起的周亚菲，歪头注视着正在梳头的林丹雁，看了一阵，忍不住说，"丹雁姐，你真美，不光是漂亮，是美，一种摄人心魂的美。真的是'我见犹怜'啊。我要是个男人就好了……"

林丹雁好气又好笑，"懒丫头，胡说八道，还不快起来。再不起来，我胳肢你了。""别，千万别!"周亚菲吓得一个鲤鱼打挺坐起来。

林丹雁纵声大笑。

两人收拾妥当，一起出门晨跑，遇到正往回走的石万山。石万山叫住她们，"小周，能适应吗?"

"报告团长，我很好，很喜欢这里。"

"大功团任务重压力大，基层官兵需要心理方面的疏导和排解。小周，你的工作做好了，全团的战斗力还能提高一大截。"

"我一定努力。"

石万山脸转向林丹雁，"丹雁，住房紧张，只好让小周与你挤着住了。你是博士，又是上面派来的技术总监，这样的条件确实委屈你了，对不起。"

"哪儿的话。有亚菲做伴,我不孤单了,心里很快乐。对石团长来说,也省却了后顾之忧,多么两全其美的事儿啊。是吧?"

石万山回避林丹雁的目光和话题,且说且退,"本来,我很担心你们嫌这里太苦,到时要给我撂挑子,这就好了,这样就好。"

不远处的大苦楝树下,魏光亮摊开一本英语书,时而嘴里咕噜几句,时而探头朝她们这边张望。周亚菲和林丹雁对视一眼,心领神会,心照不宣,一同朝苦楝树方向跑去,目不斜视地经过魏光亮身边。跑出几十米远,两人咯咯咯咯地笑得上气不接下气。

漫步回来的路上,周亚菲看看林丹雁,见她脸部晴朗,眼如星月,决定提出心底的疑问,"丹雁姐,我有句话不知当讲不当讲?"

"什么话啊,对我还这么绕山绕水的? 说,言者无罪,闻者足戒。"

"怎么说呢,反正我觉得,鹰派人物石万山团长,虽然对别人,比方说对我吧,也都很关心,感觉上也亲和,可同时总能感觉得到他骨子里的强硬。只有在你面前,他才百炼钢化成绕指柔,才柔情似水……"

林丹雁心里猛一咯噔,莫非这丫头看出了什么破绽? 表面却不动声色,"哦,你有这种感觉? 何以见得?"

"他看你的眼神,对你的表情,对你说话的语气……都不同。"

林丹雁暗暗惊诧于她的敏锐,一边在脑子里飞快地琢磨应对之策,她知道,一般的假话是骗不过眼前这个聪明过人的人精的,还不如实话实说,当然也只能点到为止。打定了主意,她一副和盘托出毫不掩饰的神情,"我们曾经朝夕相处过。有一段时间,我们接触密切,他经常抱我。"

"啊?"周亚菲惊讶得无以复加,她怎么也想不到,他们的关系到了这种程度,更想不到,林丹雁居然会把这些说得这么直露。

看到她的反应,林丹雁笑了起来,"别紧张,那还是在我小时候,他是大哥哥,是我哥的战友。我长大后,只与他有过两次亲密接触。一次是大三那年秋天,我逼着他假扮我的男朋友,我挽着他的胳膊,在校园里走了半个小时。"

"为什么呀?"

"我读的是地方大学,恋爱成风,小男生们让我烦死了。我跟他这么一走,从此以后我就清静了。"

"还有一次呢?"

"一次也不放过啊? 好吧,我都坦白了吧。大四那年夏天,我带着研究生入学通知去看他,热烈拥抱了他,趁机亲了他一口。因为没有他的资助,没有他对我精神上的支持,我顶多只能读完初中。"

"这么有意思? 真来劲,让我羡慕死了。"周亚菲无比向往。

林丹雁苦笑,"来劲什么呀,就这第一次亲密接触,恰好被他老婆碰见了。"

周亚菲失声叫起来,"啊! 这么倒霉啊? 她闹了吗?"

林丹雁的眼神开始迷蒙,神情开始迷茫,"三年后,嫂子,也就是石夫人,才对他说出来,还提出离婚,说要成全我们。哦,嫂子也是我的恩人。"

"是这样,"周亚菲听得出神,"她为什么要等到三年后才说呢?"

"为什么? 我也一直想知道答案啊,可谁来告诉我呢?"林丹雁心底隐隐作痛。

"后来呢?"周亚菲托腮凝眸,想入非非。

"后来,后来我和他绝交,发誓一辈子不见他。我入伍,读博士,再后来,阴差阳错,在这儿又见面了。"林丹雁不由自主敞开心扉。多年来埋藏在心底的爱、痛、情、苦终于能够诉说了,她感到痛快淋漓。

　　早餐后,齐东平坐在后山脚下的草地上,把头埋在膝上一动不动。不一会儿,半圈黄胶鞋在他跟前呈出扇形。齐东平依然一动不动。

七嘴八舌的声音,在他耳边响起来,"我跟他打招呼,他看都不看我。"

"被子叠得像麻袋。"

"我问他今儿干啥? 他竟然说不知道。"

"我根本都没见到过他。听说他考上美国的大学了,真牛啊!"

"他早、晚都要到山上去念外语。"

"念个屁! 到团部那边转悠了。"

"他去团部干啥?"

"你以为干啥? 看美女呗。"

"摊上这么个排长,还立个屁集体三等功。今年算是完了。唉,人要走了背运,喝口凉水能塞牙,放个屁能砸伤脚后跟。"

"咱们干得好好的,冷不丁派来这么个主儿……不行,咱们找营长去,不要他。"

"你是师长,还是司令员?"

"逼他走还不容易?"

"逼? 别胡扯了! 没有大来头,他能一来就把东平给拱了?"

"别吵了!"方子明吼叫起来。

战士们安静下来。

方子明用力摇齐东平的胳膊,"东平,他的内务连刚入伍的新兵都不如。明天营里要评比内务,你说咋办?"

齐东平抬起头,仰脸看天空,不说话。

王小柱着急,摇晃着齐东平的胳膊,"排副,要不,我负责排长的内务? 年底想立集体三等功,两面小红旗,咱都不能丢啊!"

"该干啥干啥,该咋办咋办。"齐东平终于开口,他站起身来,拍拍屁股上的草屑,"内务是排长自己的事,咱一排从来没有造过假。

上了工地该咋干,你们心里要有个数。偷懒耍滑,吃亏的是大家。弟兄们别替我瞎操心,你们做好自己的事,我就感激不尽了。"

大家你看我看你,一下呼啦啦全站起身来,跟着齐东平往营区走去。

上午是例行训练时间,齐东平通知魏光亮要到场,今天要认识一下各种机械。

大型机械训练场上,大功团一营一连、二连正在进行机械操作训练,新老官兵围聚一起,有的操作有的观看。

看见石万山和张中原走过来,一个中尉跑到石万山对面,立正敬礼,"请团长指示。领班员、二连指导员王可。"

石万山下令,"休息十五分钟。"

王可传令,"休息十五分钟!"

战士们三三两两坐下交谈,只有魏光亮朝远处走,石万山喊他,"魏光亮排长留步,请到我这儿来。"

魏光亮犹豫一下,阴沉着脸走过来。

战士们停止笑谈和打闹,都朝他看。

石万山指着场上的双臂凿岩台车、扒渣车、翻斗车,"大功团对官兵的要求是,兵专一项,官需多能。这些机械是咱们一连的看家武器,请大功团第一连第一排的魏光亮排长告诉我,你准备用多长时间来熟练掌握使用这些武器?"

魏光亮翻起眼珠子,"石团长,在回答问题之前,我能不能问一个问题?"

"请讲。"

"回答问题之前,我能有幸见识一下石团长的身手吗?"

全场寂然,官兵们神情紧张,方子明和齐东平略带仇视地瞪着魏光亮。

"将我的军是吧?这么说吧,从凿岩台车到手持风钻,大功团一共有五十来种机械设备,如果搞一个综合全能比赛的话,我不敢说自己一定能拿到金牌,但进前三名应该没问题。没这点能耐,统领不了工程兵师第一团。"

魏光亮不依不饶,"对于你来说,实践是检验真理的唯一标准;对于我来说,眼见为实。"

石万山目光炯炯地逼视着他,"好！很久没操练了,今天我借机检验一下,看自己是否廉颇老矣。齐东平,把那个罐头盒换成啤酒瓶。"

张中原忧心忡忡,"团长,别换了,万一失手的话……"

"换！"

别处下班了的几十个官兵也来到训练场,停下来看热闹。在一百来双眼睛的注视下,石万山坐进大型双臂凿岩台车驾驶室,发动台车,调整三次台车长臂,然后,台车右臂开始朝啤酒瓶方向移动。

石万山探出头来,"魏排长,你看清楚了,还有,记时要专业。"

"放心吧,这么伟大的历史时刻,我绝对眼睛都不会眨。正拭目以待呢。"

石万山闭上眼睛,做几次深呼吸,然后,按住一个绿色按钮。夹着电焊条的台车长臂缓缓地向下移动,张中原的心提到嗓子眼上。猛然,一小把电焊条直直地一次性插入啤酒瓶中,真是稳、准、狠。

全场欢呼起来。

魏光亮看看手表,默默地把表戴回手腕上。石万山跳下台车,"超过三分钟没有?"

"两分十八秒。"魏光亮悻悻然。

"拼刺刀不是团长的责任,可团长必须是拼刺刀的行家。魏排长,这扒渣车和翻斗车技术含量都不高,依你的聪明才智,半天足够学会操作它们。"石万山从地上捡起一个罐头盒子,"齐东平,你过来。"

"是!"齐东平跑过来。

"十天内,魏光亮排长能不能把电焊条一次性从三米高插到这罐头盒里,就看你教得好不好了。不准强调困难。"

"是。"

"魏排长,齐东平是大功团最好的台车师傅,他可以在两分钟内用台车的长短两臂,把两根电焊条一次性插进两个啤酒瓶里。师傅领进门,修行在个人,剩下的就看你自己了。张营长,我们走。"

石万山和张中原穿过训练场,朝一号洞口方向走去。

张中原心存余悸,"团长,你就不怕万一失手?"

"毕竟练过童子功,我对自己有信心。看来,我低估了这小子。"

"团长,郑参谋长想让他去师前指,你就成全了吧,那不是皆大欢喜的好事儿吗?"张中原抓住时机赶快进言。

"趁机想撂挑子是吧?别给我来这曲里拐弯的!"

张中原气短,"人家已经剃了秃瓢儿,这个头我没法下剪子了。"

"那就等他长出头发再下剪子。总之,他这颗头大功团剃定了,一营剃定了!"

"他敢当众跟你叫板,在他眼里,我算哪棵葱啊?万一他尥我一蹶子,我又收拾不住他,这伤的可就不只是一个排了。"张中原愁眉苦脸。

"你的担心不是没有道理,但也别把事情看得太严重。在一营,他不过是个排长,地位并不显赫嘛。一营营长姓张不姓魏。还是那句话,如果这个刺头你张中原实在剃不了,我来。"

张中原唉声叹气,"唉,他真是我前世的冤家啊。"

周五,是各营内务卫生评比日。

一排的战士,眼睁睁看着四个房门上的"内务卫生先进排"小红旗,被三个戴着红袖标的战士取下来。这是前所未有的事情。忧愤而又无奈之下,很快,一股自暴自弃的风气流传开来。有人开始破罐破摔,对事随随便便不拘小节,有人不该轮休居然也敢在门上挂上"值班休息请勿打扰"的牌子,这都是史无前例的。

方子明看在眼里急在心里。晚上,他尾随齐东平到厕所,弯腰朝五个便池隔板下面的缝隙里逐个看一遍,见确实没人,赶快走到正在小解的齐东平身边,"东平,你得找姓魏的谈谈。"

"谈什么?"齐东平的语气不咸不淡。

"你就不急吗? 一排全团最落后,也伤不到他一根汗毛,可这么下去就把咱们都坑了。古话怎么说的? 皮之不存,毛将焉附? 咱们,你,我,可都是长在一排这张皮上的毛啊!"

"你真是咸吃萝卜淡操心! 人家是一个排的核心,我一个排副能说什么?"

"要不,咱们帮他做内务吧。可别小看丢了内务卫生这面小红旗,心劲一泄,接下来就要倒多米诺骨牌。现在什么妖魔鬼怪的事情都出来了,你没看见吗? 东平,咱哥俩说点掏心窝的话。营长说过,咱俩是一连提干的种子选手,你是一号我是二号,你是大麦我是小麦。大麦不熟,小麦熟个屁。一排这红旗一倒,第一个砸伤的就是你,跟着倒霉的就是我。"

齐东平拉上裤子拉链,朝外走,依然不愠不恼,"我又不是没找他谈过,人家说这都是鸡毛蒜皮。我也说一句吧,命里只有八合米,走遍天下不满升。认了吧。"

方子明紧跟着他,急得抓耳挠腮,"那,咱找营长……"

话没讲完,挂着"值班休息请勿打扰"的房门打开,一个穿着大军裤衩的战士揉着眼,打着哈欠,捂着肚子从里面蹿出来,急急往外跑,吓了两人一跳。

齐东平大喝一声,"站住!"

战士一哆嗦,只好站住,双手不知该遮住身体哪儿是好,样子很狼狈。

齐东平铁青着脸，"营区有女兵，有家属，你不知道？"

方子明打蛇随棍上，"显摆你那几块腱子肉是不是？"

战士捂着肚子哭丧着脸，几乎要屁滚尿流的样子，"排副，一班长，我错了。都是这泡屎给憋的，哎哟，肚子疼，我先把厕所上了行不行？下不为例。"

"不行！回屋去，穿整齐了再出来。要不，一排丢不起这个人。"

第 六 章

魏光亮并没把石万山的话当回事。我就这么破罐子破摔,怎么着? 大不了就是退伍嘛! 退伍正是他需要的结果。

到达七星谷一周后,魏光亮意外地又收到了那娜的来信,信中极尽刻薄之词,字字句句都烧灼他的眼睛,刺痛他的心灵。

信中写道:

……哥伦比亚大学排名世界第八,清华大学在世界二百名开外,这就是差别。你考取的耶鲁和麻省理工学院,世界排名比哥伦比亚还靠前。

你应该知道,清华大学土木建筑专业的辉煌早已属于历史。作为中国最有名的建筑大师,作为一代鸿儒梁启超的公子,梁思成四处奔走呼号,也还是没能保护住北京古城;他的妻子、名媛才女林徽音,唯一有的建筑杰作,不过是座人民英雄纪念碑。你还能说什么? 中国的建筑设计,在世界上哪怕能属二流水平,国家大剧院的总设计师也不会请个外国人了。

　　当一流建筑师的梦想破碎了，这就是你这次放弃所支付的高昂成本。如果在那个山沟里再挖上三年地洞，到那时，你想考取美国排名前五十位的大学都难。这就是我们之间关系所面临的基本现实。

　　你我已经南辕北辙，开始相互走进对方的历史。只是看在过去的情分上，看在你的聪明才智上，我才这么苦口婆心地给你写这封信，这很可能是我给你写的最后一封信……

　　魏光亮抬起头，脸色苍白，眼神呆滞，空洞的双眼扫过山谷里的屋顶，扫过被彩漆伪装过的营区，扫过无边无际的大山……最后，目光落到手里攥着的两张皱巴巴的信纸上。他慢慢把信撕成一片片碎屑，放在手掌上。一阵山风吹来，纸屑很快被吹得无影无踪。他抬起沉重的步子往山下去。

　　拎着安全帽的齐东平，在路口来回不停地踱着步，终于等来了魏光亮。他赶紧把手里的安全帽递过去，"排长，台车刚保养好，咱们是不是去练一会儿？"

　　"我有事，再找机会吧。"魏光亮根本不看他，阴沉着脸继续往前走。

　　齐东平只好跟过去，"台车进了洞，就没机会了。"

　　"车我已经会开了，以后在洞里练吧。"

　　齐东平硬着头皮，继续跟着，"排长，团长会检查的……"魏光亮一下火了，"老跟着我干什么？我连行动的自由都没了吗？这件事我自己负责，连累不到你。"

　　委屈、沮丧、绝望，一齐涌上来，齐东平呆立片刻，失神地朝一号洞库走去。

阳光穿过薄薄的云层,穿过浓浓的树叶,洒进大功团团部办公区域。

明亮整洁的团部办公室里,林丹雁正往一张大图纸上画各种标记,郑浩进来,"丹雁,久疏问候,真抱歉。在忙什么呢?"

林丹雁抬头笑笑,"首长客气了。石团长说,这两个通风坑道应该早一点开口,我们在搞方案。"

"设计上有问题?"

"那倒不是。石团长说得对,在施工顺序上,这两个辅助坑道确实应该早一点开掘。这样做便于兵力展开,同时也能保证主坑道施工人员的安全。主坑道掘进一千米后,坑道内的供氧问题必须解决。"

"你的工作量又增加了,要注意保重身体啊……"关切的话还没说完,郑浩看见魏光亮进来,马上把下面的话咽了回去,"小魏,你怎么来了?你应该多去训练场,多练习开台车……"

"台车又不是航天飞机,用得着天天练吗?部队强调官兵一致,既然如此,长官能来林博士这儿,我为什么不能来?"

郑浩脸上挂不住了,站起身往外走,"你们聊,我还有事,再见。"

郑浩一走,魏光亮立刻在屋里东看看西翻翻,一副老熟人般大咧咧的样子。

林丹雁忍耐着,"魏大公子,魏小排长,光临此地有何贵干?"

"来向你请教几个问题。"

"清华大学高才生,美国名牌大学准留洋生,向我请教?敝人愧不敢当啊。"

魏光亮喜出望外,"我的情况你都知道?"

"不敢谬称都知道,只能说略知一二吧。"

魏光亮咬住嘴唇,把心一横,"本来,我已经万念俱灰……"

"怎么,来跟我探讨孤独忧伤无聊空虚吗?"

"不,我要说的是,孤独忧伤无聊空虚都过去了,因为一个命运的奇遇,它们已经变得微不足道了。"

"命运的奇遇? 愿闻其详。"

"七月十六号,这个日子已经铭刻在我心灵上了。北京,西直门地铁站附近,我开车遇到一个穿白连衣裙的女子。我怎么来向你诉说我对她的感觉呢? 仙女,天使? 没意思,太俗了。我只想说,当她飘然而去时,我的心魂也被牵扯走了。我原以为这辈子再也见不到她了,原以为自己的一切都完了,前途,爱情,命运全都完了,万万没想到,命运残酷地把我抛弃到这深山老林里来,却能让我遇到她! 丹雁,在这儿能再次遇到你,真是上天给我的补偿,是命运女神对我的微笑……"

听到这番表白,林丹雁先是吃惊,继而好笑又好气:这小屁孩,女朋友才离去几天,居然就开始猎艳,而且也不看看对方是谁,真是没大没小没头没脑! 她坐下来,用手支起下巴,盯着对方语气戏谑,"魏排长给我编故事啊? 这些话骗骗高中女生可以,拿来对付我,是不是太不尊重我的智商了?"

"你抬举我了。从小到大,我最怕写虚构性文字,编故事方面我非常弱智。"魏光亮突然把上衣胸口扒开,急切地,"丹雁,请相信我,如果能把我的胸膛剖开给你看,你一定看得到对你的赤胆忠心。我现在什么都不在乎,只在乎你……"

"我真是受宠若惊啊! 一个敢于当众挑战上司权威的人,一个对自己对别人都满不在乎的人,居然'只在乎'我这个小女子! 魏排长,我林丹雁无福消受! 不过,作为大姐,以及本着对清华高才生的敬意,我向你提两点建议,希望你别介意。一、你可以叫我林丹雁,但不宜叫丹雁,因为你比我小多了;二、有来我这儿的时间,不妨去练练叠被子开台车,以免再当众出丑。你现在是工程兵的机械排排长,就要立足本职工作。我说话太直,请原谅。"

魏光亮低眉顺眼,"谢谢关心。从你这些话里,我感受到你对我特别的感情。工作上我会按你说的去做,但不让我叫你丹雁,我做不到。"

林丹雁冷冷地看着他,"你要是乐意自作多情,我也没办法。魏排长,我要去阵地了,请你离开。以后,你最好不要进这个房间,更不能翻看这些东西。"

"我知道,这里存的都是国家机密,是吧?"魏光亮脸上别有意味。

林丹雁的脸色由冷漠变为冷峻,"别给我玩你那点小聪明。你无非是想让部队放弃你,好再续你的留洋梦,再续你的爱情。我奉劝你,最好不要以身试法!"

"你的眼力太毒辣了! 不过,你只说对了一半。我与前女友已经分道扬镳,幸而,七步之内必有芳草,不,睫毛之下就是大芳草。"

"这些花花草草都不关我的事,你找错了倾诉对象。我要告诉你的是,只要我证明你接触过这些图纸,你即便脱了军装,三年内也出不了国。"

"你可别吓唬我。"

"我没必要吓唬你。你不是七星谷工程的指挥者,所以没资格看这里面的东西。另外,你最好跟我保持一些距离。"林丹雁做个请他离开的手势,"请吧,我不想让你以后恨我。"

魏光亮变了脸色,悻悻而去。

魏光亮把石万山的话当耳旁风,终日游手好闲在营区闲逛,急坏了张中原。

张中原来到一号洞,走到台车旁问齐东平,"他练了几次?"

"两次,一次一个半小时,另一次四十八分钟。"

"太不像话了!"

"他是忙,老去团部。有人说他是去泡妞。"

"别乱嚼舌头! 他在洞里的表现怎么样?"

"总共进了三次洞,第一次说头晕恶心,只呆二十分钟。第二次看我们打了一次炮眼,呆了半小时。第三次陪我们放了一炮,呆了四十分钟。营长,你知道,我从来不愿意在背后告状,但为了一排这个英雄集体我只好破例。他要再呆下去,一排完了,我们全完了。这个副排长,我也不想干了。"

"知道了。我再想办法,但你别犯浑,听见没有?"张中原从口袋里掏出一封信,"你姐来信了。我看她又换地址了,看来这打工真的不好打呀。"

说罢,张中原匆匆朝山下走去。

齐东平打开信,看着看着,脸色越来越难看。王小柱过来,鬼头鬼脑地朝他跟前凑,"排副,情书呀,我看看。"

齐东平赶忙把信收起来,"跑哪去了?"

"拉大便。"

"老驴上套屎尿多。我说过多少回,上阵地前一定要解大便,都当耳旁风了?"

王小柱马上哭丧着脸装肚子疼,"昨天过集体生日,加餐时吃多了,又忘了吃黄连素,哎哟……"

齐东平白他一眼,"别装神弄鬼了,把台车开进去。告诉大家,技术员装药的时候,大家都别闲着,多捡点毛石。"

王小柱"哎哎"地答应着,松开捂在腹部的手,敏捷地爬上台车,把台车轰隆隆开进洞口。

齐东平拿着信,以跑山的速度一口气登上后山腰,一路上,耳边不断交替响起父亲和姐姐的声音:

东平,快点在部队混出个人样来,让你姐能被明媒正娶地嫁个人。

东平,别人说什么,就让他们说吧,姐不在乎。

东平,你们让我死了算了。这个富贵病,咱治不起。

东平,谁让你给家里寄钱的? 留着谈对象用吧。爹的病,我来管,你多想想自己的前途。

东平,你姐对你有恩,如果她下半辈子没饭吃了,你一定要管她。

东平,要不,给你寄点钱,给管你提干的首长送送? 如今兴这个。爹现在只有你这个盼头。

东平,张营长对你好,你要珍惜。不好送钱,姐给他爱人买些衣服和进口化妆品行不行? 军人也是人,没有不贪嘴的猫,你不送,怎么会知道人家不收呢? 你提了干,姐就可以回家照顾爹妈了。

……

直到满头大汗,上气不接下气,齐东平才停下来,扶靠着一棵粗干大树。面对莽莽林海,他像一匹受伤的狼般仰头长嗥,回声分外悲凉。

张中原决定给魏光亮剃一次头。这天早饭后,他下达"全体不上阵地人员,到一营小广场上集合"的命令。

各连跑着步喊着号子集合完毕。广场上旗杆下的台阶上,放着三块大木板。一个中尉跑到站在木板前的张中原面前立正,"报告营长,全营集合完毕,请指示。值班员骆中玉。"

"稍息。把那三床被子拿过来。"

六个战士走过来,每两人合作捧着一床被子,把被子原状放到木板上。

张中原黑着脸指着被子,语气严厉,"因为这三床被子叠成这个熊样,再加上我们三个房间里放了不该放的手提电脑、定发水和电吹风,另外还有一个上铺床板上贴了不该贴的美女照,在团部今天组织的内务卫生大检查中,我们营荣幸地被评为倒数第一名。"

　　他把相关物件一一拿起来展示，"最近，我听到有人说整理内务浪费时间，应该向美军学习，尊重官兵的个性。问题是，大家都是中国军人，不是美国大兵。在《中国人民解放军内务条令》修改前，我们必须按这个条令行事。我宣布，所有为得这个倒数第一做出过贡献的人，明天把书面检查交到营部来，下周一在全营升旗仪式后宣读。叠被子的问题，咱们按一营的老规矩办。一连一排魏光亮，二连四排邱万全，二连五排张洪，出列！"

　　士兵邱万全和张洪面红耳赤地出列，不敢抬头看人。魏光亮毫无愧色地站出来，军官服特别惹眼。下面开始交头接耳，议论纷纷。

　　"骆中玉，王振，齐东平，出列！"张中原宣布，"你们三个给他们做示范。还是老规矩，你们三位师傅组成评议小组，监督他们练习，有权决定什么时候结束。现在，两人一组，目标，三块木板前。各就各位。预备——开始！"

　　齐东平等很快把被子叠成方方正正的豆腐块。这时，林丹雁和周亚菲由远而近，驻足观看。见到魏光亮受罚，周亚菲很兴奋。

　　邱万全和张洪很难为情，闷声低头地抖被子叠起来，不断反复。魏光亮偷偷瞟一眼林丹雁，昂首挺胸岿然不动。

　　"魏排长，你有意见吗？"张中原声音不高，但不失威仪。

　　"没有。"

　　"那就请你动手练习。一营从营长到列兵，被子叠不好的都得这么练。一天练不好练两天，白天没时间晚上练。如果还叠不好而影响评比，让全营的名誉受损，下次他再练时，全营官兵都将是他的考官。没办法，这就是一营的规矩，任何人不能特殊。你要不愿意别人教，我亲自当师傅。好了，其他人解散。"

　　魏光亮看看铁塔般屹立面前的张中原，只有无奈地摊开被子。

　　林丹雁与周亚菲幸灾乐祸，窃窃私语，"看不出来，这个张营长办法挺多。"

"感觉像过节一样,太开心了。咳,丹雁姐,咱们要是把相机带出来就好了,给他来个立此存照。"

"算了吧,人家说过,根本就不在乎这些。"

"他总该有点羞耻之心吧?"

"整个心都不在这儿,也就谈不上什么羞耻心。"

"那就真是无可救药,唉,我的心理诊所恐怕也难奏效。"

冷眼看了一阵,张中原又去团部找石万山和洪东国诉苦,"团长,政委,我真是没招了。开台车,他总共只练过两个多小时,那还是因为觉得好玩,地下如果放个水桶,也许他能把电焊条插进去。对修导弹阵地,他是一点兴趣也没有。以前也有过不安心的学生兵,可像他这样的,恐怕人间少有。"

洪东国皱起眉头,"要不,我们找他谈谈?"

"他的病在心理上,现在谈什么都白搭,他油盐不进。没有非常的力量,改变不了这个魏光亮。"石万山说。

"政委,你要的方案,我瞎写了一个,你先看看。"周亚菲捏着几张纸,兴冲冲一头扎进来,看到石万山张中原也在,"团长好,张营长好。政委,我觉得心理治疗室的叫法不是太好,中国人普遍对心理疾病的认识有误区,多半把心理疾病当成神经病了。我建议改叫心理咨询室,好不好?"

洪东国一向喜欢这个聪明伶俐的女孩,现在自然大加赞许,"改得好。我只是提个思路,供你参考的。"

"那,在每个营设立的磁卡电话室,能不能叫亲情热线室?"

"当然可以啊,名字很好。"

"我了解到,有些人经常上山发出一些怪叫声,这就是有心理问题,所以,开设心理咨询室很有必要。比方说魏光亮,目前的心理状况就很不好,女朋友飞了,留学梦碎了,来七星谷又是被迫的,产生一些心理障碍很正常。不过,既然开设心理咨询室,为了创造出一个好环境,让有心理障碍的人可以敞开心扉,还得花钱购置一些设备。"周亚菲眼睛看看洪东国,又溜溜石万山。

"买。需要什么,你列个单子来。"洪东国痛快表态。

"我早算好了。每个营应该建一个心理咨询室。每个咨询室里,需要一台投影机,一台电视机,DVD 机,CD 机,还要三两张高级点的按摩椅,还要制作一批幻灯片,再买一些兵员大省各地区的风光片影碟。"

"总共需要多少钱?"洪东国问。

"那要看团里肯花多少钱啦。两三万总是要花的,档次太低,吸引不住人。"

张中原笑逐颜开,"这下就好了,我们的思想工作更好做了。"

洪东国与石万山嘀咕,"老石,你看是不是瞄着中上水平去? 咱是工程兵师第一家搞,别让人抓了小辫子。"

"我倒觉得这笔钱值得花。咱大功团第一个吃螃蟹,就要吃好的,不吃臭鱼烂虾。"石万山想起了以往。过去,由于阵地与外界隔绝,又清一色是雄性世界,加上士兵缺乏心理疏导,大功团每修一个阵地,总会有人出现精神失常。每想到这些,石万山心里就隐隐作痛。历史进入了二十一世纪,搞人海战术不计生命成本去赢取胜利的时代早已过去,导弹工程兵部队,更该树立"人是最宝贵的"这种以人为本的意识,否则何谈高科技现代化部队?

"小周,如果能做到把七星谷阵地修成后,团里没有一个人患上精神方面的疾病,你就是把心理咨询室建成金銮殿,我也愿意给你埋单。基础设施费,你先向政委要,买一流设备的差价,由我这个团长补。"

洪东国笑着趁火打劫,"好,小周,既然有人埋单,咱们就搞一流水平。"

"哇塞——太棒了! 我告诉丹雁姐去。"周亚菲欢呼雀跃,一溜烟没了人影。

叠上一小时被子的魏光亮,带着一肚子火朝阵地走去。

一号洞里,一排官兵相互交班,齐东平等刚来上班的士兵各就各位,下了班的官兵列队往外走。一个一级士官跑过来,神色带些诡秘,"排副,等不等他?"

"你说呢?"

"反正一排这些天丢人丢够了,咱干脆一切都听他的,行吗?"

齐东平眼睛扫过众人,"大家说呢?"

"我们受够了!"回答齐整干脆。

齐东平沉思片刻,像是终于下定决心,"好吧。怎么打孔,等排长来了再说。大家现在也别闲着,一组捡毛石,二组用风钻把那几个地方打打光。洞打得跟狗啃的那么难看。"

战士们个个带着诡秘兴奋的笑容,四下散开忙碌起来。

洞口处,魏光亮慢慢往里面走,不时停下步子,紧张地抬头看一眼洞顶的石头。方子明和王小柱紧跟他身后,见状,两人交换不屑和厌恶的目光。方子明涌起恶作剧的念头,弯腰捡起两块碎石头,轻轻扔出一块,嘭的一声,正好落在魏光亮的安全帽上。魏光亮马上站住,双手抱头,十分紧张地抬头看洞顶,"怎么回事?"

王小柱竭力忍住笑,一本正经,"排长,别抬头,当心石头砸住脸。这几天,上面经常往下掉石头。"

一听这话,魏光亮吓得赶快低头,东躲西闪。

"排长,走路时,头要微微上抬,盯着前方十五米远的洞顶,喏,就是这样"方子明装出一脸的真诚,做个示范动作,"这样走,就是冒顶了,生还的可能也要大一些。"

魏光亮邯郸学步般,慢慢往前走了几步,感觉很别扭,正要回头看方子明是否就是这么走路的,又有一块小石头在他帽子上砸出脆响,他下意识地"啊"一声,转头就要朝洞外跑。王小柱拼命忍住才没笑出声来,跑上去拉着他胳膊,"排长,没事的,多走几回就好了。这种石质,不会出现大冒顶。"

方子明也上前拽住他另一只胳膊,"冒顶也没事。这洞刚开口时,小柱就给闷进去过。只要不被石头砸着头,顶多断个胳膊断个腿。排长,别紧张,我和小柱扶你走一段就好了。"

两人扶着魏光亮往前走。王小柱忍不住,不时咧开嘴傻笑,又使劲把嘴巴合拢。魏光亮停下步子,疑惑地看着他。

方子明绷住脸,眼睛横着王小柱,"笑个屁! 想想第一次进洞你那个熊样吧!"

王小柱好不容易把脸绷紧了,"对不起,排长,我不是笑你,我是想起二排的王平了。他第一次进洞时挨了一块碎石,尿都吓出来了。你第一次进洞时只是恶心头晕,比他强多了。"

一路扯扯拉拉,两人总算把魏光亮带到台车前。

"排长,怎么了? 是不是晕洞?"齐东平关切地迎上去。

"没事。"

"那就好,我们一直在等你。"

"等我? 你们干你们的嘛,等我干什么?"

"排长,是这样的。团长给你十天的期限明天就到了,大家担心你过不了关,我说你已经出师了,他们不信,都说要看一看。"

魏光亮冷笑,"等着看笑话,是吧?"

"排长别误会,都是一片好心。团长要是发起火来,比营长可凶多了,大家伙儿怕你吃亏。"

魏光亮哼一声,"那我就多谢各位的好意了。"

齐东平指指石壁上画出的十几个红圆圈,"临阵磨枪,不快也光。排长你看,我已经把要打孔的地方做了标记,你来,我在下面看着,应该没什么问题。"

"排长,露一手吧。"方子明叫。

战士们纷纷附和。

"好吧。今天不看到我出丑,你们也不会安生。"魏光亮爬上台车,钻进驾驶室发动起来。

齐东平喊,"排长,打三米深就够了。二组,去准备炸药。"

魏光亮调动长臂上的钻头,对准一个小红圈,按下一个绿色按钮。金刚石钻头钻进坚硬的岩石。

齐东平又喊,"好! 注意控制钻头转速。注意配合注水。"

魏光亮又按下一个按钮,台车的第二条长臂,也开始将钻头伸向石壁,两个钻孔开始冒白烟。

"排长,一个一个来。加水,快加水——停下来——"齐东平真急了,"快点注水——"

慌乱中的魏光亮按错一个键,台车长臂开始弯曲,台车朝石壁动起来,驾驶室里的报警器开始尖叫。齐东平不要命地冲上台车,拉开驾驶门,用力一拉手刹。弯成弓状的钻头折断了,本来等着看洋相的一群人顿时惊呆了。齐东平脑子里一片乱哄哄,呆呆地站立一阵后,他走出坑道,硬着头皮向张中原汇报情况。

"惹出这么大的事来,真是混账! 别狡辩了,你们不就是想让他走吗?"话筒里吼声震天,然后是"啪"的一声,张中原狠狠地把电话压下了。

话筒里响起一片嘟嘟声。齐东平像只待宰的羔羊,不知所措。

魏光亮出现在齐东平面前,眼睛逼住他,"称心了吧? 嘴够快的嘀。"

齐东平心虚地低下头,嗫嚅着,"排长,团里有规定……"

"齐东平,你少来!"魏光亮冷笑一声,眼睛扫视着纷纷跟出来的战士,"都出来了,好! 全体集合!"

二十来个战士面面相觑,不明所以,但还是集合出三个横排。

魏光亮站到队伍正前方,目光一个一个扫过去,"没办法,我目前还是排长,你们只能再忍受几分钟。打开天窗说亮话吧,我知道你们一直在想办法要把我撵走。"

众人有的紧张,有的惭愧,有的后悔,有的感到痛快。齐东平慌忙解释,"排长,你误会了。"

"齐东平,没必要说假话嘛。我知道你恨我,因为我挡了你提干的路。但我并不想当这个排长,根本就不想呆在这个鬼地方,你恨我其实是没有道理的。今天,我就跟大家做个了结吧。只要你们成全我离开七星谷,多想出今天这样的点子来对付我,弄坏台车的责任我魏某会承担,不关你的事,也不关大家的事!说实话,我不会跟你们计较的,我们本来就不是一路人……"

匆匆赶来的张中原厉声呵斥,"魏光亮,你想干什么?"

魏光亮一仰脖子,一脸傲然,"张营长驾到,正好! 我现在就告诉你,我想离开,不想呆在这儿,我受够了,不想干了! 台车的损失,我个人赔。给我什么处分都可以,开除军籍也行。别假装挽留我,我走了,你们上上下下也都安心了高兴了。皆大欢喜的事,希望你张营长成全我!"

他取下头盔,朝地上一扔,抬脚就走。

张中原怒喝一声,"站住!"

魏光亮根本不听他的。

"魏光亮,我命令你站住!"张中原用最大的声音,严厉地喝道。

魏光亮身体晃了晃,不由自主地停下步子,脸上则依然表现出桀骜不驯。

"魏光亮,这是部队,部队绝不允许你胡来! 你要再敢走一步,一营会以违抗命令追究你的责任!"张中原转过身,向目瞪口呆的一帮官兵宣布,"现在,我以一营营长的身份,建议解除魏光亮一排代理排长的职务,由齐东平代理排长,继续组织施工。齐东平,一排从现在起由你指挥,首要任务是尽快把台车修好。"

"是。"

张中原走到魏光亮面前,厉声地,"跟我走!"

面对这座喷火的铁塔,魏光亮乖乖地低下头,机械地迈开了步子。

一直看着他们远去,直到成为遥远的两个黑点,再到黑点消失,齐东平才心情复杂地进到洞里。对于自己恢复了代理排长职务,他一点也高兴不起来。

魏光亮被径直带到石万山面前。"魏光亮,请你听着,团党委即将召开会议,审议通过一营免去你代理排长职务的请求。从今天起,你以上等兵的身份,继续在一营一连一排锻炼。锻炼期间,不准你请假离开七星谷,除非你想当逃兵。"

"啪"的一声,石万山把手里的说明书摔到桌上,"这是台车的英文说明书,魏光亮,我们希望你自己能把台车修好。四十八小时内这台台车如果还不能使用,就是重大责任事故,给你的处分将由行政严重警告改为行政记过。魏光亮同志,我提请你注意,大功团的全体指战员都处在战争状态中,你也不能例外。你要认为战场纪律对你没有约束力,你可以试着违反,只要你不怕承担后果。现在,你的身份只是大功团的普通士兵,希望你好好面对这个现实。"

魏光亮垂头丧气,自认晦气,出门时心里乱糟糟,他又忘了带走说明书。

一排士兵整治魏光亮,魏光亮弄坏了台车的消息像长了翅膀,很快飞遍大功团全团上下。郑浩找到石万山,"老石,对魏光亮的安排,事实证明怎么样?"

"我对他并没有绝望。"

郑浩冷笑,"安全帽都摔了,还要怎么样?"

"他必须把帽子捡起来,再戴上。"

"留不住心,又有什么用? 霸王硬上弓,上得去吗? 何苦,何苦!"

"郑副参谋长,我不能同意你的看法。魏光亮就是块石头,大功团也要让他孵出小鸡来!"

郑浩语气也强硬起来,"连个小排长的职务都被免掉了,太过了!"

石万山针锋相对,"不仅如此,我还要建议给他一个行政严重警告处分。他既然当不好排长,就应该先当战士。"

郑浩大吃一惊,"这就是你对清华高才生的使用?"

"对! 郑副参谋长可以保留看法,我坚持自己的意见。"

郑浩眼镜片后有两道冷光射出来,"如果每个人都只需要学会开台车,二炮何必要什么高科技现代化?"

"古人说,一庭不扫,何以扫天下? 连辆台车都开不好,我又凭什么相信他能有更大的出息?!"

"把他交给我就不行吗? 你就这么不相信我吗?"

"很抱歉,郑副参谋长,大功团不能把一个连兵都当不好的人,送到师前指!"

看着暴怒的石万山离去,郑浩突然间笑了起来。他有了新的想法:自己何苦跟他吵呢,让魏光亮与石万山的冲突剧烈一些有什么不好? 对,这两个人的冲突还应该升级才是。

几分钟后,魏光亮接到晚饭后带被子到训练场的命令。

在大功团里,魏光亮最发憷的就是石万山,面对石万山,他总是感到一种无形的压力和畏惧。自从上回挑战失败后,他对石万山就更是有着一种说不清道不明的敬畏之情。

傍晚,魏光亮拎着背包到了。石万山就站在坏台车边上,手里拿着台车的英文说明书。台车旁支着一张行军床,行军床的蚊帐竿上夹着一盏白炽灯。

"忘了你的留学梦吧。按规矩,你得挨个处分,是警告还是记过,就看你能不能在四十八小时内把它修好。当然,我免你的职做得不符合程序,你可以告我军阀作风,没关系,我档案里已经有大小七八个处分了,再多一个也无所谓。但你想复员想转业是不可能的,我不会答应,因为我向钟副政委和你九泉之下的父亲承诺过,一定会把你培养成合格的导弹工程兵。在修好台车前,你只能住在这儿,饭有人给你送。你可以开小差离开七星谷,不过那样的话你出国就只能靠偷渡了。好好想想吧。"石万山把说明书扔给魏光亮,转身就走。

石万山一席话不啻晴天霹雳,把魏光亮炸得丧魂落魄,他想呼天,他想骂娘,他想砸烂这个处处事事人人与他作对的世界! 可是,面对广阔的天地,面对寂寥的夜空,面对冰冷的石壁,他最终选择了"无为"。

魏光亮低下了头。

孤灯寒坐到深夜,魏光亮终于理出来一条思路:目前只能面对现实,如若继续一意孤行,与石万山张中原这样的黑脸汉子顽抗到底的话,是没有好果子吃的。他把卧薪尝胆、忍辱负重、韬光养晦、面壁十年、胯下之辱之类的励志故事,默默在心里给自己讲了一遍,然后想好了对策:以后就用玩世不恭的顺应态度来对付他们。

路线是纲,纲举目张。方针既定,魏光亮开始潜心翻阅资料,埋头修理台车。他总共花了不到三十六个小时,台车恢复了正常状态。

张中原长长地嘘出一口气。这样的机械事故,不要说在一营,就是在大功团也前所未有过。齐东平一向是修理台车的好手,可这次也束手无策。如果靠一营自己的力量不能修好这辆台车,虽然挨处分的是魏光亮,可自己也脱不了干系,至少也得担个"失职"的责任吧。魏光亮居然用一天多时间就把台车给修好了! 他明白了:研究生到底是研究生,有文化没文化就是不一样。张中原心底里甚至对魏光亮产生出一丝感激之情。

　　一排的战士们对魏光亮也改变了一些看法,同时认识到自己与大学生研究生的知识和技术差异,对他多了几分尊重。出于内疚,更出于钦佩,齐东平和方子明事事、处处对魏光亮示好,生活上尽量予以照顾。毕竟都是血气方刚的年轻人,既容易滋事,也易于沟通。

　　渐渐地,魏光亮感觉到自己干涸坚硬的心田开始有些软化。

　　凡此种种,郑浩都及时掌握积极汇报。他还告诉钟怀国和钟素珍,大功团的伙食很好,首长和阿姨就放心吧。他又拨电话给钟怀国的秘书,拜托哥们打听师参谋长下一步可能的去向。放下电话,他惬意地舒出一口气——自从与石万山发生激烈对峙后,他心里一直堵得难受。

　　心情一好,郑浩马上想到去找林丹雁。

　　林丹雁正在团部广场上忙乎,她从塑料袋里取出石头样品放到大青石上,捡起一块鹅卵石朝石头样品一砸,样品石顿时四分五裂。她看看一旁的石万山,神情忧虑,“主坑道的石头出问题了,你可要当心啊。”

　　石万山趋前捡起两块小样品石头,一边仔细观察一边回答,“我已经下令放慢了掘进速度,上了锚喷加固。”

　　不远处,魏光亮不紧不慢地朝这边走来,一看到石万山,他立刻掉过头准备绕道而行。

　　石万山不由笑起来,“又有人要找你,看来你真是香饽饽啊。嘿嘿,前有古人,后有来者嘛。”

　　林丹雁瞪他一眼,“损不损啊你? 人家是怕你,躲着你走,你还自丑不觉。也是,一个胡子都还没长齐整的小毛头,整天生活在一个独裁者的淫威之下,是够难受的。”

　　听闻此言,石万山心里一抖。高压政策虽然已见成效,但自己对魏光亮过于严厉了些,这不妥。对下属只挥舞大棒是不行的,胡萝卜也得给呀。石万山有心想要对魏光亮做出个平易近人的样子,便冲他背影喊,"小魏,你过来——"

对方假装没听见,脚下却暗暗提速。

石万山来气了,大声命令,"魏光亮,你过来一下! 跑步过来!"

粗大的嗓门惊得鸟儿纷纷扑闪着翅膀仓皇飞去,魏光亮没法再装听不见,只好转过身往这边跑。

林丹雁捂着嘴笑,"跟训儿子似的。"

跑到石万山面前,魏光亮立正,"团长同志,上等兵魏光亮正走在下班回营区的路上,请指示。"

"你为什么不跟大家一起走?"

"报告团长,我已经请过假了。"

"小魏,一排是个英雄的集体,你要多和战友们接触,每个人都有优点,也都有缺点,比如我,有时性格粗暴就是我的大缺点。别人的优点都值得自己学习,有句话忘了是谁说的,生活中不是缺少美,而是缺少发现。"

"大雕塑家罗丹说的。"见魏光亮不做反应,林丹雁只好帮石万山解围。

石万山一拍脑门,"对,是他,他也是一辈子都跟石头打交道。"

"此石非彼石,哪儿跟哪儿。"魏光亮低声嘀咕,发泄着不满情绪。

石万山没听清楚,上前拍拍他肩膀以示友好,"小魏,我相信总有一天你会喜欢上大功团的。"

"我做梦都在盼望这一天,更希望它能早点到来。团长的关怀对我来说是无价之宝,我很愿意多多聆听教诲,只可惜我现在有事急于要走,真抱歉。"

总不能把他捆住吧,石万山再也没辙,"你去吧。"

魏光亮转身时瞥林丹雁一眼,跑步而去。

"团长同志,你距征服这个部下还有非常遥远的道路要走。"林丹雁看着魏光亮跑远,心绪复杂。

"他怎么对我无所谓,但大功团必须征服他。如果连烈士的遗孤都留不住,还叫什么大功团!"

天气越来越闷热,板房热得像蒸笼。

夜里,战士们热得睡不着,可都躺在床上不敢动,因为一动就出汗,一出汗,很多部位都长痱子,一些人还开始烂裆。方子明实在热得难受,悄悄下床,揣着萨克斯管,蹑手蹑脚把王小柱拽起来。两人登上百花岭山腰,坐到大榕树下仰望满天繁星。一阵山风吹来,王小柱惬意得学着电影里孙悟空猴手猴脚的动作,嘴里猴声猴气,"好舒服,好凉快!"

"我看你真像只猴子,你干脆吊树上睡觉得了。"方子明拍他一巴掌,把萨克斯管放到嘴边,刚要吹,又拿开,"哎,小柱,咱们苦日子也快熬到头了。团长说过,他十年前出差第一次住进空调房时,就立下过誓言,等时机成熟了,一定要给官兵们的住房安上空调。他说今年或者最迟明年,大功团人就能享受到空调。"

"真的?"王小柱露出无比神往的神情。

"不是蒸(真)的,还是煮的啊?"

方子明举起萨克斯管,刚吹出一个音符,被王小柱一把夺下。王小柱嘻嘻地笑,"别吹了。又没风了,你还使劲,热不热呀。"

"去去去,别给我捣乱。"方子明把萨克斯管夺回,吹奏起萨克斯管世界名曲《回家》,曲调被演绎得悠长忧伤。

听着听着,王小柱眼睛湿润地低下头去。

"柱子,怎么了? 想家了?"方子明停止吹奏,关切地问。

好半天,王小柱才沉重地点点头,"我爹肝癌到了晚期,我很想回去看他,可我今年没假期了。"

"啊？摊上肝癌，还晚期，你老爹怎么这么倒霉啊。早就给你说过，假不能随便休，偏不听。"方子明着急起来，转而一想，不能再给他增添心理压力了，便改换表情和口吻，"不过，你春节回家相了三个对象，也值了。"

"都黄了。"王小柱更加蔫头蔫脑。

"为什么？谁黄谁？"

"我提出来的。"

"你要干吗？你给我看过照片，她们不都长得挺好看的吗？长得像甜妹子杨钰莹的那个，不是你最喜欢的吗？干吗要黄人家？咱们挖坑道的，找个眼是眼鼻是鼻的靓妹子容易吗？真是毛病！"

"有同学打电话告诉我，说她在外面没干正经工作，我能要吗？"王小柱从方子明手上抢过萨克斯管，鼓着腮帮子吹起来，吹出几个刺耳的噪音。

第 七 章

　　这一天，心情舒畅的郑浩约林丹雁一起去工地检查安全措施，他"唯一的情史"还没讲完，石渣场就到了。偌大的石渣场上搭有一个竹木结构的骨架，架子上覆盖着高空遮障伪装网。前天刮风下雨把伪装网掀走很大一角，至今没有修复。看着残缺的伪装网，郑浩皱起了眉头。恰好这时一辆大翻斗车开过来，轰隆隆把一车石渣倾倒在场上。郑浩沉下脸冲司机喊，"你下来。伪装网还没修复，怎么能往这儿倒石渣？谁让你们出渣的？"

　　司机跳下车奃下眼皮，"营长让我们出的。"

　　不远处，齐东平领着魏光亮等十多人正走过来，郑浩马上冲齐东平喊，"带队的士官，把你的人带过来。"

　　"是！右转弯走，立定！"齐东平跑到郑浩面前敬礼，"总指挥同志，大功团一营一连一排前往阵地，请指示。领班员、代理排长齐东平。"

　　魏光亮看看郑浩又看看林丹雁，一脸的疑问和不悦。

　　"齐排长，你们应该先修复伪装网再出渣。你马上派人去拉伪装网,把破了的地方都补起来。这么马虎,太危险了!"

"是!一班长,你们班去拉防护网。"

"是。一班的,向后转,跑步走——"方子明喊。

魏光亮阴阳怪气的声音从队伍里冒出来,"有必要这么杯弓蛇影吗?人家的卫星真想拍这里的话,这种伪装网根本不顶用。"

郑浩眉头皱得更紧,他耐下性子,"如果敌人知道准确的坐标,这种伪装网是没有用。但是我们绝不能自己把自己给暴露了。我要告诉张营长,这钱绝不能省,还有,刮大风下大雨后一定要派人来渣场察看。一旦出现这种情况,就不能出渣。"

"谁爱盯这穷山恶水的峡谷啊?"魏光亮又冒出酸不拉叽的一句。

"有人爱盯。美国有这个爱好的人不少,台湾的所谓陈总统也喜欢这个项目。小魏,回头我再给你讲防奸保密的严峻形势。"郑浩苦口婆心。

齐东平领着十几个人跑步离开,魏光亮一边跑一边回头张望,眼睛像探照灯般往林丹雁脸上扫射。林丹雁装没看见,故意仰起脸笑吟吟地看郑浩,"我从小就喜欢看这种场面,令行禁止,雷厉风行,阳刚气十足。"

魏光亮终于不回头了。

郑浩用探究的目光凝视着她,"是啊,看一支部队有无战斗力,这种细节很重要。丹雁,我严肃起来是不是也挺吓人的?"

"不是吓人,是威风凛凛。监军的风采,今天让我一览无余。"

"是吗?有你喜欢的阳刚气吗?与石团长相比呢?"

林丹雁陡地拉下脸来。郑浩这样对自己说话,她觉得不仅是讽刺,简直可以说是放肆,她难以接受。"与石团长相比",什么意思?猜疑?打探?挑衅?她想发作,又觉得那样的话未免显得自己气度太小,而且似乎有被戳中心病之嫌。林丹雁忍了忍,尽力显得心平气和，"郑副参谋长想审问些什么呢？只要不涉及隐私，我都可以如实回答。"

"丹雁你别误会，我没有任何别的意思，只是开个玩笑而已。"

事实上，话一出口郑浩就感觉到了不妥，但说出去的话泼出去的水，他没有办法收回，只好硬着头皮偷看对方的反应，所以早就觉察出林丹雁的极度不快，心里有些诚惶诚恐。听林丹雁这么一说，他偷偷嘘出一口气，"我只是觉得你们好像很熟悉，你在他面前远比在我面前更本色更……心里多少有点……今天才知道答案，原来是因为他的阳刚气。我这么说希望你别介意，因为我对你没有保留，什么都愿意向你坦言。"

林丹雁舒展开脸容，一笑，"你扯到哪儿去了！为什么有时候我会在他面前好像无拘无束的样子？因为他是我的哥哥！用一个法律术语来表述吧，十八年前，他和他爱人是我的监护人。还有，我读大学的学费也是他们出的。他是我哥哥的战友，我们不是兄妹胜似兄妹。"

"噢，原来如此。"郑浩松了一口气，但一种异样的感受又涌上心头，它混合着多种成分，错综复杂难以言表。

林丹雁看他一眼，"请继续讲你的恋爱故事吧。这个休止符也太长了点，前面的旋律都快模糊了。是你先追的她，还是她先追的你？"

郑浩眼神朦胧起来，"我还真说不清楚。"

钟怀国的担心并不多余。

自从中国开始拥有导弹，外界就从来没有停止过对我导弹部队的追踪，孙丙乾和黄白虹就是为境外情报部门工作的。寰宇华夏公司先后把主营业务锁定于魔鬼谷和七星谷，不惜投入大量资金和人力，不惜使出包括录用高丽美的种种手段，其"醉翁"之意就在于导弹阵地。最近一段时间里,他们快速建成了汉江范围内针对七星谷的秘密监视系统,其中之一就在汉江市郊的寰宇电影城地下室里。

高清显示屏上七星谷谷口处的十字路口,一辆辆汽车从正前方道路迎面驶过来,车型、车牌号和车上的货物,以及坐在驾驶副驾驶位上的人员,全都显示得清清楚楚。孙丙乾露出满意的神情,"效果不错。一定要二十四小时录像。"

黄白虹从背后搂住他的腰,把脸贴到他背上,"有必要吗?"

一辆军牌切诺基从远处驶来,孙丙乾和黄白虹立刻全神贯注地盯着,很快,切诺基从他们眼前疾驰而去。

"这是一单大生意,任何商机都不能放过。妙就妙在这是进出七星谷的唯一通道。这样,我们就能知道他们用了多少钢筋水泥,它的大概规模就能估算出来。"孙丙乾抓住伸过来的两只白藕般的手,抚摸着。

"要搞清它的坐标不容易。我从三个方向观察过,想接近它非常难。"

"既要尽力而为,又不能轻举妄动。化验工作开始了吗?"

黄白虹抽回手,从坤包里拿出一张照片放到桌子上,"喏,这条小溪从七星谷流出。这座桥,距他们的第一个检查站是五公里,第一个检查站离七星谷谷口八公里。前天已经在这里取水样了。"

"嗯,一定要搞清楚它的主坑道有多深。"

黄白虹长叹一声,"唉,要是林丹雁能合作就好了。"

"别做白日梦了,还是在高丽美身上多下工夫吧。她那个营长丈夫怎么样,什么时候能回来?"

"她刚上班不久,我怕显得唐突,暂时没有问这些。欲速则不达嘛。"

"慢慢来吧。改装的十台电脑什么时候能到?"

"下周。"黄白虹又把身子往他身上黏糊,孙丙乾揪揪她的脸蛋,

"小骚狐狸精,走吧,与市国资委主任约定的时间到了,那方面的生意也不能耽误。他们的话怎么说的? 两手抓,两手都要硬。哈哈哈哈!"

孙丙乾黄白虹把高丽美当成一枚手中棋子,高丽美对这种险境一无所知。高薪白领职位像天上掉馅饼般落到她头上,使她兴奋得晕头转向,连自己的生理周期都忘记了,这些天,只有不时发作的呕吐症,给她添加些许人生苦恼。呕吐好一些日子后,她才突然想到是否有可能避孕失败,她急急忙忙请假去医院检查。

汉江市人民医院大楼里,妇产科诊断室不断人出人进,过道两旁的长条椅子上,坐满了候诊的老中青妇女,有的神情焦灼,有的充满希冀。高丽美神色暗淡,手里紧紧攥着一张化验单,焦急地在过道里来回地走,等到护士唱号"高丽美,到三号诊室。"她急忙进去了。

大夫岁数至少有六十多,一看就是医院返聘的退休专家,这种返聘大夫不仅医术高明,对待患者的态度一般也比较好。高丽美把化验单放到大夫面前,老太太好奇地问,"化验结果都出来了,你还挂号来这儿干什么?"

"我看不太懂,不知道到底是怀孕了还是没有怀孕,请你告诉我。"

慈祥的老大夫笑起来,看起来她心情不错,甚至还跟高丽美饶舌,"小姐,咳,现在不太好用这个称呼了。大妹子,瞧,这种旧时候的称呼又时兴了,真是风水轮流转。大妹子,是不是盼孩子盼得过了头,都不敢相信自己怀孕了? 尿液检测结果是阳性反应,也就是说你怀孕了。"

高丽美笑不出来,把一枚小药片递给老太太,"我一直坚持避孕啊。请你帮我看一下,这是不是最新的特效探亲避孕药?"

老太太捏住药片,对着光线左照右照,然后问,"这药是你买的,还是你丈夫买的?"

"丈夫买的。大夫,这药有什么问题吗?"

"你丈夫是不是特别想要孩子?"老大夫很机智。

"是,而且特别想要儿子,都快想疯了。"

"你呢,暂时不想要孩子,对不对?"

"嗯。一年见不了几次,没法养。"高丽美心里直着急。

"你们两地分居?"

"他在部队。"

"这就对了。告诉你吧,这种药片是新近上市的多种维生素片,大小、颜色和包装都与你说的特效避孕药很像。你丈夫真费了心啊。大妹子,你岁数也不算小了吧?也该做母亲了。"老太太把药丸包进化验单里,递给高丽美,"注意三个月内不要同房。万一病了,不要乱吃药。"

"这个混蛋、骗子!我要找他算账!"高丽美恶狠狠骂道,黑着脸接过东西,疾步冲出诊断室,冲出过道,冲出医院,一直冲到医院外面的街头磁卡电话亭前。她抽出钱包里的磁卡,插入电话机,开始拨王辅文办公室号码,"经理,我是高丽美。我身体不舒服,想请一两天假。"

王辅文满口答应,还关切地问这问那,并说公司可以给她派车,被高丽美谢绝了。王辅文又叮嘱她不要跟他讲客气,有什么困难尽管说,看完病一定要给他去个电话,免得他担心。

"好的,谢谢你。"

失神地站上一阵后,高丽美拦住一辆出租车,直奔朱彩云担任经理的汉江大本营服务公司而去。一进门,她把化验单和药片朝桌上一拍,破口大骂,"张中原这个骗子,无赖,王八蛋!"

"丽美,怎么回事?"朱彩云惊诧莫名。

"张中原,他,他让我怀孕了。"高丽美哭了起来。

"怀孕了不是大喜事吗?"

　　"喜个屁！公司要求女职员五年内不能生孩子,他又不是不知道。成心想把我变成个纯粹的家庭妇女,好把我捆到他的裤腰带上！他骗我吃维生素片,说成是特效避孕药,嫂子,你说这是人干的事吗？"说着说着,高丽美放声大哭。

　　"丽美,别哭了,中原可能是太想要个孩子了,他绝对不会是你说的那样。"

　　"不行,他得给我说清楚！"高丽美一把拽过军线电话,语气很冲,"给我找张中原！"

　　大概对方回答张中原现在不能来接电话,她气得将话筒一把砸到话机上。"王八蛋！"不知她是骂丈夫,还是骂接线员。

　　"丽美,你冷静一点。"朱彩云递过去一杯茶水,静静地看着她。

　　"不行,我现在就找他去！"高丽美推开杯子,霍地站起身。

　　"他们那儿出事了,你现在去也没用,中原根本顾不上你。有什么事让嫂子帮你,好吗？"朱彩云温言软语劝慰着。

　　完全沉浸在悲愤中的高丽美根本听不进去,她转身就走。

　　出了大本营,高丽美的心情坏透了,对张中原也恨到了极点。自己嫁了个大骗子,这个骗子把自己给毁了,现在她满脑子都是这种想法。她一刻也等不及地要去七星谷。刚抬手拦下辆出租车,她又迟疑着挥手让出租车走了。汉江离七星谷八十多公里,打车去骂一顿丈夫的成本实在太高了。怎么办呢？ 这时,她想起了王辅文的殷殷叮嘱,王辅文说过公司可以给她派车,说过她有什么困难尽管说……那就请他给自己派个车吧。

　　车很快就来了,由王辅文亲自驾驶。高丽美心里涌上感激,"经理,谢谢你。"

　　"又见外了不是？ 英雄救美,何乐不为？"

　　赶到七星谷第一道检查站,没有特别通行证的他们自然进不去。高丽美不死心地与哨兵交涉,"麻烦你给他打个电话,说我看他来了,让他跟我说句话。"

"嫂子,张营长就是打来电话我也不能让你进去,我只认团部和大本营发的通行证。你有什么话,我可以转告张营长。"

高丽美竭力忍耐住情绪,"好,你告诉张中原,明天他要是不回家,后果自负!"转身拉开王辅文的车门,还没坐定就骂起来,"真他妈的见鬼!"

王辅文安慰她,"跟大兵生气,不值得。要不咱们回吧?"

高丽美默默地点点头。

车行路上,高丽美忽然幽幽地叹道,"唉,我怎么会摊上这么一个人呀!"

王辅文看她一眼,"唉,家家有本难念的经。咱们是同病相怜。"

高丽美惊讶地侧过头,浏览着他长满络腮胡子的胖圆脸。王辅文佯作不知,脸不改色眼不眨地开着车。高丽美收回目光,犹豫一下,借王辅文手机给朱彩云打电话,"嫂子,请你给张中原传句话,最迟明天晚上,我在汉江见不到他的话,可别怪我把事做绝了。"

"丽美你别这样,牙齿跟舌头还要打架呢。我马上给他打电话。你在哪儿?嫂子去看你……"

高丽美打断她,"谢谢,不用了。嫂子,请你转告他,就说我受够了,让那些坑道给他生儿子吧。"

从这一时刻起,高丽美的命运轨道开始朝另一方向拐去。

主坑道石质变化异常,张中原正在团部参加技术分析会,没有接到朱彩云的电话,不知道妻子已经向他发出了如此严厉的最后通牒。

团作战室里大显示屏显示出主坑道剖面图,已开凿的部分用绿色表示,未开凿的部分以红色标示。石万山、郑浩、洪东国和林丹雁围成半圆圈,站在显示屏前讨论下一步施工方案,张中原站得稍后一些。

　　为了表示对施工技术并不外行，而且经验来自于实地勘察，郑浩抢先开口，"我和林工刚去主坑道看过，这一段的石质不好，应该加固。"

　　石万山马上接过话茬，"谢谢郑副参谋长提醒。我们注意到了石质的变化，从前天白班开始对这一段用上了新奥法技术，采取了锚杆挂网喷射砼的方法，以防止大面积塌方。不知郑副参谋长有何指教？"

　　"谈不上指教，更多的技术问题，我还需要向各位、尤其是石团长请教。"

　　"不敢当。顺便向郑副参谋长汇报，我已经下达了通知，三个营都要由主官带队，认真查看各石渣场的伪装网情况。他们保证以后一定让郑副参谋长满意。"

　　如果这些话由洪东国说出来，郑浩就不会有特别的感觉，可它们是打石万山嘴里出来的，他听着就觉得很刺耳。一口一个"郑副参谋长"，这不是恭敬，而是明确表示我和你拉开距离，甚至有"你不过是师部的一个副参谋长而已，少干预我们内政"的弦外之音；什么叫"他们保证，以后一定让郑副参谋长满意"？严厉保密措施是反间谍斗争的需要，难道我是为了给自己找良好感觉吗？可是，石万山这些话又都说得冠冕堂皇，句句是理滴水不漏，让郑浩无从发作。

　　郑浩决定避其锋芒出其不意，"林工说，这种石质其他阵地也遇到过，他们并没有采用锚网喷支护。我请林工算了一笔账，一米锚网喷支护就要多用掉一千二百元……"

　　一口一个"林工"，是拿她做挡箭牌，还是别的什么意思？石万山不正面回答他，眼睛盯着林丹雁，"林工，你的意见是不花这笔钱？"

　　"我并没这么说过。安全第一永远是我这个技术总监的原则。"林丹雁没好气。

　　每当这两个性格气质各不相同的男人同时与她在场,她就感到别扭,特别是他们因为观念看法和行为方式不同而针锋相对时,她更加无所适从。平心而论,郑浩为人处世很有分寸,说话做事都不过分,一直钟情爱慕着她,却因为尊重她,因为她不爱他,便默默忍受着嫉妒和痛苦的折磨,始终没有捅破最后的窗户纸。石万山呢,钢筋铁骨顶天立地,凡事坦然磊落敢作敢当,不仅是她迄今为止唯一的精神恋人,还是对她有着大恩大德的亲人。夹在这么两个人之间,她只能尽量不偏不倚,努力踩好平衡木。可现在,她觉得郑浩完全是拿她当枪使,石万山简直是把她架到火炉上烤。她有些恼恨他们。

　　洪东国打圆场,"老郑,老石,你们发现和担忧的是同一个问题,我们现在要考证的,就是需要不需要采用锚网喷支护,这个事情我们多听林工的。"

　　石万山说,"老洪,我认为从一千九百米开始,就该打锚网喷支护了。前些天,我每次路过这一段,心里总是发毛,直觉老感到这一段也许会出事。"

　　郑浩脸上浮出一层笑,"凭直觉?"

　　"直觉是第六感觉,它很微妙很重要。我与石头打交道的二十多年里,直觉帮过我很多忙,有时它甚至能救命。"石万山讨厌他那种笑容。

　　郑浩讪讪然。

　　"我已经让一营停止了放炮。打锚网喷支护的费用是意外开支,工程预算没算进去,我正准备打一个追加预算的报告。"石万山对洪东国说,

　　"我没有别的意思,只是提醒一下,该花的钱一定要花够,不该花的钱当然要节约。追加预算,需要师技术部和工程部论证批复,论证会上是要科学依据的。"郑浩也看着洪东国说话。

　　洪东国说,"老郑的提醒很有必要,毛主席说过,要多快好省地

建设社会主义。这省是什么？就是节省。咱大功团也一样,要多、快、好、省地建设好石破天惊龙头工程。当然,我不是否定老石的意见,如果有必要,打锚网喷支护的钱也不能硬省,以人为本安全第一嘛。关键是调查研究结果。走,林工,咱们再带上几个技术人员一起去洞里看看,多调查研究。老郑,老石,走啊。"

"你们去吧,我还有些事情要处理。"郑浩说。眼下,他实在不愿意再与石万山呆到一起。

谁也没想到,灾难很快就降临了。

一号洞深处,齐东平冲着卡车上的方子明连喊带招手,"快点拉过来,别磨磨蹭蹭的！这一段往下掉石头,也得加固。"

"知道了。"卡车加速朝洞外开去。

魏光亮斜倚着一个脚手架,悠然点上一支烟。齐东平凑过去,"魏排长,要不,你回去歇歇吧？剩下这点活,我们拢一拢就完了。"

魏光亮拉下脸,"什么意思？故意寒碜我是吗？不知道我刚刚挨了严重警告处分、被降为上等兵、要听你指挥吗？"

一片好心被当成驴肝肺,齐东平有口难辩,嗫嚅着,"我绝对没那个意思。你把台车修好了,我非常佩服……"

魏光亮冷笑一声,"算了吧。齐东平,咱们不是一类人,没那么多好说的。我抗不过命,命运让我成了你的兵,我现在全认了,听你的吆喝不就是了？"

齐东平心酸地说,"我知道人分三六九等,也从来没想高攀你们这种上等人。"

突然,魏光亮头顶的石头开始晃动,往外的通道开始有石头下坠。齐东平大叫"快,往里跑！"豹子般冲过去,一把拽住魏光亮,拼命往坑道里面跑。

碎石乱溅,飞到士兵们安全帽上时发出脆响,很快,大片大片的石头开始从洞顶往下坠落。齐东平和魏光亮先后被绊倒,两人大睁着惊恐的眼睛,看着片片石头纷纷扬扬,渐渐把坑道出口往死里堵。

"天啊!"魏光亮颤抖着声音,手脚并用往空旷处东爬西躲。

齐东平镇静下来,上下左右四处查看。"他妈的! 一下塌下这么多。"他骂道,躺在不远处的两个军用水壶扑入他眼帘,他喜出望外,飞快地冲过去,把它们抢到手里又撒腿往回跑。

一块大圆石滚过来,直奔魏光亮,他吓了一大跳,幸好石头滚到脚边就停住了。惊魂未定的魏光亮刚舒出一口气,头顶上的两盏灯陡然熄灭,洞内顿时陷入一片黑暗,伸手不见五指。魏光亮顿时慌了神,神经质地一遍遍念叨,"完了,完了,这回可真完了,全完了。"

突然,魏光亮歇斯底里地用双手拼命抓扒石渣,不一会儿双手就血肉模糊,他筋疲力尽地瘫到地上,号啕大哭。

"魏,魏排长,你千万别紧张,精神一定要放松。"齐东平在黑暗中说。

"齐东平,你在哪儿?"魏光亮可怜兮兮的,鼻子还在一抽一抽。

"我在这儿。你别动,别碰着硌着了,我过来拉你。"

魏光亮站在原地,等待着齐东平过来救援,

齐东平跌跌撞撞摸过来,终于摸到了魏光亮,拉起他的手,"没事的,你做个深呼吸把自己放松,我们必须养精蓄锐。人一高度紧张,就要多消耗一倍能量。"

魏光亮深深地呼吸,身体和精神果然都放松得多。

"咱们坐下吧,动作慢一点,先摸摸地下有没有尖石头。"齐东平说。

两人蹲下身子,用手摸索一阵,然后坐了下来。

"魏排——我还是叫你老魏吧,来,喝口水,尽量让自己平静下来。"齐东平用水壶捅捅魏光亮,魏光亮很听话地接过去。

"就这两个半壶水,咱们得省着喝。你没伤着吧?"齐东平关切地问。

"没有,谢谢你救了我。以后我就把你当救命恩人。"魏光亮由衷地说。

"别这么说。工程兵,谁救谁都是常有的事,互为救命恩人,都是亲兄弟。六年来,我被人救过五次,也救过七个人,逃生经验够丰富了,你别怕。"

魏光亮放下心来,从口袋里摸出烟和打火机,啪的一声点燃。两人眼睛眨巴好一阵,才使瞳孔适应这星星之火。

"老魏,刚才你怎么不点打火机?"

"一紧张就给忘了。"魏光亮有些不好意思,递根烟过去,"东平,来一支。"

听到这个称呼,齐东平高兴得笑了,"希望你永远叫我东平。"

"没问题。"魏光亮点上烟,猛抽一口,又给齐东平点上。

"真是好烟啊!一块多一包的孬烟,只配给它提鞋。"齐东平深深吸上一大口,烟灰瞬时长出一大截,他马上把烟掐灭,"老魏,再抽一口你也掐了吧。烟瘾来了,闻闻就行,不过瘾就嚼一支。这一段高压风管还没架过来,万一坑道给堵死了,咱少抽支烟,也许能多活个十分八分钟。"

"对啊,氧气!我怎么把它给忘了。"魏光亮把烟踩灭,"东平,你说咱们能活着出去吗?"

"当然能。营长、团长他们肯定有办法。老魏,闭上眼睡吧。咱们尽量少说话,能睡着一定要睡。人睡着了,能量消耗得少。"

"你能睡得着吗?"

"睡不着也得睡,这回你得听我的。"

"我听你的。"

卡车刚到洞口处,方子明就听到坑道里传来打雷般的低沉闷响,他感觉大事不好,大喊,"停车!好像是冒顶了,快停车!"

卡车停下,战士们纷纷跳下往回跑,冲到最前面的王小柱被眼前的塌方景象惊呆了。"我的妈呀! 排长没出来,还有魏光亮,怎么办啊?"他无头苍蝇般乱窜乱找,然后扯开嗓门大喊起来,"排长,排长——"

跟上来的战士都被眼前的废墟惊得目瞪口呆,听到王小柱大喊"排长",也一齐跟着叫喊起来。

方子明骂,"叫个屁! 王小柱你瞎跑个球,快去报警! 快!"

王小柱稳住神,飞跑出去,按下电动报警器。

凄厉尖啸的警报声骤然响起,接着,紧急集合的尖啸军号声,尖利急促的口哨声,全都混合到一起,划过长空,在营区上空回荡;旋转着蓝灯的救护车也惊叫着,朝一号洞库狂奔。

七星谷所有的官兵都往一号洞库飞奔而去。

看着已被塞死的坑道,石万山老鹰抓小鸡般一把抓住王小柱,"快说,还有几个人没出来?"

"两,两个,齐排长,还有魏,魏光亮。"

石万山捶胸顿足,"完了。晚了,还是晚了。"

抢险的官兵蜂拥而至。越来越多的人拥挤过来。石万山大喊,"都挤到里面来管什么用? 先出去! 都给我出去!"

官兵们又纷纷往外撤。

"王小柱,你先留下。"张中原喊。

王小柱折回来。

石万山开始运筹帷幄调兵遣将:目前,抢险作业面顶多只能保留五个人作业,但两边得马上各设四个安全员;林丹雁等技术人员要以最短时间给塌方定性,看能否大规模通过塌方段进行营救;张中原马上派一个班担任技术人员的警卫,其他人先在外面集结待命;王小柱和方子明跟他一起去团部,以了解出事地点的具体方位;这儿的局面,暂时交由洪东国政委负责管理。

石万山刚走出十多米远,林丹雁立刻朝碎石堆爬去。

"丹雁,你小心啊!"洪东国关切地叮嘱。

石万山不由自主地回头,他看到一个娇小的身躯,在废墟堆中踉踉跄跄地行进。恰在这时林丹雁也正看他一眼,霎时,千言万语都在她眼睛里表达。石万山眼睛一热心里发酸,脚步略有迟疑,然后毅然掉转头去,加快步伐往外走。

李和平早已按照石万山的电话指示,把一号洞库的所有幻灯片准备好了。石万山他们一到,他立刻把一号洞库的切面放大图投射到白屏上。

石万山对方子明和王小柱说,"仔细回想一下,你们离开那个位置时,他们两个在哪里。用教鞭指。"

方子明闭上双目,沉浸到回忆中。片刻后,他睁开眼睛,拿起教鞭指着一个点,"东平好像在这个地方,魏,魏光亮,"他把教鞭挪了挪位置,"站在这儿。应该没错!小柱,你看对不对?"

"对,对!齐排长更靠右些。"

"好了。你们归队吧。"石万山转头吩咐李和平,"李参谋,把位置标上。"

"标过了。具体位置是,卡车离开两千米时,齐东平和魏光亮在两千零三十到两千零五十米之间。"

"两千二百米里面做了锚网喷支固,应该不会有大问题。"石万山终于长舒一口气,拿过教鞭指着屏幕,"小李你说,如果这一段也垮了,他俩能反应过来吗?"

"如果只有魏光亮一个人,有点悬。齐东平有经验,他们问题应该不大。我想,他们也许能跑到两千二百这边。"

教鞭在屏幕上游来移去,石万山来回徘徊,不断自言自语,"假定这边都垮了,这边应该还有近六十米,他们应该没事……"

抢险救人计划立刻在他脑子里形成:二营三营的大规模救援部

队,应该先养精蓄锐;一营派一个连谨慎进入塌方区,其他人员先撤回来休息。另外,再从二营和三营各抽调一台扒渣机过去。

听到冒顶事故的尖利警报声,郑浩急忙从办公室往外跑,得知冒顶的是一号洞时他心里一沉,直后悔自己刚才没有跟洪东国他们一起过去。

他火速奔往一号洞,在洞口遇到纷纷出来的官兵,知道石万山布置的抢险作业面竟然只投入五个人。当得知被埋在洞里的有魏光亮时,他再也沉不住气了,让人把张中原找来,要求他马上聚拢部队听候调遣。张中原既不能违抗石万山的命令,又不能不服从郑浩的指挥,左右为难无所适从,突然想到应该求助于洪东国,便拉着郑浩往洞里进,说洪政委就在洞里,咱们现在进去看看,万一有新的情况呢。

正向林丹雁询问情况的洪东国见到他们,马上迎上前来,"郑副参谋长,你怎么也来了?"

"我当然应该来,而且后悔来得晚了。洪政委,人命关天十万火急的时候,石团长还让大家原地待命,你也同意吗?"郑浩语气很冲。

"是的,老石下命令时我在场,我没有反对。"

"为什么不抓紧救人?!"

"郑副参谋长,你别急,论救人,老石和中原他们的确比我们有经验。老石交代了,等丹雁他们勘明情况得出结论后,才能做出决定。"

郑浩一时找不到话说,转而问林丹雁,"查明了吗?情况怎么样?"

"现在还说不准。从这个地方来看的话,这个坑道应该能保得住,他们……"看见石万山远远过来,下面的话立刻变成"石团长来了"。

石万山走近,"郑副参谋长来了。"

"石万山团长，人命关天，不能再搞蚂蚁搬家了。"郑浩一脸严肃。

"蚂蚁搬家？我听不明白。"

"抢险作业面只投入五个人，不是蚂蚁搬家吗？五个人能干什么？"

"郑副参谋长，考虑抢险营救方案前，首先得判断出他们是否还活着。"

"我不同意你这种说法。在没看见他们之前，你怎么能判断出他们是死是活？他们只要还没确定为死亡，就必须马上投入大量兵力实施营救，何况里面埋着大功团第一个清华硕士研究生！"

"对不起，郑副参谋长，我也不同意你的说法。作为龙头工程的法人和指挥长，我必须为全体官兵的安全负责，不管是硕士还是初中生，他们的生命同等重要。"

郑浩气得怒目圆睁，两只眼珠子似乎要从眼镜片后蹦出来，"石团长，你这叫什么话！我说过生命要分贵贱了吗？莫名其妙！洪政委，从报警到现在，已经过去一小时十五分钟了，请你告诉我，我这个师前指总指挥，该如何向上级报告？"

"实事求是，如实上报。"洪东国说。

"那好。请石团长告诉我，你们现在有什么救人方案？"

石万山尽力克制自己，"郑副参谋长，我必须先征求工程技术总监林丹雁同志的意见。林工程师，请你告诉我们，在没有查明塌方段的情况下，能不能投入大型机械和大量兵力抢险救人？"

"暂时不能。"

"你听到了，所以，我别无选择。十五年前我们干过蠢事，为救两个人搭上了七个人，而且那两人没救出来。这样的悲剧我绝不能重演。"石万山脸色凝重，"郑副参谋长，大功团党委有过决议，在这种时候团长拥有独断的权力。"

"石团长，在这种时候你们是搞个人独断还是集体决议，我郑浩无力干涉；但作为特派的师前指总指挥，也就是你们眼里的监军，在这种时候我必须把所有情况都报告上去，这是我的权利，更是我的职责。还有，我建议，此事应该报告给钟副政委，万一……让老首长先有个心理准备，总比冷不丁的给他说好。齐东平的家属也应该通知到。"

洪东国说，"还是老郑考虑得周全。"

"老洪，需要上面支援的话，早点说，不要硬撑着。救人第一。"郑浩走了。

"好的。老郑，再见。"洪东国向他摆手。

"真是老机关，做事滴水不漏。"石万山忍无可忍，冷笑起来。

"行了，你也别得理不饶人。"冷不防，林丹雁迸出这么一句。

石万山和洪东国都饶有兴味地看她一眼。林丹雁顿时脸红起来。

"老洪，情况不太好，我刚才根据工程图分析过了，如果还没打上锚网喷支固的那六十米也塌了，这次将是马拉松式的营救，即使以连为单位打车轮战也需要五六天。好在这一段不是泥夹石区，里边暂时还能保证氧气。"石万山忧心忡忡。

"五六天？人还不都饿坏了。"林丹雁惊叫起来。

"人的耐饿极限是七天，而一旦盲目地大规模营救，后果不堪设想。两害相权取其轻，只能这样了。"

"老石，我同意你的营救方案。"洪东国把手搭到他手背上。这种无声胜有声的方式，给石万山以最大的信念和力量支持。

"政委，我有个请求，请你以团党委的名义打电话向上级报告。"

"我正是这个想法。"

话音刚落，他的双手被石万山紧紧握住，"老洪，谢谢你的理解和支持。"

　　石万山暗自庆幸,非常感激。每当关键时刻危难时分,洪政委都与自己一心一意,对自己予以全力支持。他甚至在内心里叩问:石万山,你何德何能?

　　"老石,你这话就见外了。"洪东国用力摇晃他的手。同志情,战友谊,朋友义,从两个男人的手底下传递。

　　林丹雁的眼睛和心里都有些湿润。

　　"老石,丹雁,我得马上回团部给上面打电话,再见。"洪东国抽出手来。

　　"再见。我们还得留在这儿勘察。"石万山说。

　　林丹雁冲洪东国做挥别手势。洪东国一走远,林丹雁立即换了表情和腔调,"你这么处置,有没有想过后果,万一魏光亮真的光荣了呢?"

　　"你这么一说,我倒真要想想了。总不至于把我送上断头台吧?"

　　"真是茅坑里的石头,又臭又硬!算了,懒得跟你这独裁者说话了。"林丹雁气得掉头就走。

　　石万山追上去,口气软下来,"丹雁,你听我说,即便魏光亮是老首长的亲生儿子,我也会这么处置的,因为这是最佳处置方案。如果他们已经光荣了,早一天晚一天找到他们,没有本质区别。目前,事故原因和情况不明,贸然让很多人冒着生命危险去救他们是不可取的。万一造成更大牺牲,我怎么向更多的父母交代?我相信,凭着魏光亮的聪明才智,加上齐东平的坑道生存经验,会出现奇迹的。里面有台车,就会有足够他们喝的水。曹雪芹说女人是水做的骨肉,而男人是一团污泥,从生理意义上说,他错了,男人的身体也是水做的骨肉。有水,他们就能生存七天以上。该想到的我都想到了,能做到的我会尽力去做。我问心无愧。"

　　林丹雁默默地听着,静静地看着他。

　　"丹雁,我现在很大程度上要依赖于你——你们的勘察和研究结果。如果明天早上你能以科学的名义告诉我:石万山,你可以动用你的全部装备和人力,打一场救人的车轮大战。我会,会把你当救苦救难的观音菩萨来供。"石万山凝视着她。

　　在石万山深情而又内敛的目光下,林丹雁心如鹿奔,手足无措。她原以为,自己对这个男人已经不再有热烈的爱情了,曾经如火如荼的少女情怀,后来难舍难弃的断肠情愫,在无望的痛苦下,都已经默默地转化成一份绵长的亲情,这份亲情潜入到骨子里,使他在她生命中的角色,转变为骨肉相连的亲人。虽然从内心深处来说,她只爱开疆拓土力拔山兮气盖世类的英雄,但冰雪聪明的她,何尝不明白现实与理想之间有时甚至横亘着天堑。多少次,她都试图说服自己放弃飘渺的爱情理想,多少次,她狠下心来告诫自己,石万山永远只能是你的恩人和亲人。然而,只消他用这样的目光照耀她,只消他用这样的语言浸润她,她毕尽心力营造而成的心灵堡垒立刻轰然坍塌。她既感到惊颤的幸福,又为自己悲哀:人,总是挣脱不开身心的本能。她明白了,一直以来,自己能够全身心接受的,只有眼前这个大情大性的大男人,她也明白了,自己为何一直感动于郑浩的情意,却始终不愿让他走近。

第 八 章

　　黑暗中，一个影子动了动，是魏光亮醒了过来。他坐起身来摸索着香烟和打火机，啪的一声脆响，他把火苗在齐东平脸部上空来回晃动。齐东平缓缓睁开眼睛，马上伸手把火苗扇灭，"老魏，咱们要节约氧气。"

　　"没事，坑道没堵死。给你一支？"

　　"是啊，堵死了的话，咱们早都光荣了。我还是忍着点，要不氧气不够。"齐东平打个哈欠，看看夜光表，"六点半了。真不错，一口气睡了十个小时。"

　　魏光亮时吸时吐，一个红点时明时灭。

　　又是啪的一声脆响，火苗再次闪现，是魏光亮要找水壶。找到了，他拧开盖子，朝嘴里猛灌一通。齐东平想制止他，最终没有开口。他觉得魏光亮够不容易的了，有困难自己多克服就是。如果台车上有水的话，问题基本能得到解决。想到这儿，齐东平猛地站起来四下寻找台车，意外发现东边角落里躺着一个应急灯，他激动地扑过去把它一把搂到怀里，就像父亲搂过一个久而未见的小儿子。

"谢天谢地,还有这个宝贝。"他喃喃着。

有了应急灯,坑道里就有了光明,齐东平和魏光亮大为振奋。齐东平爬上台车,把盖子打开,拧开排水阀,刚仰起脖子把水灌进嘴里,马上"呸呸"地又吐又呕。

"怎么了,不能喝?"

"不但没法喝,喝了恐怕还要中毒。"

"对不起,东平。"魏光亮很歉疚。

"没关系。喝光了也好,当个尿壶用吧,尿可别浪费了。"

齐东平吩咐魏光亮掌灯,他去看上水管里有没有水。两人找到上水管终端龙头,齐东平拧开阀门,里面一滴水也没有。

"惨了,水管可能被砸断了。唉,真背。"齐东平哭丧着脸,"现在是一点一滴都不能浪费了。咱们接着睡觉吧,睡着了就不需要吃喝。"

两人找到相对舒适的地方,并排躺下。齐东平把应急灯关掉,黑暗中两人屏声静气,希望再入梦乡。

"东平,你睡着了吗?"过了一会,不堪黑寂的魏光亮轻轻问道。

"没有,咱们别说话,一会儿就能睡着。"

"不行啊,肚子饿得咕咕乱叫,头晕眼花的根本睡不着。东平,你陪我说说话吧,说话能转移注意力。"

"好吧。你说,我听着。"

"哎,东平,如果这儿有老鼠,你敢吃吗?"

"老鼠? 那不敢。小时候顽皮,逮着什么都敢往嘴巴里塞,就老鼠不敢,别说吃,一想到都恶心。"

"我就吃过老鼠。"

"你? 不可能,你别吹了。"

"真的,我在广州吃过'三响'。"

"什么叫'三响'?"

　　"就是小老鼠蘸芥末。筷子夹住刚出生的小老鼠,它会叫一声;朝芥末碟里一戳,它又叫一声;再放到嘴里一咬,它最后叫一声,一共三声,所以叫'三响'。"

　　如果肚子里有食物,齐东平一定会恶心得吐出来,他不敢听更不敢想象下去,"不说它了,说点好吃的吧。我听说那鱼翅吃起来像吃粉丝汤?"

　　"瞎扯! 像粉丝汤的鱼翅,要么是鱼翅的品质太差,要么是厨师的手艺不精。真正上等的鱼翅,经过特级厨师的炮制,出锅时的样子就像一架法国幻影战机,你吃过一回就会惦上了。"

　　"有北京烤鸭好吃吗?"

　　"这不能比。你说是烤红薯好吃还是烧鸡好吃?"

　　"那倒也是。"

　　"东平,你知道我现在最想吃什么吗?"

　　"不是鱼翅就是燕窝,反正是高级玩意儿。"

　　"错! 正确答案是烤红薯!"

　　"烤红薯? 为什么? 怎么着也得是一只黄澄澄油花花的烧鸡腿吧? 哎哟,不能说了,再说下去,我的口水要流出来了。"齐东平咂咂嘴。

　　"我对烤红薯最有感情,小时候我吃得最多的就是它。"

　　"怎么会呢? 你最爱吃它?"齐东平很惊讶。

　　"东平,咱们是患难之交,不,是生死之交,咱俩能不能活着出去现在还是未知数,如果能活着,我也会把你当亲兄弟,所以从现在起我什么都不瞒你。以前对不住的地方请你多担待。其实我跟你一样,也是穷人家的孩子,只是因为偶然因素,我才有了教授爹妈和中将舅舅。"

　　"真的啊?"齐东平惊奇得坐了起来。

　　"我还能编出故事来骗你啊?"

"你真幸运。"齐东平心中五味俱全。

"以正常的眼光来看我的确很幸运，可人有时候就是贱，我有时候会想，这样的际遇对我来说到底是幸运还是不幸？假如我跟亲生父母一起长大，我又会是什么样子的呢？肯定不会有现在的这些痛苦吧？可惜人生没有假如……"

"老魏，你不能那么想，你要感激你的养父母和中将舅舅。你要是一直生活在农村，当你饭都吃不饱家里人有病都没钱看的时候，你就会深刻体会到，人生最大的不幸是贫穷。"

"是啊，我也知道自己是无病呻吟，是身在福中不知福，可是——唉，所以说……其实，我很赞成'知识越多越反动'这句话，知识分子就是毛病多，毛主席说的不改造不行。"

"别这么说，我佩服你还来不及呢。老魏，咱别说话了，继续睡吧，睡不着也得养养神。一点动静都听不到，没两天他们扒不到我们。"

魏光亮叫起来，"我的妈，还要两天啊？"

"别泄气。求生的时候，意志最重要。"

无论洪东国怎么劝说，石万山仍然固执己见，非要睡到一号洞口去，说是睡在那儿能随时了解情况，心里也才能塌实。其实这只是一个方面。另一方面是，他的潜意识里有对万一出现死人后果的惧怕。郑浩明确反对目前的救人方案，自己的一言一行更要"对得起观众"。只是石万山不愿深究这一点，甚至都不愿承认它的存在。反正现在我都睡到坑道口了，我的指挥位置二十四小时都在这里了，你还怎么说？石万山有了些孩子般的赌气心理。

清晨，林丹雁戴着蓝色头盔来到一号洞口，远远就听见里面有鼾声如雷。近前一看，石万山和衣躺在蚊帐笼罩着的钢丝床上，酣睡的脸容纯真无邪得像孩子。她隔着一层纹纱凝视着，脸热得厉害心跳得可怕。她想赶快离开,脚下却动不了,她只好把眼睛移开。床头搭着石万山一件外衣,林丹雁忍不住用手轻轻而深情地抚摸起来。这时,一辆翻斗运输车拉着一车石渣从洞中出来,她吓了一跳,立刻退后几步,正要转身离开,石万山被轰隆隆的声音吵醒了。他迷迷瞪瞪睁开眼,看见林丹雁,觉得奇怪,"你还没走? 快回去,女人熬夜多了容易长皱纹。"

没能及时逃离的林丹雁,干脆大大方方地面对他,"你睡糊涂了,现在是早上了,我来报到的。不过你能生出怜香惜玉之心,还真让我感动。"

"都早上了?"石万山一跃而起,既是着急,也是为了掩饰难堪。他扭过脸,走到水龙头前涮洗干净了,才把脸正对着林丹雁,"你们的结论如何? 能不能投入大型机械大量兵力营救?"

"经过八小时小规模的营救尝试,我们技术组认为,再次大面积塌方的可能性不大。"

"不大是多大?"

"这我没法回答,发生了就是百分之百。"

石万山烦躁地来回踱步,"不行,我需要精确的答案。一旦再发生塌方,后果就严重了。你们必须给我精确的回答。"

林丹雁不做声。

石万山停住步子,看着缄默的林丹雁,见她苍白的脸上挂着两个大黑眼圈,马上自责起来,"对不起丹雁,我太心急了,顾不得你们太劳累了。谢谢你们,你先回去好好休息一下吧。"

林丹雁受不住他的目光,别过头去,"你呢?"

"我还要看一看,再想一想,有十分的把握才敢下决心。"

"是不是跟石头打交道太多,你已经变成铁石心肠了? 别的事情你铁石心肠左顾右虑倒也罢了,救人的事情,能等得了你左看右想吗?! 人命关天,不能再拖延,这一点郑浩说得没错。"林丹雁冷着脸说完,转身就走。

石万山久久盯着她婀娜的身影和疲惫的步态,百感交集。

林丹雁回到房间,周亚菲已经把早餐给她准备好了,倒像个大姐姐似的吩咐,"快把稀饭喝了,凉了味道就不好了,这小笼包是我抢来的,好吃得很。"

"谢谢。我现在不想吃,睡眠太少,没胃口。"

周亚菲强行把饭碗塞到林丹雁手里,"不行,睡眠少,抵抗力本来就下降,再不吃,身体还不得垮了?洞里那两个就够让人忧心的,总不能又搭上一个吧?"

林丹雁拿眼睛斜睨她,"你最忧心的,恐怕是洞里其中的一个吧?"

周亚菲跳起来,做出要胳肢林丹雁的样子,"你敢跟我使坏,我就把你心里的秘密揭穿!"

"说得跟真的似的。你说吧,我有什么秘密?我很想知道。"

"算了,看在这几天你太辛苦的分上,我先饶了你,以后——哼哼!"

"小黄毛丫头,还敢威胁我?以后看我怎么收拾你!"

周亚菲咯咯地笑,趁机问道,"丹雁姐,你说今天不可能挖到他们?"

"明天恐怕也挖不到。"

周亚菲托着下巴看林丹雁喝粥,不一会儿就眼睛发直喃喃自语起来,"如果有足够的水和空气,他们还能撑个几天,如果……"一下又忍不住让话溜出嘴边,"丹雁姐,你说什么叫祸不单行福无双至,这个魏光亮就是,唉!"

"心疼了吧?我说你心里有了他,你还嘴硬!"

"我是同情心,同情弱者!"

"周亚菲小姐,洞里埋着两个人呢,你怎么不同情另外一个呢?

就这魏公子,还算弱者?"

"我的话还没说完,你的大帽子就扣下来了。"

林丹雁放下筷子和饭碗,举手表示息战,"算了算了,你是心理学学士,自然知道爱情有时候其实就是同情心,有时候呢,甚至在仇恨的尸体上茁壮成长。我困死了,没精神跟你争了。"

周亚菲亲昵地上前搂着她,"真精辟啊! 问姐姐最后一个问题,你的爱情呢,主要元素主要根基是什么?"

"小妹妹,本人无可奉告。"

大清早,郑浩出外逡巡,迎面遇到一营二排三排正喊着口号跑步出操,他很生气,冲进广场大声呵斥,"停下! 停下! 你们居然还有心思出早操?"

战士们停下来,愣愣地看着他。

值班中尉向他行礼,"报告首长,我们没接到不出早操的命令。"

是啊,这不是他们的错。郑浩一时无语,恰好看到张中原穿着脏兮兮的工作服走过来,他立刻上前为自己解围,"张营长,人救出来了吗?"

"还没有。"

"那你回来干什么?"

张中原嗫嚅着,"方案还没定下来,团长命令我回来休息。"

"真是不可理喻!"郑浩拂袖而去。

郑浩径直去找洪东国,神情和口吻都十分严肃,"洪政委,人命关天。我以师前指总指挥的名义,提请大功团团党委注意:如何科学地抢险救人是一回事,但救人的态度必须端正。两个战友正埋在洞里生死未卜,这边呢,睡大觉的睡大觉,唱歌出操也照常,太说不过去了吧? 人是感情动物,不是冰冷的机器。"

"郑副参谋长提醒得非常及时。"洪东国当即给李和平拨电话,

"李参谋,命令一、二、三营,在主坑道险情排除前,暂停出早操,不准唱歌。"

"军歌也不能唱吗?"李参谋在那边问。

"军歌嘛……"洪东国在这边哼哼,拿眼睛瞅郑浩。

"军歌当然可以唱。"郑浩说。

"军歌当然可以唱。"洪东国对着电话筒说。

"老洪,我谈点也许不成熟的意见,生命对谁都很宝贵,但是绝不能因为抢险救人存在着危险,就畏首畏尾裹足不前。坦白地说,我对你们在十几个小时里几乎无所作为有意见。这绝不是给你们施加压力。"郑浩说完,转身就走。

洪东国苦笑一下,拿起电话要拨,想了想后又放下,走出屋去。

郑浩回到房间,拿起听筒按下几个号码,在电话将要接通时又急忙按下。呆呆地坐上一会儿,想了想,终于下定了决心。他拨通号码,等待对方的声音。

"喂,哪位?"话筒里成南方的声音也是不急不躁。

郑浩脸上顿时荡漾出笑容,"政委您好。是不是影响您锻炼了?"

"没关系。小郑大清早找我,还找到家里来,自然是有事要说。"

笑容变成感激,郑浩一脸虔敬,"谢谢政委。我急需汇报大功团抢险救人的事情。政委,人命关天,可出事到现在都过去十多个小时了,大功团依然毫无作为!我认为是石万山的指导思想有问题,他怕再出事故,既不肯投入兵力也不肯投入大型机械设备。这样会使洞里的人失去生还机会啊。我提醒过他们,可我这个师前总指挥分量不够,人家根本不放在眼里,只能求助于您了。您是否能给我一个授权,让我代表您处置这件事?"

"小郑,不要发牢骚,石万山是个老工兵,历险无数,救人他是行家,我们都要信任他。当然,今天上午我会召开师党委会,把你的反映提出来,让大家加以研究讨论。"

"谢谢政委! 政委您了解我,我不是个不讲分寸的人吧? 可是,或许恰恰是我凡事太谦让了,才导致今天这种局面。政委,我有负您的栽培,让您失望了,真对不起,我很难过……"郑浩几乎带着哭腔。

"小郑,这些话你就更不应该说了。你要记住,你的成长,是党培养部队培养的结果,不是我成南方个人的恩德。你的能力和品行大家都清楚,就不要斤斤计较一时得失了。你在七星谷的身份特殊,说话做事,要多识大体讲大局,对你对大功团都有利。"

"是! 谢谢政委,我一定谨遵教诲!"郑浩豁然开朗。

放下话筒,成南方拿起红机子话筒,"师长,吃了吗? 我想了想,觉得咱们还是暂时不去七星谷为好。我提议今天上午召开党委会,把事情先议一议。"

顾长天左手握话筒,右手拿面包,啃一大口,"行!"

"坦白地说,正是因为魏光亮生死未卜,我才觉得咱们现在不能去。我们已经离开一线多年,抢险救人,石万山他们才是行家。如果我们匆匆忙忙飞过去,基层那些出生于普通家庭的官兵会怎么看?"

"还是你成政委细致啊! 不过,我们得多督促多提醒他们。"

"那是,督促他们加快进度,提醒他们注意安全,对吧?"

"你好像是我肚子里的蛔虫啊,对我的心思知道得这么清楚,哈哈哈哈!""狮子王"又亮出他招牌的大笑。

放下电话后,郑浩又拿起话筒,想把大功团目前的抢险救人实情告诉钟怀国,几经犹豫后,他还是决定暂时先缓一缓再说。他把话筒又扣了回去。

得不到魏光亮的最新消息,钟素珍如同热锅上的蚂蚁。昨天上午,钟怀国秘书小吕半暗示性地告诉她光亮出事了,她当时就几近崩溃,晚上更是通宵达旦失眠。一大早,她红肿着眼睛头重脚轻地赶到哥哥家。

钟素珍蹑手蹑脚地闪过钟怀国的书房,轻轻推开钟怀国秘书的房门,进去后立刻把门关上。

吕秘书吃了一惊,赶紧站起来,"阿姨好。"

"小吕,请你给郑浩打个电话。"

"阿姨,对不起,首长交代过……"

"小吕,你现在听我的好不好? 算我求你了。光亮生死未卜,他做舅舅的不着急,我这做妈的放心不下啊,"钟素珍几欲泪下,"我要听小郑说实情说详情,万一光亮有个三长两短,也好以最快的速度赶过去,请你帮帮我。"

不知所措的吕秘书心中老大不忍,犹豫再三后还是开始拨电话,"大功团吗? 请找郑浩……"

话音未落,钟怀国进来了。

吕秘书傻了眼。

钟怀国从他手里接过话筒,用力扣下。

钟素珍的眼泪"哗"地流下来,吕秘书耷拉着脑袋等着挨批评。

钟怀国没有发火,"素珍,我理解你的心情,我难道就不着急不心疼吗? 可咱们要相信光亮,更要相信部队。咱们给大功团给郑浩打电话,自然会给他们造成压力,这是很不合适的。洞里不是还有光亮一个战友吗? 人家就不是父母的儿子? 人家的父母怎么办?"

"哥,我实在是忍不住……你放心,我不打了。"钟素珍抽噎着。

"这就对了。"钟怀国转过头,绷着脸正告小吕,"我再说一遍,谁也不准往大功团和工程兵师打电话。这是命令!"

经过周密的分析和缜密的思虑,石万山终于下定决心,投入全部兵力和大型设备抢险救人。他命令二营长王德田,务必在四十分钟内亲自带一个加强连赶到一号洞,同时带一辆扒渣车和两辆翻斗车过来。

　　下完命令,石万山顿感身心轻松,他坐下来,悠然地抽起了烟。烟是向别人要来的。几年前,因为妻子汪小青和儿子石小山的强烈反对,他彻底戒烟了。他并不是怕身体因抽烟落下毛病,而是觉得妻子事事顺从自己,惟有在抽烟这事上坚持不懈地与他作斗争,不听从她实在有点说不过去。儿子是他妈妈的跟屁虫,虽然无比崇拜父亲,可只要是他妈妈反对的,他也就坚决反对,哪怕对偶像父亲。自己欠妻子和儿子太多,何况当时还有——还有那一个拥抱和亲吻被妻子撞见,使他一直愧疚在心。因而,他差不多拿出当年张学良戒大烟的毅力,终于把二十年来除了睡觉几乎不离口的香烟给抛弃了。可今天,他非常想抽一支,想得没有办法摆脱这个念头,他对自己说,就抽一支,不会再上瘾的。

　　吞云吐雾着,石万山感到很惬意。突然他一拍脑袋,"糟了!"

　　他立刻把烟掐灭,跳起来,朝供水站跑去。他一路责骂自己:你这笨蛋,你这混蛋,居然会忘记试供水系统!

　　石万山赶到时,张中原正好带着方子明等赶到。方子明机灵,马上打开阀门。

　　石万山叫住方子明,"小方,你快去洞里吩咐他们查看输水管。如果水管没被砸断,你们每隔两小时就朝洞内供水五分钟。中原,你要指派专人管供水。"

　　方子明恍然大悟,"我明白了! 如果水突然输不进去了,那就是他们把水龙头给关了,就说明他们还活着。"

　　"关了吧。他们要是睡着了,水会把他们给淹了。"张中原也开了窍。

　　看看水表的指针仍在转动,方子明放心了,他关上阀门,撒腿就跑。

　　"中原,这几个战士就在这儿守着,眼下,每隔一小时供水两分钟。"

张中原说，"以后洞里一定要存些干粮和纯净水，还要存些牛奶。"

"好，这笔钱由团里出。"石万山朝张中原递眼色，"你过来一下。"

两人往外走，张中原心里嘀嘀咕咕的，"团长，又有什么事啊?"

"坏事。政委让我告诉你，你家后院起火了。"

"什么?"

"强扭的瓜不甜! 你小子怎么会犯这种迷糊呢? 想当爹，你儿子他妈不配合，你当得成吗?"

张中原咧开嘴笑，"这么说，我真有革命的后代了?"

"枪法不错，但你别高兴得太早。朱彩云刚才来了，详细情况你抓紧问她去，这儿我先帮你盯着。小高是个有脾气的人，这事你要小心处置。"

朱彩云带着两辆大卡车进山，把大功团急需的方便面和矿泉水送过来。为表负荆请罪的诚意和官兵们诚挚的谢意，洪东国专门领着李和平等一干人马到广场上迎接。一见妻子，洪东国立刻伸手过去，"朱经理劳苦功高，这些东西我们正急等着要呢，你真是我的贤内助，大功团的好军嫂……"

"少来这一套! 够不够?"朱彩云把他巴掌拨开。

"要看进度了。明天再弄些白糖和牛奶来吧。小李，你们抓紧把方便面和矿泉水送上去，我先陪你嫂子回家一趟。"

李和平鬼笑。

洪东国瞪他，"笑什么? 瞧你那不怀好意的样子! 别想歪了。"

朱彩云腾地脸红起来。

一进家门，朱彩云把高跟鞋一扔，往沙发上一躺，"还是这个家里舒服。哎，救出来没有，人怎么样?"

洪东国给她端茶倒水，"三天了，还没什么进度，只怕凶多吉少。"

"这可就麻烦大了。那件事呢，你给张中原说了没有？"

"什么事？"

"高丽美怀孕呀。"

"还没顾上呢，我把情况告诉老石了。你的工作做得怎么样？"

"前天晚上没找到她，昨天和今天又忙乎这些事，没工夫。回去后我再找她去吧。我说，你们最好还是让张中原回去一趟。"

洪东国坐过去，摩挲着她额前浓密的头发，"这火烧眉毛的，他能走吗？"

"后院的火都烧到他头发了，他不管行吗？何况先是他的错，他也得负荆请罪！不然，把你们惯的……"话被咚咚咚的敲门声打断，朱彩云赶紧起身坐正。

洪东国打开门，张中原一脸的难为情，"政委，嫂子刚回来，本来实在不好意思打扰你们，但团长比我还急……"

"中原，你说的什么话呢，跟我们还见外吗？再说我们老夫老妻的，怕打扰什么？快进屋来，你不来我还要找你去呢。"朱彩云把他拉进屋。

"嫂子，她怎么样？"张中原坐立不安。

"这两天没见到她，放心，明天我一回去就去找她。"

"这儿实在离不开，全拜托嫂子了。嫂子，不管什么软话你都先替我说了，她想怎么惩罚我你都先替我应承下来。只要留下这个孩子，这辈子我给她当牛做马。"

"瞧这话说的，我都快掉眼泪了，丽美也不会是铁石心肠，你就放心地等着当爹吧。"

张中原站起身，猛然一个鞠躬，"嫂子，谢谢你了。"

"这是干什么？使不得，使不得！"朱彩云赶紧拉他。

　　洪东国责备道，"中原，你这是干什么？你日夜奋战在抢险一线，这点事情，你嫂子还不该帮你吗？"

　　夫妻俩把张中原送出门外，一回头，洪东国立刻说，"哎，老婆，见了高丽美，过头话也不宜说多了。当牛做马的这些就别说了。"

　　朱彩云白他一眼，"说又怎么了？这就伤你们男人自尊了？这种话当然是假的，可女人都爱听，知道不？"

　　"行，行，行，怎么说由你。不过，生孩子是女人应尽的社会义务，张中原想要个儿子，用心也不是坏的嘛。"

　　"谁说是坏的了？我不正绞尽脑汁想帮他嘛。"

　　洪东国亲她一口，"谢谢老婆给我生了个好儿子！我走了，虽说是久别胜新婚，但这种时候我不能躲在家里跟老婆亲热。"

　　"谁让你躲在家里跟我亲热了？你不走，我还要赶你走呢！"

　　石万山张中原以及洪东国夫妇，全都低估了张中原后院这场火的火势，他们显然忘记了世上不乏喜欢火上浇油的人。

　　得知张中原并没在高丽美的通牒期限内赶回来，王辅文暗自窃喜：事情正朝自己希望的方向变化着。他不失时机地出现在高丽美家里，对坐立不安忧心忡忡的高丽美进行攻心战，"丽美，你好好考虑考虑，你真的不去医院，我就马上回公司。"

　　高丽美不说话，只是不断地唉声叹气。

　　王辅文拎着包站起来，做出要走的架势，"丽美，不是我挑拨你们夫妻关系，确实是太说不过去了。你电话打了口信也捎了，他就是远在美国，但凡心里有你和这个孩子，也早该飞回来了，对吧？"

　　这话触痛了高丽美的神经，她咬着嘴唇看着他，终于开口，"你等等。"

　　王辅文知道自己的话切中了要害，他不能让她再犹豫了，"我只是提个醒，主意你自己拿。今天是星期五，做了，你可以休息两天，下周一就能上班。你再犹豫一次又得等到下周。那时胎儿都两个多月了,除非你把他生下来,否则只能引产,一般的人流手术不行了。你别觉得难为情,我是当过丈夫和父亲的人,有过经验教训,给你说这些,是不愿意你吃更多的苦头。"

"王经理,你是人事部经理,请你告诉我,为什么公司非要规定我们五年内不准生孩子呢? 如果我把孩子生下来,真的就会被解聘吗?"高丽美想最后一搏。

"怎么说呢,就像计划生育是中国国策一样,这也是公司铁的纪律。你想啊,女职员一怀孕,就基本上干不了什么活,生育时还要休产假,工资要照给不说,还要这个医疗费那个保险费,不给就违反了劳动法,公司还得当被告,你说公司怎么办吧? 你要是公司老板,也不愿意供着她们是不是?"

"如果单位都这样的话,所有女人都不生孩子了?"高丽美只认这个理。

"那是另一个概念的问题了。你要是在国家的单位,没问题啊,可你是在外资公司嘛,公司有约在先,对吧? 这就怪不得公司啊,人,总要遵守游戏规则嘛。"

见高丽美愣愣地看着自己,王辅文知道她听不明白,便换成深入浅出的话,"时间宝贵,不扯那么多了。丽美你想想,一个多月后你就能正式步入白领阶层了,月薪四千块,在汉江是高收入阶层了吧? 你要是被解聘了,还能找到这样的单位和工作吗? 现在,大学生研究生甚至博士,失业的找不到工作的都一抓一大把,你找到这份工作,容易吗? 汉江市想得到你这职位的人,恐怕都成千上万。"

"可是,我岁数也不小了……"高丽美还是下不了决心。

"年纪轻轻的,怎么说出这么老气横秋的话来? 现在什么时代了,医疗技术又发达,女人都是很晚才要孩子的。丽美,实话告诉你吧,你进公司是我拍板的。当时孙总和黄总在你和王洁之间无法取舍，因为王洁是市里一个主要领导的亲戚，他们便把决定权交给我，让我全面考核衡量。你的文凭和工作资历都比王洁差远了，但我宁可得罪市领导也要你，我图什么？图个缘分！王洁现在还没找到工作呢。你一走，她立马就顶上来了，你自己看着办吧。"

高丽美被彻底击倒了。想到张中原的自私和骗术，想到他带给自己的麻烦，想到即将来临的痛苦，越想越伤心，越想越生气，一抬头，她恰好看见桌上镜框里的张中原正对她笑着，仿佛正在为他的阴谋得逞而得意。她一下怒不可遏，上前抄起小相框就朝地上摔，咬牙切齿的，"张中原你这个骗子，你不仁，就别怪我不义！王经理，我们走。"

锁上门，两人肩并肩出去，情形倒真像一对夫妻。对门邻居刘大妈从窗户里盯着，直到他们一起上了桑塔纳，直到车子扬尘而去。刘大妈鼻子里哼一声，露出满脸不屑，只差朝地上吐唾沫了。

在医院经历了一番痛彻心肺的折磨，几乎虚脱的高丽美被王辅文扶上桑塔纳后，一直闭着眼睛让自己恢复点元气。车行一阵后停下，王辅文拍拍她惨白的脸，"丽美，醒醒，下车了。"

高丽美迷迷糊糊睁开无神的眼睛，看见车外是完全陌生的环境，猛然坐直身子，"这是什么地方？"

"一个朋友到北京混去了，让我帮他看房子。屋里设备齐全，你在这儿养两天，我照顾你也方便。"

高丽美急了，"不行不行！我不住别人的房子，我要回家。"

"急成这样干吗？我能把你吃了？真的的。我们老家有句话说，鸡屎当墨好人当贼，我看你就是把我当坏人了。"

"我没有那个意思，太麻烦你了。"

"都什么时候了，还讲究那么多客套。你那个破平房条件差不说，我也不好去照料你，万一出个什么情况怎么办？来吧，我扶你下车。"

　　想想也是。高丽美不设防了,伸出胳膊任由他搀着蹒跚前行。上楼梯时,她自己扶着扶手,一步一喘两步一歇,后来干脆停下不动了。

　　"怎么了?"

　　没有回答。虚汗从高丽美苍白的脸上淋漓而下。王辅文立刻蹲下身子,示意她趴到背上去。高丽美缓过一点劲儿来,虚弱地说,"不用,我自己能走。"

　　王辅文二话不说,张臂将她横抱着"噔噔噔"上楼,一边气喘吁吁地责备,"都什么年代了,你还要搞男女授受不亲那一套? 要么你以为自己是大明星? 放心,没人注意你。"

　　用钥匙扭开铁门,王辅文径直往卧室走,把高丽美放到床上,为她盖好被子,转身就去厨房。不一会儿,他端来一碗红糖水煮鸡蛋,放到床头柜上,把她扶起来。她有些尴尬地半躺着,眼睛不知看哪儿才好。

　　"你趁热吃,我出去一下,马上回来。"

　　王辅文一出门,高丽美立刻全身放松,端起碗狼吞虎咽起来。她的妊娠反应很大,一直吃不下东西,子宫里那块肉团一摘除,她立刻感到了饥饿。不管王辅文对她多好,他在跟前时她还是感到拘谨,现在他不在,她就完全可以不顾吃相。她觉得王辅文是故意离开,是善解人意,心里又添了一份感激。

　　吃好了,她正想起床上卫生间,听到钥匙转动的声音,便赶快又躺下去闭上眼睛。王辅文轻轻走进来,把一个塑料袋放到床头柜上,把碗收走。高丽美睁开眼,看到塑料袋里装的是卫生巾和女用内衣内裤,顿时脸烧得厉害。

　　不一会儿,王辅文又轻轻走到门口往里探头,高丽美不好再假装睡着,坐起来说,"王经理谢谢你。"

　　"你老是跟我客气。我走了,餐桌上有你吃的东西。你什么都别干,千万别沾冷水。明天我再来看你。"

王辅文头也不回地离开,但他能感觉得到,背上黏着高丽美充满感激的目光。

抢险救人一刻也没停歇。

"泥块湿乎乎的,可能就在这儿了。"王小柱说。

大家加劲地一镐一镐挖下去,挖了几分钟,果然一股水柱冲天而射。

张中原跳起来,冲出洞口大喊,"团长,挖到断水管了!"

"快把水管接好!"石万山旋风般冲进来。

方子明和王小柱动作麻利,很快把输入一号洞的输水管换成两个输入接口。

石万山吩咐张中原,"马上派人把灭火车开到这里来,然后给水箱消毒。"

"给消防灭火车水箱消毒? 没听说过。"张中原感到有些好笑。

"理解的要执行,不理解的也要执行!"石万山看他一眼。

"是!"

消防车很快过来。张中原把高压水龙头接到输水管子上,"可以了,试一下。"

司机按下开关,高压水枪开始往洞里输水。

盯着汩汩流水的水管,石万山脑子里陡然灵光一闪,水可以通过这种方式送进去,同样液态的牛奶不也可以吗? 有了牛奶,他们就能够补充能量啊。

"行了,先关上。尽量把水箱刷干净。中原,你去医务所要点治拉稀的药来,把它拌到水箱里后再送水。好汉还顶不住三泡稀呢,咱别好心办了坏事。"

张中原嘿嘿笑起来,"团长,我理解了。你真是英明。"

"先别忙拍马屁,我还有高招呢。你拿了药,再带一箱牛奶过来。"

坑道里面,齐东平打开应急灯,拿起水壶摇一摇,只有浅浅的一点水声。他叹口气,把水壶塞给魏光亮,"老魏,最后一点水,你把它喝了吧。"

"你喝,我喝得够多的了。"魏光亮把水壶往齐东平怀里塞,"东平,我怎么看不清你了?"

"我也看不清你。现在已经不觉着饿了,只犯晕。"齐东平拧开水壶盖子,喝下其中一点点,舔舔舌头,把水壶又塞给魏光亮,"我喝够了,你把剩下的这些喝了,要不你顶不住。"

魏光亮不再谦让,把水一饮而尽,抹抹嘴,"咱们在洞里呆多长时间了?"

"三天三夜。"

"彻底没水了。要是还出不去,咱们怎么办?"

"还有半壶尿,勉强能支撑到明天……明天再没水,咱们恐怕真要死了。他妈的,我真不甘心啊!这二十四年多我真是白过了啊。为了我考大学,姐姐早早就出去——去打工,可我连考两年也没考上,这就够窝囊了;现在我爹病倒,又主要靠我姐寄钱治,我真是他妈的窝囊废!人跟人真是不一样啊!老魏,你只比我大一岁多,你过得多风光啊,家庭背景就不说了,清华园你都住了六年!你现在死也值了。"齐东平觉得死到临头,干脆痛痛快快地直抒胸臆。

"我风光个屁! 一人一种苦,托尔斯泰说'幸福的家庭是相似的,不幸的家庭各有各的不幸',家庭是这样,人也一样。"

"老魏,你真的觉着苦? 你到底有什么苦呢?"

"唉,有位哲人说人生最根本的问题只有三个,我们从哪里来? 我们在干什么? 我们往哪里去? 痛苦对非宗教教徒来说,都源于前两个问题。我的痛苦根源,就在于我根本不知道我从哪里来……"

齐东平哭笑不得，"真是饱汉不知饿汉饥。说好听点，你这叫形而上的痛苦，说不好听，你这叫无病呻吟！"

魏光亮摇头摆脑，"你这话，又印证了一个哲学命题：从根本上来说，人是难以沟通的。算了，咱们不讨论哲学问题了，说点实在的吧。如果能活着出去，你最想要的是什么？"

"提干！我提干了，我姐就可以回家，嫁个老实厚道人过平安日子。"

"你说你姐在外打工是吧？在哪儿？打什么工？"

"在广州，当女工呗。"齐东平含糊其辞，生怕他刨根问底。

"那你对象是做什么的？"还好，魏光亮没有对他姐姐的事情进行纠缠。

"对象？要找到了才知道。"

"你从来都没碰过女人吗？"魏光亮充满好奇。

"前年探家时别人给我介绍过一个，我拉过她的手。她很喜欢我，其实当时我要亲她摸她肯定不会遭到拒绝。可惜我胆小，而且觉得那样做对人家不好，机会就这样失去了。她才二十岁，身上有一种我说不出来的气味，特别好闻。"

"那是纯洁少女才有的体香。"

"瞧，你什么都知道，肯定什么都干过了。真羡慕你啊。"

"这有什么！女人嘛，得到了也就那么回事。叔本华说，人生有两大痛苦，一是欲望得不到满足的痛苦，二是欲望被满足后无聊的痛苦。哎，怎么又扯到哲学问题上了。还是说你吧，那姑娘那么喜欢你，你们干吗掰了？"

"她写信来提出分手，我也不能死乞白赖地缠着人家啊，就同意了。"

"她为什么要提出分手？"

"不知道。不说了，咱们睡吧，说太多了又得喝水。"

　　齐东平闭上眼睛,脑海里浮出邻村小翠长长的辫子,红扑扑的脸蛋,水汪汪的大眼睛,还有饱满诱人的胸脯来。那时候,小翠的来信虽然闪烁其词,他还是看明白了,知道自己是受姐姐名声牵累了;小翠提出分手,是迫于家里的压力,是不得已而为之。他翻一个身接着想:小翠现在该做母亲了吧? 发胖没有? 生了儿子还是闺女? 幸好自己当时没有得寸进尺,否则还不把人家给害了,城市现在是开放得很,可农村还讲究那个。

　　小翠渐渐隐退而去,齐东平终于昏沉沉睡着了。

　　事故第五天,顾长天和成南方再也坐不住了,他们决定马上飞抵七星谷。当郑浩等陪同两位师首长走到一号洞口时,石万山还在床上鼾声如雷。

　　林丹雁猛地跑过去,狠拍石万山一巴掌,"快起来! 你看谁来了?"

　　石万山被惊醒,睁开眼睛,吓了一跳,立刻翻身下床,举手敬礼,"报告师长政委,我,我正在睡觉。"

　　顾长天又是瞪眼又是怜惜,"我真不知道该不该让你继续睡觉。"

　　"师长,我确实太困了。"

　　"什么态度! 不像话。"成南方火了,"生命是不能再生的。"

　　大概因为刚从梦中惊醒过来,石万山的脑子仍糊糊涂涂像短路了一样,"政委,在大功团,生命一律平等,没有贵贱之分。我不会害他们,我只是没有救他们,没有不惜一切代价。我愿为我的决定负责,甚至上军事法庭……"

　　越听越觉得不像话,"狮子王"狮吼起来,"够了! 过来,说说情况。"

　　就在石万山跟着顾长天他们往团部走时,齐东平睁眼醒来,此时又是差不多十个小时过去了。他听到魏光亮那边有动静，便问，"老魏，醒了？"

没有回答，反而连刚才的动静也没了。齐东平觉得奇怪，想一个鲤鱼打挺坐起来，却是一阵头晕眼花，软绵绵的身子差点摔倒。他只好慢慢地坐起来，打开应急灯，看见魏光亮正在悄悄抹脸上的泪水。他吓了一跳，赶紧摇魏光亮的胳臂，"老魏，你怎么了？没有生病吧？"

泪水刷地从魏光亮眼睛里涌出来，"东平，我昨天说那些关于女人的话，是硬撑面子的。其实我很爱我女朋友，很在乎她，我们跟梁山伯祝英台一样，是同窗共读数载啊！可她恨我没有去美国，也是写信来提出分手，我真的非常痛苦。我想见她，哪怕只见上一面，能把我的心剖给她看，我就死而无憾了。还有，我至今没弄清楚自己的身世，就这样死了，我也不甘心啊！"

"老魏，你别说了，你说得我受不了。"

魏光亮陡然站起来，再次疯了似的冲到石堆里，拼命用手扒着碎石头，不一会儿双手就沾满了血污，他也不管不顾。齐东平扑过去，使尽所有的力气拉住他，"不能这样！靠我们四只手是绝对逃不出去的。我们现在唯一能做的，就是保存体力。"

穹顶正好落下来一颗小碎石，砸到魏光亮背上。魏光亮一屁股瘫到地上，又一次号啕大哭起来。

"老魏，别哭了！哭不仅消耗体力，也耗费身体水分。"

"我不管！反正也活不了了，迟早都是死。"魏光亮嘟囔着，哭声却渐渐消失。

齐东平强打起精神，举着应急灯从一个石堆爬到另一个石堆，霎时，他的身体猛然一抖——一个几乎被全部埋没掉的水龙头，正在角落里期待他的光临呢！

眼泪一颗颗滚落下来。哭够了，齐东平用尽吃奶的力气喊，"老魏,快来,我看见水龙头了!"

　　喊完,他身子一溜倒在地上,再也没有力气站起来。

　　魏光亮浑身绵软得没有力气站起来,只好朝齐东平这边爬过来。两人一起艰难地朝水龙头爬过去,合力拧开水龙头。水清泉般喷出,不啻天降甘霖。

　　魏光亮齐东平大口大口吞咽着,然后又哭又笑。

　　魏光亮挣扎着爬起来,把手伸向龙头,用尽全身力气来回转动把手。

　　"老魏,你干什么?"

　　"我,我要告,告诉他们,我,我们,还活,活着。"

　　顾长天成南方郑浩石万山洪东国等都围在水站的水表前,空气紧张得仿佛凝固住了。

　　洞外,水表指针停一会儿后,又转动起来。

　　"活着! 他们还活着!"泪水在张中原眼眶里打转转。

　　"换成牛奶!"石万山大叫,他转过身,"师长,政委,现在可以断定,至少有一个还活着。"

　　方子明飞跑进消防车里,按下一个绿色按钮。

　　坑道里,魏光亮和齐东平头挨头躺在一起,皮管贴着他们的鼻子,夹在他们的嘴边。水不停地流,流着流着,清水变成了白色的牛奶。

　　魏光亮和齐东平先是惊呆住了,然后,两张嘴巴像鱼鳃一样,慢慢地动起来。

第 九 章

石万山连续六天没有回过房间，也没有兑现承诺给妻儿打电话。妻子汪小青并没有特别的担忧，丈夫十天半月不打电话是常有的事，她早已经习惯了。儿子小山的暑期补习一结束，汪小青就带着他登上了前往汉江的列车。汉江之行，她只告诉了朱彩云。

四十来岁的汪小青高条瘦弱，长着一张中规中矩的脸，眼角眉梢都是随和，长相便得三分笑，一看就是个靠得住的贤妻良母。十三岁的石小山腼腆害羞，瘦长得像根麻秆儿，眉眼轮廓几乎是石万山的翻版。母子俩拎着简单的行李，从硬座车厢下车，在汉江火车站月台上四下张望。

"小青，我在这儿！"朱彩云连连挥手从卧铺车厢那头跑过来，亲热地拉着汪小青，"真是的，好赖也是个团长太太，连个卧铺也舍不得坐。"

汪小青温和地笑笑，"能省点就省点吧。再说走的急，车站又没个熟人，到哪儿买卧铺票啊。"

朱彩云摸摸石小山的头，"一年没见，比你妈都高了，差不多长了半个头。"

石小山憨憨地笑笑,挠着头不说话。汪小青疼爱地拍儿子一巴掌,"连个人也不会叫了,越大越傻了?"

石小山红着脸,怯怯地,"朱阿姨好。"

朱彩云笑,"人家小山心里记着朱阿姨就够了。就这点行李呀?"

汪小青说,"这还多半是小山的课本,也没啥好带的。万山说上个星期会打电话给我,谁知十多天过去也没个音讯。给你打电话,你好像也不想跟我多说,我心里不踏实,就来了,反正在放暑假。"

朱彩云说,"嫂子放心吧,你老公好着呢。"

"真有什么事,你肯定也会瞒着我。万山也不喜欢我从别的地方问这问那。再说了,家里没安电话,学校的电话又是我管,也就我能打长途,花多了,村里有意见,自己更过意不去。"

"我现在可告诉你了,他们那里出事了。"

"啊?什么事?"汪小青的脸一下失去血色。

"塌方,闷进去两个人。石团长在坑道口坐镇指挥,在坑道口住了整整七天。老洪怕你担心,不让我给你说。"

汪小青的声音打抖,"伤人没有?"

"东国刚打电话来说人救出来了。咱们边走边说吧。"

"怪不得我天天打电话屋里都没人。"汪小青松出一口气。

"你没他们值班室的电话?"

"我以前打过一次,万山骂了我,我就……"

"你也太惯着他了!他又不是皇上,说话是圣旨呀?真是的,把男人惯多了,会惯出他很多毛病的!"

汪小青讪笑着岔开话题,"你儿子接来没有?"

"他爷爷奶奶哪会舍得!这不,又给他报了个美国夏令营,如今在地球那边疯呢。说是学外语,那只是个幌子,糟蹋钱是真的。"

由于部队的裁减缩编,汉江市区留下了一个空置大院,暂时由大功团借用,大功团修好"石破天惊"后再移交出去。石万山在这儿分到了一套三室一厅。在朱彩云的引领下,汪小青第一次来到新居,虽然屋子里家具摆设都很简单,但汪小青感到非常满足。

"小青,随军吧,咱俩一起搞服务公司。把小山转到汉江读书,这里的教育质量也不错。"

汪小青仔细擦着窗户玻璃,"现在我还不想随军。一是住个两三年又得走,我怕把小山给耽误了,他在县一中成绩不错。再说我也走不开。学校刚刚分来一个女师专生,不大安心。六个年级五十多个学生,就我们两个正式老师。我一走,她再一走,这个学校就办不成了,而且我也不忍心丢下那些孩子。万山又是个不顾家的,一年能回来几回? 随不随军都一个样。"

"长期分着也不是个事啊,你就不怕石团长……"朱彩云探头看看正在小房间里写作业的小山,赶快把房间门关上,压低嗓门,"你就不怕他犯错误?"

汪小青笑笑,"有时候也怕过。可又一想,怕有什么用? 也就不怕了。反正他一不会搞破鞋,二不会找什么小姐。他就是出事,也是个正经事。"

朱彩云叫起来,"正经事? 他要是爱上了别人,不要你了,这还叫正经事? 这是最糟糕的事情! 你知道吗,韩国日本台湾的女人,都是宁可丈夫招妓女也不愿意他找情人。"

汪小青有些脸红,"如果他真爱上了别人,只要他过得好,我也乐意。彩云,我没法跟你比,你是大学生,有自己的追求和事业。我连高中都上不起,没有石万山,哪会有我汪小青的今天? 再说我还有个很争气的儿子,我很知足了。"

"你真想得开。我就不行,我绝不允许老洪犯任何这方面的错误,连错误苗子都不能允许存在。"朱彩云心绪复杂。她既感佩汪小青的贤惠宽厚，又觉得她未免太没有自我；既为自己在丈夫面前的霸道有所内疚，又为自己驭夫有术而颇为自得。

帮汪小青收拾完房间，朱彩云说，"你们在这儿住一夜，明天我找车送你们进山。我得走了，张营长家属出了点情况，我着急找她。"

汪小青惊问，"丽美？丽美出什么情况了？"

"她可能要把孩子打掉。"

"啊？"汪小青轻声叫起来，"我也去吧。"

得知奄奄一息的魏光亮齐东平被平安送入南京军区总医院，已无生命危险后，石万山才敢给钟怀国打电话，说大功团总算迈过去了这个坎儿，我现在才敢给首长您打电话，因为之前我不知该对您说什么才好；说谢老天爷关照我，要是光亮万一光荣了，我石万山可是活没脸见您，死无脸见魏连长；说自己早猜到了魏光亮就是魏铁柱的儿子，如果大功团没把光亮锻造成才，我石万山解甲归田！末了说，我一定遵照您的指示，永远永远把小尾巴夹好！

双方都撂下了话筒，可钟怀国的手一直放在电话机上，久久收不回来。终于，他站起身来，颤巍巍走出书房，来到存放魔鬼谷石头的架子前，声音暗哑如泣如诉，"铁柱，我来告诉你，你儿子已经过了鬼门关。我这么对待他，是真心为了他好，希望能得到你的理解和支持。石万山处置得没有错，比我强。当年，如果我也能这么冷静，你们也就不会有事……"

说着说着，钟怀国眼睛里开始泪花闪烁。

石万山搁下电话出门，恰好郑浩迎面而来，郑浩疾步迎上前，伸出右手，"石团长，请接受我真诚的祝贺。"

两手相握，旋即又同时松开。石万山布满血丝的眼睛依然炯炯闪亮，"郑副参谋长祝贺我死里逃生？"

"祝贺你打了漂亮仗。我把情况都给《火箭兵报》总编讲了,他挺兴奋,说要派主力记者前来采访,要大力宣传当代导弹工程兵的风采。"

"谢郑副参谋长美意。不过我石万山本人不敢当。我记得有句话说,从光荣到可笑只有一步之遥,忘了是谁说的……"

"应该是拿破仑说的。"

"拿破仑真是雄才大略啊,文治武功,没有他不行的,我真是五体投地地佩服他。我别的跟人家沾不上边,倒是差点就沦为可笑被他说中了。"

"老石,过分谦虚可就是骄傲了。斯大林说过一句妙语:成功者不受谴责。何况,大功团是英雄的群体,英雄的事迹很能鼓舞士气,值得大力宣扬。"

石万山打一个长长的哈欠,"我真不是谦虚。有个哲学家说过,为救三千人,牺牲三百人是值得的。我想得很简单:以少救多值,以多救少不值,我不能让为救两个人而搭上好几个人的悲剧再次发生。这么做很悬,弄不好我会输个干净,幸运的是我赢了,如此而已。对不起,我睡眠严重不足,脑袋缺氧,失陪了。"

郑浩恨恨地盯着他的背影。

一营卫生室门口,十多个在抢险救人中受伤的士兵在等着处理伤口。赶过来帮忙的周亚菲给一个上等兵包扎时殷殷叮嘱,"你这伤口挺深,三五天内要注意别挨水。生姜要少吃,它不利于伤口愈合。"

上等兵认真地问,"生葱生蒜能吃吗?"

"辛辣的东西都尽量少吃。好了,下一个。"

进来一个鼻青脸肿的小伙子,样子显得很滑稽。周亚菲笑了起来,调侃他,"列兵,鼻子面积这么小,那小石头的眼力可真好啊。"

列兵受到"恩宠",得意起来,"报告周医生,抢险最后那天我当安全员,我一直抬头看上边,加上我的鼻子又长得好看,那小石头嫉妒,所以就专砸它。"

周亚菲哼一声,"就你这蒜头鼻子,还好看?"

士兵们都笑起来。有人说,"本来就是蒜头鼻子,再一破相,更找不到媳妇了。"

列兵瞪圆眼睛,"你才找不到媳妇呢! 我愁什么? 初三那年,就有两个女孩哭着闹着要嫁给我!"

周亚菲拿药膏蒙住他的鼻子,"别吹了! 再吹,我给你嘴巴也贴上胶布。"

列兵立刻老实起来。

鉴于林丹雁和周亚菲在这次抢险救人中的出色表现,一口气睡了十四个小时才醒来的石万山,突然决定宴请二位女士表达谢意。菜由团部食堂供应,由石万山自己掏钱;为了显得隆重,石万山把珍藏多年的茅台五粮液都摆上了。

诸事布置准备妥当,石万山开始修脸刮胡子,又从抽屉里翻找出一面破镜子,对着镜子左照右看。

洪东国一脚跨进门来,"消息蛮灵通嘛,接风家宴都备好了? 哟,还照起了镜子,真是难得啊。"

石万山把镜子收起来,"没你老洪的份儿。"

"我哪会这么不知趣啊。给你说正经事来的。第一,人家郑浩很诚恳,你连个台阶都不给人下,以后还怎么共事? 瞅个机会缓和一下,毕竟是上下级关系。"

"遵命,我的党委书记! 不过说实在话,我跟太聪明的人这辈子恐怕都处不好。老洪,我觉得他的意识有问题。"

"又上纲上线不是? 也没见你的智商低过嘛。还有,《火箭兵报》宣传的事,你不准唱反调。"

"行,我不反对,但也不掺和。"

"好,你不反对就行,我来掺和。第二件事,没别的空房了,只好安排你家小山住公务员的房间,你没意见吧?"

石万山惊诧莫名,"小山?"

洪东国奇怪,"我们家领导刚才打电话说,他们母子马上就到了。你不是连团圆饭都准备好了吗?"

石万山反应过来,嘴里"噢噢"着,"瞧这笨脑瓜子,你还说我智商不低呢。"心里叫苦不迭,"这可怎么办?"

说不清是什么原因,或者根本就没有原因,石万山一直没有对汪小青提起过林丹雁在七星谷。今天她们猛然相遇,而且是在这样的情形下见面,会出现什么样的局面呢? 汪小青会有什么想法? 林丹雁会是什么态度? 自己能对这场稀里糊涂的"乌龙宴"解释清楚吗?

石万山真的头疼起来了。

百花岭上山花怒放姹紫嫣红,使得林丹雁和周亚菲兴奋不已,直到夜色开始笼罩大地,她们才头戴花冠怀抱花束下山。快到团部广场时,周亚菲突然发问,"丹雁姐,郑浩有什么不好?"

林丹雁莫名其妙,"疯丫头,怎么会扯到他身上去?"

"爱屋及乌嘛。他一直在追求你,可你从来都装聋作哑的,我都不忍心了。"

"去去去,胡说什么呀,既然心疼人家,自己去啊。"

"嘿嘿,人家看不上我。丹雁姐,你别跟我装了,你也知道他很爱你,可他又怕花刺扎手,心里一直很痛苦。"

"好吧,我承认你观察力一流。"

周亚菲得意起来,"也不想想本人学的什么专业!"

"臭丫头,别高兴得太早,我还有话呢。可惜你的分析能力很一般。郑浩不是因为别的,而是太要面子了,他不会做没把握的事。对付太要面子的男人,装傻就够了。"

周亚菲怪叫,"哟,厉害,佩服! 小妹又学了一招!"

林丹雁要打她,周亚菲又叫又躲咯咯地乐。

这时,朱彩云汪小青她们乘坐的面包车从她们面前一驶而过。面包车停到广场上,当汪小青钻出车来、像故乡游子般深情地四处张望时,林丹雁猛然停住脚步,脸色骤变,嘴里喃喃着,"鸿门宴,可恶!"

周亚菲回头看她,"丹雁姐,你怎么了?"

林丹雁迅速调整好面部表情,"没什么。亚菲,我们不回屋了,直接去。"

"为什么不换衣服了? 咱们不是说好了,要让团长晕菜吗?"

"团长夫人也就是我的恩人来了,你想让他们家后院起火吗? 那样的话,石万山不叫晕菜,叫歇菜!"

周亚菲惊叫起来,"啊? 怎么办?"

林丹雁没好气,"也不必这么紧张吧? 走,看看去。"

朱彩云把汪小青石小山领进屋,"石团长,我把人给你送来了,请验收。"

"谢谢! 辛苦你了。"石万山重重地拍着儿子肩膀,"儿子,干得不错! 有把握打进省队吗?"

石小山嘟囔,"市队还没进呢……"

"要瞄准高目标。爸爸给你三年的时间,三年后,你把国际奥林匹克数学竞赛金牌挂到脖子上让老子瞧瞧。"

朱彩云搂过小山,"得得得,一见面就给孩子加压,真是残忍。"

"我一年才见他一两回,不加压,他还不放羊? 小山,你得多吃点,看你都快成豆芽菜了。"

朱彩云看看小餐桌上的酒菜,"石团长这回表现不错,刮了脸梳了头还备了酒菜,而且是名酒! 值得表扬。嫂子,这种规格的接待,你应该要求成为惯例。"

林丹雁和周亚菲迈步进屋。

汪小青一见到林丹雁,脸陡地红了,嘴巴张了张,却没发出声,想上前,脚步却挪不动。石万山更是不知该怎么办才好,站在一旁手足无措。

林丹雁把花冠从头上取下来,戴到小山头上,再把花束递给汪小青,"嫂子,见到你真高兴。石大哥,你也太不够意思了,嫂子和小山来七星谷,你也不提前通报一声。"

汪小青恢复了常态,"不怪他,这次来我事先没给他说。丹雁,你真是越来越漂亮了。"

"谢谢嫂子夸奖。"林丹雁笑笑,回头揪揪小山的耳朵,"小家伙长得可真快,四年前还是个小不点,眨眼就成小伙子了。怎么样?市队选拔上了吗?"

石小山又是一声嘟囔,"开学了才选拔。"

汪小青说,"如今聪明孩子太多了,人家别的队员,暑假都聘了家教。"

"没关系,小山,丹雁姑姑给你当辅导老师。你同学没谁有博士老师吧?"

石万山终于插上话,"小青,给你介绍一下,这是我们团的周亚菲医生。"

周亚菲越发笑吟吟,"嫂子你好。小山好。"

"你好。"汪小青真挚地笑着,把小山拽到面前,"小山,快叫小周阿姨呀,你瞧周阿姨多漂亮,跟你丹雁姑姑一样。这孩子,真不懂事。"

石小山满脸通红,越发叫不出口。

周亚菲笑,"嫂子,你饶了人家吧。"

石万山对儿子说,"小周阿姨不仅漂亮而且能干,把团里的小伙子们治得一愣一愣的。"

周亚菲笑,"团长,今天的晚餐拿我当涮羊肉片开涮啊?"

朱彩云叫起来,"团长,你的家宴是不是该开始了? 菜都凉了。我告辞了。"

林丹雁赶紧说,"我和亚菲也告辞了。嫂子,改天我再来看你们。再见。"

"丹雁,小周,再见。"汪小青送到门外,一直目送到她们身影消失。

这桌家宴,三个人吃得无声无息。

到大食堂胡乱填几口饭菜后,林丹雁回房趴到床上敲打着笔记本电脑。

"还在写呀,到底是写日记,还是写长篇小说啊?"周亚菲把书一扔,舒服地伸个懒腰。

"有话则长,无话则短。"

"我有感觉,丹雁小姐不太开心。"周亚菲做个鬼脸。

"是吗? 我不开心吗? 我自己没觉得啊。"林丹雁关掉电脑。

"好,你很开心。丹雁姐,我刚才看书看不进去,一直在想一个问题,就是他们在洞里到底喝没喝到牛奶? 你认为他们喝到了没有?"

"哼,又想那个人了吧?"

"又来了,又来了。我这是同志情,战友情!"

"行了,行了,我没你那么多情,懒得想那么多。你想知道,打个电话问问他们不就行了。"林丹雁端着脸盆径直出门。

周亚菲讪讪地自言自语,"算了,人家心情不好,周亚菲你别不识时务了。"

石万山家里的晚宴结束后,石小山去公务员房间睡觉,汪小青把家务收拾妥当了,开始给正在看报纸的丈夫捶背捏肩。她心疼地问,

"这些天累惨了吧?"

"还行,补了几个觉,差不多恢复了。"

"几年没见,丹雁一点都不见老,越长越耐看了。"

这个话题让石万山一愣,他把眼睛又埋到报纸里,好半天才作答,"她还不到老的时候嘛。"

"我以为她还在北京读书呢,哪知道她也会在这里。她读了博士,干吗还要来这个山沟里……"

"小青我给你说,这个阵地是丹雁主持设计的。开春切口时闷进去八个人,上面很重视,派她来当技术总监。这之前,她再没跟我联系过。你别东想西想了。"

"我没有东想西想呀! 作为嫂子,我关心一下可以吧? 她结婚了没有?"

石万山把报纸朝桌子上一扔,"能不能不说她了?"

汪小青顺从地不说林丹雁了,却又扯出魏光亮来,打听他多大岁数,有没有女朋友,有没有大男子主义思想……把石万山又问烦了,"你问这些干什么?"

"你说他长得高高大大十分英俊,又是研究生,与丹雁不正好合适吗?"

石万山有些愠恼,"你烦不烦啊? 跟个媒婆似的。魏光亮才二十六岁,光年龄就不合适!"

"好好好,我不说他们了。你别说,我还真是个好媒婆。这两年经我的手就撮合成了四对,光喜酒就喝了十回。这方面,我的眼力不差。"

石万山奚落她,"人说律师好,吃了原告吃被告。我看媒婆也不错,吃了男方吃女方。四对新人,喜酒最多只能吃八回嘛,你怎么吃了十回?"

"去年结婚的三对,有两对当爹当妈了,又请我去吃了孩子满月饭。"

"小日子过得不错嘛。哎,你可别拿人家的红包啊,最苦的还是农村,农民太穷太难了。"

汪小青嗔怨,"连这点都信不过我!我还能真像个媒婆伸手要人家红包吗?吃了十顿饭,我倒给了人家十个红包,一千块钱没了。一次一百不觉得多心疼,一算总账就有些后悔。给五十就好了,真不该给你撑这个面子。唉,只是前面已经给了一百,以后也不好给五十了。"

石万山感到一阵心酸,他抬手捋捋妻子的头发,"小青,别心疼了,这给我撑面子的钱,算我的。以后我每个月多给你寄两百。"

汪小青抓住他的手摩挲着,眼圈红了起来,"不行,我不同意。你一月寄一千,再加上我挣的六百多,足够了。一文钱难倒英雄汉,男人兜里可不能没钱。"

在石万山洪东国再三催促下,张中原暂时不去想伤兵满营坑道加固的事情,终于踏上了回家的路途。一路上,他脑子里颠来倒去的都是石万山洪东国的叮嘱:该解释的解释,该检讨的检讨;你多呆上一两天回来,天塌不了。

车到汉江,张中原等不及高丽美下班,直奔寰宇公司而去。进了公司大门,他打听高丽美,有人指给他王辅文办公室。

张中原敲门,王辅文头也不抬,"请进。"

张中原推开虚掩的门,左右看看,"高丽美没在这儿吗?"

听闻此言,王辅文抬起头,很有些不悦,"高丽美怎么会在这儿?!"

"对不起,是别人要我上这儿找的。请问她在哪儿?"

"她请病假了。你是……?"

"我是她丈夫。打搅你了。再见。"

　　王辅文从皮椅里弹跳起来,等他追出去时,张中原的身影已经消失在电梯里。王辅文站在电梯口发愣。黄白虹正好从电梯里出来,下巴朝电梯一努,问王辅文,"那当兵的是谁?"

　　王辅文赶紧掩饰,"哦,他是高经理的丈夫。"

　　"王辅文,以后高丽美丈夫再来公司,你一定要告诉我。另外,你接待他要热情礼貌。高丽美呢?"

　　"去银行了。"

　　"晚上公司有应酬,你带上高丽美她们几个年轻女性,七点半到汉江大酒店大堂等着。让她化点淡妆,穿好看点现代点。"

　　"好,我马上布置。"

　　下班后,王辅文驱车直奔汉江最高档的商场,精心挑选出一条礼服式低胸黑长裙,又买上一串滚圆晶莹的人工珍珠项链,一瓶法国香水,匆匆赶回高丽美的住处。高丽美已经做好了简单的饭菜在等他,两人还真像过起了日子。

　　"说了不准你干活,你偏不听,落下毛病怎么办?"王辅文半是疼爱半是责备。

　　"就这么点活,不会的。只是饭菜太简单,委屈你了。"高丽美心里潮潮的。

　　"又给我说客气话了,以后改正。丽美,咱们抓紧吃,等下有事。"

　　两人匆匆吃罢,王辅文变戏法般把裙子项链香水拿出来,告诉她今晚公司高层有重要活动,黄白虹特别交代过要她们几个年轻女性都参加,而且要穿得好看现代,让她进屋把衣服和项链穿戴上。高丽美听话地进到卧室,衣服一穿项链一戴,她立刻感到自己的气质整个都变了。她盯着镜子左看右看,几乎不敢相信那就是自己。

　　王辅文在外面喊,"好了没有? 出来让我瞧瞧效果。"

　　高丽美忸忸怩怩地出来,下意识地用手捂着胸部。

王辅文鼓掌，"太好了，好极了。把手放下去，自然点，对了。美丽，性感，高贵，安娜·卡列尼娜穿上她那条著名的黑裙子也不过如此。丽美，你以后要穿好点，佛要金装人靠衣装嘛。"

高丽美羞红着脸，"好是好，就是领口太低了，我觉得别扭。这裙子恐怕就得好几百块钱吧？"

"裙子一千五，项链……你别管价钱的事。"

高丽美惊得嘴巴张得老大，"一千五？不行不行，还是把它退了吧，太贵了。"

"别那么多事了，再不走就来不及了。你还只是公司的实习职员，这是你第一次参加公司高层的重要活动，如果不是机会重要，你这个身体，我会让你去吗？就穿这件，快弄弄头发，化点妆喷点香水，我去擦车等着你。"

"钱，我以后还给你。"高丽美这话说得底气不足。

"又来了，你烦不烦啊？以后别跟我提钱的事儿。"

高丽美的眼睛和心房都热乎乎的。

与此同时，张中原正在家里呆呆地盯着被摔在地上的相框，任由朱彩云和汪小青时而责备时而安慰，一声不吭。

"梦巴黎"夜总会灯红酒绿莺歌燕舞。刚开始，高丽美还有些拘谨，随着请她跳舞夸她漂亮的人越来越多，她越来越兴奋，越来越放得开，越来越飘飘然，根本不顾自己劫后余生的身体，满场子陀螺般地转。

看着跳得越来越疯狂、搅得舞场风生水起的高丽美，黄白虹对孙丙乾咬起了耳朵，语带讥讽，"高丽美的表现，你满意吗？"

"一个人面狮身的动物。梦想脱胎换骨步入上流。她那个营长给你的感觉如何？"

"只看到一个背影，个不高，看上去很结实。"

一声怪笑，"结实？哼，光是高质量的性生活，满足不了这个女人对人生的全部期待。"

"你的话总是一针见血。"

"不过,也要从另一方面去看问题。区区导弹工程兵师一个营长,而且还其貌不扬,能拥有这么一个性感漂亮的妻子,自然相当满足。给她把通信工具配齐,以后,所有高层活动都让她参加,尽快让她把全部的物质欲望都释放出来。对她那个营长,同样要下工夫,多找机会让他多见识什么才叫现代生活。"

"他正好在汉江,要不,明天请他打一场高尔夫球,晚上再山珍海味歌舞升平一番?"

"操之过急了,不妥。下次再说吧。"

黄白虹看王辅文略有醋意地盯着蝴蝶般飞舞的高丽美,又问,"王辅文似乎对她很有兴趣,要不要给他洗洗脑子,敲敲警钟?"

"敲什么警钟?眼下先让他给高丽美洗脑吧。"

舞会结束,一切风流烟消云散,但坐在王辅文车里的高丽美,依然兴奋得胸脯起伏,两眼发光,直到小车停到她家门口,她才如梦初醒,"今天怎么送我回这儿来了?早知这样,我就把那边的东西收拾好带回来。"

"你老公回来了。"

"啊!你怎么知道?"她的眼睛一下瞪得溜圆。

"下午他到公司找过你。"

"你为啥不早说?现在我这个样子上去,怎么向他交代?我干脆不上去了,还是回那边去好了。"她又气又急。

"丽美,我是一片好心,怕影响了你的情绪,免得你晚上扫兴。回去吧,给他解释解释,衣服的事好说清,不回家住就说不清楚了。"

"我现在也不想理他……"她抬头看看自己窗户前的灯光。

王辅文用饱含深情的目光看着她,语气无比温柔,"别任性,回去吧,啊?我也得回家啊。"他叹口气,"唉,咱俩真的是同病相怜。"

　　几乎没有经过大脑,高丽美脱口而出,"她对你不好?"

　　"家丑不可外扬,具体的不说那么多了,反正我们一直在冷战。行了,现在不是跟你说这些的时候,你快回去吧。"

　　高丽美无奈,只好柔肠百结地下车,忐忑不安地上楼。同时她又叮嘱自己:绝不能示弱,吵翻了就算了。她敲开门,张中原简直不敢相信自己的眼睛,像打量陌生人一样盯着妻子上看下看。

　　高丽美把坤包朝椅子上一扔,"看什么看! 不认识了?"

　　张中原厉声问,"干什么去了?"

　　"你还有脸问我? 这些天,你干什么去了?"高丽美把眼一瞪。

　　"这些天我干了什么,能给你交代得一清二楚,现在你得先给我交代清楚:这衣服怎么回事? 为什么化妆? 还洒了香水! 干什么去了,说!"

　　怒火轰地涌上来,高丽美气极了:他不但毫不检讨自己,居然还这么对我说话! 我干了什么见不得人的事情吗? 我什么也没干,他凭什么! 她咆哮起来,"张中原,你有什么资格这么问我?! 穿什么衣服,化不化妆,洒不洒香水,是我的自由,你管不着!"

　　张中原一下惊呆了,半晌,才伤心欲绝地说,"好,你个人的事我管不着,但孩子我总管得着吧? 孩子呢?"

　　"你说呢?"

　　"什么! 你把他做了?"

　　"没错,我做了人流,因为我不想成为被人欺骗的傻瓜,更不愿让我的孩子与阴谋有关。"她冲进卧室,又泼妇般探出头来,"张中原,你以为你是谁? 你他妈做的那叫人事吗? 你不仁我不义,是你先对不起我的!"

　　卧室门"咣"的一声,锁上了。

　　如五雷轰顶,张中原顿时被打蔫了。良久,他坐到椅子上,双手抱头,把头深深地埋了下去。天刚蒙蒙亮,几乎彻夜未眠的他走出门,在街上一直徘徊到上班时间才往大本营去。

朱彩云一大早看见张中原,感到很意外,"你怎么在这儿?"

"嫂子,今天有车回七星谷吗?"

朱彩云大惑不解,"今天就走? 见到丽美了吗?"

张中原点点头,不说话。

"那你急着回去干什么?"

"营里扔着个烂摊子,我放心不下。"

朱彩云察看着他的脸色,"中原,你给我实话实说,你们是不是吵架了?"

张中原依然沉郁着脸,又不吭声了。

"唉。好吧,午饭后有辆小面包进去,你跟他们一起走吧。"

高丽美整个晚上也没睡塌实。大清早,迷迷蒙蒙中听到张中原的开门声,她一下清醒过来后就再也睡不着了。她想反正也追不上了,让他吃点苦头也好,他让我吃了多大的苦头! 她就这样躺着想心事,眼前一会儿是张中原,一会儿又换成王辅文。她心如乱麻,剪不断理还乱,一直烦躁地翻来覆去。起床梳洗后,她穿上职业套装,换上高跟鞋,对着精制的小化妆盒往憔悴的脸上扑粉。她拎着坤包要出门时,发现小饭桌上放着一张字条,上面写着:

　　　丽美,请接受我的道歉。我确实不应该用假避孕药骗你,但这是我第一次骗你,也是我最后一次骗你,请相信我。几天前,坑道出现了大塌方,昨天刚刚把人救出来,我实在没法回来陪你,请你理解。你说得对,穿什么衣服,化不化妆,用不用香水,确实是你的自由。昨晚我的态度不好,请你原谅。不过,我还是想提醒你一句,你是军嫂,要注意维护军嫂的形象。昨天穿的那条裙子,以后就别穿出去了,好吗? 爱你的中原。

　　高丽美一时愣神,心里有个声音却在叫着,"净是些屁话!"犹豫一下后,她开始撕纸片,再把碎纸片朝门边的簸箕里一扔,咯噔咯噔出门。

　　一上班,高丽美就被叫到黄白虹办公室。黄白虹坐在老板桌后,手里把玩着一杆铅笔,"你的交谊舞跳得这么好,我以前还真没想到。"

　　高丽美受宠若惊,"谢谢黄总鼓励。以前在厂里工作,太闲,就报了国标舞培训班。不过好几年没跳了。"

　　"你唱歌怎么样,会唱流行歌吗?"

　　"五音还全吧,比黄总肯定差远了。"

　　"没事在家练练,练熟个十来首,用得着。"

　　"我一定努力。"

　　黄白虹从桌子下面取出一个盒子,推到高丽美面前,"孙总对你的表现感到满意,特别交代我,今后公司高层有活动都让小高参加。喏,这是我给你配的手机,为了以后联系方便。你每月可以报销三百元话费,多出的自理。"

　　高丽美喜出望外感激不尽,"谢谢黄总,谢谢孙总。谢谢。"

　　黄白虹表情不变,"在寰宇这种跨国公司,只有业绩才有发言权,以后你表现出色的话,会有更高奖励。"

　　"我一定努力!"

　　"我已经通知财务部,从这个月起给你正式员工待遇。"

　　"谢谢! 谢谢!"

　　黄白虹把手机盒子又往高丽美面前推推,"拿去吧。"似乎不经意地随口问道,"听说你丈夫回来了?"

　　"是。"高丽美双手捧起盒子。

　　"哪天你请他来公司参观参观,孙总还想认识他呢。孙总年轻时很想当兵,可惜家庭出身不好没当成。但他一直有军人情结,所以喜欢与当兵的交朋友。"

高丽美心里暗暗后悔,只好说,"不过,早上他又走了。"

"走了?"

"坑道塌方了,工地离不开他。"

黄白虹忍不住露出失望的神色,"太遗憾了。下次你丈夫回来,你一定记得给我说一声,孙总请他吃饭。"

"好的。谢谢。"

黄白虹转动一下转椅,"没事了。你去吧。"

高丽美心情茫然地出门。她想不到孙丙乾居然会想认识张中原,而且还要与他交朋友。一时间,她五味俱全。

南京军区总医院一间整洁的病房里,魏光亮忙上忙下,两个皮箱被他翻得乱七八糟,皮茄克、高级西服、名牌领带、名牌袜子和品牌衬衫等扔得满床都是。

魏光亮随手扯出一条领带,非要齐东平系上,无奈,齐东平只好笨手笨脚地折腾一番,头上汗滴直滚,总算把它系得像个样子。

"打得还行,送给你了。"魏光亮夸上一句,又从箱子里拽出一套灰色西服扔给齐东平,"穿上试试,合适的话就是你的。"

"老魏,这可不行。这样吧,领带我收下,谢谢了,衣服我绝对不能要……"

"干吗?又不是旧的。四年前我妈在日本访问时给我买的,我穿小了些,就一直压在箱底。"

"我不是这个意思。"

魏光亮上前来扒拉他的衣服,"大男人,就别婆婆妈妈了。我让我妈带过来就是准备给你的,估计这型号你肯定合适。咱哥们兄弟,患难之交生死与共,还用那么多客气吗?"

　　齐东平没办法，"你别说了，我穿。"

　　西服领带一衬，齐东平顿时精神了许多，魏光亮两眼放光，"太好了！跟比着你做的一样。哼，这么酷毙帅呆的小伙，姑娘见了肯定要主动往上扑，何患无妻？"

　　女护士小吴正好进屋，闻言笑骂，"人模狗样的，就是狗嘴里老吐不出象牙。"

　　魏光亮一把扯过她，"我不怕你骂，正盼着你来呢。你看我们东平帅不帅？小吴，嫁给这样的小伙子不冤。"

　　齐东平急得抓耳挠腮，"老魏！你别胡说。"

　　"我可不是胡说。小吴我告诉你，最迟年底东平就会变成一毛二，也就是我们共和国的陆军中尉。"

　　小吴是个见过世面的姑娘，她不羞不恼，"你这叫狗拿耗子多管闲事，皇帝不急急煞太监！"

　　魏光亮嬉皮笑脸的，"太监当然急了，他不急，皇帝会打他板子。哎，我建议你们两位互相留个地址，好建立联系增进了解，怎么样？咳，也许我这才叫狗拿耗子多管闲事呢，谁知道你们背地里是不是早就勾兑好了。"

　　"老魏，你别胡说八道了！"齐东平恨不得拿毛巾去堵他的嘴。

　　小吴脸红了红，仍吓吓地笑，"行！冲着他的脸还会羞成猪肝色，我不反对。如今，到处都是老魏这种讨厌的厚脸皮，靠得住的老实男孩比大熊猫还稀少。"

　　魏光亮立刻掏出笔，从电话本上撕下一张纸，龙飞凤舞地写下大功团地址，塞到小吴衣服口袋里，"你的纸片一飞到东平床头，我们肯定会高呼小吴美眉万岁。"

　　"干什么干什么。"小吴半推半就地出门。

　　"老魏你太不像话了，弄得我都下不来台。"小吴一走，齐东平开始责备魏光亮。

"别得了便宜还卖乖。你觉得小吴人怎么样吧?"

"挺好的。热情,开朗,心眼好。"

"不够漂亮吗?"

"也漂亮。"

"这不结了? 后天咱们就走了,不搞闪电式进攻行吗? 我早看出来她对你有好感才这么干的,你以为我就不怕挨耳光啊。等《火箭兵报》记者一到,我再把你的英雄事迹大吹大擂一番,你一出名,咳,你们这事儿就更有戏了。嘿嘿,到时候吃水可别忘了挖井人。"

在郑浩的邀请下,《火箭兵报》派出三名精兵强将分赴两地采访。白主任和李记者赴七星谷听取洪东国等介绍情况,郑浩和石万山都找出理由来躲避采访。朱记者下南京采访魏光亮和齐东平两位当事人。

胖胖的朱记者爱开玩笑,饭桌上妙语连珠,犹抱琵琶半遮面的荤段子不断。在他的影响下,原本挺拘谨的齐东平完全放松了。陪着吃饭的小吴红着脸,不时笑得跟下蛋的老母鸡般。魏光亮则有如老友重逢无拘无束,不断与朱记者唇枪舌剑,两人嘴皮子贫得难分上下。

菜足饭饱后,朱记者正式进入采访程式,魏光亮和齐东平开始你推我让,吵得不亦乐乎。魏光亮说,没有齐东平我就死定了,朱记者,他在危难之中救战友的细节你一定要突出,要浓墨重彩地写,全篇都写他,我来告诉你,他在地洞里有多么镇静机智勇敢。齐东平说,朱记者,你知道,我们工程兵救战友不是什么稀罕事,这样的人和事早就有很多,你们也宣传报道过了,倒是老魏作为清华大学的研究生,名牌大学教授的儿子,咱们部队中将的外甥,竟然来到一线部队当排长,这才值得大张旗鼓地宣传报道。

魏光亮直瞪齐东平,"写我这些,岂不是哪壶不开偏提哪壶? 你别跟我捣乱行不行? 小吴还等着看你的英雄事迹变成铅字,指着你扛一毛二呢……"

朱记者被他们吵得昏头涨脑，把笔往桌子上一拍，"喂，我说你们两个有完没完？你们都这么见荣誉就让，是高风亮节，可害苦我了知道吗？我到底怎么写？写谁？写什么？"

齐东平不吭声了。魏光亮突然一拍大腿，"有了！写我就写我喝尿，其他的都写齐东平。东平身上有十六处伤，挂彩的次数全团第一。老朱，怎么样？"

齐东平赶紧解释，"朱记者，我不是第一。我们营长负伤次数最多，团长第二多，我只是第三多。"

魏光亮不服气，"我也没说错嘛。他们现在都是领导干部，你不能跟他们比。"

"好了好了，没说上两句就又吵开了。光亮，你还真喝尿了？什么味道？喝得下去吗？"朱记者有些不相信。

"当然喝了！为了活命，什么不能喝下去？"魏光亮得意起来，"至于味道嘛，我崇拜的那个人说过，要想知道梨子的滋味，你就得亲口尝一尝。"

三个人放声大笑。

马上就要离开南京了，魏光亮说要让齐东平多开开眼界，抓紧在南京的最后两天时间，体验一下在酒吧一条街喝酒的感觉。入夜，两人换上便装闲散地往外走，齐东平一路上都责怪魏光亮把他吹得天花乱坠，说自己很不安也很不自在。

魏光亮满不在乎，"你有什么可不安的？我说的哪件不是事实？现在媒体造假的多啦，你可是货真价实的爆破英雄。雷锋活着时，谁把他当英雄看了？别谦虚了，提了干再谦虚吧……"

"你是为我好，我知道，可是太夸张了……"齐东平低声嘀咕。

两人穿过一条弄堂，"迷你美容院"、"浪潮洗浴中心"之类的店铺一家紧挨一家，五光十色的霓虹招牌令他们目不暇接。齐东平不解，"有那么多人要美容吗？干吗都不在家里洗澡，要跑这儿来？"

魏光亮哈哈大笑起来，"东平，你真是一个纯粹的人，一个脱离低级趣味的人，快赶上白求恩了。我特别欣赏你这一点。"

两个装扮妖冶的女子黏了过来，眼神放荡，"大哥，需要服务吗？"

齐东平的脸顿时红得像关公，很难为情地说，"老魏，咱们回去吧。"

魏光亮一副见多识广的样子，"不搭理她们就没事的。我们不过开开眼界，了解一下世间百相。告诉你吧，她们来自五湖四海，为着共同的挣钱目标走到一起来了。我的一个哥们，博士论文就是写她们的，他尊称她们为地下性工作者；那些肩上挂坤包的单身女人，哥们管她们叫游击队员。这哥们用了一年时间，跑了八个大中城市，调查了一千个女人，发现没有一个不卖身。有的地方，这种人服务一次只收几十块钱。这些人的组成十分复杂，主力军由三部分组成，一是在校学生，二是失业无业人员，三是农村进城的打工妹。这三支主力，由打工妹组成的这一支最庞大。她们中间，有一年挣几万几十万的白领，也有刚能解决温饱的……"

他卖弄得得意，根本没有注意到齐东平的脸色越来越难看。齐东平突然驻足，语气很冲，"你看吧。我回去了。"

魏光亮诧异，"怎么了？不去酒吧一条街了？"

"我不舒服。想去你自己去吧。"齐东平扭头就往回走，脚下越来越快。

魏光亮追上去拉住他，"好好好，不去就不去，你以为我喜欢这种场合啊？还不是想让你开眼界。咱们现在就回去，你别拉脸子给我看嘛！"

第　十　章

　　这些日子过去,高丽美里里外外都发生了深刻的变化,这些变化在不同人的眼睛里,在不同人的评价中,如隔云泥。

　　这天晚饭后,衣着入时的高丽美肩挂小坤包从家里走出来,边走边用手机拨打电话,"你马上就到了? 别进来,我出来了,到丁字路口会你。以后你别进来接我了,左邻右舍那些老女人爱嚼舌头,烦。"

　　朱彩云骑着自行车往高丽美身边划过时,忽然觉得这个时髦女子很像高丽美,便掉转头来慢慢靠近她,将信将疑地喊,"小高,高丽美——"

　　高丽美回头,露出惊讶的表情,"是嫂子? 你去哪儿?"

　　"真是你呀。"朱彩云跳下车,上下打量她,"真漂亮,大明星似的。我来看你呀,你要出去吗?"

　　"对。晚上公司有个应酬。嫂子找我有事吗?"

　　"也没什么大事,想找你聊聊,咱们好久没拉家常了……"

　　高丽美看看手表,脸露焦躁之色,"嫂子,对不起,我急着要走,改日吧。"

不远处,王辅文用车喇叭声催促着高丽美,又探出头来向她招手。"嫂子,再见。"高丽美立刻撇下朱彩云,快步奔过去。

"小高你等等,我给你带了点水果补品来。还有,给我说一下你的手机号码,以后好联系你,行吗?"朱彩云拎着东西追上去,一边飞快打量着王辅文,暗暗记下车牌号。

"谢谢你了,东西我现在不方便拿,请嫂子带回去吧。手机我不常开,以后还是我给你打吧。再见。"高丽美伸手去拉车门。

朱彩云急了,上前拽住她,用极快的语速说,"丽美,我就告诉你一句话:中原为那件事后悔极了,石团长和老洪也骂了他。你就消消气早点原谅他吧……"

高丽美尽量抑制住不耐烦,"嫂子,我有急事,以后再说好吗?"啪地拉开车门,又啪的一声关上。

朱彩云顿足而叹,"完了,完了!"

她不知道该不该把眼前的情形告诉张中原,但至少得马上告诉给丈夫。

早上一上班,石万山和洪东国就来到郑浩办公室,递上为齐东平请功受奖的申请报告,等着听取他的意见。

郑浩快速翻看着,"二位既然特地来征求我的意见,我就说上几句。"

洪东国说,"是向你汇报,请你做指示。"

"指示不敢当,说点看法而已。齐东平在洞中确有救人举动,在洞内的处置也得当,给报请二等功不是不可以。只是这么做,对魏光亮是否有些不公平?"

石万山说,"在整个过程中,魏光亮都只是一个等待救援的人,给他立功受奖不合适。"

　　"不给他立功受奖也罢,经历了这样的事件,总应该调整一下对他的使用吧? 下一步,你们准备怎么使用他?"

　　石万山看看洪东国,"如果身体没有问题,目前,他只能继续当战士。"

　　郑浩把报告还给洪东国,站起身走到窗户边向外眺望,冷冷地说,"既然我说什么话都不管用,你们又何必来征求我的意见,直接上报就是嘛。"

　　洪东国赶紧说,"老郑,这是团党委会做出的决议,你要是觉得不妥,我们可以重议。"

　　郑浩回过头来,笑笑,表现出豁达大度,"不必了。这算我的个人意见,不代表师前指,更不代表师领导的态度。"

　　石万山脸无表情,一言不发。

　　向郑浩告辞出来,石万山要去一号洞,洪东国回办公室。刚走到办公室门口,洪东国就听得电话铃接连不断地响,显然一直在响个不停。他小跑步进去拿起听筒,是朱彩云打来的,焦灼地向他报告高丽美的新情况。洪东国简直不能相信自己的耳朵,"你看清楚了吗? 别搞错了冤枉好人啊……真他妈的操蛋! 骂人? 我还想打人呢! 好吧,我们想办法。"

　　猛地把电话压下,洪东国按下一个按钮,显示屏上开始出现张中原的头像时,他冲着张中原大喊,"赶快来我办公室一趟,有事!"

　　张中原不敢急慢,布置好任务交代好各项事情后,火急火燎地往外跑,被刚进到洞口的石万山一把拽住胳膊,"这么着急上火的,上哪?"

　　"洪政委叫我赶快去他办公室一趟,不知道什么事情。"

　　"那就抓紧去吧,我自己转。对了,我决定从二营三营抽调出两个排增援你们,你别逞能,不准再跟我讨价还价。"

　　"执行命令。"

石万山仔细瞧瞧他的脸色，"你近来状态不大好，心事重重的，必须调整。是不是小高成了外企职员你有压力？"

张中原犹豫一下，"她是变了。"

"体现在哪些方面？"

"那天见她，她又是化妆又是喷香水，居然还穿了一件不像样的裙子。她以前根本不是这个样子。"

"你为什么不早说？"

张中原哭丧着脸，"天要下雨，娘要嫁人，老婆要变，我有什么办法？"

"屁话！这像是一个大男人说出来的话吗？后天魏光亮齐东平归队，你去接他们。你今天就去汉江摸清楚你老婆的情况。张中原，听之任之，会打败仗的！"

林丹雁正好走来，听到"败仗"二字，立刻紧张起来，"又出事了？"

"你就不能说点好听的？"石万山白她一眼，转头对张中原说，"你快去吧。记住，处理夫妻关系的原则只有一个，战略上藐视敌人，战术上重视敌人。"

等张中原走远，林丹雁讽刺地说，"真是高见，高手，不，是高人。怪不得石万山的家庭固若金汤。"

"我只解释这一次：他们那天到我的确不知道。欠下的宴请一定会补上。"

"没必要，谁也不缺一顿饭。你儿子挺棒，数学方面挺有天分，我觉得他窝在那个小县城里可惜了，你应该动员嫂子随军过来，这样小石就可以在汉江上学。汉江毕竟是地级城市，教学质量也不错。"

"她不愿意随军，以后再说吧。"

傍晚时分张中原回到了家。高丽美不在，他坐下来接二连三地抽烟，直抽到嘴都发苦才起身。拉开冰箱，里面空空如也，电源早被拔掉了。张中原又在玻璃门木柜里翻找一阵,终于翻出一袋方便面,他提起暖瓶摇摇,暖瓶也是空的。张中原跌坐到凳子上,脑子里乱糟糟一团。饿极了,他掰下方便面放嘴里嚼。

张中原来到大本营。朱彩云一看他的样子就明白,"小高不在家?"

他抖着手把烟点燃,闷头抽烟,以沉默代替回答。

朱彩云叹口气,从里屋拎出一袋营养品和水果来,"吃吧。这本来是我买给小高的,没送出去。你呆会儿拿回家吃,再怎么着也不能亏待了自己的身体。"

烟抽完了,张中原的心情也平静了一些,"政委今天找我谈过了,虽然他说得挺委婉,但我能听得明白。嫂子,你就不要遮遮掩掩了,有什么都直接对我说吧,知道了实实在在的情况,我心里才能塌实下来。"

朱彩云知道再瞒下去有害无益,便把情形大致讲了讲,最后还不忘为高丽美辩护,"中原,人,是有这么个人,车也是他们公司的车,我托人查过。不过,那人也许只是小高的同事。大公司应酬多,我们不能冤枉了好人。"

张中原竭力稳住自己的情绪,"我知道。嫂子,我先回去了。"

朱彩云送他出门,一再叮嘱,"千万别发脾气,没有事实根据的话千万别说。"

"我知道。"

人有时候会有些奇怪的感应。就在张中原如万箭钻心的时候,高丽美情绪低落心神不宁眼皮乱跳。终于,她拿起坤包就往外走。

"上哪?"王辅文从后面一把将她抱住。

"我心里一直七上八下的,总觉得不对劲,我还是回家去吧。"

王辅文有些酸溜溜,"你还爱着他,放心不下他,是吗?"

她推开他,烦躁地走来走去,半晌,她幽幽地说,"是对不起他。"

王辅文蹲下身子抓起她的手，"丽美，我爱你！我已经离不开你了，你现在丢下我不管，要回到他身边去，对我有多大的打击，你知道吗？你不能这么残忍啊。"

高丽美被击中了。她痛苦地闭上眼睛，泪水无言地从眼角旁沁出来。

第二天，张中原一大早就到达寰宇公司。黄白虹在门口遇到他，马上认了出来，立刻热情洋溢地把他迎到自己办公室。

"以前听小高说起过您，张先生好像是团长，对吧？"

"没有没有，我哪里能当团长，一个老兵而已。"张中原忙不迭地解释。

"是我记错了。想起来了，张先生是年轻有为的营长。国家的栋梁之才啊！"

"没有没有，黄总过奖了，不敢当。"

见张中原老是一副窘迫无措的样子，黄白虹一笑，"这小高今天怎么偏偏迟到。要不，我给她打个电话让她赶快过来？"

"不用，不用麻烦。"

黄白虹不理会他，顾自拨起了号码，"小高，你先生在我办公室，你跟他说几句吧。要不要我回避一下？"

张中原只好接过电话，"我是中原。到火车站接人，路过你们公司，顺便上来了。好，你忙吧，再见。"

"有手机的话，就方便多了。"黄白虹说。

"没用过，也不觉得。"

孙丙乾进来，黄白虹忙站起身来介绍，"孙总，这就是张营长，小高的先生。"

孙丙乾朝张中原伸手，"幸会，老听小高说起你。"

张中原局促地，"孙总，你好。"

孙丙乾指指沙发，"请坐。小高很能干，与张先生的支持分不开啊,我早就想找机会谢谢你,挑日子不如撞日子,今天中午一起吃个便饭吧。”

“孙总过奖了。不吃饭了,我上午还要办事……”张中原赶忙摆手。一阵困意袭来,他忍不住打个哈欠。

“很遗憾。那就下次吧。下次张先生回汉江,一定要来公司,不要见外。”

“好的,谢谢。我走了。打搅两位了,抱歉。”张中原逃也似的出门。

黄白虹送行回来问孙丙乾,“你对此人感觉如何?”

“唉,修坑道把人都修傻了。哈欠连天的,眼睛也布满血丝。暗无天日啊。”

黄白虹一脸不屑,“傻大兵! 老婆都用十多天手机了,他还不知道号码,可见他在高丽美心里的位置可以忽略不计。饭,用不着吃了吧?”

“一顿饭能花我们几个钱? 不要这么浅薄地看问题,”孙丙乾眼睛里闪过一道寒光,“当务之急,是控制住高丽美。”

到公司后受到黄白虹批评的高丽美,很恼恨张中原擅自跑来公司带给她麻烦,昨晚那点内疚自责立刻又荡然无存了。下班到家,映入她眼帘的是满地的烟头,以及满脸疲惫颓然歪靠着椅子的丈夫,她不禁厌恶地皱起眉头,径直往里屋走去。

张中原猛地站起来,一把揪住她,血红的眼睛死死盯着她躲躲闪闪的眼睛,“高丽美,你看着我!”

“你想干什么?”高丽美感到害怕。

“不干什么,只想知道昨晚你跟谁在一起,说!”

高丽美使劲挣开他,倒退两步四处张望。

张中原冷笑一声,“这儿没有你的援兵! 昨天晚上,你是不是跟你们公司那个戴眼镜的小白脸在一起?”

高丽美一下恼羞成怒，"张中原，你没资格这样问我！"

砰的一声，张中原一拳砸到墙上，他痛心疾首声音嘶哑，"高丽美，你不说我也知道，你做下了亏心事！你怎么能这样呢？我不就是想跟你生个儿子吗？这是滔天大罪吗？连这种事你都做得出来？"

高丽美难过地低下头，"中原，事已至此，我也不想说什么了，只有一个请求：请你同意离婚。离婚了，对我们两个人都好。"

终于来了！她居然提出离婚了！张中原突然感到出奇的冷静，声音也随之平静，"告诉我，那个四眼小白脸说过要娶你吗？"

"说那些没意思，我要离婚，跟别人没关系。"

张中原怪笑起来，满屋子兜圈，"说那些没意思，你想听什么呢？只想听'我同意离婚！'是吧？想不到啊，真想不到高丽美这么快就红杏出墙了，转眼间绿帽子真的就砸到了我的头上！好，一个男人的耻辱，尤其作为一个军人的奇耻大辱，我都经受过了，这辈子我也没什么不可以忍受的了！"

张中原猛地拉开门，摇摇晃晃地走出去。

"中原！"高丽美大叫一声，泪水哗地流了下来。

梦游般在街上漫无目的走了一夜，张中原坐大本营最早一班车回到七星谷。

国家安全部门早就注意到了七星谷周围出现的异常，并开始了暗中调查。

细雨迷蒙中，一辆三菱越野吉普朝七星谷方向驶来，在七星谷外一条小溪边停下。一对戴着墨镜的男女跳下车来。中年男子叫姜柱国，年近四十，显得十分干练，年轻女子叫冯情情，二十多岁，长得冷静端秀。跟在他们身后的是一位五十来岁农民模样的男子，他是太阳树村的白村长。

姜柱国问白村长，"就在这儿是吧？他们几天来取一回水？"

"隔三天来一回,很准时。"

"什么时候取? 早上,中午,晚上?"冯倩倩问。

"头几次没准,后来都是上午十点钟来。说是这一带的水质很好,准备建个矿泉水厂。"

冯倩倩说,"还说是外国公司投资,对吧?"

"对,就是这么说的。还说这厂子建起来后,可以从我们村招五十个工人,每个人一个月给一千块工资。"

"白村长,你们的警惕性很高,提供的情况很及时也很重要,谢谢了。我们还要往里面去,你先请回吧,有事再联系。"姜柱国与白村长握手。

白村长脸露自豪,"不用谢。我也当过兵,知道反奸防特的重要。太阳树村这边绝对不会有问题,你们放心。我走了,你们忙。"

看着白村长下山的背影,姜柱国长长吐出一口气,"嗬,这个寰宇华夏,实力真够雄厚的啊,开电脑城,开建材城,搞生态旅游城,又要办矿泉水厂了! 倩倩,你感觉七星谷的城防管不管用?"

"我看有点悬。"

"咱们试探试探。"

两人爬上山头朝七星谷阵地方向张望,然后,姜柱国拿出长焦镜头照相机,冯倩倩拿出掌中宝摄像机,各自对着山谷拍摄起来。冯倩倩一边拍摄一边不满地嘀咕,"看来真是一座不设防的山谷。姜处,得给他们提个醒儿。这一路连个巡逻的都没看见,太松懈了。"

"倩倩,我们的行动是不是太专业了?"

"我觉得应该。你怎么知道来的人里面没有老手? 姜处,我感觉到他们对七星谷投入很大,咱们开工不到一年,人家好像已经弄了个门儿清。"

姜柱国看看四周浓密的竹林,"这个角度,拍摄起来太清楚了……"

三个戴钢盔穿迷彩服的士兵突然从竹林里跃出,用冲锋枪对着他们,齐声大叫,"不许动! 举起手来!"

姜柱国做举手投降状,"兄弟们,枪口能不能抬高个一寸?"

一个一级士官正色道,"可以。小勇,上,先把他们手里的两个玩意儿缴了,然后搜身。"

上等兵小勇把他们的照相机摄像机缴下,从上到下把姜柱国搜一遍,"没有发现凶器。"

一级士官指着冯倩倩,"还有她,一样搜!"

冯倩倩下意识地用双臂箍住身体,"凭什么搜我的身? 你们没这个权力!"

"有没有这个权力,我们自己心里清楚。我们跟踪你们一个多小时了,你可别说自己是迷路的游客。小勇,快搜,执行公务,没什么性骚扰不性骚扰的。"

冯倩倩赔上笑脸,"别别别! 都是自家人。我掏一下证件,行吗?"

"可以。"

冯倩倩从衣兜里掏出证件递给小勇,一级士官瞥上一眼,"这种证件我没见过,不辨真假。小勇,搜。"

冯倩倩无可奈何地举起双手,"好吧,搜吧。"

小勇浮皮潦草地把冯倩倩搜一遍,"报告班长,没有凶器。"

姜柱国笑起来,"班长,带我们去见明建中,见你们石团长洪政委也行。"

一级士官吩咐两个同伴,"关掉保险,给他们戴上眼罩。对不起,这是规矩。"

小勇和另一个上等兵给姜柱国和冯倩倩蒙上眼罩,拉他们在原地转上几圈。

班长这才把冲锋枪的保险关掉,掏出对讲机喊,"人已经抓到了,恢复正常巡逻。"

三个士兵押着姜柱国冯倩倩下山。抵达团部,当明建中揭开姜柱国和冯倩倩的眼罩时,在场的石万山洪东国明建中不由哈哈大笑起来。冯倩倩绘声绘色地讲述巡逻兵们的"六亲不认",洪东国笑着批评他们,"太不像话了! 看了证件,怎么还要搜人家女同志的身呢!"

三个小战士顿时羞红了脸。

冯倩倩忙说,"政委,您可千万别批评他们。他们非常忠于职守。"

石万山很满意,"小伙子们,你们表现很好! 我现在就向政委建议,让他给你们一人一次嘉奖。"

洪东国马上说,"应该的,我同意。"

三个士兵欢天喜地地离去。

大家坐定,姜柱国说,"种种迹象表明,敌特分子盯上了七星谷。现在的间谍战科技含量越来越高,刺探情报的新手段层出不穷,咱们反奸防特的形势很严峻。"

"姜处,都有些什么迹象?"明建中问。

"对方打着建矿泉水厂的幌子,每三天就在七星溪下游采集一次水样,目的是什么目前还不清楚,他们会用什么手段搞这儿的情报也还不知道。我们现在主要还是防,防人。"

听到齐东平被报批二等功的消息,方子明心里顿时凉下半截,他再次强烈地感受到"命运"这个词的分量。他老家有句老话说:人背的时候喝凉水都会塞牙,狗屎运来的时候门板也挡不住。在代理了一段时间排长的方子明看来,齐东平现在就是在走狗屎运。

一俟天黑,方子明立刻爬上床,躲到蚊帐里蜷缩到被窝中,从枕头下摸出一张《火箭兵报》,反复读着上面的长篇通讯《惊心动魄的营救》。

王小柱咋咋呼呼跑来掀他蚊帐，"排长下来吧，东平和魏光亮马上就到了。"

方子明瞪他，"早告诉你了，千万别再叫我排长，又忘了？成心害我吗？"

王小柱嘻嘻地笑，"他们一到我就改口，你就放心吧。"

方子明用手弹弹报纸，"柱子，看报纸没有？东平成大英雄了！大难不死必有后福，这老话就要在他身上应验了。奶奶的，怎么不把我给埋进去呢！牛奶喝几天，然后又登报又立功，上哪找这样的好事去？肯定是他家祖坟冒青烟了。"

"我看过了，报上还说他们喝过尿。"

"这叫艺术夸张，你懂不懂？"

王小柱嘿嘿地乐，"东平这大麦一熟，你这小麦跟着就熟了。你们今年扛上一毛二，肯定没问题。"

方子明语带酸涩，"一毛二，陆军中尉，我是只有在梦中跟它们相见了。不过，东平能戴上，我也高兴。"

"啊？为什么？"

"我已经听到噩耗，今年全团只有五个提干名额。一营再牛 B，顶多分到俩。俩名额，都落到一连，营长手里这碗水还能端平吗？"

门外一阵喧闹声，隐隐约约能听到一个战士的喊声，"齐排长魏排长回来了！排长他们回来了！"

方子明一跃而起，"走，我这绿叶你这小草，都赶紧陪衬东平这朵红花去。"

在一群战士的前呼后拥下，魏光亮和齐东平红光满面地进屋。还没坐下，魏光亮就从一个战士手里接过拉杆大箱，掏出几盒烟和一袋袋小吃朝众人扔过去，"谢谢各位弟兄！我这条命是弟兄们救的，大恩不言谢，以后我就不再说谢谢了。以前对不住大家的地方，请弟兄们原谅!"

屋里响起一片热烈的掌声。

方子明突然冲过来抱住齐东平,"东平,都想死你们了!"

齐东平眼眶湿润,反过来紧紧抱住他,"子明,我最想念的就是你。"

战友们各自散开后,魏光亮偷偷往林丹雁住处溜去。

听到敲门声,正做着数学题的林丹雁头也不抬,"请进!"

魏光亮推开门,"不速之客魏光亮刚回来,特向林工程师报到。"

"哟,是魏排长,请坐。你好像没有向我报到的义务吧?"

魏光亮坐到她床沿上,"魏前排长自觉自愿,何况还有公事相商。本人想搞一个高危地段塌方报警系统,在南京住院时琢磨过一阵,想不明白的地方,得向林大博士讨主意。"

林丹雁起身泡茶,"这可是好事。不过,你能不能绅士一点,别坐我的床?"

"虚心接受批评。"魏光亮一屁股挪到周亚菲床沿上,"丹雁,一点不骗你,这一段我经常梦见你。"

"是吗? 能入情场九段高手的梦,而且还是'经常',我不胜荣幸啊!"林丹雁把茶杯递给他。

接茶杯时,魏光亮顺势拉住林丹雁的手,"丹雁,请相信我,我对你是认真的。人死如灯灭,我算是体验过了。在医院里醒过来后我立刻发誓,一定要好好过每一天。我……"

林丹雁甩开他的手,沉下脸来,"别没大没小的! 以后要注意分寸。"

魏光亮几乎喊起来,"你为什么始终不肯接受我? 你心里一定有人,是不是? 他是谁,值得你这么苦苦地为他守候? 不,我不管,不管他是谁,我都要把他从你心里揪出来扔出去,你等着看吧!"

林丹雁的心灵被触动被软化了,她第一次这么真诚地看着他,

"对不起,光亮同志,我永远只能是你的战友你的姐姐。亚菲是个好姑娘,她对你印象很好……"

魏光亮睁大眼睛看着她,惊讶无比,他刚要开口,周亚菲一阵旋风般冲了进来,见魏光亮坐在自己床上,马上不悦,"你怎么能随便坐女孩子的床呢? 起来起来!"

"亚菲,你别这么凶,光亮刚才还说,他梦到,梦到与你谈心。"

周亚菲的脸霎时成了一张红剪纸,她忸怩起来,"不会吧,有那么严重吗? 太夸张了,也就不真诚了。"

"是真的。要不,你自己问他? 哎,你风风火火的干吗?"

周亚菲羞涩地瞟魏光亮一眼,"哦,我听说巡逻队抓到两个特嫌分子,一男一女,在山上又摄像又拍照的。"

"真的啊?"林丹雁大吃一惊。

刚才还既失望又难堪的魏光亮顿来精神,"还真有特务啊? 还有女特务? 真有意思。"

林丹雁说,"亚菲,走,咱们看看去。"

听说电脑主机监视系统已调试完毕,孙丙乾黄白虹马上驱车来到寰宇电脑城的地下室。孙丙乾打开监视器,七星谷谷口处十字路口的情况立刻尽收眼底。

孙丙乾拆开一台电脑主机,从中抽出集成电路板,指着一个小小的器件对黄白虹说,"这是这套系统的心脏兼大脑。这个系统有两大特殊功能,一是可以对所在位置进行准确的全球卫星定位,二是可以将这台电脑里的信息准确发给设定的接收系统。"

"容易发现吗?"

"不容易,它的技术很先进,电脑不工作时它就处于睡眠状态,现有的仪器都测不出它的存在。美国中央情报局,联邦调查局,还有英国的军情六处,也都刚刚开始使用它。"

"成本高吗?"

"当然很高。不过,他们好像对七星谷也很感兴趣,想跟我们合作。"

"条件是什么?"

"与我们共享所得利益。"

"那我们划算吗?"

"当然。若要取之必先予之嘛。白虹,回公司你就跟他们联系,说我们要七台电脑,五台台式的,两台笔记本,下周随我们定的那批货一起空运过来。"

"一次要七套? 太多了吧?"

孙丙乾把集成电路板插回去,"七星谷战略导弹阵地建成后,只要中国不信守不首先使用核武器的承诺,世界上任何一个国家都会感受到来自这里的威胁。谁都知道这个利害,事关国家安全,他们会不惜代价的。"

黄白虹频频点头,猛然又想起问题来了,"货到了怎么办? 还没有发现那边从汉江买过电脑。"

她说的"那边",就是七星谷导弹工程兵部队。

"你也不想想,他们要是买过一大批了,还会再买吗?"

"难道我们就在这儿死等? 守株待兔恐怕不行吧?"黄白虹又焦虑起来。

"多栽几棵树,待到那只兔子的可能性不就大了? 在这条街上再开个电脑店,让它表面上与我们一点关系也没有。"

"为什么?"

孙丙乾奚落她,"狡兔还三窟呢。挺聪明个人,怎么这会儿这么不开窍? 千万不要低估中国安全部门的能力。有备无患。万一失手的话,我们也好有条退路,也能有个反击的余地。我们的第一个目标,就是七星谷导弹阵地的准确坐标。"

黄白虹恍然大悟，"明白了。他们私人也可能买电脑啊，私人买的话，优先考虑的是价位。"

孙丙乾一把搂过她，"我的宝贝到底聪明。做大生意，不能急。不过，也要让高丽美尽快养成使用笔记本电脑的习惯，适当的时候给她假期，让她到七星谷劳军。这些得你亲自去安排，切不可大意失了荆州。"

一号洞库主坑道要复工了。

思虑再三，钟怀国最终决定上七星谷看看。他与石万山约法三章：这次到大功团来，我只有三个身份，第一，我只是一个退休老头，不要让我对你们的工作说三道四指手画脚；第二，我只是一个来队家属，不要让我到处抛头露面讨人厌嫌；第三，我只是一个老工兵，我的行程不能写进大功团的任何正式公文里。

对这个智慧旷达严于律己的老首长，石万山真的是高山仰止。

因为有石万山与魏光亮一起去汉江接机，郑浩决定就在团部守候老首长。

走出汉江机场，一见到魏光亮，钟怀国把他拉到面前，慈爱地左看右看，"嗯，黑了点，瘦了点，野了点。看来，被七星谷的山风吹了两个月，变化不小啊。"

石万山笑说，"与死神打了个照面后，还成熟了点。"

钟怀国爽朗大笑，"万山补充得好！"

魏光亮嘟嘟囔囔，"舅舅第一次对我这么礼贤下士，在下还真有些不习惯。"

钟怀国亲切地拍一拍他的肩膀，"好了，别在这儿揭我的底，回到家里再控诉吧。光亮，报纸我看了，问题答得很得体，不狂妄了，很实在。"

"过奖。实事求是实话实说而已。"

"哟,也谦虚了,长进还真不小。光亮,听你妈妈说,你对我们隐瞒你的身世十分不满。是我考虑不周,没想到这么做,会给你带来这么大的精神痛苦。我向你道歉。"

魏光亮耸耸肩膀,"我妈可能把我的话夸大了。其实,也就是在洞里那几天,以为自己肯定会死时,我才有那种感受。"

"别觉得过意不去。你想追溯自己的身世,我感到很欣慰。你的身世之谜藏在魔鬼谷。干脆,咱们直接去魔鬼谷! 万山,你看呢?"

石万山脸有虑色,"至少,首长先到大本营休息一下吧。"

"我还没有老到一动就散架的程度。"

"那,咱们先进汉江城,吃完饭再走。"

"你石万山现在哪来这么多讲究! 沿途找个路边店,又好吃又省钱,不挺好的嘛!"钟怀国甩开步子朝吉普车走去。

沉沉的雾霭中,钟怀国石万山魏光亮吕秘书等肃立在魏铁柱墓碑前,钟怀国神情凝重,"光亮,这儿就是你身世的谜底。你是导弹工程兵的后代,魏铁柱烈士就是你的亲生父亲。你的亲生母亲是个苦命女子……"

钟怀国的讲述,把魏光亮拉入遥远而缥缈的儿时景象。

穷乡僻壤一个贫瘠的村子中,两间破败的黄土屋里,住着相依为命的母子俩。母亲年轻漂亮,身体单薄,有着一双忧郁的眼睛;儿子才四岁,很瘦,长着一颗《红岩》中小萝卜头般的大脑袋,一双晶莹闪亮的大眼睛镶嵌其上,很机灵,也很显眼。小男孩就是魏光亮。魏家是村里的大家族,小光亮有爷爷奶奶,有一个因患过小儿麻痹症导致左腿残疾而娶不上亲的叔叔,还有两个身强力壮的伯父,有好几个堂兄堂姐。在那样的贫困山村里,大家族的结构只能使他们更穷。魏铁柱牺牲后,小光亮母子俩的生存环境很糟糕,甚至可以说是恶劣。

生活的残忍还在后面。小光亮的爷爷奶奶还有魏氏家族的长辈们，一致要求他母亲嫁给自己的残疾小叔子，遭到这个柔弱却坚忍的女人的彻底反抗——把自己投入了河中。第二天，浮上水面的尸首肿胀青紫得不忍卒睹。

魏氏家族对外宣称她暴病而死。

小光亮成了孤儿。爷爷奶奶既然不缺孙子，对他也就不怎么上心，何况农村的穷困老人常常是晚辈的累赘，在家里并没有至高无上的发言权。小光亮从此经常挨饿受冻，饿得实在受不住就去偷伯父家的东西吃。有一次他偷烤红薯时被两个堂哥发现了，堂哥们追得他满村子乱窜，他边跑边把红薯往嘴里塞，被堂哥揪住时，他刚好把最后一口吞下去，噎得小脸发紫。堂哥们对他又踢又揍，他觉得值，因为这只大红薯差不多把他的小肚子给填饱了。

这样的日子过了差不多半年。有一天，一个大官模样的解放军伯伯来到村里，暗中向邻里乡亲了解到小光亮的可怜处境后，对他爷爷奶奶提出来要把小光亮带走，带到部队上去。这个解放军伯伯就是当年的工程兵师师长钟怀国。爷爷奶奶背地里大喜过望，然而，农民的狡黠和算计，儿子媳妇的撺掇，家族亲友们的摇唇鼓舌，助长着他们的贪婪欲望。钟怀国把有备而来的八百块钱全留下，把身上唯一值钱的金壳怀表也放下，小光亮才被放行。

……

泪水从脸颊上无声地滚下，魏光亮用颤抖的手抚摸着墓碑，突然，他猛地跪下，撕心裂肺地呼唤着：爹！娘！

从魔鬼谷返回七星谷的途中，石万山取下手腕上的老式上海牌手表递给魏光亮，"光亮，这是你爹的遗物，他临终前给我时说当初是它给他带来了好运，让他娶上了你母亲，说我戴上它回去肯定能找到好对象。今天该还给你了，以后就由你保存吧。"

魏光亮接过手表，放在手掌中摩挲良久，又还给石万山，"团长，既然我爹给了你，还是你留着吧。"

　　"我儿子都十四了,还留着干吗?让它给你带来找对象的好运吧,最主要的,它是你对父亲的一个纪念品。"

　　钟怀国说,"光亮,你就留下吧。当兵是你自己选的。当导弹工程兵接你父亲的班是我帮你选的,可我相信你爹也会打心眼里赞同。"

　　"舅舅放心,我再不会想当逃兵了。"

　　"在一线当兵确实要冒生命危险,你也已经体验到了。郑浩说,没必要让一个名牌大学的研究生天天钻坑道,他希望调你到师前指当参谋。他这话当然也有道理,这么做也说得过去,照顾烈士子弟嘛。是去师前指还是留在一排当兵,这一点我毫不干预,由你自己选择。"

　　"我留在一排。"魏光亮毫不迟疑。经过这次历险、住院,魏光亮深切地感受到,自己与朝夕相处生死与共的战友们难舍难分了。

　　"留下来,在你没有做出令人信服的成绩之前,你只是个普通士兵,这是大功团的规矩。这一点,我也得给你说明白。"

　　"我明白。我就按老话说的做,哪里跌倒,就在哪里爬起来。"

　　"很好。我还有个希望,希望你能早日加入党组织。"

　　"等有了成绩,我会向党组织靠拢的。"

　　钟怀国眼里满是欣慰和赞许,转而对石万山说,"很抱歉,此行我还是有个额外要求,我想明天进一号洞看看,行吗?但不能兴师动众,不能影响施工。"

　　石万山诺诺。

　　翌日,一号洞掌子面里,见到石壁上用红漆写的"2700M"字样,钟怀国很兴奋,"速度真快。都是一营干的吗?"

　　石万山看看张中原,张中原回答,"是的,首长。"

　　"真棒!我当团长时,三四公里长的坑道,一个团上去没个五到六年拿不下来。当师长时,咱工程兵师的技术力量有了进步,但还是不如现在。所以说啊,科学技术才是第一生产力。当然更重要的,是我们必须拥有一支能够熟练掌握先进科学技术的队伍。"

洪东国说，"我们正在朝这个方向努力。"

钟怀国说，"世界不太平啊，我们的周边也不太平，你们这个阵地，早建成一天与晚建成一天，不一样。"

郑浩说，"首长说得极是。"

看见人群走近，齐东平跑步到钟怀国面前，"报告首长，工程兵师大功团一营一连一排正在施工，请指示！报告人，一排代理排长齐东平。"

"临危不乱舍己救人的齐东平，好样的！我知道你。继续施工！"

"是！"齐东平转身喊，"继续施工！"

钟怀国走到一个手持风钻正光滑洞壁的战士身边，"风钻也还用得着嘛。二十年前，它可是工程兵的主战兵器呀。"

石万山说，"首长，战士们要装炸药了。"

"这么说，我还能看放炮了？"

"当然可以，而且是由光亮放，不过要请您退出去五百米。"

钟怀国不满，"这个我还不懂？齐东平排长，这一炮能炸多深？"

"报告首长，能炸四米五深。"

"嗬，顶二十年前放七八炮。好，你们准备吧，我们撤。光亮，看你的了！"

众人纷纷往洞外的安全线外撤离。四个士兵把捆在竹片上的炸药抬到掌子面。魏光亮点燃火把，对着石壁高喊，"太阳山，我魏光亮又回来了，我们一定会让你屈服的！"

随着一声沉闷的巨响，洞中的烟尘石粉纷纷扬扬从里往外弥漫。钟怀国用鼻子吸吸，"这东西吸多了有害健康。以前受国力所限，修阵地施工条件很差，打了好些年干眼。如今国家富裕了，一定要给施工的战士们提供一个好环境。不管任务怎么紧，一定要把士兵的生命安全和身体健康放在第一位。人还是第一战斗力。"

　　林丹雁说,"向首长汇报一下,我们正在研制高效除尘装置,还有有害气体自动监测报警装置,有了这个装置,如果有害气体超过人体承受的能力,它就会自动报警。这两种东西的环保标准都很高,方案是光亮提出来的。"

　　钟怀国欣慰地看着魏光亮,"不错嘛,有点能动性了。"

　　"舅舅太官僚了。"

　　"我可不官僚。目前你还不能算是一个合格的导弹工程兵,革命尚未成功,外甥仍需努力啊!"钟怀国开怀大笑起来。

　　汪小青每天帮战士们洗晾衣服和床单被罩,比在家里还忙。午饭后,当她又端出两大盆被单晾晒时,郑浩笑眯眯地过来搭手帮她,她一下轻松多了,连声感激。

　　"嫂子你千万别客气,应该是我们感谢你才对啊。你知道吗?我们师每次召开中层领导会议时,十有八九都要宰你们家老石一回。"

　　"为啥?"

　　"因为他娶了个十全十美的妻子。"

　　汪小青一下红了脸,"我算什么呀!"

　　"嫂子,这可是大家公认的。就说孝敬公婆吧,十几年来你独自照顾两个有病的老人,连他们的丧事都是你一个人操办的,让老石解除了后顾之忧,能够全身心投入工作,这容易吗? 你又不是家庭妇女。你对乡村教育事业的执著更是令大家敬佩。一个女人,本来有条件走出山沟,却非要坚守山村小学近二十年,使这个村基本扫除了文盲,你说你对社会的贡献有多大?"

　　"郑副参谋长,你要再说下去,我都要羞死了。"

　　"还没说完呢。嫂子,你自己的子女更是成才。打个不恰当的比方吧,如果把丹雁当作你的女儿,那你就是培养了一个博士,又正在培养一个数学天才……"

汪小青赶紧摆手，"不不不，丹雁是我的妹子。"

"长嫂如母，嫂子又那么贤惠出色，她肯定很听你的。"

汪小青脑海里浮现出被石万山领回家时的林丹雁，一个黑瘦倔强头发枯黄的丑小鸭。她沉吟一下，"丹雁这孩子，小时候倔得很，但比较听万山的。"

"丹雁有个性。她上大学后，恐怕老石的话也不灵了吧？"

"咳，奇怪了，丹雁上大学后对万山反而言听计从。她能把硕士博士一路读下来，万山起了决定性作用。"

"是吗？为什么？"郑浩饶有兴味。

"说来话长。反正她上到大三后对我说过，学校小男生一天到晚乱献殷勤，害得她烦死了，根本不能集中精力学习。后来她就想出把万山拽到学校冒充她男朋友的办法，这招还真灵，万山穿军装陪她在校园里转了一圈，她真的清静了。"

"啊，这么有意思？"

汪小青来了情绪，"后来更有意思呢。太清静了她也烦，缠着万山要他赔她一个男朋友，万山只好说等你读了研究生再说。她还真读了研究生，再读了博士。哎，郑副参谋长，你成家了没有？要是没有，你跟丹雁可真是郎才女貌天生一对啊！"

郑浩笑起来，"丹雁很优秀，我挺欣赏她，不过暂时没有别的意思，谢谢嫂子美意。嫂子，丹雁什么时候到你们家的啊？"

"她十二岁那年，小着呢。为了照顾她，头三年我和老石硬是没敢要孩子。"

郑浩由衷感叹，"嫂子真是个伟大的女性。"

汪小青脸又红了起来，一下说得痛快，"哪儿呀，我顶没出息，丹雁上大学后就责备我不求上进，说日子久了我会拖万山的后腿。这一说给我敲了警钟，我赶紧花三年时间读了个函授大学，是咬着牙坚持下来的,虽然跟博士比还差着十万八千里,但好歹也算混了个大专文凭,我也知足了。"

郑浩开心地笑起来,"嫂子,你不说,我还真不了解丹雁的这些方面。"

汪小青突然感觉到自己说漏了嘴,"不行不行,我怎么给你说了这么些? 万山知道还不得骂死我,丹雁知道了更不好。郑副参谋长,你可千万帮我保密啊。"

"嫂子绝对放心。你们什么时候走?"

"顶多还能住三天。学校要开学了。"

郑浩惋惜道,"咳,真遗憾,只有等嫂子寒假来再说了。嫂子,军队应该好好宣传你这样的好军嫂。"

汪小青急了,"不行不行,我哪能行啊,再说我也不愿意抛头露面。"

郑浩很认真,"嫂子,你先听我说。这几年,部队家属出事的多了起来,工程部队基层干部的后院起火,也早已不是新闻了。出现这种情况的原因很多,其中一个重要的原因,就是对像你这样的正面典型宣传得不够,这是我们政治工作的一个失误。咱们团也不太平啊,一营长的家属要离婚,嫂子听说了吧?"

"听说了。我正说要去看小高呢。唉,中原可是个靠得住的好男人啊,小高这么瞎折腾,会吃大亏的。"

"嫂子你说,该不该宣传你,该不该多树立你这样的正面典型呢?"

汪小青正好晾晒完了衣物,端起盆子就走,"我不跟你说了。"

"哎,嫂子,别急着走啊。"见汪小青已无留意,郑浩只好改口,"嫂子再见。"

"郑副参谋长再见。"汪小青加快步子,心里懊悔不已,喃喃自责,"我怎么跟个祥林嫂似的,有这么多话呀? 真是该死!"

第十一章

这些日子里,高丽美几乎隔天寄一个特快专递给张中原,张中原的大抽屉都快被塞满了,特快专递的内容只有一个,离婚协议书。

一天下工后,张中原再也憋不住了,一口气登上山顶,面对着如血残阳,如同受伤的野兽般嘶喊长啸起来。等他终于把嗓子喊哑了,力气啸没了,颓然倒在地上时,尾随而至的齐东平才从树林后闪现出来,在他耳边轻轻呼唤,"营长,是我。"

张中原睁开眼睛看他一下,马上又闭上。

齐东平坐下来,"营长,有什么不开心的事情,跟我说说,好吗?"

张中原缓缓打开眼帘,"东平,谢谢你,我没事,有事你也帮不了我。"

齐东平脱口而出,"嫂子隔天就寄的,是不是离婚协议书?"

"狗日的,你敢偷看?!"张中原一下生起气来。

"怎么会呢? 我猜的。嫂子到大本营给你打过几回电话,每次都是大喊大叫,好些人都听到了,背地里都传开了。"

张中原面无表情地望着天空,"你知道了,我也就不瞒你了。这回她是王八吃了秤砣,铁了心了。"

"还是为避孕药的事?"

"别问了,你一个对象都还没有的青皮后生,管这些破事干什么!"

"营长,我是你接来的兵,又受你多年栽培,没有你就没有我的今天,我怎么能不管你的事?"齐东平嚷了起来,"何况,当时要不是为了早点救我们出来,你就可以及时回去一趟,那样的话,嫂子会生这么大的气吗?是我害了你!"

张中原仰天长叹,"东平,真的不关你的事。你嫂子现在月薪四千,是我每月军饷的两倍多!你想想看,公司里比她职位高资历老的男职员,月收入是多少?人家有车有房,我有吗?人家戴副眼镜,白白净净斯斯文文,起码有本科学历,我呢?知道吗,这才是问题的关键!"

齐东平惊得眼珠子都要蹦出来,"你见过他?"

"打过一个照面。"

"你不会就这么认了吧?"

张中原的心被灼痛着,"不认又能怎么样呢?"

齐东平霍地跳起来,"营长,咱是军婚!不能让他们胡来!"

张中原苦笑一下,"什么叫物竞天择优胜劣汰?什么叫人往高处走俊鸟飞高枝?东平,人是抗不过这些铁律的。再说,又是我自作聪明先伤了她的心,是我打破了家这个蛋才引来了苍蝇叮,主要责任在我,我还能说什么?过一段我再找她谈谈,她要是还不回头,就成全了她吧。"

"营长,不行,我们也不答应!"

张中原红了眼圈,"东平,你别说了。感情这东西说完就完了,没办法的事情。上个月我给爷爷写信,还说今年他可以抱重孙子了,这月就弄个这!爷爷八十七了,只剩这一个抱重孙子的愿望了啊!

哪知道她变得这么快,我怎么跟爷爷交代啊?"

齐东平垂下头,"要是嫂子是上当受骗呢? 怎么办?"

"那也没办法。她现在已经鬼迷心窍了,我多说只会惹她的反感,我也无能为力。东平,听大哥一句话,日子是日子爱情是爱情,找对象千万别找太漂亮的,要量力而行。什么他娘的爱情,太靠不住了。"

晚饭后,一排宿舍里的士兵正在嬉闹,一个通信员捏着一封信进来大叫,"齐东平排长,南京军区总医院来信!"

顿时,一屋子人蜂拥而上与通信员抢夺着信件,魏光亮个子高有优势,一把将信抓到手里高高举起,战士们七嘴八舌,"肯定是情书!""厚厚的,好像有照片!""老魏,打开看看!"

齐东平急了,"弟兄们,等我先看好不好? 看了内容,才能决定公不公开。"

"分明是好消息,干吗不让大家分享? 我做主了!"魏光亮哗地把信封撕开,伸手一掏,一张彩照飘落地上。

一个战士把小吴穿军装的照片捡起来,"哇塞! 还是个女大学生。"

一堆黑乌乌的脑袋围过来,啧啧声一片,"靓妹子!"

"什么靓妹子? 老土! 现在要叫美眉。"

"排长真牛啊,住个医院,还能交上桃花运!"

方子明也跟着大家起哄,心里却像有无数虫子在噬咬,如猫爪子在抓挠般难受。

魏光亮夺过照片,与信一道交给齐东平,"行了行了,正主儿还没看呢! 人家的女朋友,你们起什么劲?"

齐东平把信和照片紧紧揣在怀里,"弟兄们放心,是好事的话,按咱们的规矩办。"

"喔!"屋里响起一片欢呼声。

　　齐东平把信来回看了十多遍,直到能够倒背如流才放下,来到魏光亮跟前,喜得合不拢嘴,"老魏,你赢了。当时她确实忙着协助抢救一个重伤号,不能请假到火车站送咱俩。手术一完,她火急火燎赶到车站,咱们坐的火车刚好开走了。咱们,不,我错怪人家了。真想不到啊!"

　　齐东平出院的时候,小吴没有来送,齐东平以为小吴对他没有那层意思,只是普通的同志关系。

　　魏光亮孩子似的一蹦老高,"你认罚吧?三十串羊肉串三瓶啤酒我挣着了,哈哈!还敢不敢跟我赌?我赌她说喜欢你,还顺便骂了我,对吧?"

　　"你真神了。不过她没骂你,还夸你呢,说你作为朋友的话男女都喜欢,但姑娘们如果跟你单独交往的话,还是小心为好。"

　　魏光亮去抢他怀里的信,"这还叫夸我啊?快给我看看她还骂了我些什么!好个小吴丫头,等你跟东平洞房花烛夜时,看我怎么整治你们!"

　　"老魏,你胡扯什么!"

　　"咳,别口是心非了,你不盼望着早日洞房花烛吗?哎,东平,快把那个项链用特快专递寄给她,这年头搞对象就得短平快,稳准狠。"

　　"这不合适吧?火候还没到就寄个项链,会不会……再说,写信怎么解释?写这种信难度太高了,我写不了。"

　　"别担心,小吴是个有主见的女孩子,吓不跑她。信嘛,当然要写得既实在又别致。哎,你就这么说,这是一条18K金的项链,不值钱,只是让你戴着玩,等有人给你送贵重项链了,你把它扔了就是。她要是收下了,我就等着当伴郎了,要是寄回来了呢,说明还有变数,咱就另搞方案,怎么样?"

　　齐东平眉开眼笑,"研究生就是研究生,不服不行。哎,老魏,我也想当伴郎啊,如果就地取材的话,你准备进攻谁呢,林工程师,还是周医生?"

"你帮我参谋参谋。"

"都不错。"

"并列第一? 我总不能兼收并蓄吧?"

齐东平做同情状,"唉,时代不同了,不能一夫多妻了,老魏你真是生不逢时啊,要是搁在解放前,像你这样的,绝对是三妻四妾的主。"

"呸,成心气我啊? 说正经的。"

"实话实说,要我帮你选,我就选周医生。"

"哼,那个黄毛丫头! 我喜欢成熟的像谜一样的女人。"

齐东平鬼笑,"林丹雁,是吧? 你准备与郑总指挥决斗吗?"

魏光亮鼻孔里哼一声,"他? 段位差远了! 我根本没把他当对手。东平,咱哥们到鬼门关前走了一遭,得好好珍惜生命,不能让感情生活存在空白。你等着瞧吧,我一定要把她拿下。"

齐东平和魏光亮意气风发地出去散步,方子明灰心丧气地来到后山老榕树下,有一搭没一搭地吹着萨克斯管。王小柱垂头丧气走过来,默默地坐到他身边。

方子明瞥他一眼,停止吹奏,"怎么了?"

"刚才给家里打电话,我娘说我爹可能没几天了。真想回去看他一眼啊,可惜我已经休过假了,唉,真后悔死了。"

"活人还能叫尿憋死? 一个人可是只有一个爹,一个爹也只能死一次。"

"我心里毛糟糟的,一点招都没有。班长,你能不能帮我想想办法?"

"办法我倒是想得出,只怕你小子嘴不严,胡吹乱说的还不把我给卖了? 算了,我还是多一事不如少一事。"

王小柱着急得直拽他衣服，"班长，你说我是那种人吗？你快说吧，我急死了。"

"好吧，我先问你，你心疼不心疼钱？"

"只要能赶上看我爹一眼，花多少钱都不在乎。"

"好，像个爷们儿！钱嘛，纸呗，对吧？你一下拿不出几千块的话，我可以借给你，你有了再还我。"

王小柱充满感激，"谢谢班长了，我听你的。"

"你记牢了，后天中午，有一班汉江飞成都的飞机。你早上从这儿出发，下午五点钟就到家了，很顺溜。回来麻烦些。成都飞汉江的飞机一周只有两班，你在家住一夜，第二天早上回成都再飞南京，然后再转南京下午六点钟飞汉江的飞机。这样，你在大后天晚上十点钟以前，就能赶回汉江大本营。三张机票的全价是三千二百五十元，现在可以打六到八折，也就是说你花两千五百元左右，就能神不知鬼不觉地回家了。"

王小柱还是一脸忧虑，"钱我舍得花，可是要去汉江，我还是得请假呀。"

"去个汉江不是什么大事。东平立了二等功，年底肯定能当正儿八经的排长，没准还能升个副连长，你没看营长近来多关照他？你跟东平关系不错，让他帮你找个去汉江的机会，不难吧？"

"我这就找东平去。"王小柱腾地站起来，撒腿就跑。

"别急啊，"方子明叫住他，从口袋里掏出一个牛皮纸信封，"我正好取了三千块钱，你先拿着。主意我给你出了，冒不冒这个险你自己拿主意。兄弟，我再叮嘱一句，万一事发，你坐老虎凳喝辣子水都要忍着，千万别把我给卖了！"

王小柱把钱往兜里一揣，一边撒开脚丫子跑一边回头喊，"班长放心，我要是卖了你，我还是人吗？"

看着王小柱跑远，直到身影消失，方子明才收回目光。他闭上眼睛,一下接一下狠狠地扇自己的耳光,"方子明,你真不是个东西!东平和小柱都是你的兄弟呀,你还是人吗?"

汉江毕竟是个小城市,周亚菲努力打造一流心理咨询室的采购愿望受到限制,石万山便派她到北京和上海采购,说为了让大功团的官兵真正享受到白领工兵应该享受的服务,这些花费是应该的,把个周亚菲乐得上蹿下跳。

在周亚菲的精心营造下,一营心理咨询室的设备逐渐备齐。房间内设有投影机、电视机、DVD 机、CD 机,两张高级按摩椅摆放在投影幕布对面,椅子中间放着一张茶儿,茶儿的前面是一个鱼缸,有几条金鱼正在里面游荡。心理咨询室外面是营健身房,健身器材很齐全,一些战士正在跑步机臂力机上锻炼。

在周亚菲的连扯带拉下,洪东国和张中原来到一营心理咨询室,参观硬件软件的建设。

"政委、营长请入座,先欣赏一下背景音乐。"周亚菲把一张碟片放进 CD 机。

洪东国半躺到睡椅上,打开开关,闭上眼睛,"嗯,挺舒服。放个片子看看。"

周亚菲把一张碟子放 DVD 机里,拉上窗帘,"暂时只有六个省的风光片,政委,很遗憾,没有你们江西的名山大川。看张营长家乡的美丽风光吧。"

幕布上出现少林寺和南阳诸葛庐等著名的河南景观,在豫剧旋律的背景音乐中,渐渐推出片名《中州览胜》。

张中原立刻目不转睛地盯着屏幕。洪东国觑他一眼,"看着家乡的风景,听着轻柔的音乐,享受着自动化的全身按摩,心中还有什么疙瘩解不开呢?对吧中原?"

张中原眼睛不离屏幕,"这种新鲜玩意儿,战士们能不能很快接受,难说。"

　　周亚菲马上说,"张营长,从今天起,每晚七点半到九点,我来做咨询师。"

　　"男人爱面子,心里有苦不会轻易说出来,尤其不愿说给女人听。"

　　"你这种悲观论调要不得。你是一营之长,应该带头拥护一营的新生事物。你当营长的都不信,这套东西不是白搞了吗? 小周不是白费心血了吗?"洪东国不满。

　　张中原嘟囔着,"好,我信,我信还不行吗?"

　　"那你就把心里的苦楚向小周倾诉倾诉,以后不要每天上山胡喊乱吼了。矛盾来了,要正视,要积极寻找解决问题的办法,回避是不行的。我回避一下。"

　　不容张中原置辩,洪东国抬腿就出去了。

　　张中原立刻要跟着出去。

　　周亚菲赶紧把他按到椅子上,"张营长,你试一试好吗? 试试总没什么坏处吧。一份痛苦两人分担,就只剩下半份痛苦了。再说,这也算是营领导率先垂范,支持我的工作。"

　　张中原无可奈何地闷头坐下,"你一个小丫头,我能跟你说什么呢? 而且这么糟心的事,我又能说什么呢? 周医生,不是我不信任你,是谁也帮不了我,谢谢你了。"

　　他站起身来,拔腿往外走。

　　周亚菲看着他的苍凉的背影消失,颓然坐下。

　　等到张中原走过,齐东平从角落里闪出来,钻进心理咨询室外头的磁卡电话间里,拨通二连一排的老乡哥们曾建平的电话,跟他嘻嘻哈哈起来,"建平,怎么样? 行了,人家让你又亲又摸的,够可以了,你知足吧,别得寸进尺,万一被告个强奸,可就什么都完了。拿下? 拿下个屁! 千万别霸王硬上弓,要吸取营长的教训。营长怎么样?

状况不好。你还有几天假？六天？太好了！帮哥们一个忙，不，应该说是帮营长一个忙。"

齐东平停下来，警觉地四处观察一番，压低声音，"寰宇公司那王八蛋是个小白脸，戴个眼镜，开一辆桑塔纳。什么颜色我不知道，车牌号是汉 A－904747。你赶快用笔记下来。查什么？查他在哪住，有没有老婆孩子。还有，查他别的地方有没有房子。记着，要胆大心细。"看见王小柱跑过来，马上把电话挂掉。

王小柱气喘吁吁的，"排长，给你姐打电话呀，我到处找你。"

"嗯。找我干吗？"

王小柱哭丧着脸，"我爹没几天了，你说我该怎么办啊？"

齐东平责备道，"你说你干吗非要选春节回去探亲呢？对象没谈成，假也没了。别想着还能请假回去，现在正赶工期，人手本来就不够。多打电话，尽尽心吧。"

"我知道。排长，我有个老乡在坦克团当兵，他要休假回去相对象，我买了点药和我爹喜欢吃的东西，想送到汉江火车站让他带回去。我爹要是能吃到我买的这些东西，也算是我尽到了一点孝心。"

"还挺孝顺的，好。可是你没有理由去汉江啊。"

王小柱央求道，"排长，我就是来找你帮我想办法的啊。求你帮帮我吧，小柱一辈子记你的大恩大德。"

齐东平心软了，犹豫一下，"你哪天要去？"

"后天。"

齐东平蹙起眉头，"得想个由头。找个什么理由让你去呢？嗯——没别的办法，只好说你身体某方面问题严重，在这儿检查不出来，必须去汉江医院检查。无论如何，第二天你务必赶回来，否则你我都吃不了兜着走。"

王小柱抓住齐东平的手使劲地摇，"谢谢排长，谢谢排长！"

齐东平捂住他的嘴巴，"行了行了，别嚷嚷得全世界都知道。"

　　王小柱连蹦带跳回到寝室,方子明一看就知道事情在按照自己的设想发展,却故装深沉把王小柱拽到门外偏僻处问,"怎么样? 东平肯帮忙吗?"

　　"那还用说? 怪不得,我老家的算命瞎子说我净遇贵人。"

　　"这就好。"方子明把一张纸片交给他,"小柱,这是我一哥们的电话号码,你到汉江了就去找他,他已经帮你订了打折机票。"

　　王小柱感恩戴德,"班长,我替我爹谢你了。"

　　方子明推他一把,"别说那么多了,快去准备吧。我出去转转。"

　　王小柱一溜烟跑走。

　　看看四周无人,方子明又狠狠扇自己的脸,嘴里喃喃着,"小柱,真对不住你了。可是今年提不成的话,哥就超龄了,这辈子再也别想当军官了,你说我怎么办吧?"

　　发了一阵呆,方子明下定决心往"亲情电话处"走去。确信四周没人后,他钻进最里边一间,迅速插进电话卡拨号,"哥们,是我。报喜? 报个屁喜。僧多粥少,狼多肉少! 建白领工兵队伍是大趋势,今年一连提干名额肯定只有一个,现在一号种子立了二等功,我这二号种子更没戏了。不说那些个窝心的事情了。哥们你帮个忙,后天下午你给七七八二零九四去个电话,你用笔记下来,七七八二零九四。对。你不说别的,只用把下面这句话重复两遍:首长,向您报告个重要情况,你们一营一排一班的王小柱开小差回家了。干什么? 咳,我也是受人之托,具体情况以后当面给你说。千万别忘了啊!"

　　尽管在心底里一再宽慰自己,但到底做了亏心事,方子明第二天整天心神不宁,干活比平常更是卖力气。他不让自己停歇。因为这样一来,他就没有那么多时间和心思一会儿心生希冀,一会儿又心生内疚。

　　塌方事故过后,远离外界喧嚣的七星谷重归静寂。郑浩觉得日子没滋没味,生活无姿无彩,生活的河流徒然而逝。不仅如此,而且自己还很不得志,很失败——职位明明比石万山高,可是自己非但不能令行禁止,反而事事受他掣肘,更加窝囊的是,本来以为在这山沟里出现了生命的奇迹,不料这个心高气傲的女博士,偏偏就跟他石万山有那么深的渊源,甚至好像石万山是她心目中一座逾越不了的高峰。老天,既生瑜何生亮?难道这石万山命定是我郑浩的克星?

郑浩往沙发上一瘫,仰脸呆呆地盯着屋顶,心里懊悔不已,"臭棋,真是臭!当初怎么会鬼迷心窍非要来这山沟里呢?这步棋走得太臭了!"

不一会儿,他又自嘲地笑笑,站起身来,从书柜下的抽屉里翻出一条烟,拆开包装,取出一盒,叼上一支,再笨拙地点打火机。终于点着了,他猛抽一口,顿时剧烈咳嗽起来。他继续大口地抽,同时让身体深深陷入椅子里。

情绪平息了。

郑浩走到窗户前,探头往外看:天空还是那么湛蓝,花朵还是那么鲜艳,阳光还是那么明媚。不管怎么说,生活还是美好的。

他的心绪豁然亮堂起来。

郑浩从书柜里捧出一个精致的盒子,步履轻快地往林丹雁周亚菲的屋子走去。敲开门,郑浩径直往里走,把盒子放到桌子上。林丹雁和周亚菲面面相觑,又目光齐齐地看着他。

郑浩暗自发笑,故意慢吞吞打开盒子,"别紧张,不是糖衣,也不是炮弹,只是块石头,一块看上去很普通的石头而已。"

林丹雁暗暗松出一口气,"大塌方时捡的石头,让我转交给钟副政委,对吧?"

"你真是冰雪聪明。"

"为什么你自己不送给他?为什么不让魏光亮转交,而要让我转交?"

"十万个为什么,哈哈。凡是存在的,都是合理的,不用我多解释了吧?"

林丹雁笑,"好,郑副参谋长智商高,我也不能太孬,就是不懂也得装懂。"

周亚菲叫起来,"讨厌,你们打什么哑谜啊!要不要我回避?"

"不用,我就走。打搅两位姑娘了,再见。"

两位姑娘把他送到门外,"再见。"

一转身,周亚菲按住胸口,"把我吓得!还以为是一枚钻戒呢,求婚的钻戒。"

林丹雁笑道,"傻丫头,净说傻话!有这么大的钻戒吗?那我倒发财了。"

郑浩刚回到房间门口,屋里电话铃声骤响,他疾步冲进去拿起话筒,"你好,哪位?什么?一营的王小柱开小差了?战士开小差是大事,我怎么能不管呢?你是谁?你是怎么知道——"

对方却把电话给挂了。

愣了愣神,郑浩往团作战指挥室去,让李和平查找一营王小柱的资料。李和平搬出几大本花名册,查到一营一连一排的确有个王小柱,是个上等兵。

"他是什么地方人?"郑浩问。

"四川大邑县花水湾乡人。"

"知道了,谢谢。"郑浩转身往外走。

李和平莫名其妙,不明白阎王为何突然过问起小鬼来了。

郑浩来到洪东国办公室,劈头就问,"老洪,大功团有没有过士兵开小差的先例?"

洪东国很惊异,"开小差的先例?不知道。我来两年多了,从没听说过。你怎么突然问这个?"

"我接到一个神秘电话,举报说一营的王小柱开小差回家了。

说的有鼻子有眼,甚至说看见他上了火车。是不是该查一下?要是真的,可不是个小事。"

洪东国一下有些蒙了,回过神后,立刻拨电话号码,"一营吗?叫你们张营长。不在?你查一下,有个叫王小柱的在不在位,或者是不是休假了,查清楚后马上报告。我是哪位首长?洪东国!要快。"

"老洪,你也别急。这些年师首长很重视士兵的生活和工作环境,咱们师已经好几年没发生过这种事了,估计没什么大问题。"

"我能不急吗?要真是……大功团这个人可就丢大了。"

"这样吧,咱们做最坏的打算。他们一边找王小柱,我们这边,我马上托四川那边的人去王小柱家。万一他真回家了,也能在第一时间把他接回来。在事情没弄清楚前,咱们别惊动首长。"

"这当然好。老郑,那就有劳你大驾了。"

郑浩焦急等待电话期间,洪东国在屋里不断转圈,心里又憋气又纳闷:怎么突然冒出来一个逃兵?哪来的莫名其妙的举报电话?为何偏偏打到他那儿去?

随着人事部副经理职务的任命,高丽美在公司里的地位提高了,而且有了单间办公室,她的自我感觉空前良好。

下午快下班时,她正在办公室埋头练习电脑打字,石万山和汪小青突然走了进来。她心里略噔一下,迟疑地站起来,"团长,嫂子,你们怎么来了?快请坐。"

石万山环顾一下办公室,"小高,你嫂子来一个多月了,明早就走。你看晚上能不能一起吃个饭?"

汪小青接口道,"小高,嫂子很想你,一起吃晚饭吧,中原已经去订包厢了。"

高丽美本能地抵触起来,很快想好了软对抗的应对之策,"我一直挺想念嫂子,也很想跟你们一起吃饭。不过很不巧,今天晚上公司已经有安排。"

石万山双目炯炯地盯着她，"把公司的应酬推了吧，行吗？你不好说的话，我去给你们领导说。"

高丽美不敢正视他的目光，起身去倒茶，"我们领导都不在……"

"不在不是更好吗？"

高丽美知道这个弯子是绕不过去的，索性摊开了说，"团长，嫂子，今天我实在去不了，只能失礼了，实在抱歉。这样吧，等嫂子下次来，我一定请客赔礼。"

汪小青知道再坚持也是徒劳，便对丈夫说，"万山，看来今天确实不凑巧，我们也别难为小高了。"转头对高丽美说，"嫂子跟你说句话就走。丽美，你就原谅了中原吧，牙跟舌头也还要打架呢……"

"嫂子，我为什么走这一步，你去问他，我无话可说。"

汪小青和颜悦色，"是他不对，他都后悔死了……"

高丽美刚要开口，王辅文在门外大咧咧地喊，"丽美，好了没有？都等你半天了。"探头看见戎装的石万山，立刻把头缩了回去，赶快离开。

高丽美有些心虚和不自在，没敢答腔。

石万山霍地站起来，"高丽美同志，清官难断家务事，我不说你俩谁对谁错，只想给你提个醒，军婚受法律保护，军人一方只要没有重大过错，军婚没那么好离。还有，你丈夫是在组织的人……"

高丽美陡然厉害起来，"石团长，你这话什么意思？我犯什么法了吗？请你说清楚！"

汪小青拉着丈夫往外走，"别说了，走吧。"

石万山挣脱开妻子，疾步走到高丽美面前，逼视着她，"我认为张中原对得起你，希望你也对得起他！"

"快走吧！"汪小青跟过来，使劲拉扯着石万山。这次，两人头也不回。

出了电梯,石万山依然余怒未息,汪小青软语相劝,"算了,我看高丽美心已经不在中原这儿了,很难回头了。既然这样,分了对中原也没什么坏处。"

石万山气咻咻,"我真没想到,高丽美连我的面子也不给,那个戴眼镜的王八蛋,一看就他妈的不是个东西,他们欺人太甚了!"

"公共场合要注意形象,别说粗话,不要骂人。"

"我还不骂了,骂他们我嫌脏了我的嘴!"

"行行行,呆会儿见了中原,你也别激动啊。万山,我跟你说件事,我想了好几天,觉得还是应该跟你说。"

"什么事?"

"那天,郑浩说要把我树成军嫂典型,问了咱家很多事,他好像对你、还有丹雁特别感兴趣。我觉得他有些捉摸不透,可能我多心了。不过,我觉得还是防人之心不可无吧。"

"知道了。"

石万山和汪小青离开后,高丽美气冲冲悻悻然下楼,王辅文早就在车里等着她。见她脸色不对,王辅文劝慰道,"别生气了。一介武夫,生他们的气,犯不上。"

高丽美两眼发直,"辅文,看来我这个婚不好离。"

"不好离就不离呗,这样也挺好。"

"你说什么?"

王辅文赶紧亲她一口,"别误会,我只是不想给你太大的压力。"

高丽美把头一扭脸一拉,"事到如今,你可别骗我!"

王辅文嬉皮笑脸,"怎么会呢! 你离着难,我离着易,重点在你这儿。不过,你也要注意点方式方法,这当兵的要是犯了浑,可不好收场。"

王辅文的车子刚一启动,旁边一个戴墨镜的男青年立刻跳上一辆出租车,"快,跟紧前面那辆桑塔纳。"

这个戴墨镜的男青年就是齐东平的老乡哥们、刚刚休假回来的曾建平。

出租车时远时近地跟着王辅文的车子,一直跟着它驶进金龙小区。看到高丽美下车上楼,王辅文把车开进停车场,曾建平从钱包里抽出三百块钱递给司机,"辛苦了,谢谢。"

出租司机接过钱,"哥们儿,晚上还用不用?"

"不用了。"拉开门下车,曾建平往高丽美上楼的楼道里去。

出租司机想了想,推开门喊住他,"哎,哥们儿——"

曾建平回头,"有事吗?"

出租司机走过去,压低声音说,"我最恨这种鸟人,又是大奶又是二奶的,专门坑害女人。哥们你一没拍照二没录像,手里没有证据,他们要是抵赖的话你也没辙。我有个掌中宝摄像机,晚上我带上,咱们再扒一夜,干脆来个捉奸捉双,我只收你油钱,你看呢?"

曾建平笑起来,"我的任务已经完成了,谢了,再见。"

回到二连销了假,曾建平立马去一连找齐东平。

齐东平正坐在宿舍床上看信,信是姐姐齐东玲寄来的,措辞简短质朴而情深:

东平,你好!

　　知道你立了二等功,姐非常高兴。姐真的一切都好,你别担心。你的问题姐无法回答,也不想回答。姐姐向你保证,以后睡觉时也开手机,让你随时找得到我;还有,姐听你的,等你提干了一定回家,多为父亲尽孝。弟弟,该送礼还是送吧,你说你们的首长都是好人,姐相信,但好人就不需要钱吗?听姐的没错,这世上没有不爱钱的人,你不送,别人会送,吃亏的还是你,你说你要凭自己的本事提干,这是

傻话,现在的社会里光凭本事根本吃不开了,你千万别死脑
筋。当然,姐也不会强迫你,为了顾及你的面子,姐也不会
自作主张给你寄钱。姐只希望你能想通,尽早给姐打电话,
姐会马上给你寄钱。以后你按这个地址写信,姐姐一定能
收到。其他的就不说那么多了,祝愿我的弟弟一切都好,特
别是早点找到好对象。

　　　　　　　　　　　　　　　　　姐姐。八月二十三日。

　　每次读姐姐的信,齐东平心里总是酸甜苦辣咸什么滋味都有。
他正出神,曾建平到了。两人立刻心照不宣地往外走,到偏僻无人
处,齐东平问,"怎么样?"

　　"办妥了。"

　　"是事实吗?"

　　曾建平掏出一张纸,"情况都写在这上面。跟你说,嫂子真的是
上当受骗了。那王八蛋有老婆有女儿,老婆长得小巧玲珑,看上去还
挺善,女儿大概五六岁,样子蛮乖的,一家三口在一起时有说有笑
的。"

　　"你没看走眼吧?"

　　"这是多大的事,我能稀里糊涂吗?我包了一辆出租,跟了那王
八蛋一天一夜。王八蛋家住银苑小区,把二奶——就是那个高丽美
——安置在金龙小区。我靠,他他妈的还真会弄,金啊银的都给占全
了!"

　　齐东平恨得咬牙切齿,"这个王八蛋,我饶不了他!"

　　"是啊,那天晚上他就住在金龙,当时我真恨不得冲上去宰了这
个王八蛋!"

　　"算了,不说王八蛋了,一说他气就不打一处来。你花了多少钱
包车?"

"三百。"

齐东平从口袋里掏出三百块钱递给他,"早就准备好了。辛苦费就免了。"

曾建平把他胳膊挡回去,"干吗干吗,营长的事又不是你一个人的事,你这么做不是瞧不起兄弟吗?"

齐东平只好把钱收回,"好吧,哥们,我又多欠你一回情。"

"说这干吗,一笔写不出两个平字,"曾建平把手一摊,"拿来!"

"什么呀?"齐东平莫名其妙。

"你的女护士的照片啊。"

"咳,我怕被汗水给浸湿了,没敢揣身上,藏箱子里了,回宿舍再看。"

"都说大难不死,必有后福,你小子就是。"

"别说我了,你提前归队,她什么态度?"

"挺支持的。唉,我胆子还是太小了,步子也迈得太慢了,不然就拿下了,我走的头天晚上,她裤带以下也解禁了。就怪我心太软,现在多少有点后悔。"

"拿下拿下,你就知道拿下,低级趣味!急什么?是你的,别人拿不走,她也放不坏。"

曾建平嬉皮笑脸,"放不坏倒是放不坏,可是别人拿不拿得走,谁能保证?那幼儿园十几个老师就她漂亮。接孩子的家长里,也有开私家车公家车的四眼啊!拿下了,算是盖上了我一个戳儿,别人来拿的时候,她总是会顾忌的吧?"

"瞎胡扯!营长在嫂子身上盖了多少戳儿?种的种子都发芽了!结果呢?心走了,一切都白搭。"

大邑县武装部政委和干事很快找到王小柱家,要把逃兵王小柱带走。

　　奄奄一息的王父得知儿子是没请假逃回家的，顿感如同五雷轰顶，他竭尽全力抬起骨瘦如柴的手指着王小柱，翕动着早已完全失去血色的嘴唇，"混账，哪大哪小你都分不清，你要不赶快回部队去，我没你这种儿子！滚——"

　　肝部一阵剧烈的疼痛袭来，王父顿时昏厥过去，不省人事。

　　王小柱扑到父亲身上，悲痛欲绝。

　　"爹，是我害了你啊。爹，你放心吧，我现在就回部队。爹，我一定立功赎罪，明年给你带一枚军功章回来。爹，你就睁开眼睛看我一眼吧，你看我一眼，我才能安心地走啊……"

　　儿子的悲怆恸哭和锥心痛悔，再也唤醒不了父亲。

　　就在王小柱一步三回头离家后五小时，父亲遽然离世。从此，王小柱的心里留下了永远的隐痛。

　　对于齐东平擅自准许王小柱离开七星谷，张中原很恼火：混蛋，提干命令还没下，自己都还只是个小兵，竟然已经不知道自己几斤几两，不知道王二哥贵姓！真他妈的混蛋！

　　心里骂完了，张中原主意也有了：自己必须把责任揽下来，否则，他齐东平还提个屁干！

　　火速从汉江赶回到七星谷，张中原没打半点磕巴直奔洪东国办公室，把责任大包大揽到自己身上，说王小柱父亲得了癌症，已经活不了几天了，王小柱与父亲的感情很深，这些天心里很痛苦，齐东平给我说了这个情况后，我心一软，就没有原则地批准他回家了，一切都是我的错。

　　洪东国恼怒异常，"张中原，你说得倒轻巧！任务这么重，今年全团还有多少人没休过假！团里关于人员探亲和休假的规定，你不知道？你哪来的权力让他回家？"

　　张中原低垂着头，由着洪东国发火。

　　又一阵旋风刮过来，石万山走进来，"政委，你错怪中原了，这件事他跟我说过,一切责任都在我。"

洪东国和张中原都吃惊地看着他。

"事情都怪我。我昨天去汉江办事,时间安排得太紧凑了,一忙,就把这事给忘了,没能及时与老洪沟通,非常抱歉。"石万山接着说。

洪东国脸色很不好看,看看石万山,又看看张中原,"你们都把我当傻瓜,是吧?那好,我就当这个傻瓜吧。"

张中原的脸腾地火辣辣起来,石万山也露出难堪的神色,"老洪,你误会了,请听我说……"

"行,好人都由你们做吧。"洪东国鼻子里哼一声,摔门而去。

石万山和张中原大眼瞪小眼,全都傻了眼。

"团长,真对不起,让你为我……"张中原很难过。

"现在不是扯这些的时候,你赶快回去擦屁股!"

张中原依然哭丧着脸,"可是,我从来没见政委生这么大的气……"

"政委这儿我来收场,你快走。"

张中原不再说话,疾步出门。在过道里,遇到正百米冲刺般跑过来的齐东平。一见到张中原,蔫头蔫脑的齐东平犹如劳苦人民盼到了大救星,一把扯着他,上气不接下气地说,"营长,我正找你——"

张中原急忙把他扯到一边,憋着嗓门压低声音,"废话少说。赶快想办法联系上王小柱,要他尽快滚回来。告诉他,说因为他是技术骨干,团长特批了他七天假。"

"是!"精气神顿时回到齐东平身上。

张中原前脚出门,石万山后脚来到会议室。果然,洪东国阴沉着脸坐在那儿生闷气,见石万山进来,他立刻把脸扭向窗外。

石万山走到他面前,赔上笑脸,"政委,我赔罪来了,现在你怎么骂我都行。"

洪东国冷笑,"我哪敢骂你啊,大功团已经变成石家军了,我洪东国可惹不起。"

石万山依然腆着笑脸,"政委,你骂我没问题,但说大功团已经变成石家军了,这可是天大的冤枉啊,我石万山也不敢当。政委,你想想,咱们配合两年多来,以前我哪件事情没有跟你商量?请你相信我,这次我也是话赶话赶上了,绝对不是我跟张中原演的双簧。当时我说不知道,责任就全在张中原身上了。"

气已消了一半,不过洪东国脸上的表情还没调整过来,"哼,你们爱兵如子,我就是冷血动物?我看应该给王小柱立功,他让人看到大功团上下是多少的团结!"

石万山知道洪东国消气了,暗暗松了一口气,"王小柱是该受到严厉批评。"

"批评?你什么时候变得这么菩萨心肠了?不假外出,跑回几千里外的家里,属于严重违纪行为。这都不给处分,以后还不乱套了?"

石万山又赶紧赔上笑脸,"政委,王小柱回家得到了我的批准,这已经是既成事实,虽然这么处置并非我的初衷。要处分,就请你处分我吧。"

"处分你石大团长,区区洪东国不够资格!张中原是营长,就算作是他批准了王小柱回家探亲,事后没按规定上报团首长批准,这也并不是多么严重的错误,你为什么就不能严厉批评他?批评他几句,大家都能下台阶,不好吗?"

石万山沉吟一下,"实话实说,我这么做,借用一个法律术语表述的话,就是'主观故意'。"

洪东国提高声音,"我恨的就是你这个主观故意!为什么非要把郑浩推到对立面不可呢?这么做对大功团对我们大家有什么好处?在每个团设置前线指挥部是师党委的决定!你改变不了这个现实!"

"我有些怀疑,到底有没有这个匿名电话呢?"

洪东国既吃惊更气恼,"你连这个都怀疑吗? 石万山同志,你未免太过分了吧。"

"好,算我小人之心度君子之腹了,我认错。但是,这个所谓举报人为什么专门给他打电话? 就是因为此人知道他会拿这事做文章,这我没有冤枉人吧?"

"是我让查的,你不会也认为我在拿这事做文章吧?"

没想到事情会是这样,石万山急了,"老洪,我绝对没这个意思。我只是想不明白一个问题,当地武装部的行动为什么这么迅速呢?"

"老石,你怎么不反过来想想呢? 如果郑浩只是暗中行事,查明王小柱确实回了家后,马上就让当地武装部派人把他送回七星谷,结果会怎么样? 王小柱就是一个开小差的逃兵! 那样的话,你这个团长恐怕也包庇不了吧。我认为郑浩够仗义的了,反而是你对他的成见太深。说实话,对待郑浩,你石万山不够大气。"

这话强烈地刺激了石万山,一时间,他心里波涛翻滚起来。

石万山决定好好反省自己。

就在石万山与洪东国发生争执的同时,郑浩把自己关在办公室里,一支接一支地抽烟。他现在的抽烟姿势和点火动作比以前娴熟多了。望着一个个腾空上升的烟圈,郑浩的心情与嘴巴一样苦涩。这里已经被人家经营成铁板一块了,部队的条例条令快要形同虚设,违反纪律的人受到层层包庇,反而是坚持原则的自己被当猴耍。真正是人善被人欺马善被人骑啊。

郑浩又想,这步棋走错了,但这局棋还没结束。

王小柱回到了七星谷。

在石万山张中原齐东平的层层庇护下,王小柱转危为安化险为夷。然而,越是这样,他的心里就越内疚越不安。

一见到张中原，王小柱就忍不住哭起来，"营长，我知道是你救了我……我对不起你……"

齐东平说，"营长，小柱很感激你，也担心转士官泡汤。"

张中原脸上挂霜，"王小柱，你能不能转士官，得看你以后的表现。"

齐东平又说，"营长，小柱发誓要立功赎罪，要不然他永远愧对父亲，也无颜见家乡父老。"

张中原猛地一拍桌子，杯子被震得跳了起来，"莫名其妙，岂有此理！你们以为自己是谁？你齐东平是司令员还是总参谋长？这是部队，不是我张中原开的大排档，可以由着你们想怎么样就怎么样！你们犯下了天大的错误，不知道去悔过，却得寸进尺，竟敢来跟我讨价还价！自己先去把屁股上的屎擦干净吧！"

王小柱吓得脸色煞白，齐东平嗫嚅道，"营长，别生气，我不是那个意思。只是排里需要小柱，不管是开台车还是装药放炮，他都能独当一面，要是他走了……"

张中原大吼起来，"说够了没有？说完了，就给我出去！"

顿时，齐东平王小柱蔫得像两棵霜打的白菜。

营通信员拿着一个特快专递进来，默默放到张中原桌上，默默地退出去。

张中原拉开抽屉，把特快专递往里一扔。

齐东平和王小柱看着张中原，心里无比难受。两人默默地往外走。

"东平，小柱，"张中原叫住他们，很歉疚，"对不起，这段时间我他妈的祸不单行，什么倒霉事都能碰上，心情不好。你们两个都技术好，也都是孝子，我会尽力帮你们的。你们也不用感谢我，其实帮你们也是帮我自己。要是没有你们这些技术骨干撑着，坑道打砸了的话，一切我都没有了。"

第 十 二 章

　　"王小柱逃兵事件"过去了,方子明内心里经历了失落、庆幸和自我谴责三个阶段。对比齐东平张中原石万山的为人,对比他们对王小柱的爱护,方子明自惭形秽,不住地暗骂自己不是东西,是个混蛋王八蛋,简直是卑鄙小人。

　　休班那天,方子明悄悄来到心理咨询室。老老实实坐在周亚菲面前的他,像小学生对老师那般虔诚地诉说近来常做的一个噩梦:山洪咆哮,掉在河里的自己拼命向前方游去,他身后有一只凶残的大老虎,老虎踩着滔滔洪水不断地追自己……方子明说每次都是这个时候被吓醒,醒后总是大汗淋漓全身湿透。他想请周亚菲做一下心理分析。

　　"还有什么症状吗?"周亚菲问。

　　"我也说不上来。对,好像有点心悸和气短。"

　　"梦我研究的不多,但弗洛伊德的《梦的解析》我读过,我不完全赞成他的一些结论。依我粗浅的分析,你老是做的这个噩梦,应该与性压抑无关,更多地与生存压力有关。是不是今年提干名额突然减少,影响了你的情绪?"

方子明连忙摇头摆手,"没有没有,真的没有。这方面,我很想得开。"

周亚菲眼睛晶亮地看着他,"即使你说的是真的,那也只是你的心理,我说的是你的潜心理。人的很多行为,其实是由潜心理支配的。比方说,你越是强调不在乎提干不提干,越证明你的潜心理很在乎它。你如果还要嘴硬死不承认的话,心理疾病会越来越严重。"

方子明害怕了,"真的啊?"

"当然。接下来,你会说梦话,把你真实的想法说出来⋯⋯"

"啊!"方子明情不自禁地叫起来。

"也别紧张。你想提干,想多为国防建设做点贡献,没什么不对。"

方子明由衷地钦佩周亚菲,话头不由自主地就被她牵着走了,"周医生,你真厉害。我承认其实我挺在乎的。我们家那边很富裕,我哥我姐他们都做生意,一年挣的钱比团长多得多。我家不缺钱,就缺个有国家身份的人。家里我最小,他们把希望都寄托在我身上,偏偏我又不争气,高中毕业没考上大学,当兵后又考军校也没考上。我转士官不是为了拿那点工资,而是为了提干。突然间听说今年提干没戏了,我⋯⋯噩梦就来了。"

"有时会嫉妒别人吗?"周亚菲突然问道。

方子明犹犹豫豫的,不置可否。

"其实,嫉妒心谁都有,只是不能让它发展到起破坏作用,那样就会出大问题。你能说出这番心里话,对你的身心都有好处,咱们以后再聊几次,你大概就不会连续做噩梦了。"

"谢谢周医生。我还想问个问题。"

"说吧。"

"比如说,这么说吧,我要是⋯⋯算了,我也不知道想说什么了。

以后我再来。周医生再见。"

"好,这里随时欢迎你。"周亚菲笑容可掬。

方子明出去,林丹雁进来,"怎么样? 挺有成就感吧?"

"还在摸索。唉,有严重心理疾病的人,一个都没来。"

林丹雁惊讶,"有严重心理疾病? 谁啊?"

"魏光亮,齐东平,张中原,还有郑浩。"

林丹雁感到意外,"郑浩?"

"没错。心理医生喜欢那些饱受着深刻痛苦的病人,能解除他们的痛苦,才能获得最大的成就感。方子明小屁孩一个,嫉妒心强点而已。其实,我最感兴趣的是另外一个病人。"

"谁?"

周亚菲神色诡秘,"现在不能告诉你。"

林丹雁白她一眼,"鬼怪多,不理你了,我走了。"

下午,勘察完主坑道的石质,林丹雁与石万山一起从洞里走出来。

"唉,要是整座山都是这种石头该多好,我敢保证,那样的话工期可以提前半年。"石万山一脸的惋惜。

林丹雁瞥他一眼,忍不住想笑,"新兵蛋子才这么不切实际地想入非非。"

石万山倒一本正经,"人有时候需要做一做梦,不然生活就太枯燥无味了。"

林丹雁突然想起,"魏光亮对我说,他想搞一个高危地段塌方报警系统。"

石万山很欣慰,"好哇,这小子知道操心了。住院回来后,他好像是变了,有了很大的长进。"

"但是搞这个东西需要不少钱。"

"你们造个方案,这钱我给。"

"对了,还有给战士宿舍配置电脑的事,你们研究过了吗?"

"那可不是一笔小钱,一个班一台,一个连十台,一个营四十台,五个营两百台,没一两百万拿不下来。我和政委商量了,今年先给一营安,效果好的话,就可以从上边要到钱了。"

林丹雁斜睨着他,"什么时候变得这么狡猾了?"

石万山笑,"没办法,跟变色龙变色一样,是逼出来的。我又不是财政部长,手里没有花不完的钱嘛。丹雁,事情定下来后,你跟光亮去汉江看看,争取买到物美价廉的电脑。对了,那天你嫂子看见你和魏光亮站在一起,回来就说你们是天生的一对。"

林丹雁不高兴,"什么眼神嘛! 她还说我什么?"

石万山察言观色,小心翼翼,"除了夸你和为你操心,别的没说什么。"

"操心让我早日嫁人,是吧?"

石万山不敢接这个话茬,他挖空心思才找到一个自以为合适的话题,"哎,你什么时候回北京看秦老师?"

"真是太平洋警察,管得宽。我什么时候回北京,好像用不着你批准吧?!"林丹雁把脸拉得更长,扭头而去。

看着她的背影,石万山心里像打翻了一个五味瓶。

近日来,林丹雁周亚菲的房间里,突然添加了绚丽的色彩——每天早上锻炼回来,总能看到林丹雁的桌子上多出来一束野花。美丽的鲜花尽情绽放鲜艳欲滴,送花人却像隐形人似的,从来不见踪影。

这天早上出现的是一束野菊花,金灿灿香喷喷,周亚菲忍不住伸长鼻子凑近了去闻,"真香啊! 在北京的花店里至少得五块钱一枝。唉,同一个屋檐下,也是'几家欢乐几家愁'。怎么就没人给我送花呢?"

林丹雁瞅瞅她,"语气不对呀。"

"丑小鸭嫉妒白天鹅呗。不,林丹雁小姐岂止是白天鹅,简直是月亮,不,是太阳,永远吸引着那么多星星围绕着她转。"

"别拿我开心了。你怎么知道就不是女性送的?"

周亚菲夸张地,"哟,家属都走了,我又跟你形影不离,这儿还有什么女性? 莫非这儿有变性人? 你不如说,不知道是老男生还是小男生送的。"

这时,石万山恰好从她们门口走过。林丹雁赶快掉过脸假装没看见,周亚菲探出脑袋大叫,"团长,团长。"

石万山停步,"什么事?"

周亚菲看着他嘻嘻地笑,就是不做声。林丹雁气得直瞪她。

石万山莫名其妙,"怎么了?"

周亚菲招手招脚,"你过来,你来我们屋里看看。哎呀,过来嘛,我们还能把你吃了?"

石万山只好返回到她们门口,不进屋。

林丹雁走出来,"亚菲是想问你,看没看见谁给我们送花?"

"不是给我们送花,是给林博士送花。这几天早上,我们一出去,花儿准会出现在丹雁姐的桌子上。"周亚菲说。

石万山这才伸头往里看,"挺漂亮的野菊花啊。"

周亚菲把脸一绷,装出一副审判官的样子,"本官开始审案。请问石团长,早上七点到七点十五分之间,你在哪里,在干什么?"

石万山又好气又好笑,"那个时间里,本人在房间看新闻刮胡子。小丫头,居然怀疑起我来了?"

林丹雁没好气,"当然不会是你。这期间,你有没有看见谁在这里出现?"

"你们没锁门?"

"置身于伟大的石万山同志领导下的光荣的大功团,我们用得着锁什么门吗?"林丹雁语带讥讽。

"有人送花,是好事嘛。你说话就带刺,我看他应该给你送野玫瑰才合适。我走了，两位再见。"石万山怕她们又伶牙俐齿，想赶快溜。

"既然来了，就别想着急走。石团长，我正式向你这个团领导反映这个问题。这种行为已经严重干扰了我的情绪，再发展下去，会影响到我的生活，请你务必管一管。"林丹雁不放过他。

石万山无奈，"好好好，我负责把送花者查出来。如果是战士，我来处理，如果是已婚干部，更要处理，但如果是未婚干部呢，我就无权干涉了。"

"不管是什么人，我希望尽快查出来。"林丹雁说。

在一号洞主坑道和辅坑道之间，齐东平带领方子明王小柱等几个战士正紧张地施工。两个战士的动作够快的了，齐东平还嫌慢，"先装这一堆，动作要尽量快。小柱，把台车从这边开进去试试，动作要灵敏些。"

"好。"

王小柱立刻爬上台车，发动起来，然后很熟练地躲过石堆，把车开到一个狭小的空隙里。台车长臂上的钻头准确地伸向石壁，钻头快速旋转着钻进石头里。

"排长，可以同时操作！"王小柱兴奋地大喊。

"好，小心点！"齐东平回喊，转头吩咐方子明，"以后注意，扒渣车要提前进来。"

"知道了。"

谁也没有看见施工面向外约五十米处，洞壁上支撑通风管道的支架突然脱落下来，半米口径的通风管下坠，从一个接口处彻底断掉。里面，台车，扒渣车，还有两辆翻斗运输车，所有车辆的排气管一齐向外排放着废气。

危险悄悄地向他们逼近。

不一会儿，开扒渣车的战士眼神迷离，当他伸手去够按钮时，手却抬不动了。他身子往前一倾，一下趴倒在方向盘上。

扒渣车两旁的两个战士，紧跟着昏倒在地。

王小柱感到眼皮越来越沉，很快，他眼睛一闭，也趴倒在台车的方向盘上。

方子明大口大口地喘气，想说话，却发不出声音，想跑，却拔不动腿。他一头栽到地上，动弹不得。

感到胸闷气短四肢乏力齐东平回头一看，情知大事不好，咬紧牙关往外跑了两步，倒在地上人事不省。

施工时站的位置比较靠外面的其余四个战士情形略好，虽然动作迟缓无力，但还能动能走，他们两人一组，分头朝台车和扒渣车上爬去，合力把扒渣车司机和王小柱拖出驾驶室。他们还想进去抬人，可自己也动弹不了了，纷纷摔倒在地，四个人相继合上眼睛，像是沉入了梦乡。

四台车的排气管，依然向外喷着狰狞的废气，断裂的通气管，仍然向外吹着毒害的热风。

坑道里发生灾难的时候，闹肚子的魏光亮正从外面解手回来。肠胃轻松了，心情也畅快了，他哼着样板戏《沙家浜》里胡传魁的唱段"想当初，老子的队伍才开张，总共有十多个人来七八条枪……"大步流星朝洞里走。走到断裂的通气管处，魏光亮觉得很奇怪：里面的能见度比平常差多了，而且也看不见一个人影。怎么回事？他不哼小调了，四下张望着，疑疑惑惑地继续往里面去。才走几步，就看见了横七竖八倒在地上的人。

魏光亮惊呼一声，冲过去抱起齐东平就往外跑。把齐东平放到断裂通气管处，他对着洞口大喊，"快来人啊——"

没有回应，只有洞里传来的回声。

魏光亮不敢耽搁时间，赶快又跑进去，把方子明横着抱出来，放到齐东平身边。大口大口地喘上一番,他咬紧牙关再次奋力冲进去,右手拖着王小柱,左手拖着一个列兵,一步一步挣扎着往外走。走着走着,他两腿一软,随即栽倒在地。残存的清醒意识提醒他:你现在千万不能倒下!他挣扎着爬起来,跌倒,再爬起来。终于能看到红色报警器了,魏光亮却再也站不起来了。他匍匐在地,朝着报警器一步一步爬过去。到了,终于到了!他用尽全力按下报警器的按钮。

报警器尖利地鸣叫起来,报警声久久回荡在七星谷的上空。

手指还按在按钮上,魏光亮昏迷了过去。

救援大部队火速赶来了。救护车火速赶到了。魏光亮,齐东平,方子明,王小柱……一个个被抬了出来,被紧急抢救。

小伙子们全都醒过来了,每个人醒来后的表现各不相同。

魏光亮的第一反应是蹦起来大喊,"来人啊,救人啊!"

齐东平是慢慢睁开眼睛,嘴里喃喃着,"六个、六个人,一共六个人。"

方子明则迷迷瞪瞪地问,"我没死吧?"

在场的人全都笑了,一直紧张万分的气氛马上得到缓解。

渐渐恢复了一点元气的魏光亮又开始顽皮,坏笑着对方子明说,"你已经死了,现在是你的幽灵在说话。"

"啊!"方子明恐怖地大叫。

"你什么时候能有个正经!"周亚菲嗔骂着魏光亮,眼睛里却在笑。她一直都牵肠挂肚地守候在他身边,直到看着他醒来。

人缺氧的时间越长越危险,缺氧最严重时有可能会变成植物人。这六个人的缺氧时间都较长,石万山郑浩洪东国和团里的医生都主张把他们送外面医院疗养,以杜绝后患。请求师里联系飞机送大城市已经来不及了,石万山命令张中原带领卡车队,以最快的速度送他们去汉江医院,并让周亚菲随同前往,以便不管在路上还是到医院,都随时能够照应,也能够随时与团里沟通情况。

　　周亚菲心里乐开了花。

　　汉江医院的护士们很快就看出了情况,她们善解人意,借口魏光亮不好侍候,把给魏光亮打针输液的"美差"全都推给周亚菲,周亚菲也不含糊,一概承包下来。又到了给他们六个人输液的时候,周亚菲把针头举到魏光亮面前,"这回想打哪一只胳膊?"

　　"我感觉自己完全好了,就不打了吧?"

　　"不行,我是医生,得听我的,何况,大家把你——你们交给了我。"

　　"那就打左手吧。打了这么多针了,我还是怕疼,请周医生悠着点。"

　　周亚菲动作麻利地用止血带扎住他的左胳膊,"多想点好事,分散一下注意力,就不会感到疼了。"

　　"我没有好事可想,倒是突然想到一件与小周医生有关的事。哈哈,不过,在下不敢说。"

　　"不行,你得说出来,要不我饶不了你。"

　　"好吧,那我只好说了"魏光亮假装不情愿说出来的样子,"听说周医生给小柱做人工呼吸时连眉头都没皱一下,由此可以判断,她肯定有过恋爱史,而且还不仅仅是小女生式的纯精神恋爱。"

　　周亚菲不说话,用针头扎他一下。

　　"哎哟——"魏光亮龇牙咧嘴地叫唤起来。

　　周亚菲抓住他的左手,"重新来。你要分散自己的注意力,不能分散我的。"

　　"报复心这么强,谁敢……"魏光亮嘟囔。

　　"谁敢要? 对吧?"周亚菲眼睛亮闪闪地看着他。

　　"姑奶奶,我错了,请你手下留情啊。"魏光亮求饶。

　　周亚菲又快又轻又准地把针扎入魏光亮血管,"好了。感觉胳膊肿胀的话就叫我,我给你滴慢点。快滴完时我再来。"

　　周亚菲一出门,方子明就朝魏光亮挤眉弄眼,"老魏,你真是艳福不浅,周医生对你可是……"

　　魏光亮赶快打断他,"这个小辣椒对我最狠,对小柱最好,是吧小柱? 小柱,你的初吻是不是献给了周姐姐?"

　　王小柱又羞涩又得意,"那叫人工呼吸。"

　　方子明酸溜溜的,"小柱,美死你了,以后你别刷牙了。"

　　齐东平冲他们喊,"别胡说八道了! 多养养神,养精蓄锐好了,可以早点回去参加战役。"

　　方子明嘴闲不住,"老魏,你真是大贵人。你那一泡稀价值连城,救了我们这么多条命。"

　　顿时好几个人附和。齐东平说,"老魏你看,你又还给我一条命。"

　　魏光亮向大家抱拳,"弟兄们可别这么说。东平,这话可是你说的:生死兄弟之间,千万别说谢字。"

　　郑浩以七星谷龙头工程师前指总指挥的名义,向石万山和洪东国提议,尽快召开安全生产现场会,参加者为团领导和各营主官,技术总监林丹雁为特邀代表。

　　石万山和洪东国表示赞同,并且立刻布置下去。

　　上午十点,与会者集结来到一号洞事故现场,停步在断裂的通气管道前。洪东国做开场白,"这次事故,有很多教训值得吸取。事故发生后,是郑副参谋长当即下令,使事故现场得到了保护,使我们的善后工作能更好地得以进行。为此,我谨代表大功团,向师前指表示衷心的感谢! 下面,请郑副参谋长讲话。"

　　郑浩清清喉咙,"保护现场,是为了让大家都清楚,我们这些指挥员一个小小的失误,将会导致什么样的严重后果。大家请看,三公里多的坑道,竟然只靠一条换气管道供氧! 大家再看,这个支架都锈蚀成什么样子了！这个样子，出事是必然的。"

洪东国说，"这次事故，再次给我们敲响了警钟。"

张中原沉痛地说，"责任在我。"

石万山生气道，"还轮不到你说话！郑副参谋长，请你继续说。"

郑浩看他们两人一眼，"国际形势变化多端，反恐战争将演变成什么样子，现在还难以预料。从海湾战争，到科索沃战争，再到阿富汗战争，战争形态发生的变化，大家有目共睹。我驻南联盟使馆被炸，我战机在南海空域被撞，我对'台独'分子的绝不姑息，使战士们都意识到战争离我们并不遥远。为了早日把七星谷阵地建成，大家想了很多办法，吃了很多苦受了很多罪，这是值得肯定的。但是我们不能以牺牲安全为代价来换取进度。台车、扒渣车和大翻斗车同时工作，林工，这么做是不是严重违反了操作规程？"

郑浩把眼光投向林丹雁。

"是的。"林丹雁回答。

"还有这个报警系统。大家看，这个报警器离爆破面至少有两百米远，说明什么问题？说明我们已经有好一段时间忽视了安全问题。生命是最宝贵的，也是非常脆弱的，同志们！"

张中原又做自我批评，"责任在我。这几天掘进太顺利，一天能掘……"

石万山恼怒地打断他，"你先闭嘴行不行？"

"张中原营长，责任在谁身上等下再说，先让我把话说完，"郑浩有些不悦，"前几天，我去过二营和三营，也发现了不少问题。二营的二号、三号坑道，见不着炸药库的警示牌，有人居然在炸药库附近吸烟！这是多么可怕的事情！安全问题必须提到大功团的议事日程上来了。我提议，大功团成立一个安全生产领导小组，由我和洪东国同志分别担任正、副组长，三个营的营长任组员，领导小组负责检查龙头工程的安全工作。"

几乎所有的眼睛都看向石万山。

石万山一字一顿迸出三个字，"我同意。"

郑浩说，"为使这个领导小组的决策更具科学性，我邀请林丹雁同志担任小组顾问，不知丹雁同志意下如何？"

目光顿时都集中到林丹雁身上。

"感谢领导的信任。为了保证战友们的生命安全，我不仅很愿意当这个顾问，而且还要提个建议，今后，在施工方面，领导小组的意见有一票否决权。"

郑浩赞赏地看着她，"这建议很好，谢谢你。战友的生命安全高于一切。"

洪东国说，"我赞同。"

石万山脸阴了阴，"我说两句。龙头工程存在这么多安全隐患，主要责任在我，我将以个人名义向上级机关和全团官兵作出检讨。龙头工程三个营协同作战组织得不好，主要责任还在我。这个月上旬，二营遇到了泥石流，掘进进展迟缓，与此同时，一营却在不到二十天里掘进了三百多米。如果我能及时从一营调出两个连来增援二营，让主坑道少开掘一百五十米，二、三号洞就能和主坑道贯通了，这样，那天的危险也就不存在了。亡羊补牢，犹未为晚吧。从今天起，主坑道暂停掘进，一营三个主力连全部增援二营，力争在一周到十天内，通过二号洞泥石流区，使二号洞和主坑道在那里贯通。"

林丹雁说，"这个方案不错。设计时对施工进度考虑不多，我也有责任。"

石万山说，"责任只在我身上，谁都别争了。郑副参谋长还有什么指示？"

郑浩笑笑，"问题清楚了，责任明确了，我也就没什么说的了。"

洪东国说，"我补充一条。在增援二营之前，应该去二、三营检查有无安全隐患，这事由我和老郑负责。"

二营长赵成武和三营长王德田赶紧表态,"欢迎领导视察!"

会议就此结束。

回到团部,林丹雁立即敲开石万山办公室的门,说要就刚才的建议,郑重向他做解释。

"先打一闷棍,然后再揉一揉,是吧?"石万山沉着脸。

"这叫什么话!谁打你闷棍了?"

"安全领导小组把我撤除不说,还拥有一票否决权,这不是欺人太甚吗?"石万山情绪激动。

"你认为这对你不公,更挑战了你在七星谷的权威,所以,你的自尊心就受不了了,是吗?石团长,你的心理承受力也太差了吧?"

石万山沉默片刻,努力调整情绪,"你这么看我我不在乎。可是战争中最忌多头指挥,翻开中外战争史,到处都有血的教训。现在只有我们导弹工程部队,天天都还处于战争状态中。你认可不认可这个说法,我不管。"

林丹雁有些心疼这个像孩子般倔头犟脑的大男人,嘴上却仍不留情,"你再翻开中外历史看看,绝对权力导致绝对腐败的悲剧屡见不鲜。人不是万能的,你也一样。我其实是为你着想,如果再有什么闪失,你的团长宝座恐怕就成兔子尾巴了。"

石万山心里一热,态度上又不肯表示出来,便嘀咕道,"给你说,抓送花人的事,我已经安排了。"

林丹雁忍不住笑起来。

然而,最近几天,神秘的送花人却销声匿迹了。林丹雁把已经枯萎的野菊花扔进垃圾桶时,不易觉察地轻轻地叹了口气,偏偏被周亚菲听到了。鬼丫头冒出一句,"我突然想起来一个好玩的故事,想不想听?"

"说吧。"

周亚菲开始讲故事。

有一对睡眠不好的老夫妻,楼上住着一个爱过夜生活的男青年。小伙子做事粗粗咧咧,深更半夜回来,总是把两只鞋一脱,朝地板上一扔,然后倒头就睡。老夫妻每天都得听完这两声响才能睡着,吃再多的安眠药都没用。有一天,老夫妻忍无可忍,找到小伙子提意见。小伙子答应从此再不往地板上扔鞋子。当天深夜,老夫妻不知小伙子会不会兑现自己的诺言,还是睡不着。后半夜,小伙子回来了。他忘了早上的事,脱掉一只鞋朝地上一扔,忽然他想起来楼下的老夫妻,就把第二只鞋轻轻放在地板上,倒头睡着了。第二天一大早,老夫妻红肿着眼敲开小伙子的房门,问小伙子那只鞋是不是丢了。

林丹雁笑笑,"有意思。"

"还有个尾巴呢。老夫妻送给小伙子一双鞋,说,'小伙子,你回来后还是摔鞋吧,听不见那两声响,我们根本睡不着。万一你两只鞋都丢在外面了,你就扔这两只吧。'"

林丹雁不评价她的故事了,重重地叹口气,"人真是矛盾的动物,没人送花了,桌子上空空如也,居然有点失落感。"

周亚菲深深地看着她,"我很高兴林博士的内心还有渴求,还在渴望爱情的滋润。这才符合人性。"

林丹雁神思缥缈,默不作声。

周亚菲又说,"丹雁姐,恕我直言,现在有两个问题在困扰你。"

"是吗? 愿闻其详。"

"好,我就直言不讳了。第一个,其实你已经锁定了送花嫌疑人,不是一个,是两个。你完全清楚,他不是郑浩就是魏光亮,只是你难以断定到底是谁,这是你的困扰之一。"

"好吧,我承认是这么回事。亚菲,你觉得谁的嫌疑更大?"

"魏光亮。郑浩同志嘛,嗯,也不排除作案的可能性。"

"既然是这样,哪来的第二个困扰?"

"当然有,不过,第二个说是缺憾比说是困扰更贴切,是你情感上最大的缺憾,因为你希望送花的不是他们两个,而是另外一个人。可惜呢,那个人不解风情,还没学会给女人送花。"

林丹雁脸上一热,"胡说八道。"

"丹雁姐,我是以心理医生的身份说这话的,还有,尽管我还没正经八百谈过恋爱,但对爱情的鉴赏力绝对一流。我看得很清楚,你的爱情之花,在痛苦地绽放。你别不承认。"

林丹雁站起来,摸摸周亚菲的头,"小妹妹,这一回你看走眼了。别空着肚子谈爱情了,走,咱们吃早饭去。"

晚饭后,齐东平和王小柱等十几个人围聚在活动室里,小伙子们站的站,坐的坐,嘻嘻哈哈打打闹闹地看电视。有人把频道调到广东卫视,一条广州市公安人员扫黄的新闻顿时映入他们眼帘。电视画面上,十几个衣着暴露、死死抱着头的年轻女子,被公安人员鱼贯带出夜总会。

小伙子们立刻瞪大眼睛,目不转睛地盯着电视,屋子里安静下来,播音员的声音很清晰:昨天夜里,广州市警方出动四百警力,突查了夜总会、洗浴中心、洗头房等四十多个服务娱乐场所,当场抓获涉嫌从事卖淫嫖娼活动的男女五百余人。市公安局有关负责人表示,近来黄赌毒犯罪活动又开始猖獗起来,他说,这类犯罪,近来出现了团伙犯罪的特征……

一个二级士官大声嚷道,"什么东西!把她们通通拉出去枪毙算了。"

一个上等兵嘻嘻地笑,"班长,你就不怜香惜玉啊?好几个魔鬼身材呢。"

齐东平拿起遥控器把频道换掉。

另一个士官叫起来,"干吗干吗?正好看呢,快换过来!"

齐东平黑着脸,不理睬他。

士官愠恼,"喂,你耳朵聋了吗?"

齐东平大骂,"你他妈的闭嘴!"

士官气得涨红了脸,声音发抖口不择言,"齐东平,为这些不要脸的女人,你他妈骂我? 你是不是对她们有特殊感情啊? 里面有你妹妹还是你未婚妻?"

"我抽你个王八蛋!"齐东平跳起来,朝他扑过去,被王小柱死死抱住。

魏光亮正好进来,看见这一幕,"怎么回事?"

士官气咻咻的,"你问他! 谁知道他发什么神经。他妈的干还没提,脾气就见长,老子偏不尿你! 电视是一连的电视,又不是你一排的!"

齐东平瞪着他,余怒未休。

魏光亮赶紧给士官递烟,"前些日子他不是差点出事嘛,废气中毒,脑子受了刺激,还没好完呢。你就多担待点,好吗?"

"所以我才让着他,要不,我上营长团长那儿说理去。"

"别,千万别,大家都不容易,是不是? 我先代他向你赔礼道歉,等他脑子不缺氧了,他再向你赔礼道歉,行吗?"魏光亮拍拍他肩膀,然后满屋子散烟。

王小柱趁机把齐东平拽了出去。

把这边安抚妥了,魏光亮赶快回到宿舍,王小柱齐东平果然在。

魏光亮很生气,"东平,看个电视,本来是玩儿的事情,你怎么动火呢? 你想没想过,如果刚才你一拳打了过去,会是什么后果?"

齐东平蔫头耷脑,"我发誓再也不看电视了。"

"别说这种孩子气的话了。嘿嘿,想不到你的脾气还挺暴,我奉劝你,至少在你提干以前,你要多收敛。"

方子明说,"就是。魏哥说得太对了。走,东平,我陪你去见营长。"

齐东平不解，"见营长干吗？"

"我怕对方恶人先告状。"

"不用，我已经摆平了。"魏光亮打个响指。

齐东平悻悻然，"对不起，让你们费心了。"

这件事情发生后的第三天，张中原让齐东平上他办公室一趟。齐东平以为东窗事发，一路上心里七上八下忐忑不安。

没想到，一见他进来，张中原露出长时间来难得一见的笑容。张中原吩咐他坐下，自己丁零哐啷从保险柜里取出两张表格，招他过去，"看看，这是什么？"

齐东平一看，是提干报告表！顿时，他心脏狂跳，血液奔涌。

"这是你的。用钢笔填。德才表现，你让光亮给你起草一个，他喝的墨水多，词儿也多。别谦虚，这不是该谦虚的事儿。"

"是。"

"下星期给你两天假，你带上这张表，去汉江军分区医院做个体检。"

"是。"

"别张扬，谨慎为好。咱们营今年就你这一根独苗，出不得岔子。"

"是。"

"傻小子，幸福得就会说个'是'了，"张中原冲齐东平笑笑，低头从柜子里翻出一袋东西，"这是晒干的蒲公英，都是从山上挖的，没污染，以前你嫂子喜欢拿它泡茶喝。你到汉江后，给她送去吧。"

"是！"

齐东平一出门，张中原脸上的笑随即消失，开始两眼直直地发愣。虽然高丽美现在每隔三五天才寄一个特快专递，但攻势比以前更猛烈了，而且誓言不达目的绝不罢休。张中原不敢多想齐东平给她送去蒲公英时会是个什么局面，只是唉声叹气地把满满当当两抽屉的特快专递取出来,放到桌上数一共有多少个了。

石万山进门,张中原手忙脚乱地把特快专递往回塞。

石万山说,"别遮遮掩掩了,我早都看见了。寄了这么多,看来她是铁了心了。你怎么打算?"

张中原不动作了,"想过了,等她寄够五十个,我就成全他们。"

"中原,其实你心里还在等她回头,是不是?"

张中原叹口气,神色阴郁,"我见过那混蛋,他根本靠不住。团长,你看我是不是太不中用了。老婆守不住,坑道也挖不好。报警器没跟着往里安,实在是不该饶恕的麻痹大意,通风管子……"

石万山打断他,"别想那些了。我找你,主要是商量下一步如何使用魏光亮。现在可以给他加加担子了,你说呢?"

"我们想到一块儿去了。"

"你打算怎么用他?"

张中原想了想,"前一段他救了人,立了二等功,群众基础大为改观,干脆让他当一连连长,下面有齐东平他们撑着,相信他能干得下来。"

"这小子连入党申请书都还没写,一步到位当连长不行。这样吧,先让他当副连长,代理连长。"

"对,这样更合适,还是团长高。"

"别拍马屁了,走,我们一起去征求政委的意见。"

在一、二、三营共同努力下,一、二、三号洞提前贯通,主坑道提前复工。

为表彰一营的三个主力连在增援二营的战斗中打了漂亮仗,一营领导班子特地给他们加餐,官兵们杯盏交欢,喜气洋洋。

魏光亮坐在靠大门口的过道边,一边对左边的齐东平说话,一边把馒头皮撕下来,"我的确该向党组织靠拢了。入伍六年半还不是党员,不了解情况的人,还以为我犯了什么大错误呢。"

张中原陪同石万山和洪东国走进大厅时,石万山一眼就扫到魏光亮扔在餐盘里的馒头皮,他皱了皱眉头。

见团、营领导光临,一屋子人纷纷站起来,热烈鼓掌。

张中原示意大家都坐下,大声说,"同志们,团领导对你们的出色表现非常满意,特意来看望大家。下面,由团长宣布一项任命决定。"

几百号人立刻安静下来。

石万山宣布,"因工作需要,经团党委研究决定,团司令部正连职上尉参谋魏光亮同志,兼任一营一连副连长,代理连长。"

几百双眼睛齐刷刷地投向魏光亮,紧接着,大厅里响起热烈的掌声。

魏光亮很感意外地看着石万山。

石万山和洪东国走到魏光亮面前,石万山拍拍他的肩膀,"光亮,一连交给你了,好好干。"

"是!"

洪东国拍拍齐东平的肩膀,"小伙子干得不错,你的军功章,师政治部已经寄出来了。光亮,你恐怕要到年底才能戴上军功章。"转头对张中原说,"强将手下无弱兵啊。你这营长把一排带得不错,一排一年内出了两个二等功臣。"

张中原露出久违的欣喜之色,"谢谢领导们的支持。"

石万山和洪东国刚离开,战士们纷纷端着酒杯前来祝贺魏光亮。

魏光亮不断做作揖打拱状,"请多多关照。"

眨眼间,魏光亮代理连长十来天了。一天,张中原到一排督战时,把齐东平叫到一边,悄悄地问,"你们几个排对光亮当连长都有些什么看法?"

齐东平说,"都服了。塌方预警,大型机械尾气处理,这些尖端东西只有他和林工能搞。我们只能打下手。"

张中原放心了些,"那就好。这小子,入党申请书也不好好写,写那么短,不过倒也写得挺实在的。你说,如果年底发展他入党,支部会能不能一次通过?"

齐东平犹豫一下,"难说,还是有人看不惯他。"

"再没有人说他到团部泡妞了吧?这一点,虽然不是多大的原则性问题,但不好听,你得提醒他注意。东平,你多给大家做做工作,力争到时候一次性通过。"

齐东平吞吞吐吐的,"光我做工作,恐怕还难以服众,主要是农村兵最看不惯他。他又犟得很,我说的话他听不进去。"

"哦?都有哪些方面的问题?"

"其实也都是些小毛病,比如说他吃馒头总是不吃馒头皮,不吃肥肉之类。"

"你必须提醒他注意。在这些鸡毛蒜皮的小事上栽跟头,不值。"

"我说了好多次,没用,他还讲出一大堆道理。"

"还有道理?什么道理?"

"他说这是他的饮食习惯,改不了,反正又不是多吃多占,没什么大不了的。说他观察过了,他的食量在全营可进入倒数前三名。还说什么要是大家都把东西吃个精光,营里的猪还不饿坏了?我说不过他,没办法。"

张中原哭笑不得,"这都什么乱七八糟啊。"

当代理连长的自我感觉不错。魏光亮踌躇满志,意气风发,又开始恢复给林丹雁送花,而且大摇大摆无所顾忌。

不远处,一个隐蔽树后的小战士把他的动静尽收眼底,看见魏光亮进了林丹雁周亚菲的房间,小战士撒腿就跑。

魏光亮刚把野菊花插进陶罐里,林丹雁周亚菲出现在门口。他抬头看看她们,若无其事地退后两步,欣赏起自己的插花艺术,如同在自己的房间里那么随意。

林丹雁拉下脸,"魏大连长,你也太随便了吧?"

"门开着。"

"门开着也不是为了让你长驱直入。我们要是丢了东西,你怎么交代?"

"七星谷是君子国,路不拾遗。怎么样,这花漂亮吧?"魏光亮嬉皮笑脸。

周亚菲寒着脸,狠狠地翻他白眼,"远不如以前的漂亮。看来你并没用心嘛。"

魏光亮赶紧解释,"花季过了,山上花越来越少了。"

林丹雁正色道,"魏连长,没其他事的话,请你回避一下。"

魏光亮也正色道,"有事。团里决定建局域网,准备给每个班配备一台电脑……"

林丹雁冷冷的,"这事早不是新闻了。"

"你是局域网的总设计师。"

"也不是新闻。"

"一营先搞试点,让本人设计一营的局域网,团长让我和你去汉江选购电脑,这还算新闻吧? 我想请示一下我的顶头上司,咱们什么时候动身?"

林丹雁还没开口,周亚菲酸溜溜地说,"已经迫不及待了。"

林丹雁板着脸,"工作上的事情,上办公室说。清华硕士生,以后请你绅士一点,不要随便进女人房间。我们要换衣服了,请你离开。"

魏光亮灰溜溜地离去。

周亚菲心里隐隐作痛,脸上强作欢颜,"丹雁姐,看来他是真爱上你了。"

林丹雁别有深味地看着她，"在我眼里，他只是个小屁孩。我历来对小屁孩没感觉。"

周亚菲悄悄松了一口气。

第二天，魏光亮和林丹雁就被石万山催促着去汉江。石万山叮嘱他们，"价格当然是重要的，但也要考虑功能，至少三五年内不能过时。"

齐东平要去汉江军分区医院体检，搭乘他们的车一起走。途中，齐东平跟魏光亮咬耳朵，"老魏，德才表现是不是吹过头了？我看着都脸红。"

魏光亮大大咧咧，嗓门高得很，"抄上去，一个字都别改。我问了郑浩叔叔，他说每回提干时，各团之间的竞争非常激烈。营长说得对，这不是该谦虚的事儿。"

他故意把郑浩提高到"叔叔"的辈分，而且把"郑浩叔叔"四个字咬得特别清晰，然后偷看林丹雁的反应。见林丹雁没反应，他从后排把手搭到林丹雁肩膀上，"丹雁，你说是吧？"

林丹雁生气地把他的手拿开，严肃地说，"魏光亮同志，我们是去工作，相互之间应该称呼职务。"

"是，林工程师。"

车到汉江寰宇电脑城，林丹雁魏光亮下车。司机送齐东平去汉江军分区医院。魏光亮四下环顾，"哎，你发现没有，咱俩往这儿一站，回头率几乎百分之百。要是你挽上我的手，回头率包准上升到百分之一百五。要是再亲密些……"

林丹雁恼怒，"闭上你的乌鸦嘴！"

"好好好，我闭上乌鸦嘴。"

两人进到电脑城里，一个柜台挨一个柜台仔细地看货品，比较着每台电脑的性能和价钱。走到一个无人看守的柜台时，魏光亮又管不住自己的嘴巴，"丹雁，你是不是非要逼我说出那三个字不可呢？"

　　林丹雁神色冷峻地看着他,"魏光亮,我哥是你爹的兵,我与你郑浩叔叔是同辈人,你与我差着辈分呢。你成心拿我寻开心是吗?"

　　魏光亮急了,"我怎么可能拿你寻开心呢? 我是真的爱你,而且,我也想结婚了,你才是我心目中的爱人。"

　　"魏光亮,咱们在工作,你要是再没个正形儿,我只好回去了。"

　　"好好好,咱们先工作。唉,你对我有偏见,而且……其实,我们的年龄差异那么小,根本不是个事儿,郑浩都已经是小老头了。"

　　林丹雁又好笑又好气,不理他,朝前面的柜台走去。每个柜台的货品都一样,价钱居高不下。林丹雁突然想起来,黄白虹曾经对她说过寰宇电脑城是他们公司开的。她马上找出电话本,翻查起黄白虹的号码来。

第 十 三 章

从公司出来,孙丙乾和黄白虹又来到寰宇电脑城地下室,监视着来往于七星谷十字路口的车辆。

一辆军车开过来,黄白虹立刻盯紧了屏幕。车上是张中原。张中原和司机都感觉到汽车轮胎有些不对劲,便跳下车查看车况。看见张中原,黄白虹赶忙捅孙丙乾一下,"快看,高丽美的老公,那个导弹工程兵的营长。"

孙丙乾说,"早就见过嘛,标准的中原男人,长得像傻头傻脑的兵马俑。随便停车,随地吐痰,中国人标志性的恶习,军官也不例外。"

黄白虹嘴一撇,"恶心!哎,对他,到底要等到什么时候?"

"时机成熟再说。高丽美会用手提电脑了吗?"

"都快成专家了。王辅文教得很用心。"

"姘夫教姘妇,还能不用心?把那台手提电脑发给高丽美,要她随身携带,说公司随时需要用网络联系上她,尽快促成她去一趟七星谷。还要巧妙地告诉她,这台电脑是从别的商店买来的。"

"我明白。"

张中原和司机上了车,汽车疾驰而去。

孙丙乾把目光转移到黄白虹脸上,"走吧,我要去趟经贸委,现在没时间跟你缠绵了。"

黄白虹撒娇道,"还是谈判那件事啊? 急什么? 等他们撑不住了,咱们不就占主动了?"

"怪不得古人要说女人头发长见识短。咱们不让利,他们的积极性就不高了。包装上市,咱们的利润在上市后。"

"也是,反正用的是贷款。对了,说到经贸委才想起来,报告你个好消息,他们那个二把手李副主任,以前不是死不肯合作吗? 嘻嘻,给他寄了录像带,让他看到了自己跟妓女在一起的丑态,他终于崩溃了,昨天晚上主动给晓白打电话,急着要见面。"

孙丙乾很满意,"凡是人,都有弱点。这个人我知道,他好色,可更贪财。从他那里买文件,价钱可以给高点。"

驱车回到公司,黄白虹把高丽美叫到办公室,指着桌上新的笔记本电脑说,"你的工作越来越重要,电脑技术也越来越日新月异。喏,公司重新给你配备了目前最先进最高级的笔记本电脑,以后,你这台电脑就是公司核心机密的保险柜,你不管到哪里都要带上它,便于公司随时能与你网络联系。对外,你就说你迷上了上网,迷上了打游戏。为了确保它的安全,公司每月贴补你五百元电脑安全费。"

"谢谢黄总! 我一定好好保管,努力工作。"

"不用跟我客气。这几个月,你工作很努力,也很有成绩,我们对你很满意。这些,你都应该向先生报喜啊。张营长可是我们心中的英雄,是最可爱的人。不过他架子也够大的,孙总想结识他都这么难。"

高丽美赶忙说,"哪里,他不过是个小营长……"

"你可不能小瞧他。孙总曾说过,导弹工程兵,是一个多么让人热血沸腾的称呼。孙总很敬佩你先生，他特别交代我说，下月给小高半个月假，让她去七星谷探亲劳军。否则，我们的大英雄会生气的。"

"他——不会的。"

黄白虹亲昵地，"不能把我们的张营长憋坏了嘛。另外，孙总还想托你办件大事。你去探亲时，跟大功团团长和政委说说，看他们团跟咱们公司能不能开展一些军民共建活动。孙总一直希望能为部队做些贡献，他甚至还想让公司员工每年能到部队当上三五天兵。到时候，你带上孙总的亲笔信，这样也显得郑重些。"

高丽美只好应承，"好的。"

"你去吧，把手提电脑带走，叫王辅文来一下。"

一听要她叫王辅文过来，联想到黄白虹刚才提到张中原的那些话，高丽美心里顿时七上八下的，不知道黄白虹要跟他谈什么。

不多时，王辅文满脸堆笑进到黄白虹办公室，"黄总，您找我？"

黄白虹冷冷地，"坐吧。高丽美上下班，还是由你接送吗？"

王辅文不敢坐，急忙辩白，"正好顺路，我只是顺便……"

"用不着解释。挺好嘛，你养了眼，她又把交通费省了，一举两得。只是我要给你提个醒，高丽美是军嫂。"

王辅文既难堪更着急，"黄总是不是听到了别人乱嚼舌头？其实，我和她的关系非常正常……"

"正常不正常，你们自己心里清楚。本来公司不干预员工的私生活，但高丽美是军婚，连法律都格外保护。希望你好自为之。"

黄白虹的手机响了起来，王辅文趁机赶快溜走。

"你好。啊哟，师姐，你从哪里冒出来的？我在汉江。你们要买电脑？你现在在寰宇电脑城？好，等着我，我马上就过去。"黄白虹兴奋不已。

摁掉手机，黄白虹立即打电话向孙丙乾讨主意。孙丙乾对着话简授机宜,"跟她见个面,不要直接卖给他们电脑。还是那句话,千万别低估你的对手。另外,提前安排高丽美去七星谷,这条线更有把握。"

挂掉电话,黄白虹以最快的速度赶往寰宇电脑城。远远见到林丹雁,她大叫一声"师姐!"冲过去,紧紧拥抱住林丹雁,然后一番上下打量,"师姐总是那么漂亮,真让我嫉妒。"

魏光亮在一旁打量着她,黄白虹感觉到了,眼神闪烁几下,问林丹雁,"这位是姐夫,还是准姐夫?"

"什么眼神啊!他是魏连长。"

黄白虹顿时顾盼生辉,朝魏光亮伸出手,"你好,魏连长。我叫黄白虹,是彩虹的虹。"

魏光亮也伸出手,"好听的名字。"

黄白虹把电脑城经理叫过来,让他向林丹雁和魏光亮介绍每款新型电脑的性能和价格,问他品种齐全与否,能给出的最大优惠是多少,经理一一作答。经理走后,黄白虹抱歉地说,"师姐,这座楼是我们公司的,租赁给他们经营电脑,价格上我们也不好过多压人家。他们店大,成本高,价格确实没法跟那些小店竞争。不过他们的售后服务,那些小店又没法比了。"

林丹雁说,"谢谢你白虹,实话说,我们也做不了主。等我们回去汇报情况后,才能做出决定。"

"没关系,倒是我没帮上师姐忙,很过意不去。中午请二位吃个便饭,算是向师姐和魏连长赔礼。咱们走吧,到车上再选地儿。"

林丹雁说,"谢谢了,我们还要去其他商店看看,吃饭耽误时间。"

黄白虹推着她走,"哎呀,走吧。革命不是请客吃饭,可革命总得请客吃饭吧?找个地方咱们边吃边聊,吃完了我开车奉陪,耽误不了事。要见到师姐,差不多得千年等一回,咱们要凑一起吃顿饭,多不容易啊。"

林丹雁笑起来，"白虹，你嘴巴还那么甜。行，我不反对了，但你还得征得魏连长同意才行啊。"

黄白虹用妩媚的眼神看着魏光亮，不说话。

"恭敬不如从命，我听两位美女的。"魏光亮说。

黄白虹得意地笑了。

三人走出电脑城，一个小伙子拎着照相机跟过来，对黄白虹说，"黄总，我是寰宇电脑城事业发展部经理，才来不久，想跟您合个影，能赏光吗？"

"没问题。"

与小伙子合影完毕，黄白虹吩咐他过来，"请你给我和我美丽的师姐拍个合影，她可不但是美女，还是大才女，女博士。到时候，我可以拿着跟她的合影到处去炫耀。"

林丹雁在她背上拍一下，"你这张流蜜的嘴！"

与林丹雁亲密合影后，黄白虹向魏光亮飞个媚眼，"魏连长，我想跟你这帅哥也合照一张，方便吗？"

"没什么不方便。"魏光亮说。

黄白虹做出小鸟依人状，偎了过去。林丹雁心里暗笑。

黄白虹与魏光亮合影后，三人上了车。黄白虹发动汽车，"两位想吃点什么？川菜还是粤菜？"

林丹雁说，"川菜吧，又好吃，又给你省钱。"

"省钱不省钱不是个事情。魏连长，你呢？"

"川味火锅吧。"

"两位口味一致嘛。行，咱们就去'川国演义'火锅城吧。"黄白虹掉转车头，把车开到大街上时，又说，"师姐，你是不是在七星谷工作呀？整天跟石头打交道，多没劲呀，还危险。脱了军装算了。"

林丹雁笑笑，"惯了，也不觉得。你怎么知道我在七星谷工作？"

"猜的呗。地球人都知道,汉江只有这一支保密部队,是给原子弹做窝的。听说谁靠近那里谁倒霉。"

"那是以讹传讹。"

"师姐,我实话实说,且不说你是大博士,就凭你这么个大美人儿,呆在那个破地方,是不是太浪费资源了? 要是你能屈尊来我们公司,至少也是副总经理。对了,我们公司还有你们部队的家属。"

林丹雁还没来得及开口,魏光亮抢先说,"高丽美,对吧?"

"对! 她丈夫是个营长。"黄白虹回头看他一眼。

"你们公司有没有一个姓王的,戴副眼镜,开辆桑塔纳。"魏光亮语气变得难听起来。

黄白虹斟酌其词,"有这么一个人,魏连长认识他?"

"我才不想认识他呢,这个王八蛋!"

黄白虹立刻把车停靠到路边,"他怎么了?"

林丹雁很生气,"魏光亮,你怎么这么说话,你要注意形象!"

"黄小姐,你给那王八蛋传个话,叫他离高丽美远一点,否则,迟早有一天我会把他的脑袋拧下来当球踢!"魏光亮咬牙切齿地说。

林丹雁觉得事有蹊跷,"怎么回事?"

"回头再跟你说。"魏光亮对林丹雁说罢,又问黄白虹,"黄小姐,你说,那王八蛋跟高丽美的关系正常吗?"

"魏连长,王辅文跟高丽美是我们公司人事部的正、副经理,他们工作上的关系是密切一些,至于其他,对不起,我确实不大清楚……"黄白虹取出一张名片,递给魏光亮,"如果魏连长说的情况属实,三天内,寰宇公司不会再有王辅文这个人。到时候你可以打电话来查实。"

魏光亮接过名片,"真的假的?"

"这个权力我有,请你放心。"

三个人吃完火锅,黄白虹把林丹雁魏光亮拉到寰宇公司暗中开设的电脑店铺门前,"这几家店是私营的,潜规则管用,生意很好。二位忙,我还得回公司处理点事,先走了,拜拜。"

看见林丹雁魏光亮进了一家小电脑店,黄白虹马上用手机拨电话号码,"人在你隔壁店里,别提回扣什么的,利让到明处。我和孙总在家等你电话。"

孙丙乾与黄白虹的安乐窝,是汉江市郊一幢欧式建筑风格的豪华别墅。黄白虹坐在电脑桌前,把自己与林丹雁的合影保存到电脑上,一边说,"电脑城的事业部经理还挺机灵的,给我们拍照时装得还挺像那么回事。"

孙丙乾探过头来,"七星谷的水土不错嘛。"

"什么意思?"

"你这师姐,比上次在机场时更漂亮。她也许是中国最漂亮的女博士。"

黄白虹酸溜溜的,"我跟她比呢?"

"不可比。"

"什么?我连比都不能跟她比?"黄白虹叫了起来。

"别急啊。我的意思是,你们都称得上是美女,可你们两个人的美,风格差异太大,你是飞扬之美,她有内敛之美,各有千秋。不好比。"

黄白虹心里头还是不太畅快,故意把与魏光亮的合影点出来。

"这是谁啊?"孙丙乾问。

"大功团一营一连的连长,我打听过了,清华大学研究生毕业。"

孙丙乾更仔细地盯着看,"想不到给导弹做窝的土老帽里,还有这样出色的青年才俊。他要是去影视圈里混,绝对比成龙刘德华什么的偶像强多了,他也肯定是一个花边新闻不断的大众情人。"

"舍不舍得让我给他下个套?"

孙丙乾瞟她一眼,点上一支烟,"你是自作多情了吧?"

　　黄白虹绷紧了脸,"你要这么说话,我还就多情给你看。"

　　孙丙乾知道她真的生气了,这时候只能哄不能惹,便起身过去搂着她,"哟,这么厉害,玩笑都开不得? 哎,高丽美真的要离婚?"

　　"魏光亮说的,她隔几天就给张中原寄离婚协议书,还是用特快专递寄的。"

　　"这个王辅文,找死! 怪不得总是约不到这个张中原,怪不得高丽美总是不肯去七星谷。"

　　"看来得把王辅文那混蛋给辞了。"

　　"他只是离开公司,恐怕还斩不断与高丽美的瓜葛,而且他还会恨我们,弄不好会惹来麻烦,得考虑一个周全之策。"

　　正说着话,极限电脑店的小伍打来了电话:黄总交代我重视的那一对男女决定买四十台电脑。

　　"人呢?"黄白虹问。

　　"刚走。"

　　"什么时候提货?"

　　"我跟他们说十天后。"

　　"很好。你做得不错,公司会奖励你。"她关掉手机,问孙丙乾,"我用不用再见见他们?"

　　孙丙乾笑笑,"你是跨国公司日理千机的高管,林丹雁只是个师姐,你表现得太热情就不好了。慢慢来吧,明天你再给她打个电话,这才是分寸。"

　　"所以说,姜还是老的辣。"黄白虹半是佩服半是戏谑。

　　林丹雁魏光亮经过一番激烈的讨价还价,尤其魏光亮对电脑的熟知和对杀价的步步为营,使"极限"老板终于同意每台价格让利五百元,魏光亮觉得他们一下给团里节约了两万块钱,自然很得意。从"极限"出来后,他看看手表,"还有时间。丹雁,我们找个地方放松放松?"

　　林丹雁立刻警惕起来,"放松?什么意思?"

　　"好好好,这词有些暧昧,对不起。应该说找个酒吧,热烈庆祝咱们的胜利。"

　　"本人没有泡吧的习惯。"

　　"那就看场电影,怎么样?"

　　"本人五年没进电影院了。"

　　"正好补补课嘛。"

　　"没兴趣,再说汉江这个小城市,也不会有什么像样的影院。"

　　魏光亮无可奈何,"那咱们走回大本营,这总行吧?权当散步、观景。"

　　"可以,半小时为限,同时还要约法三章。"

　　"不能动手动脚,不准问个人隐私,不许用语言骚扰。对吧?放心吧,我就那么没有自制力吗?对你,我有着足够的耐心。

　　林丹雁不吭声了。两人沿着人行道朝江边走。

　　此时,齐东平拎着东西来到张中原家门口,怎么敲门里面都没有反应,仔细一看,门把手上布满厚厚一层灰尘。他只好沮丧地往回走。

　　张中原家对面排子房里的大妈从自家窗户里看到齐东平在不断地徘徊,终于忍不住冲他喊了起来,"喂,那个当兵的小伙子,你别等了,她很长时间不在这儿住了。"

　　"谢谢阿姨!"齐东平抬头冲她感激地笑笑,掉头而去。

　　出了破败的平房区,齐东平掏出曾建平给他的字条,让出租车司机往字条上写的地址开去。到了金龙小区,他找到七栋三单元,抬头看二楼的窗户,窗户是黑的。齐东平在楼下转悠着,眼睛不时朝二楼瞄。十多分钟后,二楼的灯亮了,他赶紧拎着东西上楼。

　　来到二○一门口,齐东平犹豫片刻后抬手敲门,高丽美的声音从里面传出来,"门没有锁!"

　　门果然是虚掩着的。齐东平推门进去,客厅里没人。他四下环顾,屋子里浓厚的家庭氛围让他心头很不爽。

　　高丽美穿着透明睡袍从卫生间走出来,见到齐东平,大吃一惊,"怎么是你?"本能地用双手环抱住胸前,语气很不友好起来,"你来干什么?"

　　齐东平很难堪,把眼睛望向别处,"嫂子,营长让我给你带东西来。他说狗皮褥子是给你治腰疼的,一套进口化妆品是专门托人从大城市给你带来的。还有干蒲公英,营长说你爱拿它泡茶喝的,他在山上找了好几个月,才找到这么多……"

　　高丽美不看东西,恼怒地责问,"你怎么知道我在这里?"

　　"我去你们家里找你,你不在……"齐东平嗫嚅着。

　　"你是怎么找到这儿来的? 出去,你快出去!"高丽美歇斯底里地叫起来。

　　齐东平把心一横,用极快的语速说,"嫂子,换避孕药的事与营长无关,是我偷偷换的,对不起,你骂我打我都成,我们没别的坏心眼,都是希望你早点给营长生个儿子……嫂子,你搬回去住吧,营长很爱你,那姓王的不是个好东西,他有老婆有女儿,他在骗你……"

　　王辅文在楼下听到了高丽美的喊叫,三步并作两步上楼,进门后,正听到齐东平在说他是个骗子。他把食品和水果往地上一放,恶狠狠地盯着齐东平,"你是谁? 来这儿干什么? 私闯民宅犯法你知道吗? 你给我滚出去!"

　　齐东平怒视着他,"你是个骗子,犯法的是你! 我告诉你……"

　　王辅文恼羞成怒,一把揪住齐东平的领口就往外拖。

　　齐东平猛地一甩手,"你放尊重些,别跟我动手动脚!"

　　王辅文趔趄着退出好几步,顿时,他恶向胆边生,挥起拳头朝齐东平打过去。

　　齐东平朝旁边一闪,再也压不住心头怒火,猛地出一右勾拳,打中王辅文的脸颊。王辅文立刻栽倒在沙发上。

高丽美尖叫起来。

"你他妈的私闯我家,还敢打人,老子今天跟你拼了!"王辅文扶扶眼镜,像受伤的野兽般红了眼睛,猛地抓起茶几上的水果刀,朝齐东平扑过去。

齐东平一把抓住他的手腕,夺下水果刀扔到地上,紧接着拳头跟了上去,一边打一边吼,"今天我终于出这口鸟气了!王八蛋,我告诉你,这一拳是营长的!这一拳是我的!这一拳是魏连长的!"完了,飞起一脚,把王辅文踢翻在地,"王八蛋,你给我听清楚了,你要不离她远一点,下次我们更饶不了你!"

"嫂子,你该回头了!"齐东平血红的眼睛盯着高丽美,然后摔门而出。

高丽美这才从恐慌中惊醒过来,哭喊着冲过去扶起王辅文。

"他竟然敢私闯民宅,还打人,赶快报警!"王辅文大叫。

高丽美死死地抱住他,"求求你,别报警,我丢不起这个人!"

王辅文用手抹一把脸上的血,愤恨地说,"我这打就白挨了吗?"

高丽美心疼地摸着他的脸,泪流满面,"我找他们行不行?"

"不行,我咽不下这口气!"王辅文用力推开高丽美,走过去,拿起电话机。

高丽美又冲过去,死死按住他的手,"求你忍一忍,好不好?毕竟我们也有错。"

王辅文冷笑一声,"我们有什么错?捉贼捉赃,捉奸捉双,他们有证据吗?如今是法制社会,法律重证据,他们没有证据,我们怕什么?你赶快把你的东西都收拾走,住回你家里去,我马上去住院,然后告他们私闯民宅,还动手打人。"

高丽美苦苦哀求,"咱们忍一忍,也就过去了,真要告到法院,弄不好……"

　　王辅文恶狠狠地，"别啰嗦了！你丢不起人，就要我丢人吗？告诉你，只有这样才能把你我洗刷干净。记着：你来我家里谈工作，他们非法闯入，把我打成这个样子，对谁都这么说。快点去收拾！"

　　高丽美慌忙跑进卧室收拾东西。

　　王辅文摸摸火辣辣疼痛的脸颊，咬牙切齿，"他妈的，大字不识几个的大兵，还敢跟我斗？"

　　在高丽美陪同下，王辅文来到汉江人民医院做全面检查，胸透、X光、CT、核磁共振，凡能沾得上边的检查项目一个也不放过，最后得出的医检结论也就是个"面部软组织损伤。"王辅文不甘心，穿着病号服躺在病床上大喊大叫。大夫进来询问，他立刻哼哼唧唧地说自己头痛欲裂，可能是脑震荡，要求医生开出"中度脑震荡"的医检报告，被大夫严词拒绝。

　　在医院也不顺心遂意，王辅文情绪更坏，动不动就冲高丽美发火，高丽美只有忍气吞声。等王辅文睡着了，高丽美溜出病房，长长地透出一口气。她并不怨恨王辅文，相反，她为王辅文被打而心疼自责不已，心里只是充满了对张中原的愤恨。

　　"张中原，你不仁，别怪我不义！"高丽美几乎喊出声来。

　　她找到一个僻静处，从包里拿出手机。她要向洪东国告状。

　　洪东国一接电话，高丽美立刻声泪俱下，控诉张中原指使一排的齐东平行凶打人，差点闹出人命。

　　洪东国觉得这事完全不可能，可高丽美言之凿凿，时间、地点、人物、情况虽然交代得有些模糊，但听上去绝对不是空穴来风。洪东国变了脸色，心里大骂张中原，嘴里安慰着高丽美，"小高，你和中原谁是谁非我们先不谈，但他如果真的指使部下行凶打人的话，我们绝对不会姑息。你先冷静，等我们调查清楚了，一定会派人处理的，你放心。"

　　放下电话，洪东国十万火急地找到张中原，不管三七二十一，先把他臭骂一顿,把张中原骂得莫名其妙,洪东国这才把高丽美的控诉告诉他。张中原气得七窍生烟,顿时血往头上涌,怒火心头生,抓起电话就打往寰宇公司要高丽美的手机号,立刻拨了过去,山呼海啸般吼起来,"高丽美,你别太过分,别小题大做! 齐东平为什么动手,你心里很清楚,你要把事情做绝了,对谁都没有好处。你不就是想逼我同意离婚吗? 好,你等着,我马上去汉江。"

张中原狠狠地把电话压掉。他看着洪东国,眼圈红红的,"政委,我跟她是什么情况,我有没有原则上的错误,你们都知道,我也不想多说什么了。我本来想等到她给我寄够五十封离婚协议书再成全她,现在看来,根本等不到那个时候了。我恳请组织上能同意我离婚。明天我想请假去汉江,该结束了。"

洪东国扶着他肩膀,心痛无言。

天空星光闪烁,街道华灯初上。夜幕下,汉江城的夜晚别有一番风情。

从金龙小区出来后,被江风一吹,齐东平的脑子很快清醒了,他知道自己闯下了祸,但他不知道该怎么办。他低着头,脚步沉重,沿着街边一步一步往大本营走去,对所有的景观和行人都视而不见。

魏光亮早就在大本营招待所房间里等着他,一见到他,迫不及待地问,"怎么样,顺利吗?"

"顺利,没毛病。"

魏光亮站起来,"走走走,去酒吧庆祝一下。"

齐东平垂头丧气,"我心情不好,不去。"

魏光亮噌地蹿到他面前,仔细观察他的神色,"为什么? 干吗蔫头蔫脑的?"

"我刚才打人了,还不知道会有什么后果。"

魏光亮跳了起来,"打人? 你去医院体检,怎么会打起架来了?"

"我打了那个王八蛋,就是让营长戴绿帽子的那个王八蛋。"

"打他?你见到他们了?"

"没见到,我打谁去?那王八蛋和嫂子,不,和高丽美在一起跟真夫妻一样,我本来就气不过,他还反过来说我私闯民宅,拿着水果刀要捅我……"

"我操,王八蛋还敢这么猖狂?哎,你把他打得怎么样?"

"反正打了三拳踢了一脚,看见他脸上出血了……"

"别说了,肯定惹祸了。你看你,怎么就不会忍一下,等转干了再去收拾他王八蛋呢?小不忍则乱大谋,你不懂吗?"魏光亮一边责备,一边拉着齐东平跑,"咱们必须马上报告团长,让团长知道是王八蛋先拿刀行凶,防止他恶人先告状。还有,营长那儿也得说,得让他有个心理准备。一个疯了的傻女人,再加上一个混蛋,什么事都干得出来。"

齐东平跟着跑,嘴里嘟嘟嚷嚷,"真他妈倒霉,看来我命里注定就是个倒霉蛋。"

他们来到大本营办公室打军线电话,却找不到石万山。魏光亮说,"那就先给营长打。"

张中原一接到齐东平电话,立马劈头盖脑跳脚臭骂,"齐东平,你他妈的真是个混账!你是脑子有毛病,还是吃饱了撑得慌啊,谁让你管那些破闲事了?高丽美已经向政委告过状了,团长正在汉江,你赶快去找他!我现在什么都无所谓,你呢?你现在是什么时候,你不知道吗?你他妈的成事不足败事有余,净给我找麻烦,混账!"

啪的一声,电话筒被砸下。

攥着嘟嘟作响的话筒,齐东平几乎要哭出来。

魏光亮给他安慰也给他打气,"既然打了,事情已经这样了,也就别后悔。杀人不过头点地,脑袋掉了不过碗大个疤,怕什么?咱大男人敢作敢当。"

齐东平灰溜溜挂上电话,"我不是后悔,只是当时一时冲动,又给营长惹下大麻烦,心里难过。女人他妈的真是祸水!营长对高丽美多好,她还要这样。"

"行了,对女人你没多少发言权,就别班门弄斧了。咱们赶紧找团长去。"魏光亮又扯着他走,一边嘀咕,"明天咱们回去后,我每天都要劝营长赶快把那蠢女人给休了,有什么舍不得的嘛,真是的,大丈夫何患无妻?"

两人四处找石万山,直到夜里近十二点也没找到,没办法,他们只好决定等回七星谷再说。

石万山上午就到了汉江办事。

办完事情,石万山来到大本营,朱彩云给他说起高丽美的情况,"我去了不下十次,她根本没在家里住。约她也约了不下十次,她总是推三阻四的不肯见我。"

"这个女人真是疯了!走,咱们去他们公司一趟,让他们领导严加处理,不能由着他们无法无天。"石万山气得眉毛拧了起来。

"管用吗?"

"这是中国!他们必须管!"

两人商定,第二天去寰宇公司。当晚,石万山去汉江宾馆会晤路过汉江的老战友,那正是魏光亮齐东平四处寻找他的时候。

次日一大早,石万山与朱彩云来到寰宇公司,直接找到孙丙乾,把王辅文与高丽美的情况大致讲了,石万山要求公司领导出面干涉,以保护军婚。

孙丙乾听后,一脸怒容,拍案而起。

朱彩云赶紧说,"孙总,我们是没有捉奸在床,但我们有别的证据足以证明王辅文已经破坏了军婚。要不然的话,我们,尤其是石团长,也不会来打搅你们。"

"朱经理误会了。我公司出了王辅文这种无法无天的败类,我既感到十分震惊,更感到痛心疾首!这是寰宇公司成立以来最让我们难堪的事情,也是破坏力最大的恶性事件。我现在就向二位宣布:公司马上开除王辅文!"

石万山脸色好转些,"谢谢孙总。"

"石团长千万别道谢,应该是我孙丙乾向你们道歉,怪我管教下属无方啊。对于高丽美的处理意见,我听你们的,不过我也提点个人看法:高丽美很能干,来我们公司后进步很快,现在已经是能独当一面的中层领导了,就是人有些单纯,社会经验不足,容易上当受骗。我认为她是被王辅文骗了,对她是不是该区别对待?当然,如果部队一定要求处理高丽美,我们也会忍痛割爱。"

石万山说,"我的观点与孙总一致。高丽美已经上当受骗了,要是为此失了业,就更不幸了,这样对她也不好。我的意见,对她,就请孙总多批评教育吧。"

朱彩云附和,"是啊,社会这么复杂,谁能保证一辈子不犯错误?"

孙丙乾松出一口气,脸色缓和下来,"这就好。俗话说,宁拆十座庙不毁一门亲,我们这边,会尽快给高丽美探亲假,让她去七星谷向张营长赔不是。张营长那边的工作,可就要请石团长和朱经理多费心了。请你们转告张营长,有气尽管冲我撒,我保证骂不还口打不还手,谁叫我招了这么个败类呢,是吧?今天,我先做东向二位赔罪,务必请二位赏脸光临薄宴。"

石万山站起身来,"谢谢孙总了,这顿饭,等我们的张营长和你们的高经理生了孩子再吃不迟。我们这就告辞。"

孙丙乾也站起身,"好,喜酒更好喝,一言为定!石团长和朱经理都是大忙人,我也不强留了。"

把石万山和朱彩云送进电梯,孙丙乾返回到黄白虹办公室,把刚才的情况讲述了一遍,叹道,"好歹保住了高丽美这条线。这个石万山可不是善茬,很难对付,王辅文不从汉江消失掉,恐怕后患无穷。"

黄白虹惊骇,"你要干掉他?"

"不是要他的命,而是要让他从高丽美的视野里彻底消失。白虹,你让晓白找一下那道上的人,逼他走,至少要离开汉江,不然他要坏事的。他非要不知趣的话,那就是逼我们了,我们只好……"孙丙乾面部狰狞地做个"咔嚓"的动作。

被公司开除的消息很快传到了王辅文耳朵里,他赶紧从医院出来,来到公司,发现自己的办公室已经换了门锁,以前的钥匙根本打不开。王辅文一打听,才知道自己的东西被扔到传达室了。他气急败坏地去找黄白虹讨说法。

黄白虹冷若冰霜,"公司拥有开除每个职员的权力,你是人事部经理,这还不知道吗? 不过,看在我们共事还算愉快的分上,我愿意给你提个忠告:兔子不吃窝边草,这是养小蜜包二奶的潜规则,军用品就更不能动了。提醒过你多少回,要你离高丽美远点,你听了吗? 色胆包天,只能自取灭亡。"

王辅文着急辩白,"我跟高丽美真的没有……"

黄白虹打断他,"别跟我装纯情了,你这话恐怕连你自己都不会信吧? 实话告诉你,公司惹不起导弹部队,只好请你走人。顺便告诉你,你的职务由高丽美接任。你要是聪明的话,以后就再别跟高丽美联系了。对不起,我要工作了,请便。"

看着王辅文丧家犬般离开公司,高丽美心如刀绞。她在办公室里困兽般转了一阵圈,终于忍不住敲开了黄白虹办公室的门。

"小高,有事吗?"其实,黄白虹心里明白她所为何来。

"黄总……"一开口,高丽美的眼泪哗地流了出来,她再也说不下去。

"来来来,坐。"黄白虹起身过来,把高丽美按到会客沙发坐上,自己坐到她身边,递过纸巾,"别哭了,是为王辅文的事吧?"

高丽美一边擦涕泪,一边微微点头。

"小高,你的心情我理解,但你们走过头了,不刹车不行,对你对公司都不利。你是公司的人,又是人事部负责人,你是知道的,公司利益高于一切。"

"可是,他并没有妨碍公司……"高丽美抬起头来,泪汪汪地看着黄白虹。

黄白虹口气严厉起来,"你再说什么都没有用,石团长要求公司处理王辅文,这个面子我们必须得给。小高,听我一句,把这一页翻过去吧,好好跟张营长过日子,不会错。"

高丽美默默地站起身来,脚步沉重地往外走。

"等等,你不是学会开车了吗?"黄白虹把车钥匙扔给她,"4747号车归你了,希望你尽快进入角色。"

回到办公室,高丽美接到张中原的电话,张中原简短地告诉她:已经来到汉江,晚上两人到家里见个面,协议一下离婚事项,明天上午上江北区民政局去办理离婚手续。放下电话,高丽美迫不及待打电话给王辅文,与他人约黄昏。好不容易盼到下班时间,高丽美拎起东西,急匆匆离开公司,开上桑塔纳风驰电掣往汉江边的"龙凤亭"驶去。她与王辅文约好了在那儿见面。

一见到王辅文,高丽美顿时未语泪先流。她抚摸着王辅文紫青的脸颊,抽噎起来,"辅文,真对不起,是我害了你,让你受苦了……"

"想不到我会栽到一帮大兵手里。"王辅文哀叹一声。

"我也想不到他会这么歹毒,好在他总算同意离婚了,明天我就解脱了。等我们生活在一起了,我一定为你当牛做马来报答你……"

"什么当牛做马的,别说傻话了。"王辅文摸摸她的脸蛋。两人偎依缠绵,情话绵绵,直到夜幕笼罩了江面,江边亮起了夜灯,才难分难舍地起身。

高丽美要开车送他回家，王辅文坚决不让，说现在是关键时刻，别让老婆抓住什么把柄，以免对自己离婚不利。高丽美觉得有道理，又想到还得回去与张中原扯皮，也就不再坚持。

高丽美离开后，两个黑影迅疾朝王辅文靠了过来，不等王辅文反应，他头上已经挨了一闷棍，"啊"还没发出声，他的嘴巴就被一团破布堵上了。两个黑影架住他，上了早已停在路边的一辆小车。小车立刻消失得无影无踪。这一切发生得神不知鬼不觉。

小车驶到城郊一座荒凉的烂尾楼外停下，几乎吓瘫的王辅文被拖下车扔到地上，一个头目模样的络腮胡子做个示意动作，刚才的两个黑影立刻上前拳打脚踢。不一会儿，王辅文几成血人，抱着头在地上翻滚呻吟。

"行了，留他一条狗命。"络腮胡子又做个示意动作，两个黑影停止拳打脚踢。

络腮胡子慢悠悠从口袋里掏出一个掌中宝摄像机，打开画面后，把小屏幕伸到王辅文眼前，踢他一脚，"睁开你的狗眼看！这是你的正宫，对吧？小巧玲珑的骨感美人，也还耐看；这就是你那二奶，对吧？丰乳肥臀的性感美人，一副骚相。环肥燕瘦你都占齐了，你他妈的艳福不浅嘛！这小美人胚子，你不会不认得吧？嗯？"

一看到女儿的形象，王辅文顿时惊恐得脸都变了形，他拼命摇头，含着破布的嘴里不断发出"啊！""啊！"的叫唤声。

"放心，我们跟你无冤无仇，只不过我们拿人钱财替人消灾，接的这桩买卖跟你有关。只要你合作，我们不会把你女儿怎么样，可是如果你不识抬举的话，那就——哼哼！买主说要你的手指头，我们不会割你的脚指头；买主说要把你女儿卖到大西北给山里人当老婆，我们绝不会把她卖给大城市的地下窑子当摇钱树。"

惊恐万状的王辅文没法说话，只好捣蒜般不断点头，表示愿意合作。

"这还差不多。"络腮胡子对他的态度表示满意,"买主不想再看到你,要你们全家从汉江消失,限期半个月。还有,买主不希望你再跟你那个风骚二奶有任何瓜葛,如果你非要英雄气短儿女情长的话,喏——"

络腮胡子一勾下巴,一个黑影立刻手持匕首上前,在王辅文脸上划过一刀。

嘴塞破布的王辅文杀猪般惨叫起来。

"你就可着嗓子叫吧。告诉你,半个月之后你们全家要是还在汉江,这一刀就会划在你女儿的小嫩脸上。报不报警,你自己掂量。弟兄们,我们走!"络腮胡子手一挥,几个人立刻上车,小车一溜烟没了踪影。

确认他们消失了,王辅文才敢把嘴巴里的破抹布扯出来,然后一动不动地躺在地上,任泪水汨汨而流。直到哭够了,他才拿出手机,颤抖着手给高丽美打电话。

高丽美与张中原各自在离婚协议书上签上名字后,张中原把一本农行存折递给她,酸楚地说,"丽美,你跟我这几年,确实没过上几天好日子,想想我真是对不起你。家里也没什么像样的东西,这样吧,我把我的衣服和一些小东小西拿走,其他的都留给你,咱俩存的钱我一分不要。我这个折子上还有一万多块钱,也留给你,密码是你的阳历生日……"

泪水又盈满了高丽美的眼眶。张中原以往对她的好,一桩桩一件件,全都浮上脑海,仿佛就发生在昨天。很长时间以来,她把这些全忘了。高丽美感到了内心的愧疚和良心的责备。

"中原,是我不好,是我对不起你,你就忘掉我吧,找个比我好的女人,安安稳稳塌塌实实过日子……"高丽美说着,泪水流了下来。

张中原动容,刚要说话,高丽美的手机响了起来。她看看号码,撇下张中原,快步跑进卧室,压低声音,"我在家里。什么? 在哪里? 尽量说详细点,我知道了。你等着,我马上过来。"

再回客厅,高丽美与刚才判若两人,她冷着脸对张中原说,"我有急事要出去,请你别忘了明天上午九点到江北区民政局去。"

一路上,高丽美开的桑塔纳像脱缰的野马,向着城郊烂尾楼狂奔。把遍体鳞伤的王辅文扶起来时,高丽美的泪水像放闸的洪流,滚滚而下,怎么也止不住。伤心,自责,愤恨……最后,凝聚成对张中原的满腔仇恨。去往医院的途中,尽管王辅文一再请求和告诫她不准报警,然而,报警的念头已经占据了她整个的脑海。

次日九点,张中原在石万山的陪同下,准时出现在江北区民政局门口。石万山怕张中原临时又变卦,非要跟过来。

不一会儿,高丽美驱车匆匆到来。张中原高丽美先后进了民政局大楼。

石万山把切诺基的座椅放下,躺了下去,静心聆听着小提琴乐曲,等待着张中原。听着听着,他闭上了眼睛。

一阵敲窗声猛然响起,石万山一睁眼,看见一胖一瘦两个警察正隔着玻璃冲他招手,嘴巴张张合合的在说着什么。

他打开车门,"请问有事吗?"

胖警官回答,"110接到报警电话,说有涉嫌绑架伤害罪的嫌疑犯正在江北民政局。请问上校同志,是你报的警吗?"

"不是我。涉嫌绑架伤害罪的嫌疑犯? 他跑民政局来干什么?"

"不清楚。我们正在调查。谢谢,打扰了。"

两个警官往里面去,恰好遇到张中原和高丽美一前一后出了民政局大门,他们已经领取了离婚证书。张中原想要向高丽美最后道个别,高丽美把脸一扭,不理他。张中原讨了个没趣,自嘲地笑笑,往切诺基跑去。

　　两个警官追上来,胖警官说,"同志你好。110 接到报警电话,说有涉嫌绑架伤害罪的嫌疑犯正在江北民政局。请问是你报的警吗?"

　　"没有啊,我没报警。"

　　高丽美疾步跑过来,"警察同志,是我报的警。他就是嫌疑犯。"

　　警官和张中原同时愣住了。

　　稍顷,瘦警官问高丽美,"你报的警? 受害人在哪里?"

　　"至今都可能还在市医院急救室里,两小时前,他刚刚脱离危险。"高丽美用手指着张中原,眼含泪水,"就是他指使人干的,他们还要杀受害人全家。"

　　胖警官盯着张中原,"解放军同志,请你做出解释,这到底是怎么回事?"

　　张中原简直不敢相信自己的眼睛和耳朵,他惊呆了。

　　石万山走到两个警官面前,"警察同志,这位同志是我们的营长,什么打人杀人的,是完全不可能的事情,绝对是个误会!"

　　高丽美向两个警官大喊起来,"警察同志,我说的绝对是事实,我可以负法律责任! 前天晚上,这个营长指使部下到受害人家里,对他拳打脚踢的,他那个部下我认识。昨天晚上,他又派人把受害人打得浑身是血是伤,还把人家毁了容。"

　　眼泪顺着高丽美的脸颊流了下来,她扯开嗓门喊道,"张中原,肯定是你指使人干的,你欺人太甚了,你太狠心了! 我豁出去了,大不了是个死,我不怕你们!"

　　张中原瞠目结舌,一句话也说不出来。

　　石万山走前几步,怒视着她,"高丽美,这种事你也敢胡说吗? 前天晚上是什么情况,我们已经做了调查,你不但不好好反省自己,还要血口喷人? 告诉你,你这是要犯法的!"

　　高丽美不理会石万山,对胖警官说,"警察同志,张中原之所以这么猖狂,是因为上面有保护伞,有人给他打气撑腰!"

她手一指石万山，"他就是张中原的保护伞，在他的包庇纵容下，张中原才这么无法无天。警察同志，我相信你们一定不会官官相护的。"

胖警官说，"你放心，法律面前人人平等。"

瘦警察掏出枪，对准张中原和石万山，"对不起，现在你们是犯罪嫌疑人，请掏出你们的证件，接受检查。"

"中原，掏证件！"石万山把证件掏出来递给胖警官，"行，既然我们暂时洗脱不了嫌疑，我们愿意接受警方调查。把你手里的破玩意儿收起来！当心走火。"

胖警官抬高枪口，仔细看过证件后，退还给他们，"谢谢。对不起，请跟我们走一趟，请你们配合。"

"我们会好好配合的。只是我现在想借你手机用一下，行吗？"石万山说。

"可以。"

石万山拨通了大本营的电话，"彩云，我是石万山。高丽美报警说中原涉嫌一起绑架伤害案，说我是包庇纵容犯。是啊，是天方夜谭啊，但在洗刷罪名之前，我们必须接受110巡警的调查，恐怕一时半会儿脱不了身。请你马上把这个突发事件告诉政委，为了慎重起见，你让洪政委把齐东平魏光亮先控制起来，不，把他们叫到团部了解情况。有紧急情况，我会随时跟你联系。"

"谢谢。"石万山归还手机，笑着对越聚越多的围观群众说，"这是拍电影，别离得太近了。"走到高丽美面前，"你要是平白无故诬陷我们，要负法律责任的。"

高丽美冷冷地瞪着他和张中原，不说话。

上警车前，张中原回头冲高丽美大喊，"高丽美，你这个疯子，你他妈的彻底疯了！"

瘦警官拦住准备开车走的高丽美，"请你也去派出所一趟，我们要做笔录。"

　　胖瘦俩警官,石万山,张中原,高丽美来到汉江市医院留观室时,头缠纱布手挂吊瓶的王辅文,正目光呆滞地躺在病床上。

　　胖警官问他,"请你回答,你头上和身上的伤是怎么回事?"

　　王辅文抬了抬眼皮,"喝多了酒,一脚踩空了,从楼梯上滚了下来。"

　　"什么? 你怎么能跟警察说假话呢?"高丽美大叫起来,"我都不怕他们,你怕什么? 难道你就这么任人宰割吗?"

　　王辅文不看她,看着胖警官,"警察同志,你们别听她的,我说的是实话。真的,我的伤与任何人都没关系。"

　　高丽美气得流下泪来。

　　胖瘦警官对视一眼,胖警官说,"既然这样,那我们就不再耽误石团长和张营长的时间了。石团长,张营长,你们可以走了,真对不起。"

　　"没关系,执行公务嘛。只要还我们清白就行。"

　　胖瘦警官向石万山和张中原行个礼,走了。

　　石万山直视着高丽美,"你别担心,我们不会告你的。我不会告你,是因为你毕竟做过几年部队家属;中原也不会告你,因为他是条汉子! 也许以后你跟我们部队再没关系了,但我还是想给你一个忠告:说话做事要多动脑子,别尽做亲者痛仇者快的傻事!"

　　张中原不看高丽美,也不说话,几近心如死灰。

　　他们一走,高丽美立刻抓住王辅文的胳膊,一边哭喊一边狂摇,"你怎么能这样? 你为什么这么胆小? 为什么要害得我不仁不义? 连真话都不敢说,你还是不是个男人?!"

　　王辅文厌恶地看着她,声音像冰霜一样寒冷,"别碰我,离我远一点! 从今以后,我不想再见到你,更不想让你害死我! 你不是一直想听实话吗? 好,我现在告诉你,我妻子善良贤惠,对我温柔体贴,我从来也没打算过跟她离婚。你才是只母老虎! 看看这几天你是怎么对待你丈夫的吧,就是给我十个豹子胆,我也不敢要、也绝不会要你这蛇蝎心肠的女人!"

高丽美一下蒙了,傻了,呆了,等到终于清醒过来,她扑上去又抓又打,边哭边骂,"你这个骗子!我真是瞎了眼了,没有看出来你是这么无耻的东西!"

王辅文扭住她双手,"你再撒泼,我也报警了!除了会撒泼,会在床上发骚,你还有什么本事?我怎么会碰上你这么个丧门星呢?你就是个丧门星、扫把星、男人的克星!遇上你,我真他妈的倒了八辈子霉!滚吧贱货,滚得越远越好!"

他把高丽美狠狠一推。

"我要杀了你这个王八蛋!"高丽美野兽般大叫,疯子般扑上去,两手一把卡住王辅文的脖子。

门外的护士听到动静,赶紧冲进来,拼命要拉扯开高丽美,见拉不动,只好大喊起来,"来人啊!快来人啊!"

一个医生和一个护士旋即冲进来,把头发散乱目光狰狞的高丽美拉开。

医生很生气,"你们像话吗!"

护士责问王辅文,"怎么回事?"

"医生,这个女人脑子有毛病,建议你送她到精神病科看看。"

"骗子,王八蛋,你才有精神病!你肯定不得好死!"高丽美跳起脚骂。

两个护士连劝带扯,把她拉了出去。

王辅文筋疲力尽地闭上眼睛,眼泪却无声地流了出来。

医生瞥他一眼,"后悔了吧?男人的两巴问题很重要,两巴问题一旦处理不好,会要了你的小命!"

第 十 四 章

　　师部派给郑浩的助理江建华即将前来报到,然而大功团的移动板房太紧张,洪东国绞尽脑汁,江干事的办公室也还是没有着落。无奈,洪东国只好去找郑浩商量。

　　郑浩说,"老洪你就别费心了,大功团的情况我了解,房子匀不出来没关系,我和小江共用一间办公室就是。"

　　"不行不行,一定要想办法匀出一间来,不行的话,把我的办公室腾出来,也得再给师前指一间办公室。你是七星谷的最高首长,哪有跟自己的助手共用一间办公室的道理?再说,那也有失大功团的体面。"

　　郑浩笑笑,"其实,派这么多钦差大臣过来,也没多大用途。不过这也说明师首长的确重视这个龙头工程。"

　　"老郑你说的哪儿的话,钦差大臣的作用大呢……"

　　"政委,政委,出事了——"洪东国的话被慌慌张张跑过来的李和平打断。

　　"怎么老是孙猴子坐天下似的毛手毛脚的?说吧,什么事?"

见郑浩在场，李和平有所顾忌，故意打马虎眼，"是嫂子的电话……"

"弄鬼弄怪的，嫂子的电话有什么不好说的？快说。"洪东国瞪他一眼。

李和平无奈，"嫂子刚刚打来电话，说高丽美指控团长和张中原营长与一起绑架伤害案有关，警察把他们带走了，他们今天回不来了。"

"什么？简直是天方夜谭！"洪东国叫了起来。

"这事也许……团长说，希望您能找齐东平和魏光亮了解一下情况，可能是因为，因为前天齐东平打过人的原因吧。"李和平支支吾吾的把话说完。

"这事儿还没个完了！"洪东国没好气。

郑浩说，"老洪，事关刑事案件，还是慎重为好。张中原与一营的战士感情很深，高丽美要与他离婚，据说有些战士很气愤，感到受了污辱。有人如果控制不住自己的情绪，也可能会有过激的行为。我们不能低估社会的复杂和人性的复杂。"

"老郑你说的有道理。"洪东国微微颔首，转头吩咐李和平，"和平，你赶快去给保卫股明股长打电话，让他找齐东平和魏光亮问话，然后你去查一下这两天一营有多少官兵去过汉江，动作要快。"

一号洞里，齐东平和几个战士围观魏光亮操纵台车，在魏光亮的指挥下，台车双臂熟练地打好最后两个洞，大家鼓掌喝彩。

魏光亮推开驾驶室的门，"方子明，我用了多长时间？"

方子明举起秒表，"二十八分一十五秒，再多一点点。"

"还以为能突破二十五分呢，"魏光亮从车上跳下来，有些沮丧，"比东平创的纪录还差五分多钟。"

"我练多久？你练多久？你那脑子是电脑，我的，顶多是个算盘。你刚才走的线路，比我走的合理多了。"齐东平叹口气，"研究生就是研究生,不服不行。"

"何况是清华大学的研究生。"方子明说。

魏光亮拍方子明一巴掌,"少拍马屁!子明,团长大人打这四十八个洞,需要多长时间?"

"半小时吧?"

齐东平纠正他,"三十一分二十秒。不过他一年多都没摸了。"

魏光亮说,"我不跟他比赛,只希望每个计时的项目,自己的成绩都能比他的好一点。"

"魏连长!齐排长!"一个中尉满头大汗跑进来,"明股长要你们马上去一趟保卫股。"

"保卫股?"魏光亮觉得奇怪,问中尉,"保卫股找我们干什么?"

"我也不清楚。他说要你们尽快去。"

魏光亮与齐东平疑疑惑惑地来到保卫股,当明建中对他们说了王辅文遭绑架挨打,高丽美报警的情况,要他们配合接受调查时,魏光亮立刻跳了起来,"你什么意思?那王八蛋关我什么事?跟东平有什么关系?"

"正常接受调查,你跳什么脚?你怎么就能一口断定也与齐东平没关系?"

"东平昨天跟我同吃同睡,难道他比孙悟空还厉害?难道这个齐东平是假的?"

明建中对他的态度很生气,语气严厉起来,"他可以指使别人干!"

"什么?这话你也说得出口?你到底是站在谁的立场上?"

明建中恼怒异常,"魏光亮,你别太猖狂,你自己屁股上的屎未必就擦干净了!"

两人脸红脖子粗,像两只掐架的公鸡,齐东平赶紧这边拉那边劝。幸好李和平及时推门进来,"团长来电话了,绑架的事与咱们的人没有任何关系。"

"哼!"魏光亮冲明建中瞪眼,然后哈哈大笑起来,朝他伸过手去。

明建中一愣,也哈哈大笑起来,张开胳膊,给魏光亮一个有力的拥抱。

静谧的夜晚中,欧式豪华别墅里,孙丙乾与黄白虹你欢我爱激情完毕,孙丙乾抚摩着黄白虹光滑的脊背,"高丽美真的离婚了?"

"是啊。唉,咱们辛辛苦苦经营的这条线,就这么毁了。光是免她的职还不够解我的气,明天就让这个蠢女人滚蛋!"一提到高丽美,本来沉浸在幸福和甜蜜中的黄白虹立刻气不打一处来。

孙丙乾转过身,从床头柜上精致的烟盒里取出一支粗大的古巴雪茄,点上,喷出一股浓重的白雾,"滚蛋? 太便宜她了! 我们不做赔本生意。她不是喜欢当情妇当二奶吗? 那就发挥她的爱好和特长,让她用脸蛋和身体为公司做点贡献吧。对付那些好色的政府官员和国企老总,色情公关比金钱更管用。"

"对付你呢? 什么最管用,色情还是金钱?"黄白虹翻身趴到孙丙乾胸口上,用手指抚弄着他的嘴唇,娇嗔地问。

"那要看什么时候。有时候是色情,有时候是金钱,哈哈!"

"你真是老奸巨猾,哼!"黄白虹佯装不悦,然后又娇媚地笑起来,"不过我喜欢。我从来不喜欢那些没深度没城府的愣头青。"

第二天一上班,高丽美应召来到黄白虹办公室,把手提电脑和汽车钥匙放到老板桌上。黄白虹抬头,仔细盯着她看,似笑非笑地,"瘦了,带了点颓废的风尘味,嗯,很有吸引力。小高,你这样子最耐看。"

高丽美垂下头,"黄总,东西都交完了,我可以走了吗?"

黄白虹笑了笑,"公司只是免了你部门经理的职务,并没说开除你呀。当然,如果你想离开公司,我不拦你。"

高丽美脸上闪过一丝惊喜,"不是开除?"

"坦白地说,以你本人的能力,你不可能谋到寰宇公司部门副经理和经理的职务。你没有过硬的文凭,也没有像样的工作经历,凭你的条件,你连寰宇公司的普通职员都根本竞聘不上。我们为什么聘你,又让你做部门副经理,后来还升成经理呢?因为孙总和我都敬爱军人,崇拜最可爱的人,而你丈夫正是这样的人,可惜你没意识到他对你的人生有多么重要。好了,不说这些了。没有以前的待遇了,你是想走还是想留?"

高丽美低头不语。

"好,留下的话,就做我的秘书吧。你的社交能力不错,以后多发挥你的特长,如果干得好,照样可以提升你的职务。"

"谢谢黄总,我一定努力。"

"以后你的收入分两部分。每月基本工资一千块,另一部分是奖金,拿多拿少根据你的贡献大小来定。干得好的话,你挣的只会比以前多,行吗?"

"我同意。"

"那就好。你回去吧。晚上六点,你要准时赶到喜来登大酒店,孙总要在那宴请省建行信贷处李处长,你见过他的,人很开朗很会喝酒,他对你可是印象深刻哦。以后少穿这种制服,把你的好身材都给埋没了。现在你去逛商场吧,多买几套低领装,以后用得着,可以给你报销三千块服装费。去吧。"

高丽美心里七上八下地告辞而去。

事情果然不出高丽美所预料。几大杯下肚的五粮液作怪,再加上孙丙乾黄白虹的语言暗示,李处长开始对她歪眉斜眼,在桌子下动手动脚。碍于面子,高丽美只好虚与委蛇,忍气吞声。后来,李处长似乎醉得摇摇晃晃,已经不辨东南西北了,黄白虹便要高丽美帮忙一起扶他上楼到客房休息，高丽美不好推托，又见黄白虹本人也在，也就不作多想。把一身肥肉的李处长放到床上后，黄白虹要高丽美给李处长泡杯茶解酒，让她先去卫生间洗杯子。等高丽美从卫生间出来，黄白虹已溜得无影无踪，高丽美刚要去拿桌子上的坤包准备跑，被李处长从后面死死抱住，一张臭烘烘的大嘴使劲在她脸上来回拱，一只肥乎乎的手蛆一样往她胸前钻。高丽美大喊大叫，拼命挣扎，终于披头散发衣服零乱地夺门而出，几乎是连滚带爬地跌到酒店大堂。

黄白虹就坐在大堂的卡座间，幽雅地品味着咖啡。

"小高，你站住！"见到高丽美这副失魂落魄的样子，黄白虹箭步冲过去，一把抓住她，"怎么了？"

高丽美用力甩开她的手，屈辱的眼泪涌了上来。

"到底怎么了？"

"那个李处长，他不是人！"高丽美的泪水大颗大颗滴落下来。

黄白虹把她拉到卡座间，按她坐下，轻言细语，"小高，李处长喝多了，可能有点失态，但他人不坏。你不能任性，你的工作就是要为公司摆平各种关系啊。"

"他欺负我，我还要由着他，这就是我的工作？"高丽美圆睁婆娑的泪眼。

"小高，话不能这么说，一人一个脾气，一人一种性格，人家是客人，咱们总不能让客人扫兴吧？这样吧，你现在回去照顾他，明天公司奖你一万块钱。李处长喝醉了，他能把你怎么样？再说你也不是纯情少女了，想开点，不就是这么回事嘛，是吧？人得会想。李处长是个体面人，有多少小女孩想贴还贴不上呢！他对你早有好感，这也是缘分。好了好了，走，回去吧。"

高丽美觉得很受侮辱，但终于忍住没发作，只站起身来，克制着情绪，"黄总，我不回去了，我现在回家。"

黄白虹把脸一沉，"高丽美，你到底是什么意思？你还想不想在公司干?"

"我不干了,我辞职,行了吧?"高丽美的声音也高了起来。

黄白虹冷笑,"有志气! 行,你走吧,什么叫人贵有自知之明,我倒要看看你离开公司后会混成个什么样子! 高丽美,你自己说,不干这个你还能干什么?"

高丽美气得涨红了脸,"你别侮辱人! 要去你自己去,我要饭也不出卖身体和尊严!"

"好好好,贞节烈妇高丽美小姐,我向你致敬! 奇了怪了,王辅文那种档次的都能入你的眼,你却……小高,你早都红杏出墙了,杀一个是杀人犯,杀一百个不也是杀人犯? 回去好好想想吧,我不会勉强你的。一旦哪天你混不下去了,想起我来了,尽管给我打电话,我随时欢迎你回来。"黄白虹满脸的戏谑。

高丽美不再理她,扭头冲出酒店。

在讨论士官提干的"三巨头"碰头会上,因为齐东平打人的莽撞行为,郑浩坚持不肯将他的提干表上报,石万山费尽口舌也没用,反而落下个对部下"过于袒护,无原则溺爱"的罪名,洪东国基本持中立略偏反对的态度,最后石万山只好"少数服从多数,下级服从上级"。

齐东平又遭遇到他命运的滑铁卢。

夕阳下沉时分,张中原拎上一瓶白酒和几样小菜,约齐东平上百花岭"野餐"。清风徐徐吹来,两人娓娓而叙。

"东平,人一辈子都难免有个七灾八难,有些事你做梦都想不到。譬如说我跟你嫂子,哦,高丽美,半年前还是恩爱夫妻,现在已经成仇人了,你说人生是不是很莫名其妙?"张中原说罢,掀开酒瓶盖子,咕嘟嘟大喝一气。

齐东平去抢他手里的酒瓶,"营长,你千万不能这么喝! 你要心里难受,就打我吧。都怪我,是我拆散了你们,我觉得自己真是罪孽深重,今天之前,对你,我一直连对不起三个字都张不了口。"

张中原紧紧抓住酒瓶不肯松手,"以后不准再说这样的傻话!东平,那张狗皮褥子,还有那套化妆品,你都拿回去吧。褥子给你爹寄回去,化妆品送给那个小吴护士,你的心意我领了。你看,你花了冤枉钱,那个女人不但不承情,还要给你气受,你说你这是何苦呢?女人,真是说不清楚。"

"花这么点钱算什么,我当时只想帮你讨她个高兴。营长,我把你害成这个样子,真的对不起。我当时挨那王八蛋一拳又能怎么样呢? 唉,后悔莫及啊!"

张中原又咕嘟喝下一大口,"天上要下雨,老婆要改嫁,这都是没办法的事,不在乎你我怎么样。别说这个了,说你吧。东平,有件事,你必须面对。"

"营长,你不用说了,我知道,提干的事没戏了。"

张中原心里一紧,"你听谁说的?"

"我是老兵了,能想得到。打人四拳踢上一脚,还被告到团里,本来就够戗了,又让你和团长被人指控为绑架嫌疑犯,给大功团抹这么大块黑,还指望提什么干? 我是罪有应得,一点都不怨天尤人。营长,检查我已经写好了,我请求组织处分。"齐东平从口袋里掏出检查书递给张中原,"代理排长我也请求辞去,让方子明干吧。"

张中原接过检查书,"当不当排长,由不得你。团长让我给你传个话:齐东平明年还有机会,他要是放弃了,说明他根本不是当导弹工程兵的料。"

齐东平苦笑,眼睛里浮上一层水雾,"眼前只有这一条路,我能放弃吗?"

张中原把酒瓶塞给他,"喝酒,喝!"

齐东平接过来,咕嘟咕嘟往下倒,张中原赶快又把酒瓶抢回去,

用手指着天空,

"东平,你看,天还是这么蓝,云还是这么白……"

齐东平抬头看天空,"落日还是这么红,"环顾茫茫四周,"山还是这么青,树还是这么绿,花还是这么艳!"

两人对视一眼,都看到对方的红眼圈,纵声大笑起来。

周五,魏光亮带两辆卡车把从"极限"订购的四十台电脑运进七星谷,车到七星谷第一道检查站时,明建中早已带人携仪器守候在此。依照规定,这批电脑必须经过严格检查才能进入七星谷。战士们把上百个包装箱卸下车来,箱子有规则地摆放成片,由明建中拿着检测仪器对每一个箱子进行仔细检查。

魏光亮不安分地跳来跳去,孩子般对明建中问这问那,明建中偶尔抬头应付他一两句,他就兴奋不已,新问题又来了,"如临大敌,还真的有间谍呀?"

明建中目不转睛盯着检测仪器,"肯定有。间谍,什么时候没有?"

魏光亮在他头上摸一把,"哎,那你抓到过没有嘛?"

"当然。不准再干扰我的工作!"

魏光亮吐吐舌头,终于安静下来。

一一检测完毕,没有发现电脑有什么异常。几辆车继续前行,中午到达一营小广场时,正是战士们饭后闲逛的时间,车队一到,人全都围了上来,个个摸着电脑包装箱兴奋不已。

张中原把林丹雁和魏光亮拉到一边,现场商量电脑分配方案,三人嘀嘀咕咕好一阵后,把意见统一到一张单子上。三人"散会"后,张中原把单子递给骆玉中,"小骆,你按这个单子把电脑分一下。"

"是!"骆玉中接过单子,大声念起来,"一连,九台;二连,九台;三连,九台,营部,十三台。"

王小柱天真地问，"林工，一大配一小是一台，对吧？"

"对。"林丹雁笑。

场上响起一片掌声，是石万山和洪东国并肩走了过来，魏光亮抢先过去行礼。

石万山笑吟吟的，"光亮，都检查了吧？"

"都检查过了，配备齐全，连个螺丝都不少。"

石万山横他一眼，"我说的是安全检查！"

"也一样！一只虱子都逃不过明股长的火眼金睛。"

洪东国则悄悄对张中原叮嘱道，"这事要尽量低调，二营和三营责怪团领导偏心，四营和五营对我们更是意见一箩筐，说他们不在七星谷，都成了后爹后娘养的孩子了。一碗水想端平，难哪。你们要多体谅他们的感受。"

"政委您放心吧，一营保证不给领导惹乱子。"张中原转头吩咐，"魏光亮，王可，骆玉中都听着，让你们的人嘴巴都贴上封条，实在憋不住，可以偷着乐一乐。"

满场大笑。

笑过，石万山跟魏光亮又铆上劲了：

"听说你台车打孔突破了三十分钟大关？可以啊。"

魏光亮嘿嘿地乐，"广东话：洒洒水（小意思）啦。主要是东平师傅教得好。"

"还行，还知道谦虚。听说你号称电脑专家？"石万山换个话题。

"在七星谷，鄙人应该算是吧。"魏光亮毫不谦虚。

"本人在指挥学院学习时，也喜欢捣鼓这玩意儿。我听说魏连长发了话，说他要全面超过石万山。"石万山不想再绕弯子了，他认为有必要杀一杀这家伙的傲气。

"我的原话不是这么说的，不过意思差不多。"

"有种！有没有兴趣跟我比一比安装电脑？"

　　魏光亮颇感意外。他直视石万山片刻,又看看众人,耸肩一笑,
"团长,算了吧,这么多人,不合适。"

　　"你怕输了没面子?"

　　"我怕我想输输不了。"

　　"哼,你小子,伪装不了多久就狂妄起来了!"石万山单刀直入
了,"咱不多说了,是骡子是马,现在就拉出来遛遛吧! 你要是能赢
得了我,说明大功团后继有人!"

　　魏光亮抓过石万山的手一击掌,大喊一声"好!"

　　石万山立刻吩咐张中原,"中原,让人抬两个桌子拿两个电源板
过来,我跟光亮比拼比拼。"

　　洪东国来了兴致,"我当裁判! 中原,快去拿秒表来。"

　　两个条桌抬了过来,各自摆上一台电脑的显示屏和主机,旁边摆
放着各种电脑配件,方子明和王小柱一脸兴奋地从活动室里拉出两
条电源线来。一切准备就绪。

　　正在这时,大功团保卫股长明建中的电话响了。

　　来电人是姜柱国。姜柱国几小时前得到秘密情报:有人以两万
美元的单价从海外买进一种集成电路块,这种集成电路块是电脑
心脏的一部分,同时又是最先进的全球卫星定位器和信息中程无线
发射装置,一百公里内可进行无线传输;更可怕的是,没有电流通过
时,它与普通集成块没大区别,现有探测仪器对它根本不起作用。而
买这种集成电路块的人来过汉江,并且疑似把东西留在了汉江。猛
然想起大功团从汉江购买了一批电脑,姜柱国倒吸了一口凉气,马上
拿起了电话。姜柱国要求:在他和冯情情来到七星谷之前,任何人都
不得动用这四十台电脑。

　　明建中摞下电话,拼命往一营小广场跑。

　　这边广场上的场面正如火如荼。洪东国宣布观众纪律,"比赛
中,大家不要喧哗,不要鼓掌。"然后冲石万山和魏光亮喊,"运动员

入场。预备——开始!"

石万山和魏光亮熟练地把主机和显示屏、鼠标之间的线连接上,两人又同时解开盘好的电源线。

"别动——不能动啊——"明建中一路高喊着跑过来,旋风般冲上来把两根电源线拔掉,然后一屁股跌到地上,气喘如牛。

"怎么回事?"魏光亮瞪着他。

呼吸均匀了些,明建中赶快站起来,"团长,政委,这些电脑暂时不能使用,目前请把它们封存起来。"

魏光亮恼火,"为什么? 每台电脑你不是都检查过了吗?"

明建中摸一下他的头,"魏连长,执行命令吧。"

石万山吩咐张中原,"把电脑搬到活动室,安排警卫人员二十四小时守卫。"

林丹雁明白了,"苍蝇又跟来了。"

王小柱傻愣愣地四处看,"苍蝇? 哪来的苍蝇?"

大家笑得前仰后合。

两个多小时后,姜柱国与冯倩倩驱车来到了大功团。车一停好,两人马上把石万山、洪东国和明建中叫到小会议室里。

姜柱国取出一个小盒子,打开盒盖,推到石万山面前,"石团长,你知道这是什么吗?"

"不是集成电路块吗?"

姜柱国把芯片从小盒子里取出来,在手掌心里掂几掂,"不错,它是集成电路块,是电脑心脏的一部分,但你不了解的是,同时它又是最先进的全球卫星定位器和信息中程无线发射装置。它的最核心处在于,没有电流通过时,它和普通集成块没多大区别,它先进到咱们现有的探测仪器都对它无能为力。"

石万山脱口而出,"你从哪弄来的?"

“我无权告诉你。”

“对不起。”石万山意识到自己犯了糊涂，尴尬地笑，“你怀疑我们那些电脑被人做了手脚？”

“仅仅只是怀疑。我们已经感觉到了那些人的存在，可到现在为止，还只查到一些蛛丝马迹，没有得到任何确凿的证据。”

“团长，政委，我们有必要告诉你们，两个月前，有一个南美籍华商带了五个这种小东西由上海入境，”冯倩倩认真补充道，“前天，我们才调查到他花十万美元购买了这种集成电路块，昨天我们才发现他此后到过汉江。”

石万山额上沁出一层汗珠，“真悬！”

姜柱国说，“可以确认，在汉江存在一个针对七星谷龙头工程的间谍组织。”

洪东国变了脸色，“哪个国家的？”

“目前还不清楚。如果这五个东西留在汉江的话，用在你们这儿的可能性几乎是百分之百，因为汉江地区既没有景德镇瓷器烧制秘方，也没有五粮液勾兑秘方，只有七星谷导弹阵地的精确战标才值得投入十万美元。”

石万山从姜柱国手里取过芯片，仔细观察着，“防不胜防啊。姜处长，你说吧，需要我们怎么配合？”

“为了确保七星谷导弹阵地的绝对安全，必须把这些电脑的主机电路板拆下来，送到北京去检测。万一里面真的有这个装置的话，就需要做出相应布置，这就要求必须考虑到时间因素。我想赶明天早上汉江飞北京的班机，凌晨三点离开这里，你们看呢？”

冯倩倩看手表，“离凌晨三点还有十个半小时，这个时间里我和姜处只能拆二十台电脑……”

洪东国的目光探究地扫过石万山。

石万山立刻表态：他与林丹雁、魏光亮共同对付另外二十台应该没问题。

洪东国有所顾虑，"魏光亮还不是党员……"

石万山说，"他正在积极争取入党。用人不疑吧。"

在场的人都不再表示异议。

冯倩倩说，"拆主机电路板这件事，密级是绝密，知道的人越少越好，请大功团领导向有关人员传达：不该问的不准问，不该说的不能说。"

魏光亮马上被明建中召了过来，同时也被明建中告诫了一番：不该问的不准问，不该说的不能说，做不到这一点，你就不是个合格的导弹工程兵。

魏光亮一副俯首帖耳的样子。

这是魏光亮第一次参与到大功团的核心事物中，拆卸电脑时，他涌上一种神圣庄严的使命感，促使他把事情做得一丝不苟。

凌晨两点四十分，四十台电脑全部按要求拆卸完毕，在场的几个人这才顾得上长出一口气。

还不到二十四小时，石万山就接到了明建中的电话，他惊出一身冷汗。明建中告诉他，北京的检测结果表明：在大功团所购四十台电脑里，其中有三台安有那种可怕的集成电路块，事情引起了国家安全部、总政治部和二炮方面的高度重视，这三个单位的领导听取了汇报，分别作了重要指示，协同提出了反间谍作战方案。

第三天，安全保卫部门好几个领导和专家，特地飞抵大功团，"狮长"顾长天与师政委成南方陪同。

气氛紧张的会议在小会议室里召开，郑浩再次被摈弃在外。

姜柱国把三块特殊的集成电路块摆到桌上，"针对七星谷工程的间谍网手里，肯定还有这种装置。如果我们不使用这三台电脑，他们还会想别的办法。目前，我们还没有掌握这个间谍网的基本情况，因此，防止他们以各种手段刺探七星谷阵地的情报，难度很大。我们的设想是,在七星谷使用这三台电脑,给敌人传递虚假信息,然后通过高科技手段,查找敌人到底藏在哪里,最后把他们一网打尽。"

张副局长接着作一番国际国内形势报告:从海湾战争开始,战争的形态发生了根本的变化,战争区域无限扩大了,前线和后方的界线变得模糊起来。据专家后来计算,海湾战争的实际作战区域,达到了一万四千平方公里这个惊人的数目。一场新军事变革主导的军事革命,已经在世界范围内发生了。海、陆、空、天、磁五个领域的较量,将是未来若干年、世界军事斗争的主旋律……

然后张副局长再作重要指示,"在这种大背景下,我们在反间保密的战场上,也要与时俱进、解放思想。国门打开二十多年了,反间保密的形势越来越严峻,七星谷地区这么大个龙头工程,想完完全全把它藏起来是不可能的。敌人连这种手段都使出来了,说明我们建此阵地的用意他们也很清楚。国安部和总政的要求是,确保战时七星谷阵地在遭受突然袭击甚至是突然性核打击后,仍有百分之九十以上的反击作战能力。不违背这个前提的情况下,我们可以采取任何形式进行反间谍作战,所谓兵者诡道也,我们一定要开动脑筋,把敌人尽可能引入歧路。"

任副部长接道,"我赞同张副局长的说法。咱们严防死守的方针不能变,但时机成熟也可以进行反击。我离京之前,于副司令员让我转告大家,反间战一定要打得漂亮,你们需要人我们给人,你们需要钱我们给钱。"

"小林,你是七星谷阵地的主要设计者,你说说情况吧。"顾长天说。

明建中赶快把投影机架好。

在林丹雁的操作下,投影屏幕上出现一张标着"绝密"字样的"战区军事防御工程布防地图",随后,出现航拍的七星谷地区全景图片,屏幕中间显出一行红字"七星谷龙头工程",屏幕右上方也显示出两个醒目的白色小字:绝密。

　　林丹雁又敲出一张"龙头工程核心区域图",把它放大,"各位首长请看,那条红线就是阵地遭受核弹袭击的安全线。"

　　成南方插一句,"这么说,可以走小姜说的这步棋?"

　　"是的。"林丹雁按下另一个按钮,另一张图跃然而出,"这是七星谷的勺把地区。最初选阵地战标时,我曾考虑过这里,因为从这一带的山体走势看,它能建成一个一流的战略导弹阵地。美国、俄国和英、法的核防御理论里,都把这种山体和山谷作为建立反击战备阵地的首选地区。"

　　"那为什么没选这里呢? 是因为它太像个阵地了,不易伪装?"石万山不解。

　　"这只是个次要原因,没选这里的主要原因是这座山太年轻了,一年还能长出七八厘米,在这样的山体里修阵地很难,维修起来更困难。"林丹雁解释道。

　　石万山深深点头。

　　"我认为利用这个地区做文章,可以达到以假乱真的效果。三台装有特殊芯片的电脑可以分别放在这三个地方。"林丹雁转头看姜柱国,然后手开始在桌子上比画,"第一台放这,模拟团指挥中心,可发送一套完整的修建超大规模导弹阵地的虚假信息;第二台放这,作为一个班的宿舍用电脑,可模拟一个班的基本生活状况;第三台放这,作为主坑道 A 洞口统计之用。把这三台电脑单独组成一个网,可模拟出一个团的局域网。"

　　姜柱国赞叹,"到底是博士,脑子太好使了。我觉得林工这个方案很不错。"

　　顾长天粗中有细,"小林,误差因素你考虑了吗?"

　　"请师长放心,在这里投下十颗目前世界上威力最大的核弹头,也伤不到我们阵地的毫毛。"

林丹雁提出的"模拟局域网"方案,被张副局长定为七星谷工程的核心机密。张副局长诠释说:保密工作,生死攸关。

间谍已近在咫尺,大家都感到事态的严峻,然而,眼下却无法把这种危险公布给大功团所有官兵,因此,反间谍战究竟能不能打得漂亮,其实在座的人谁心里也都没有底。

两次被拒于大功团反间保密工作会议外,郑浩既觉得尴尬,更感到难受。他要挽回局势,挽回面子。他打报告从师里要来内部绝密级保密影片《惊雷演习掠影》,准备在大功团给干部和业务骨干放映,他认为有必要做一些能影响大功团全局的事情了。洪东国、石万山、林丹雁是他邀请的首批观摩者,影片由李和平放映。

大投影屏幕上,掠过峰峦叠嶂的神秘大山,大漠孤烟直的无边沙漠,长河落日圆的茫茫戈壁,以及偌大的演习观摩室和现代化的导弹阵地坑道。然后,一阵刺耳的警报声响过,数枚最新型导弹从不同的阵地里由不同的器械拉出来。高空中,战斗机飞掠而过,地面上,卫星和雷达站的精密仪器在运转。发射车队在直升机的护航下,沿着不同的道路,奔向不同样式的发射场;发射部队将导弹在发射场快速竖起,随后,导弹缓缓升空,渐渐远去。

"哇塞,真壮观啊!"从来没有见过这阵势的李和平忘乎所以地叫起来。

"嘘,别出声。"洪东国轻声制止他。

影片放映完毕,李和平一边收拾碟片,一边大呼"过瘾!"

洪东国问郑浩,"这可是绝密级的,你从哪弄来的?"

"请政委放心,渠道非常正常,师前指打过报告,师长政委作了批示。石团长,这种大提士气的片子,如果让我们的战士们都看,你说他们会有什么感觉?"

"肯定都会觉得当导弹工程兵值。其实三年前我就提出过分期分批带基层骨干去导弹发射部队参观的设想,但操作起来难度太大,上面没批准。我早就料到了,这么好的片子,郑副参谋长肯定不会只让我们几个人小范围观摩。"石万山说。

"那当然。这屋里除了小李,谁都见过导弹,甚至还看过实弹演习,林工更是,恐怕都已经看麻木了,是吧?"

"郑副参谋长这话说错了,我不仅毫不麻木,而且常看常新,每次看它,我心情都很激动,这一次更让我热血沸腾。"

郑浩自得而又含蓄地朝她笑笑,"我相信工程兵们都有这个情结。上几代导弹工程兵,绝大多数没见过导弹,甚至连它是个什么样子都不知道,他们退伍时最遗憾的就是这个。去年,英雄团有一个士官,为了能给家人和亲戚讲出导弹是什么样子,利用宝贵的休假时间,想尽办法才进入了由他们团修建的导弹阵地,结果却被当成间谍给抓住了。其实,哪个团都有这样的悲惨故事,我个人感到这很可笑,更为此而感到悲哀。"

"那个士官后来怎么样了?"林丹雁深为关切。

"还好,是个喜剧结果。发射部队问明情况后,特批他进入阵地看了导弹,他觉得自己的激动和感激之情难以言表,于是发奋工作,今年立下了一等功。有时候,培养战斗精神,讲上十堂课也未必比得上看一次这种片子。"

"你说得很有道理,只是这片子是绝密级的,大规模放映恐怕要惹出麻烦。"洪东国脸露忧戚。

"密级都是人设置的,也是为人服务的。我们刚刚看过,但是,除了激动和振奋,谁还能记住发射场的方位? 说句玩笑话,即使你想卖情报,就凭看一下这片子,你又能卖什么? 总不能卖你的激动心情吧?"郑浩慷慨激昂。

石万山由衷地鼓掌喝彩,"精彩,佩服! 我脑子怎么就不会拐弯呢? 尽想着要让战士们看到真家伙,就想不到弄这个碟子回来,同样也有效果。我建议郑副参谋长把它拿到全团公映,没必要只让业务骨干看。我们的每个战士都需要这种鼓舞。郑副参谋长做了一件我想了几年都没做成的大好事啊。"

见惯了石万山和郑浩"道不同不相为谋"的林丹雁,看到他们今天居然这么柔情蜜意惺惺相惜,不禁看看这个瞅瞅那个。

洪东国还是忧心忡忡,"老石,上级有保密纪律的……"

"老洪,我认为问题不大。几十年来,大功团没出过一个叛徒特务,复转的一两万人里,也没有一个背叛自己的祖国。其实,我们常常是自己蒙自己,自己束缚自己,自己吓唬自己。我们每次发射的导弹型号,外国人清清楚楚,可我们却惧怕自己的大多数人看!我就想不通,无非一个影片,弄个绝密干什么?"

"老石,你的打击面太大了。"洪东国脸色不大好看。

"请政委不要误会,我丝毫没有指责你的意思,"石万山转头向郑浩,"我相信郑副参谋长同意我的说法。"

郑浩笑笑,"很惭愧,我胆子不如你的大。我在师长政委那儿立过军令状,保证不会泄漏这次演习的任何秘密。不过刚才受到了石团长的激励,情绪受到感染,我决定把胆子放得更大些,步子迈得更快些,可以让全体官兵观看。"

"好!我坚信,官兵们看了它,肯定能升腾起自豪感,谁也不会再觉得自己不过是打山洞的工人,战斗力能提升一大截。美国中部和西部有两个导弹阵地,都对全体国民开放,为的就是激发民族自豪感和自信心。如果国民没有大国强国的心态,那个国家就称不上大国强国,这一点很重要……"石万山越说越眉飞色舞。

"你别扯得太远了。另外,新兵很快就到了,我觉得,特别有必要让新兵们看看这个片子,政委你说呢?"郑浩微笑着看着洪东国。

"好吧,我同意。"

石万山嘀咕,"看来,知识分子的脑瓜子就是和我们的不一样。

我完全同意。"

　　"是个不错的建议。"林丹雁心情不错地瞥石万山一眼。

　　很快,郑浩以师前指的名义,组织大功团一营一百多官兵观摩影片《惊雷演习掠影》。他十分重视这次亮相。应该让大功团更多的人见识自己的实力了。

　　影片放映前,郑浩先作个讲话,"同志们,战友们！大家都知道战略导弹对一个国家的重要性:一个强大的国家,必定拥有一支强大的军队,而如果没有一支威震四方纵横天下的战略导弹部队,这支军队就算不上强大。让我们感到自豪和骄傲的是,我们的祖国拥有战略导弹！改革开放的总设计师邓小平同志曾经说过,如果中国当年不勒紧裤腰带搞出来两弹一星,中国在国际上就没有今天这么重要的地位。有战略导弹,就得有导弹阵地,我们导弹工程兵是干什么的？简而言之,就是为战略导弹筑巢的士兵！"

　　台下反响不太热烈。

　　郑浩停顿一会儿,"身为导弹工程兵,我们无上光荣,因为我们干的是最崇高的国防事业。也许有人会说,为导弹筑巢,其实也不过就是打山洞嘛。是的,我不否认这点,可是,同志们战友们,打这个山洞跟打那个山洞是不一样的！我们打出的山洞,名字叫做战略导弹阵地,里面放的是和平的盾牌护国的长剑。为战略导弹筑巢,为共和国打造和平之盾,维护我们伟大祖国的统一和强大,这就是我们导弹工程兵光荣神圣的使命！"

　　掌声热烈了许多。

　　郑浩微笑着示意战士们停止鼓掌,"以上是老生常谈了,但必须得谈。因为种种原因,多少年来,我们导弹工程兵很少有人见过导弹发射,多数人连导弹都没见过。我认为这种状况得改变。我们导弹工程兵,有资格看见真导弹,也有资格观摩导弹发射！今天,大家都能实现咱们导弹工程兵心中的愿望！下面,我们要看的是一部绝密片子:《惊雷演习掠影》!"

台下响起雷鸣般的掌声。不少战士激动得纷纷从小马扎上站起来,齐声高喊,"扎根山沟,拼搏奉献,攻坚克难,敢为人先!"

雄浑高亢的声音震天撼地。

通过这次亮相,曾经大学校园里的风云人物郑浩,如今在大一营又成了耀眼明星,二营三营都盼着郑浩早点去放片子。

林丹雁调侃石万山,"照这个势头下去,七星谷以后可就不姓石了。"

"它一直姓国,从来就没姓过石!"石万山没好气。

郑浩在二营三营的精彩演讲,更是倾倒了所有的人。他的心帆进一步鼓胀起来,他想起了中国历史中,张仪和苏秦凭三寸不烂之舌而官拜宰相的典故,心里生出了陶醉和神往。

片子看过了,心情也激动过了,一转过身去,平淡的生活仍在继续,每个人都还得小心面对自己的人生难题。

提干受挫的齐东平,精神上受到很大打击,心里感觉万念俱灰,认为自己跟南京军区总医院护士小吴之间更将成水花泡影,幸而魏光亮不断给他打气,让他务必至少写一封信去老实坦白情况,齐东平犹犹豫豫地照办。不料,反倒是他的诚实打动了小吴的芳心,小吴觉得他很实在,回了一封热情洋溢的信,说对他还充满信心,鼓励他不要气馁,说自己愿意以后与他经常互相鼓励,共同进步。

收到这封回信后,齐东平立刻容光焕发信心十足,整个精气神都不一样了。

齐东平与小吴感情上的突飞猛进刺激了魏光亮:男人,有些动力是兄弟朋友给不了的,只有女人才能给得了自己,有时候,男人需要在女人那里找到自信。他决定加快进攻林丹雁的速度和力度。

齐东平为他忧心忡忡,"老魏,你在她那儿肯定会碰钉子的,依我说,你不如去追小周医生,她真的很……"

魏光亮向他瞪眼,"我怎么可能去追一个自己从来都没正眼看过的女人呢? 不行,我就要最好的!"

傍晚,魏光亮从箱底翻出一套早就备好的白金项链、戒指、耳环,趁周亚菲上心理咨询室的空当,悄悄溜进林丹雁房间,把精致的首饰盒奉上,然后单膝跪地,求林丹雁嫁给他,把林丹雁弄得恼怒异常又暗自好笑。

"魏光亮同志,请你赶快起来,也请你赶快把东西拿走,这样我就当什么事情也没发生。如果你非要胡搅蛮缠,对不起,我马上报警。"林丹雁的语气冷若冰霜。

犹如一盆冰水从头浇下,身上和心里全都冷飕飕的魏光亮,只得灰溜溜而去。回到宿舍,他一头栽倒床上,恹恹如同病猫。齐东平跟过来,守候床边不断开导和安慰着他,他始终把头埋到枕头里不理不睬。

齐东平只好激将他,"你不是号称在感情上有完全的免疫力了吗? 你不是标榜已经练就了金刚不败之身吗? 现在干吗跟农民家里死了头老母猪似的?"

趴在床上的身体依然一动不动。

"老魏,老魏!"齐东平唤他,推他,他仍然没有反应,齐东平知道他的确是伤心了,这时候还不如让他一个人好好呆着,便起身往外走,走了几步,又心存恻隐地回头,"老魏,别想得太多,啊? 还有,最近要开支部大会了,一人一票,举手的人得过半数,你尽量注意点,别感情用事,别意气用事,免得阴沟里翻船,好吗? 你早点睡吧。"给魏光亮搭上毛巾被,轻手轻脚地走了出去。

泪水从魏光亮眼角渐渐渗出来,慢慢流过他的面颊。

然而,事情并没有完结。这段时间里,林丹雁与魏光亮碰头见面的机会莫名其妙地多了起来。不久,林丹雁看出来是石万山授意和安排的结果,她火冒三丈,把石万山狠狠臭骂一通,骂完后回到房间,仍余怒未消,闷头往床上一躺,委屈的泪水泉涌而出。她心里暗暗把石万山恨得咬牙切齿。

周亚菲从心理咨询室回来,掀开她蚊帐,"丹雁姐,你哪儿不舒服?"

"没事。看你这一段挺忙的,累吗?"林丹雁意兴阑珊。

"也没什么,只是有不少战士都愿意跟我说心里话而已。这个局面来之不易,我想从中选几个案例,写篇文章。"

"跟美女聊天,他们当然很受用。"

"什么呀,在他们眼里,我只是个医生,是知心姐姐。哎,丹雁姐,我想在局域网上开个知心姐姐的栏目,你看行吗?"

"只要你不怕累,当然可以。"

周亚菲喜眉笑眼起来,"太好了!面对面,有些话不好说出口,有这个栏目就好办了。比方说,有一次魏光亮没吃晚饭,却喝了不少酒,问他,他什么也不肯跟我说,只说自己生病了。据我所知,他是再次受到了感情上的严重打击。栏目开通后,我相信他愿意化名吐露心中苦闷和忧伤的。"

林丹雁猛地坐起来,狠狠地,"他自作自受!堂堂清华硕士生,连谁爱他谁不爱他都分不清楚,真是糊涂蛋一个!"

周亚菲眼里掠过一丝痛楚,"丹雁姐,其实我早就知道是怎么回事。你为什么一点面子都不给他留呢?"

"这种面子没法留,留了后患无穷。对于他,长痛不如短痛;对于我,与其伤人十指,不如断人一指。不是我心狠,我也是没办法。"

屋里顿时陷入沉默。

良久,周亚菲轻轻地说,"丹雁姐,恕我直言,我知道你心里有人,事实上,你一直在为他而痛苦。"

林丹雁心里一颤,"把我也当成你的病人了?"

"不,是知心朋友,闺中密友。丹雁姐,如果信得过我的话,你就说说他吧,说出来,你会感觉到心情畅快得多。"

林丹雁默然。面对眼前这个聪明伶俐善解人意的姑娘,她何尝不想痛快淋漓地把埋藏在心底的一切喜怒哀乐都一吐为快,然而,那个人不是别人,偏偏是他!且不说自己与他还有他老婆的关系扯不清楚,就凭他是自己和周亚菲每天都要见到的人,是七星谷里说一不二的"山大王",她也不能畅所欲言啊。

片刻后,林丹雁幽幽地开口,"我没有你想的这么复杂。倒是我一个很要好的朋友,她在感情上遇到了很大的麻烦,她一直为此苦恼和绝望,感情的事情,我又帮不了她,只能眼睁睁地看着她痛苦而无能为力。"

"她爱上了一个很优秀的有妇之夫,是吧?"

林丹雁细长好看的眼睛瞪得溜圆,"你怎么知道?"

"我是心理医生嘛。其实这问题说来也很简单,关键在于那男人爱不爱她。如果他也爱她,一切都不是问题,即使改组重建一个家庭,我认为也并不十分困难。"

"那男人其实很爱她,然而出于种种难以向外人道的原因,还有他们之间甚至他们家庭之间理不清剪不断的复杂关系,致使他一直竭力抑制着这种感情,这点使她最痛苦。亚菲,你知道,这种爱情是最要人命的。如果他根本不爱她,就一切都不是那么回事了。"

周亚菲叹口气,"人的感情真的是太复杂了,谁爱谁,谁不爱谁,没有一点道理可讲。不过,你可以劝她尽量跳出来,所谓七步之内必有芳草,她多看看别的风景,也许哪天能峰回路转。"

"我也老这么劝她,可她始终沉迷和向往那种从一而终生死不渝的旧式爱情,追求曾经沧海难为水,除却巫山不是云的灵魂境界。理性上,她也知道这世界上有许多好风景,可感情上,她就是被一山障目,怎么也跳不出去,你说她是不是不可救药?"林丹雁长叹一声。

"怎么说呢,心理上的病,也好治,也难治。如果她能尽力自拔,痛痛快快去爱一场,或者,远离那个让她伤情的男人,她会痊愈的。对了,她不是男人不想多看一眼的歪瓜裂枣吧?"

"恰恰相反,从上中学起,她就很招男人,老的少的都会被她吸引。也许别人都不会相信,这样一个女子怎么会这么为情所苦为情所伤,因为凭她的才和貌,她本来可以拥有无限风光的。本来她很久没跟那人联系了,谁知阴差阳错的命运又让他们碰头,而且他是她的领导。她只有哀叹:也许这就是命吧。"

周亚菲完全沉浸到林丹雁的讲述中,忘记了对方是在借他人酒杯浇自己块垒,很是心痛和着急,"对她来说,这是段命定的孽缘,在劫难逃。她怎么办呢?"

"所以她老说自己是世界上最不幸的女人。前一段,有两个男人狂热追她,都算得上挺优秀,她明知道这是自己走出心理阴影的最佳时机,可她就是提不起兴致,背地里她经常说服自己:应该去接触他们,感情是培养出来的……可人家一到跟前,她就无论如何也不肯往前走半步,你说要命不要命? 有时候,她甚至觉得自己人格分裂,精神简直都要崩溃。算了,不说她了,一说她就心里堵得慌,烦。说你吧。亚菲,说真的,我很羡慕你,你看,这小半年你过得多平静啊,在光棍堆里居然不会受到骚扰,每天都过得快乐无忧,这是为什么?"

"美丽才女羡慕我这又丑又傻的黄毛丫头? 我真三生有幸啊。没办法,我倒是想不平静,可人家的眼睛都不看我啊。"

"别谦虚了。算我向你取经,行不行?"

"你是真的假的?"

"我是真不明白。你年轻漂亮热情可爱,按理说,这七星谷里追求你的人应该成群结队才是,可你身上怎么一点绯闻都没有呢?"

周亚菲笑起来,"姐姐过奖。如果说我真有什么'经'可取,那就是:这一辈子,我只想结一次婚。"

"谁也不想结十次八次。"

"关键在于,这一辈子我不打算离婚。"

"哎呀,你就别卖关子了。"

周亚菲瞧瞧她的神色,认真起来,"主观上,要做到能以平常心等距离看待每一个男人,客观上,要造成狼多不吃娃的局面。"

"太抽象了。请解释一下。"

"也就是说,一个女人,在遇到自己认为可以托付终身的男人之前,对待所有男人都应该表现出同样的热度,不向其中任何一个男人,传递媚眼之类的与性关联的信息。所有的狼都想吃娃,也都会吃娃,设法让狼们都知道你这娃可以被它吃掉,同样也可能被别的狼吃掉。能做到这两点,你就可以与群狼共舞而无后顾之忧。"

"高,实在是高。你真是人小鬼大,我自愧不如。"

"我没这智商。是舒亦文教我的。"

"舒亦文? 这高人是谁?"

周亚菲咯咯地笑,"我妈。我一般都喊她老妈,有时候直呼其名。"

"真羡慕你有个这么出色的妈。"林丹雁起身拿镜子,对着镜子左照右看,"我看看,我的眼神跟你的眼神究竟有什么不同?"

"哈哈哈哈!"周亚菲开心大笑,"没有狼群时你看不出来。丹雁姐,你知道吗,在七星谷,咱俩给男人传递的信息不一样。"

林丹雁心下一惊,"是吗? 怎么不一样? 难道我有哪儿不对?"

"没那么严重。只是,七星谷里所有男人,在潜意识里都会把我当成性对象。潜意识里都认为可以跟我交往,我也愿意跟所有的男人交往,所以,只要我不去打破这种平衡,就一直能享受宁静。你不一样。这儿绝大多数男人认为你跟他们的生活无关,而你也只跟其中的精英交往,这就有些麻烦。头狼们自然对你狼视眈眈你争我夺,倒下一只,另一只又会加入,前仆后继,死而后已。你要没个明确态度,头狼们的战争将没完没了。只有当你选中其中一只,其他的才能安生。"

　　林丹雁眼前掠过郑浩、魏光亮……石万山的形象刚一闪现,她立刻把他驱逐出去。她的心刺痛了一下,紧跟着,目光变得迷茫起来。

第 十 五 章

　　一百多号一营官兵分布在营部多功能厅吃饭，扒拉米饭的大多是南方人，大嚼馒头的一看就是北方汉子。伙食不错，有六菜两汤：红烧肉、木犀肉、葱炮羊肉、萝卜炖牛肉、清炒黄豆芽和醋熘大白菜；榨菜肉丝汤和小白菜豆腐汤。

　　大家吃得正酣，猛听得张中原大喊，"全体起立！师前指首长前来检查一营的伙食，大家鼓掌欢迎！"众人一个个抬起头来，看见张中原陪着郑浩、石万山和洪东国已经进了大厅，纷纷放下筷子，站起来用力鼓掌。

　　郑浩笑容满面，"大家请坐下。现在工期紧张，任务艰巨，顾师长和成政委怕大家吃不好，特意叮嘱我来看看。现在看来，大家不比我们中灶吃得差啊。这我就放心了，顾师长和成政委就更放心了。张营长，司务长，这几天老兵就要退伍了，伙食一定要搞得更好。"

　　张中原与司务长同时回答，"是！"

　　郑浩微笑着，沿着过道一路巡视，走到一个虎头虎脑满脸稚气的上尉旁边，低下头亲切地问，"味道怎么样啊？"

上尉站起来，"报告首长，味道很好。"

"好，好。请坐下，接着吃，多吃点，啊？"郑浩露出满意的神色，转头对张中原说，"俗话说'大锅饭小锅菜'，说的就是大锅菜不容易做好吃。掌勺大师傅一定要多学习。"

"报告郑副参谋长，炊事兵如果没有二级以上厨师证书，就没资格在我们一营掌勺。"

"好，好。"郑浩背着手，继续往前走。

吃得正欢的齐东平偶一抬头，眼见得郑浩他们走近，赶紧用胳膊肘碰魏光亮，魏光亮抬头一看，立刻慌手慌脚的想把面前餐盘里的一堆肥肉和馒头皮掩藏起来，但已经来不及了。石万山的眼睛正老鹰般盯着他的餐盘，他只好老老实实坐着，稀里哗啦地低头喝汤。

"拿双筷子过来。"石万山的声音低沉平静，但周边的人都听得见。

司务长赶忙去拿消毒筷，跑回来递给石万山。

石万山把馒头皮夹到嘴里，马上又夹起一块肥肉放到嘴里大嚼，"这叫自制肉夹馍，非常好吃。有谁不喜欢吃，都给我攒着，别给猪吃，给我吃。这肥肉喂猪，猪只长油不长肉。魏光亮连长，你吃完饭陪我散散步吧，我在外面等你。"

话音未落，石万山转身就往外走。张中原左右看看，跟了出去。

魏光亮的脸顿时涨得通红。他看看还站在一旁的郑浩和洪东国，硬着头皮把剩余的馒头皮和红烧肥肉夹到嘴里，表情十分痛苦地嚼咽着。

郑浩笑笑，一边拔腿开步，一边对洪东国说，"老洪，咱们去看看操作间吧。"

郑浩和洪东国一走，魏光亮立刻"呃，呃"地捂着胸口，恨不得把五脏六腑都给吐出来才好。好不容易胃里好受一些了，他向同桌战友们道别，又搂搂齐东平的肩膀，起身往外走。

石万山一直在门外等着他。

两人沿着小路,朝后山的大榕树走去。

来到榕树下,石万山停住脚步,用歉疚的目光看着魏光亮,"光亮,我知道,多年养成的生活习惯,改起来不容易。刚才我用的这个办法是粗暴了些,可它管用,希望你能谅解。"

魏光亮低下头,"哪里,应该请团长谅解我。"

"我经常讲,在和平时期,只有我们导弹工程兵天天都在打仗。在战时,指挥员的一举一动,都有可能影响整个战局。光亮,你现在是统领一百多人的指挥员了,凡事要以身作则,起表率作用。"

"是。"魏光亮的声音像蚊子嗡嗡。

"给你讲讲我的亲身经历吧。我小时候家里很穷,但我也不喜欢吃肥肉,更可恶的是,我还不吃馒头皮,连馒头的下半个都不吃。因为有爷爷奶奶的娇惯,所以这些毛病我一直没改。可就是这么两个我不以为然的小小生活习惯,我第一年入党时就被卡了壳,第二年被提班长时重蹈覆辙。你能想象得到,这对于我的打击有多大。你知道是谁强迫我改掉了这两个习惯吗?"

"是我爹吧?"魏光亮抬起头来。

"对。吃馒头皮和馒头底不那么难,学会吃肥肉可真痛苦。至少让你爹花了二十块钱,我才学会了吃肥肉。卖肉的镇子离营区有三里地,你爹把熟肥肉拿回营区时,肉早都凉了。凉肥肉吃起来可真难受。"

"刚才我体验过了。"

"部队是个集体,在很多方面,它是拒绝个性的。要想不被淘汰,你不但要适应它的规则,而且必须适应它的潜规则。如果不完完全全融入这个集体,你带的队伍肯定没有战斗力。"

"团长,谢谢你的教诲。今天这事,我会牢记一辈子。"

"光亮,我还想跟你谈谈另外一件事。男大当婚女大当嫁,这是人类自然规律,谁也不干涉。部队没有禁止未婚军官谈情说爱,但不禁止并不意味着谈恋爱可以信马由缰,五花八门的法子都可以拿来使用。当然,军官谈恋爱的手段也在与时俱进。譬如,一个军官向一个女孩子公开送花,现在是件平常事,在我像你这么大的时候,那可是有很大副作用的……"

"团长,有话你就直说吧。"

"现在大学里,也有男生为赢得心爱女生的欢心,天天跑到她宿舍送花唱情歌的,这是很浪漫。问题是,我们这儿是军营而不是大学……"

"团长请放心,我不会像个小丑一样,站到哪个女人的窗前,给她拉小提琴唱小夜曲,我也不会再送花了。"

石万山心情复杂地看看他,欲言又止,最后说出来的是,"咱们回吧。"

魏光亮回到宿舍,齐东平告诉他:郑浩让你回来后去他房间一趟,魏光亮心情不佳的问是什么事,齐东平说不知道,你去了不就知道了?

魏光亮愣头愣脑推开郑浩的门,"郑副参谋长有何指示?"

"光亮,没旁人时,还是叫我郑大哥吧,听着亲切,心头温暖。"

"不敢,可不敢叫郑大哥,这么叫抹杀了上下级关系,不合适;还叫郑叔叔吧,又怕把首长叫老了,我承担不起某些后果。"

"鬼东西!唉,没办法,人大了,成男子汉了,郑叔叔说话不管用了。光亮,现在胃怎么样,不难受了吧?石团长没有严厉批评你吧?"

魏光亮投去探究的眼光,不正面回答,"多谢师首长关怀。"

郑浩无奈地转移话题,"现在喜欢上七星谷了吗?对石头有感觉了吗?"

"喜欢,七星谷很好,因为我喜欢上了这一大帮弟兄们。喜欢一个地方,是因为喜欢那儿的人。对石头也有感觉了,开山放炮挺单纯的,我也很喜欢。我现在觉得,生活还是单纯些好。"

"嗬,光亮现在的境界很高了嘛。问个私人问题,你也可以不回答,你跟在美国的女朋友还有联系吗?"

"没什么,我是事无不可对人言,一切都可以坦率回答。只不过,那已经是前朝往事,成了云烟,没啥好说的了。"

"新的爱情在旧爱情的尸体上成长起来了,是吧? 进展顺利吗?"

魏光亮几乎跳起来,"今天是我什么日子啊? 真是邪了门了!"

"这么说,你已经听到过这方面的话了,是建议还是忠告?"

"是忠告,甚至可以说是警告。郑副参谋长想给我建议还是忠告? 或者也是警告? 说吧,我一概洗耳恭听。"

"那你得先告诉我,别人给了你什么样的忠告,或者说警告。"

"好。石团长警告我不要再骚扰林丹雁,怕我闹出丑闻来。"

郑浩含蓄地笑笑,"你一定要理解他,要理解你的团长。他这么做是为你好,就像他当众吃掉你揭下的馒头皮扔掉的肥肉一样,都是用心良苦。"

魏光亮眼睛眨巴几下,"听不明白。我的智商是不是出了问题?"

郑浩又一笑,"你会明白的。林丹雁是个很优秀的女人,不瞒你说,我刚来时对她也产生了浓厚的兴趣。但我后来发现,她看上去好像容易走近,实际上,当你真要走近她时,却发现自己根本无能为力。想要走近她,需要迈过许许多多障碍。"

"为什么?"

郑浩犹豫一下,然后似乎痛下决心,"话要从头说起。你了解她跟石万山的历史关系吗?"

　　"知道啊,她哥当过石团长的班长。"

　　"你是只知其一,不知其二。孙子说,知己知彼,才能百战百胜。你要了解林丹雁,就应该了解她的历史。可以说,是石万山和他妻子,不,应该说是石万山,一手造就了今天的女博士林丹雁。"

　　魏光亮很惊奇,"是吗?"

　　"光亮,告诉你这些,只是想帮你。你可别逞一时口舌之快,把我给卖了。"

　　"我好像不是长舌男吧? 不过,你为什么要帮你的情敌呢?"

　　"什么情敌,真难听,你小子把你郑叔叔郑大哥当情敌,没准天天还恨着呢,但你郑叔叔可没把你当情敌。我没那么狭隘。光亮,告诉你吧,林丹雁与石万山的渊源深着呢,她从十二岁起就进了石万山家……"

　　郑浩把从汪小青处得知的情况全都告诉了魏光亮,把个魏光亮听得目瞪口呆。

　　"石万山对林丹雁有养育之恩,在林丹雁眼里,石万山的形象既是父亲又是兄长,同时还可能是情人。当然,我所指的情人可能只是精神上的,要不,她上大学时不会让石万山冒充男朋友,去吓退众多追求者。话又说回来,她在感情上依赖石万山,是再正常不过的事情。"

　　魏光亮恍然大悟,"原来障碍是石万山。"

　　郑浩正色道,"不能把石团长说成是障碍。心理学认为,如果父女关系比较好,女孩子择偶时,会自觉不自觉地拿父亲做参照。我现在看明白了,林丹雁至今还没有嫁人,多半因为她还没遇到她认为比石万山优秀的男人……"

　　魏光亮喃喃自语,"她爱的人原来是石万山,真有意思。"

　　"瞎说什么呢! 什么爱不爱的,这种事你可别瞎猜瞎说,你要改正你的思维方式!"郑浩冲他鼓起眼珠子。

"行了,我的郑叔叔郑大哥,你放心,我不会卖你的。谢谢你把这些情况告诉我,从此我再也不做傻事了。"

"别,光亮,你可别轻易放弃,林丹雁值得你锲而不舍地追求。当然,她这块阵地,强攻效果不好,应该……"

"这块阵地我放弃了。男人嘛,该出手时就出手,该放手时就放手!"

一号洞里,隆隆的炮声响过后,碎石泥土纷纷扬扬地往下落,各种除尘设备立刻自动开启,很快将洞中的粉尘清除掉了大部分。张中原和齐东平等人戴着口罩,跑了过来。

"营长你看,上面炸得太厉害,石头都快成豆腐渣了。"齐东平手指头顶上方。

魏光亮从另一个方向跑过来,板着脸,"这么多碎渣,怎么回事?谁装的炸药?顶部和侧墙都是光面爆破,忘了吗?"

"不怪他们,怪这些石头。"张中原从地上捡起一块碎石,两手用力一掰,石头竟从中断开。

魏光亮摸摸后脑勺,有点难为情,"营长,你不是走了吗?"

"我不放心。东平,把台车开过来,打几个孔试试。"

打孔的结果,发现石质变得松软了。张中原感到事情不妙,赶快捡起几块石头样品,送到林丹雁办公室,请她作出鉴定。

林丹雁把石头样品放到放大镜下,仔细察看石纹,"什么时候出现的?"

"昨晚八点钟左右。当时就有感觉,石质已经开始变松,切面看得到不规则的裂纹。今天上午,放炮时发现泥土。"

"可能出现了泥夹石。"

"是吗?好像又不太像。"

"不管怎么样,不能麻痹大意。张营长,从现在起,你们必须增加测量次数,同时循环进尺要减小。"

"好,我马上通知下去。"

张中原跑着离开后,林丹雁又回到放大镜前仔细观察几块石渣,看了一阵,她立马锁门,往石万山办公室而去。

看了林丹雁带来的石头,听了她的分析,石万山二话不说,拉着她就上了敞篷吉普车,往一号洞风驰电掣而去。

车到山坡下,石万山刹车,跳下,告诉林丹雁:到了。

"开过去呀。"林丹雁坐着不动。

"不行,里边有运渣车。我定的规矩,除了送饭车,任何只能载人的车辆都不能开进坑道。"

林丹雁只好跳下车,一边嘟囔,"你那个宏伟计划可能要破产。"

石万山关好车门,"哪个宏伟计划?"

"看来你的宏伟计划不少嘛。"林丹雁讥讽道,"我说的是元旦突破五千米那个。"

"你能不能说点吉言?"

"很抱歉,本人做不来屈从于石大团长的小婢女,只信奉科学来不得半点虚伪。"

"好好好,我说不过你,我认输。哎,我已经找魏光亮谈了,提醒他不要再骚扰你……"

林丹雁脸子一拉,眼睛一瞪,"谁让你找他的? 狗拿耗子,多管闲事! 我的事以后你少管。"

石万山本来想讨个好,不料讨了个没趣,悻悻然,"你说他骚扰你,要我负责治理,不然……怎么出尔反尔呢?"

"孔夫子不是说唯女子与小人难养也吗,你不知道?"

"好好好,我错了,我举手,我投降,行了吧?"

林丹雁鼻子里哼一声,不再理他,径直往前冲,石万山加大步子跟上。

两人一起走进伪装过廊。

不远处的石渣场上,郑浩和他的助理江建华正在观看大翻斗车往里倾倒石渣,顺便把石万山林丹雁的一举一动都看到了眼里。

"伪装敞篷吉普车与气质美女的配套,比什么香车美女都酷。郑哥,你别说,他们在一起还真养眼。"江建华忍不住赞叹。

郑浩不做声,心里有些酸溜溜。

"对不起。我说错话了。"江建华马上意识到自己犯了错。他熟识郑浩多年,第一次见他动了真心,自己不该口无遮拦,触到他的心病。

郑浩瞪他一眼,又笑起来,"给你讲个幽默段子。一个人赴宴迟到,入席时,服务员正好把烤乳猪端上来,放到他面前,他大喜说'真好,我坐在了乳猪旁边',这时他发现自己右边坐着一个肥胖妇人,正对他怒目而视,他马上向她道歉,'对不起,我说的是桌上那只。'肥胖妇人更是怒不可遏,起身就走。所以,你后面那句话才真正说错了。"

江建华哈哈大笑,"郑哥,其实你很幽默,只是平时看上去显得古板。"

"没办法,只有在自己非常信任的人面前,我才能放松,才能无拘无束,才能敞开心扉。也不知道这到底是优点还是缺点,但至少我比很多人活得累,唉!"郑浩叹口气。

"其实这样也挺好,虽然累点,但保持了威仪。在中国,有了威,才能有力,威力威力嘛。"

郑浩默然,片刻,幽幽地叹口气,"在大功团,真正有威的是石万山。更经典的说法是,有权才有位,有位才有威。石万山很懂用兵之道,对下属恩威并施,下属都敬他爱他拥戴他。中国人最重视什么?道理、性命、德行、气运。道理和气运讲天道自然,德行和性命讲人生境界。这样的人的确有人格魅力,对女人来说更不啻是毒药,所以林丹雁迷恋他是可以理解的。他对林丹雁越保持君子之态,林丹雁所受的折磨就越没有尽头。"

汪建华深深地看着他,"看来你是真爱上她了。"

"我不否认这点。我希望自己能帮助她走出这种心理阴影,可我很可能没有这个能力,他们共同拥有的历史太长了。不说这个了。建华,问你一个问题,你怎么看待目前中国官吏升迁的传统呢?"

"目前中国官吏升迁的传统? 不懂。领导别考我,教我吧。"

"谈不上教,一点体会而已。有人做过统计,说有六成省级主官曾当过县委书记,有近七成将军曾当过团一级的主官,而且是主力团的。知道为什么吗?"

"因为有实践经验,对不对? 在中国,地方上的县,部队里的团,是最具中国特色的,它们麻雀虽小,五脏俱全。"

"没错。我现在,差的就是一段主力团主官的经历。"

"有没有当过主官,也不是咱们部队考虑升迁的唯一一参数啊。"江建华激动起来,"比方说,接替咱们师参谋长的人选,你和石万山都有很高的呼声,你虽然没他那份主官经历,可你比他至少多了两大优势,一是年龄,你比他小了三岁,二是文凭,这更不用说了,你起码比他高了两个档次。现在的干部任用,主要就是年轻化知识化嘛!所以,谢参座升迁后,你绝对是一号种子,他顶多算是二号种子。"

"话可不能这么说,人事问题,在宣布任命命令前,变数始终是很大的。何况咱们师有这个传统,你看,师长,政委,参谋长,还有政治部主任,从师里一步步成长起来的这些人,百分之九十以上都当过主力团的主官。近十五年,在这几个位置上呆过的,都出八个将军了。"

"你一总结,还真有这么个规律。"

"所以说目前一切都是未知数。建华,等时机成熟些,我马上推荐你去哪个营当一任主官,不能让你再走我这样的弯路。"

"谢谢。"

"现在,你没事时多下营连走动走动,先联络感情。勤快点,发挥你的笔杆子特长,多写点表扬稿,让大功团的基层官兵多在《火箭兵报》上露露脸。不管看到听到什么不合情理的事情也别写批评稿,别稀里糊涂的,要多种花少栽刺。"

"明白。我已经理出了几条思路,正在联系《解放军报》。"

"在《解放军报》上露脸当然风光,不过,对他们来说,在《火箭兵报》上露脸似乎更重要。"

江建华觉得奇怪,"不对吧? 军报可是全军的大报啊。"

"这你就不动脑子了。军报的新闻导语怎么写? 第二炮兵某部如何如何。《火箭兵报》呢? 某部队大功团如何如何。有区别吧? 有时候,并不是越大越好。对咱二炮军以下的单位而言,还是上《火箭兵报》实惠。像军报那样写:空军某部,海军某部,第二炮兵某部,太空太大了,上面领导读了,也记不住谁是谁。"

"真正是听君一席话,胜读十年书。"

郑浩露出笑容,"千穿万穿,马屁不穿,你就拍吧。建华,你要多宣传石万山和大功团,还有石万山的妻子汪小青,努力挖掘汪小青这个军嫂的典型价值。"

"石万山的妻子? 为什么? 她有什么过人之处吗?"

"是的。她确实是个好妻子,好母亲,好儿媳,是我们部队的好军嫂,是我们导弹工程兵背后的伟大女性。石万山真的是员福将,能娶到这样的好女人。"

江建华很惊讶,"她真有你说的这么杰出? 不过,难得听到领导这么赞美一个人,尤其是一个女人,看来一定没错。行,我遵命!"

"那就要辛苦你了,首先,春节期间你就不能回家,你要趁她寒假来队探亲时,与她多接触,尽可能多掌握关于她的第一手资料,做好把她宣传成全军全国级军嫂典型的准备。"

"可是……"江建华欲言又止。

"怎么啦？有话直说嘛。"

"郑哥，现在是你与石万山争夺师参谋长位子的关键时刻，你这样大公无私地宣传他们，岂不是搬起石头砸自己的脚？"

"不，我不这样想问题。首先，在工作中，要公私分明，要抛开恩怨，不能因一己之私而昧了公心，这是君子应有的品质；其次，目前，七星谷是石万山的七星谷，我在这儿是空架子，没实权，你要把这一点弄明白。你要在这儿有发展，就要多宣传他们，尽量跟他们搞好关系。至于我，你就不用顾忌那么多了。"

江建华无比感激和敬佩地看着郑浩，他觉得，自己再说感激的话，就既多余又浅薄。

郑浩和江建华在探讨部队军官升迁规则和潜规则的时候，石万山和林丹雁正在主坑道为石质的变化忧心忡忡。

石万山拿起一块石头，在洞壁上用力画上记号，"在这儿做个警示标志。丹雁，你带着样品回趟北京，检测一下石质。"

"停工吗？"张中原问。

"不用停工。这样吧，在林工回来前，采用勤测量、少装药、弱爆破、快支护的方法，稳妥推进。另外，已经确定了退伍的老兵就不要上来了，让他们多休息。"

"是。"张中原转头吩咐魏光亮，"从现在起，多派一个安全员。"

"是。"魏光亮令行禁止，立刻跑步去落实。

石万山对魏光亮的工作作风暗暗满意，却不动声色，拉着张中原往外走。两人来到石块堆积如小山的石渣场，石万山从每一小堆里各挑拣出几个小石块，用它们互相敲击着。张中原如法炮制。

"一般情况下，这种石头与泥夹石层是邻居，真要碰到泥夹石层的话，春节时咱们团能不能打到五千米都很难说。"

"团长放心,最迟明年年底能打通的。"张中原宽慰他。

"但愿如此吧。"石万山脸上布满愁云。

张中原看着他,一阵心疼,终于下定决心开口,"团长,你不能整天呆在七星谷,成天只琢磨这些石头啊,出去走动走动吧。都在传师部谢参谋长春节期间要升迁,你是接替他的热门人选,可现在,社会上流行的是'生命在于运动,当官在于走动……'团长,你不能只守株待兔,得学人家……"

石万山心底涌上一股热流,他拈去张中原头上的一根小枯草,顺势把手落到他肩上,"谢谢你中原。不瞒你说,我是有将军梦,但君子好官,取之有道。另外,小道消息不可信,而且,各人有各人的做人原则和行事风格。我不管别人怎么样,反正我只按自己的意愿过活。你面前的稀饭还热得很,就别操我的心了,我相信自己饿不着的。我已经跟你小青嫂子说了,要她抓紧点帮你物色一个好女孩。你现在终于从感情打击中走出来了,我也去掉了一块大心病,但你还得成个家,男人没个家可不行。"

张中原的眼眶顿时热了起来。

"咱们走吧。你回营里,我去二营、三营,给赵成武和王德田交代一下。打山洞,怕软不怕硬,让他们一定多注意。"石万山拔腿往洞外走。

张中原小跑步追上去,"咳,赵成武王德田也是老革命了,他们什么恶仗没打过?团长放心吧,这山就是变成了豆腐块,我们也都不怕。"

石万山驻足,欣慰而感激,"中原,有你们大家撑着我,有你们这样的好兄弟,我就是一辈子呆在七星谷,永远只跟这些石头较劲,也心满意足了。老兵就要退伍了,多动动脑筋,把工作做细。"

张中原拍拍胸脯,"一营绝对不会出问题。"

一号洞掌子面内,齐东平摸着石壁上的炸药孔,征求魏光亮的意见,"石质还没变化,咱们装炸药吧?"

魏光亮手叉着腰,看看石壁,"算了,老兵们下午要走,咱们抓紧最后的时间跟他们多聊聊,中午还要会餐,现在歇了吧。"

"就是,到火车站欢送时,我和小柱还得打鼓呢,"方子明立刻收工,问魏光亮,"连长,中午会餐让不让喝白酒?"

"就你馋!"

七八个人陆续往外走,大家刚离开还没做锚喷加固的地段,坑道顶部垮塌下来一大片碎石。几个人立刻像被施了定身术,站在原地不能动弹。等到没有动静了,他们才慢慢回头往后看时,看见刚刚经过的地方被大大小小的石块覆盖着。

方子明擦着额头上惊出的冷汗,"奶奶的,真悬!"

魏光亮看看拱顶,"不行,得马上加固! 方子明,你们几个去抬钢筋;东平,你喷速凝砼。"

此时,大功团团部广场上,国旗和军旗猎猎飘扬,旗杆前面挂着一条横幅"大功团一营老兵退伍仪式"。横幅下面是鲜花簇簇的条桌,桌后,坐着郑浩、石万山、洪东国等人。他们的对面是士兵兵阵,三十来个胸戴大红花的老兵,端端正正神情肃穆地坐在前面两排,有的人眼角还挂着泪花。

张中原走上前,在麦克风前大声宣读命令,"……张军、韩大胜、田富贵等同志退出现役。此令。团长石万山,政委洪东国。二○○四年十一月十日。进行下一项,退伍战士留下帽徽、肩章和领花。全体起立! 奏军歌。"

高亢嘹亮的军歌声中,郑浩、石万山、洪东国和张中原等依次走下主席台,开始给第一排的老兵取帽徽、肩章和领花。一队尉官走过去,给第二排的老兵取帽徽、肩章和领花。现场气氛十分庄严肃穆。老兵们的眼里都含着泪花,有人忍不住小声抽咽起来。

背着药箱坐在一旁的周亚菲再也忍不住泪水夺眶而出,她低下头去,不断擦着眼睛。

石万山给田富贵取完帽徽、领花和肩章,把他的军帽戴好,伸手擦去他脸上的泪珠,用拳头捶捶他的胸口,"行了行了,大功团的兵应该记住:我们的胸是平的,只适合流血流汗,不适合盛眼泪。"

田富贵哇的一声大哭起来,好容易止住大哭,仍然泣不成声,"我,我现在已经,已经不是大功团的兵了。"

"谁说的?"石万山朝兵阵大喊,"你们永远都是大功团的兵!"

掌声顿时如潮水泛过。

退伍仪式结束后,田富贵与几个退伍兵把周亚菲团团围住,七嘴八舌,"周医生,我最舍不得你了。""周医生,我们给你写信,你回吗?""亚菲姐,我们回家后,会想念你的! 你一定要给我们回信啊。"

周亚菲眼里噙着泪花,脸上展开笑容,"放心,大家放心,我一定会回信,我最喜欢写信了。你们把我当姐姐吧,有什么心里话都跟我说,我们永远保持联系。"

一个小个子战士羞怯又坚决地,"亚菲姐,我想拥抱你一下,行吗?"

"当然可以。"周亚菲朝他走过去,紧紧抱他一下。

旁边的人又鼓掌又喝彩,把小个子战士闹个大红脸。

"我比周医生大,就认个妹子吧。"田富贵取出照相机,递给小个子战士,"大胜,你照相水平高,来,给我和我妹子合个影。"

小个子战士举起相机,周亚菲恬静甜美地微笑着,田富贵则紧张得全身绷紧,眼睛也不知道看哪儿才好,急得小个子战士连连喊,"富贵,你放松点,笑一笑,哎呀,这是笑吗? 比哭还难看……"

田富贵刚把状态调整得还可以,周亚菲却走神了——魏光亮一行进了广场。

方子明冲过来,一把抱住田富贵,哭腔兮兮,"老田,刚才冒顶,我差点见不着你们了。"

"冒顶了?"田富贵一惊,一把推开他。

"是啊,悬极了,我们刚离开那儿,石头就下来了,足足有十来方。"

"不是急着回来喝你们的送行酒,我们几个弄不好就光荣了。临走,你们又救了哥几个一命!"魏光亮说话时眼睛不断瞟周亚菲,"为了庆贺我们的死里逃生,亚菲小姐,跟我们一起喝两盅?"

"当然要喝,我要不喝,我这些兄弟也不答应啊。"

"连长,我想去看看。"田富贵说。

"看什么?"魏光亮莫名其妙。

"冒顶啊。"

"已经加固了,放心,"魏光亮扯住他,"这样吧,吃完饭咱们一起去。"

因为惦记着要去洞里,送行宴上,魏光亮他们几乎没怎么喝酒,匆匆吃罢饭,魏光亮、齐东平、方子明、王小柱带着田富贵等几个老兵,来到一号洞掌子面冒顶处。大片碎石还堆在坑道里没有清理,一片狼藉。

田富贵走到碎石堆前,"子明,你们离开前都在哪?"

方子明走进乱石堆,在一堆乱石上跳来跳去,"连长在这儿,东平在这儿,福成、贵有他们四个在这儿,本人在这儿。我们刚走到连长现在站的那儿,这些石头就下来了。"

田富贵仰起头,一脸肃穆地凝视着洞顶,默然片刻,低下头,拧开酒瓶子盖,把白酒举过头顶,然后朝石堆上泼洒,再对着石壁双手合十喃喃而语,"山神、土地公公,谢谢你们这几年保佑了我们平安无事。我就要走了,回家享受太平生活了,临行前,我最后给你们敬酒,求你们保佑我们一连一营、保佑我们全团的兄弟们平安无事。"

他咚的一声跪下,郑重地磕下三个响头,站起身,对魏光亮笑笑,

"现在我是老百姓了,磕头不违反纪律。"

"谢谢你!"魏光亮向他行一个庄严的军礼。

等他们赶回营部,其他退伍兵已经走得差不多了。张中原弄清楚了他们刚从一号洞回来,动情地握着田富贵的手,"富贵,我一定要送你到车站,看着你走!"

田富贵要乘坐的火车一再晚点。

看着站在萧瑟秋风中的洪东国和张中原,看着一个个睡成倒栽葱的锣鼓队队员,田富贵心里不得安宁,三番五次向洪东国和张中原央求:首长们亲自送我,一直等在这儿两个多小时,我实在于心不安;锣鼓队队员们上午都还在打坑道,现在疲惫得站着都睡着了,我实在于心不忍。请你们都回去吧,我已经感激不尽了,这辈子我都谢谢你们!

洪东国坚决不肯,说你田富贵作为大功团的战士,为国家修了六年坑道,如果离开部队时坐火车都没人送,岂不是要心寒一辈子。今天就是等到海枯石烂,我们也要等下去。

终于,田富贵登上了火车。

欢腾的锣鼓声,响起在汉江火车站的月台上,引来车里车外无数探望的目光。火车轰隆启动的一刹那,洪东国的泪水夺眶而出,田富贵泪流满面。张中原红着眼圈,朝远去的列车不停地招手。

红肿着眼睛的洪东国回到团部,受到石万山的调侃,"眼里全是血丝,像是昨晚一夜没睡。是不是又哪句话没说对,让彩云罚你跪搓板了?"

"别丑化我光辉伟大的形象。送老兵哭的。"洪东国用双手捂住眼睛。

"送老兵能哭成这样?"

洪东国把手从眼睛上拿开,横他一眼,"下次送老兵,你去!"

石万山笑,"不行,那是你政委的工作,我不能越俎代庖,眼睛还得你肿去。"

洪东国用手来回搓眼睛,"我不停地对自己说,别掉眼泪,别掉眼泪,可一到那个场合里,情绪就不听自己控制。"

"唉,男儿有泪不轻弹,只是没到动情处,我深表理解和同情。我在基层呆了二十五年,送过二十次老兵,没一回不哭。说实话,以后天南地北的,很多人再也见不着了,其实那也就是生离死别啊;再加上被气氛一感染,眼泪确实控制不住。"

"你石万山也会哭?"

"这叫什么话! 我又不是机器人。"

"好,下次我一定要瞻仰一下石老兄的哭相,还要偷偷给你拍下来。"

"哼,我不会让你阴谋得逞的。"

黑暗如潮水般,无边无际地向七星谷汹涌过来。

黄昏时分,人常常是异常脆弱的。躺在床上塞着耳机听音乐的魏光亮,就一下被贝多芬钢琴乐曲所弥漫着的浓重忧伤穿透。他眺望着窗外茫茫无边的暮色,突然感到心灵无比虚空,甚至有些难以言说的疼痛。他犹豫一下,跳起来,披上外套就往外走。

躺在床上读报纸的齐东平赶忙喊,"老魏,去哪儿? 等我一下。"

"我有事,别跟屁虫似的跟着我。"魏光亮加快步伐。

齐东平从他的神情里,判断出他所去为何,咧开嘴偷着乐了一阵,一骨碌蹦起来,从箱子里摸索出藏得严严实实的小吴来信,第 N 遍地温习起来。

周亚菲打开心理咨询室的门,一见敲门者是魏光亮,立刻心跳如捣,但尽力平静自己,"魏连长大驾光临,有何贵干?"

"来向你表示诚挚的谢意。"魏光亮啪地朝周亚菲敬个军礼。

"你这是干什么? 别吓唬我啊。本人何德何能,敢当你如此礼节?"

"亚菲小姐,别这么伶牙俐齿好不好? 至少让我进门嘛。"

周亚菲闪开身子,魏光亮生怕被关在门外似的赶快进屋,一屁股坐下,"本人专程前来,是来向一连编外指导员周亚菲医生表示谢意和敬意。另外,对本人以前的失礼之处,顺致真诚的歉意。"

"我有什么值得你谢的? 又有什么需要你道歉的? 魏连长,说实话,你这一来,马上让我联想到好几句不祥的民间俗语。"

"黄鼠狼给鸡拜年,没安好心;夜猫子进宅,无事不来;猫哭老鼠,假慈悲;鳄鱼的眼泪等等。对吧?"

"我可没这么说。"

"我知道你心里在这么想。你真的误会我了。亚菲医生,我们连的退伍老兵田富贵给你送过几盒苦丁茶,对吗?"

"是。怎么啦? 这算不上行贿受贿吧? 值得魏连长专门来调查吗?"周亚菲真生气了。

"瞧,对我的成见有多深! 我想说明的是,你的工作对我们一连是多么重要。田富贵退伍,原来是我们连今年退伍工作的头等麻烦事,为了想出办法来让他顺利离开部队,我和东平绞尽脑汁,好些天睡不着觉,还是没辙。没想到,你周医生只跟他谈几次话,他竟然主动提出来今年走,这可解决了我一个大问题啊,我真的很感谢你,同时,你也启发了我:心理上的问题,单靠思想政治工作,解决起来很难。田富贵能给你送苦丁茶,说明他是真的服你,其实,基层官兵都很服你。说真的,我也很佩服你。"

周亚菲粲然一笑,"好了,魏连长的感谢和表扬我照单全收就是了。下面,可以亮出你的正题了。"

"亚菲,你什么意思?"

"工作时间请别叫名字,这好像也是林丹雁博士对你的要求吧? 你看,在不同的人身上,你犯了相同的错误,而且是对两个女人,两个同居一室的女人,两个关系亲如姐妹的女人。说轻点,这有损魏公子的英名;说重些,简直丢清华园的人。"

魏光亮哭丧着脸,"没办法,什么都瞒不过你,我对你甘拜下风,自愧不如。好吧,我实话实说,我来的主要目的,就是想听听你对我的看法。"

"真要我说?哪方面的?"

"当然真的啊,方方面面,有一说一有二说二。按毛老人家说的办:知无不言,言无不尽,言者无罪,闻者足戒。"

"好,为了魏大连长能早日进步,我就不客气了!先说工作上。在我看来,你近来表现不错,但并不代表你完全爱上了七星谷。你仍然不甘心当一个导弹工程兵,只是你自我调试能力不错,加上自身是导弹工程兵烈士的后代,又有着来自方方面面的压力和敲打,所以你暂时进入了导弹工程兵的角色,如此而已。怎么样,说得对吗,受得住吗?还要不要我继续说下去?"

本来有些受不住的魏光亮只好频频点头,"请继续说下去,我洗耳恭听。"

"看得出来,我的话你不受用,但只要你还能表现出涵养,我就继续。现在说你的生活作风。几个月前,你被女友抛弃,对不起,我不是要揭你伤疤,而是不得不提及。实际上你很在意,可是身上前女友的吻痕还没褪去,你就迫不及待地发动了新的爱情战役,这使你的爱情态度显得不够严肃,当然让人怀疑你动机不纯。事实上,你对新目标的感情,属于爱情成分的因素的确不多。"

魏光亮脸上红一阵白一阵,欲辩无力。

"彻底受不住了吧?算了,不说了,我嘴下留情,积点口德吧。"

"别,别,继续说。周亚菲小姐对本人的关注和关怀,让我意外地感动。"

周亚菲顿时把脸一拉,"魏光亮,你少来这套!你现在想的是,东边不亮西边亮,牡丹谢了菊花黄,菊花被风扫了去,还有梅花挂枝上。我说的没错吧?肯定没错。你肚子里那几根花花肠子,我看得很清楚。你以为这样,就能显得你风流倜傥吗?我以一个心理医生的身份告诉你,你这样的表现,只说明你内心世界空虚无聊,精神上无所寄托,其心理根源是你的怕死情结,老害怕自己的生命会突然中止,所以你寄希望于女人帮助你驱走对死亡的恐惧。恕我直言,你现在渴望从女人那里得到的只是性,而不是爱情,所以你自然得不到别人的爱情回报。怕死是人的正常心理,它并不丢人,可恶可恨的是你对女人的动机和态度……"

魏光亮再也克制不住了,脸涨得紫红,"你胡说八道!我是那样的登徒子吗?我从来都对感情很认真很投入……"

"魏连长,你不要讳疾忌医,你的心理确实需要调整,"周亚菲用悲悯的眼神看着他,"刚才,就算是我这个心理医生对你进行的一次心理干预。你的强烈反弹,恰恰说明我做对了。"

"巫术,巫女!我不上你的当!"魏光亮跳起来,撒腿就跑,夺门而出。

周亚菲露出得意的笑容,冲他背影大叫,"魏连长,欢迎下次再来!"

第 十 六 章

传真机嘀嘀作响,冯倩倩把传真资料撕下来,高兴地冲姜柱国大喊,"头,孙丙乾的资料来了!"

"有干货吗?"姜柱国从座位上起身,朝她这边凑过头来。

冯倩倩一目十行,"他最早取得的是委内瑞拉国籍,一九八六年移居美国,一九八八年又移居古巴,次年被古巴政府驱逐出境。"

"他为谁服务?"

"至少跟英、美、俄等五个国家的情报组织有过接触。具体情况待查。"

"果真是个老江湖。黄白虹的情况呢?"

"也有。一九九六年留居加拿大,做过一段脱衣舞娘,一九九九年取得了美国绿卡。详情待查。"

"这些数典忘祖的混蛋!"姜柱国愤愤地骂。

"再狡猾的老狐狸,也斗不过机警的猎手。对吧,头?"

姜柱国开心地笑起来。

被姜柱国冯倩倩骂作老狐狸的孙丙乾,此刻正叼着古巴雪茄,眼睛紧盯着连接电脑、不停地打印出各种表格的打印机,迫不及待地一张接一张撕着看,一脸兴奋,"太好了!白虹,你来判断一下位置。"

"在这儿,还有这儿,"黄白虹尖尖玉笋般的手指在纸上指点着,"三台电脑,相距都不算远。"

"北纬三十六度七四,东经一百一十七点三四,这个点,离主坑道的A洞口肯定不远。太棒了!"孙丙乾从背后一把紧搂住黄白虹,"我的小白虹,这回咱们要发大财了!"

黄白虹兴奋起来,反过双手抚摩他的脸,"大功告成了吗?"

"凡大功,都不容易告成。这还算不上。"

"为什么?"

"目前,它顶多只能算一块璞。璞虽然也珍贵,但不能与价值连城的和氏璧相提并论。必须弄清那些洞的规模,咱们的璞才能变成和氏璧。"

"那是指日可待的事情嘛。"

"嗳,切不可大意失荆州。开国领袖毛泽东讲过很多名言,其中一句值得我们反复温习……"

"我知道,你最喜欢的是'战略上要藐视敌人,战术上要重视敌人'这句。放心吧,我都安排好了,两小时后小董就飞南京,明天他的'极限'电脑店开始破产前的清仓大甩卖。我做事怎么样?"

孙丙乾热吻她的耳根,"我的女人,人漂亮,做事也漂亮。不过什么时候都要切记,事以密成。小心谨慎永远有好处。接收的电脑,你再做一次技术上的检查,确保它们万无一失。"

连接电脑的打印机又开始不停地打印出东西,黄白虹脱开孙丙乾的搂抱,走过去取下纸张,浏览着,"啊,七星谷还有个知心姐姐呢,写了不少文章。"

"不会是林丹雁吧?"

"什么时候你都忘不了她。"黄白虹白他一眼,心底像打翻了醋瓶,酸溜溜的。

"哎呀,你吃这个干醋干什么嘛,那是我们的工作目标,我不惦着她行吗? 看来,再出色的女人也是醋坛子。文章写得好吗?"

"文笔不错,比中国那么多滥竽充数的作家强多了。老兵退伍那天,洞里冒顶,差点伤了人,就这么点小屁事,知心姐姐写得还挺动人。"黄白虹消了气。

"这说明他们也是感情动物。"孙丙乾从她手里取过打印纸。

"什么话,人家挖导弹阵地的就不是人啦?"

"林丹雁也是人,你这次回北京恰巧碰到她,还有过几次亲密接触,发现她软肋没有?"

黄白虹思忖道,"她——挺重感情的,一下飞机就直接去了老师家,她老师得了癌症。"

"我说的是弱点。"

"过于看重感情,对人来说就是弱点,尤其对于女人来说。她看上去有些忧郁,像是很不开心。在北京国贸星巴克,她总是走神,心不在焉的。"

"离题万里。这就算是弱点,那也根本说不上是她的软肋。"

"像她这样的女人,神情忧郁,不开心,多半是为情所困。她要是真为情所困,咱们就有希望了,因为那时候,女人常常会做出匪夷所思的事情。"

"你的经验之谈吗? 她失恋了吗?"孙丙乾来了兴趣。

黄白虹半哀怨半娇嗔,"我的经验还不得归功于你吗? 我跟她很少见面,她又没有手机,难以经常联系,关系没到那份上,这些事她还不会跟我说的。不过,我感觉到她挺乐意跟我接触。"

"那就好。她什么时候回来?"

"她说说不准。"

"她总有联系方式吧?"

"她给我留了一个团部和大本营的专线电话。要不,我们与他们的服务公司开展一些业务?这样,我就有充足的理由经常去大本营跟她联系。"

孙丙乾摇头,"不合适。堂堂汉江最大的外资公司,与军官家属搞的一个小作坊,门不当户不对的,能开展什么业务?反而让人起疑。别偷鸡不成蚀把米。在自己的祖国出事,他们不会通过外交途径救我们的,台海局势三五年内不会大变,万一他们把咱们提供的东西直接转给了台湾,我们一旦出事的话,就死定了。"

黄白虹泄气,"所以我说此行收获不大。"

"不,别片面看问题,我认为收获还是不小。至少我们看到了女博士神情忧郁,知道她过得不开心,可能正处在为情所困的痛苦状态中,而她又愿意跟你亲近。这样,我们就有机会伸手抓住她,抓住这个装了一肚子导弹阵地秘密的女人!"

黄白虹神情沮丧,"我了解她,要让她背叛祖国,几乎不大可能。"

"世界上的事情没有绝对。中国当年大跃进时流行过这样一句名言:不怕做不到,只怕想不到。有时候,它是很有道理的。过几天,你找个理由去他们的大本营看看,打听她回来没有,尽量跟她保持热线联系。"

一连支部大会经过表决,最终以二十四票赞成、四票反对的结果,通过了魏光亮加入中国共产党组织的申请要求。

一周后,魏光亮跟着张中原站在鲜艳的党旗前,举起右手,进行神圣的入党宣誓。他心潮澎湃,青春的热血在全身沸腾。

"……永不叛党。"张中原一字一顿。

"永不叛党。"十几个新党员跟着,字字铿锵。

各人报上自己的名字后,张中原说,"别放下手,再跟着我宣读咱们导弹工程兵的十六字誓言：扎根山沟，无私奉献。"

"扎根山沟，无私奉献。"众声轰鸣。

"攻坚克难，敢为人先。"

"攻坚克难，敢为人先。"一派众志成城的气势。

"好！下面进行第三项，唱《国际歌》。"张中原带头唱起来。

雄浑低沉的歌声响彻大厅。魏光亮唱着唱着，渴望建功立业的荣誉感，愿为祖国贡献青春甚至生命的使命感，都在他心中油然升起。他由衷地感到：个人微如草芥，只有献身于祖国伟大壮丽的事业，人生才真正具有价值。

魏光亮有很长一段时间没有给钟怀国打电话了。宣誓完，他直奔电话亭，想第一时间里向舅舅报喜。

钟怀国在电话线那边开怀大笑，"光亮，当了个小代连长，你就不记得我了，连个电话我也盼不到，要是当了团长、师长，岂不是要不认得我了？哈哈哈哈，我就是要多敲打你。对于你的入党，我郑重地向你表示祝贺！这说明你这个代连长基本称职，朝着合格的工程兵方向又前进了一步。不过，路还长得很，对吗？说话呀，你怎么成了个小哑巴？"

"中将作指示，我敢插嘴吗？实际上，我这一段进步不大，不过，工程上的事我不好在电话里说。嘿嘿，当然要谦虚，谦虚使人进步嘛。你转告我妈，春节我肯定回不去。"

钟素珍从钟怀国手里抢过电话筒，"光亮，妈妈就在这儿。忙，忙，你比总理还忙？连打电话的时间都抽不出来？春节你一定要回来，范教授家女儿……你都二十六岁了，该定一个，见见面嘛，见个面又没什么坏处。"

钟怀国在一旁不满，"你看你哪像个教授，净说些婆婆妈妈的事情。"

魏光亮急了，"妈，你别瞎操心乱张罗，我就是打一辈子光棍，也绝对不会靠相亲方式来解决婚姻问题。你放心,我一定能给你找个天底下最好的儿媳妇,而且要让她好好孝敬您。"看见周亚菲走过来,魏光亮朝她点头示意,匆匆对着话筒说,"妈,有人要用电话,我挂了,再见。"

周亚菲撇嘴,"哼,这种海口也敢夸,我倒要等着瞧瞧! 快把你的卡抽出去。"

"你用吧。"

"无缘无故的,我占这点小便宜干什么?"周亚菲把磁卡抽出来,扔给魏光亮,把自己的磁卡插进去,拨着号码,看见魏光亮还赖着不走,朝他瞪眼,"你能不能回避一下?"

"给男朋友打电话吗? 他是干什么的?"

"你管的也太宽了吧? 对不起,老妈,不是说你,是说这儿一个,一个坏蛋。什么? 让我回家相亲? 哈哈哈哈!"斜眼瞟魏光亮一下,并不撵他,面部表情却不自觉地夸张起来,"老妈,这种事你也想得出来,你真是堕落了耶! 你一说到相亲,我马上就联想到一男一女被人牵着手、头被强制按到一起的情形,天哪,不能再想下去了。你女儿就是一辈子嫁不出去,也绝不会去当那种小丑。春节我可回不去。什么,爸在国外也回不来? 嘻嘻,老妈就独守空房吧……"

她一抬头,看见还赖在门外磨磨蹭蹭不肯离开的魏光亮,立刻用手捂住电话筒,佯装生气,"喂,堂堂一大男人,还听墙根吗? 别人打电话时,就不知道保持点距离吗?"

魏光亮朝她扮个鬼脸,心满意足地跑开。

第二天一大早,主坑道再次出现险情。

一号洞库的报警黄灯不停地闪烁,张中原撒腿就往洞库里面跑,石万山和林丹雁赶忙跟着跑。

坑道四千二百米处,地面上塌下来一大片碎石。坑道拱顶处,一块巨大的石头裸露出来,摇摇欲坠。魏光亮和齐东平等人被碎石和悬石挡到了洞库里面。

齐东平抬头往上一看,惊叫起来,"连长你看! 大石头边上有水,不,是泥浆,正在往下流。怎么办?"

"把它捅下来得了。"方子明嘟囔。

魏光亮呵斥他,"别胡扯!"

张中原跑了过来,紧接着石万山和林丹雁也赶到,一见顶部情形,林丹雁顿时失声惊叫,"天啊!"

石万山问魏光亮,"什么时候发现的?"

"十分钟前。团长,怎么办?"魏光亮神情焦灼。

"我还从来没有见过这种情况。林工,你看呢?"

林丹雁镇定下来,"人要紧,你们几个赶快出来,快!"

魏光亮和齐东平等人反应过来,迅速跑过碎石区。

"那里怎么会流出泥浆呢?"石万山的眉毛紧拧着,自言自语。

"我分析,上面可能是大片泥石流区,很可能坑道上面都是。这块近十立方米的岩石就像一个瓶塞,这个瓶塞已经松动了。"林丹雁说。

"要是把它弄下来,会怎么样呢?"石万山问。

"那怎么行! 那样的话,流出来的泥石可能够你们运一年! 必须把大石头固定住,而且要尽快。"

"明白了。"石万山喊,"张中原——"

"到!"

"你快点组织人搭建工字钢支架,准备对这一段进行局部被覆。要快!"

"是!"张中原立刻朝洞外跑去。

石万山又喊,"魏光亮——"

"到!"

"你们几个听我的指挥,喷射速凝砼,控制住巨石。要快!"

"是。"魏光亮转身对部下,"尽快动起来!"

石万山吩咐林丹雁,"你当安全员,观察全局变化。"

"是。"

"快一点!"石万山跑向碎石堆,站到摇摇欲坠的巨石下面,高举起双臂用力往上顶,喊道,"先喷这边。"

这是多么冒险的举动,这种情形下,一旦石头松动,石万山根本就没有逃生的可能,只能听任被岩石压成肉饼。

所有人都惊呆了。

魏光亮最早反应过来,嘶哑着喉咙大喊,"团长,危险——"

双腿软得没有一丝力气的林丹雁,只能带着哭腔声嘶力竭地喊,"你不能这样,这是玩命——"

齐东平迅速跑到碎石堆上,站到石万山旁边,"团长,你去指挥,我来!"

"齐东平,你干什么! 赶快下去! 执行命令,听见没有?!"石万山黑起脸。

齐东平不吭声,也不动。

"你还磨蹭什么!"石万山火了,松开左手,猛然将齐东平用力一推,齐东平顿时一个趔趄,跌跌撞撞出好几米远。

"我儿子都十四了,你们连婚都没结,跟我争什么! 听我的命令,往这边喷——快——"石万山大叫。

魏光亮冲过来,端着喷枪朝巨石周围的缝隙里喷射速凝砼;林丹雁强忍住泪水,目不转睛地注视着巨石周围的变化。

石万山仰头朝上看,"光亮,再靠右一点。"

洞库外,张中原正指挥战士们把工字钢装上平板车。"第一组上,第二组准备!"在张中原的口令下,十多个战士跳下平板车,等平板车开进洞里,第二辆平板车立刻顶了上来。距平板车不远处,吊车正争分夺秒往上面吊装工字钢。

"第二组上,第三组准备!"张中原喊罢,率先跳上平板车。

又有十多个战士迅疾跳上平板车,等平板车开进洞库时,石万山身边的碎石已被战士们用来回穿梭的方式清理完毕。

张中原等人把由工字钢搭成的架子放到轨道上,推到巨石附近。

"停止喷砼!"石万山朝魏光亮喊罢,又朝齐东平等人喊,"都听我的口令,往前推。千斤顶准备! 一二,推!"

在战士们的合力下,工字钢架子总算朝前推进了一点。

一分钟一分钟过去,工字钢架子却只一点点一点点往前推进,石万山开始有些顶不住了,豆大的汗珠布满他的脸颊,他开始咬着牙喊,"小心推! 一二,推! 一二,推! 一二,推! 一二,推! 再推一点。一二,推!"

二十分钟后,工字钢架子终于抵达了目的地。

"上千斤顶!"石万山用尽最后一点力气喊。

八个战士拿着液压千斤顶,从两面包抄过来,扑向工字钢架子,朝上顶架。渐渐的,工字钢架子挨住了巨石,一点一点地顶了上去,这时,巨石周围下渗的泥水开始减少。

林丹雁激动得声音变调,"石万山,成了!"

顿时,石万山两腿一软,瘫倒在工字钢架子里。

"石万山!"林丹雁失态地尖叫起来。

魏光亮和齐东平立刻冲过去,把浑身被汗水湿透的石万山抬出工字钢架子,抬着石万山飞步往外奔跑。林丹雁的泪水哗然而下。

石万山是因为出汗太多,脱水严重而昏迷的,在卫生所打了针、输上了葡萄糖后,他渐渐苏醒过来。见他的眼皮动了动,却涩重得打不开,正用手帕小心擦着他头上脸上汗水的林丹雁立刻又红了眼圈。她竭力忍住泫然欲下的泪珠,不让它们滴落下来。

石万山慢慢睁开眼睛,迷茫地看着眼前一张张由焦灼瞬即变为兴奋的脸:林丹雁、郑浩、洪东国、江建华、魏光亮、张中原和齐东平,努力回忆到底发生了什么事情。意识逐渐回拢,他终于想起了泥石流、巨石、工字钢架子、千斤顶……他明白了自己是怎么回事。

郑浩朝他俯下头,埋怨道,"老石啊,你终于醒过来了! 真是的,你是一团之长,怎么能动不动就上去拼刺刀呢。万一那大石头掉下来,就是个天大的事故。"

洪东国板起脸孔,"老石啊老石,团党委的决议,你怎么就当耳旁风呢? 为你这个老毛病,开过多少会? 你说! 形成决议时,你是怎么表态的? 把你给砸死了,大功团可就出大名了。"

石万山想坐起来,被郑浩按住,只好仍然躺着,声音虚弱,"我检讨,向大家检讨。当时情况紧急,又需要一个人站在下面指挥,其实我也挺,挺害怕的……好在都过去了。下不为例吧,好不好?"

张中原焦急地问,"团长,目前是完全控制住了,可接下来怎么办?"

"趁热打铁,连夜被覆。不能让这一段卡住我们的脖子。"

话音一落,石万山又昏睡过去。

为了与林丹雁联系,黄白虹来到大本营,亲热地与朱彩云拉上一番家常,让朱彩云了解到她与林丹雁是校友,两人在学校时关系就很要好。朱彩云得知高丽美早已离开了寰宇公司,不禁暗暗为高丽美担忧起来。

到了午饭时间,黄白虹热情邀请朱彩云去外面吃饭,说上次石团长和朱经理首次登寰宇公司的门,却连饭都没吃,弄得她和孙总觉得很失礼,一直过意不去,今天怎么说也得补一下。朱彩云坚决不肯,说自己实在不喜欢吃请,累得很不说,还浪费时间,如果黄总非要客气,那就我请你吧,你今天是登门客人嘛。黄白虹这才作罢。

就在黄白虹出门时,洪东国进门,两人打了个照面。看见一身戎装挂着中校肩章的洪东国,黄白虹的眼睛闪烁几下,秋波一转,见对方不予理睬,这才袅袅婷婷而去。

朱彩云有些意外地看着丈夫,"你怎么回来了? 干吗不提前打个电话?"

"查房!"洪东国坏笑着。

朱彩云一把揪住他的耳朵,"你敢信不过我,敢查我的房!"

"哎哟,老婆,你温柔点啊。别动手动脚的,让人看见了多难堪。好好,我求饶,上午我临时决定回来,向你报告时,你不在。"

朱彩云这才松手,"一大早就出去了,又进了一批货。"

洪东国摸摸火辣辣疼痛的耳朵,"刚才那女人是干什么的? 不像是个平常人。"

"怎么个不平常?"

"会走猫步,腰部灵活,眼神冶荡。应该不是本地人吧?"

"哟,只打个照面,就把人家观察得这么细致入微,出息了嘛。算你有眼力,她是寰宇公司的总经理助理,上海人。"

"别瞎说了,说正经事呢。她怎么会到这儿来? 来干吗?"

"她是林丹雁的校友,来给小林打电话。"

"她还认识林丹雁?"

"认识林丹雁有什么稀奇吗? 她们不仅认识,而且很要好。回来办什么事?"

洪东国蹙起眉头,想说什么,最终又咽了下去,改口道,"这不是要过年了嘛,下午市里有个双拥会,我去参加。"

"那咱们早点去吃饭。"朱彩云拽他衣服。

"别急。"洪东国走过去,把门关上。

"大白天的,你关什么门?"朱彩云一脸疑惑。

"别自作多情哦,我是要给你说点要紧事。"

"好好好,算我自作多情,白眼狼! 以后想要我多情……哼,休想！什么事？"

"姑奶奶，我说错了，向你赔礼道歉，行啵？春节时团里要搞个文艺联欢晚会，家属的节目你要多操心。"

"这事还用关门说吗？"

洪东国压低声音，"哎，你觉得石万山跟林丹雁的关系怎么样？"

朱彩云大为惊奇，"他们怎么了？出什么事了？"

"声音小点！告诉你吧，林丹雁迟迟不谈恋爱，与石万山有关。他们之间有扯不断理还乱的关系。哦，我不是说他们有男女关系。"

朱彩云将信将疑，"你可别胡猜乱疑的，一旦传出去，那可不得了，再说，我看老石不是那种人。"

"我知道。哎，有一阵，魏光亮又是送花又是送草地追求林丹雁，前一段，老石想把林丹雁和魏光亮捏合，给他们创造了不少条件。"

"好啊，他俩倒是挺般配的。"

"咳，小林根本不接招，小魏现在可能已经死心了。在这些过程中，我才觉出来事情有些不对劲，后来郑浩跟我嘀咕过几句，我才知道事情果然不出我所料。"

"郑浩还在追林丹雁？"

"现在也很难说，没准也知难而退了。你想啊，郑浩与石万山本来就互不咬弦，没想到追个女人，又偏偏碍着个他，他们真是冤家路窄啊。换了我是郑浩，我也不会为一个女人去结仇结怨的，何必呢。"

"郑浩跟你怎么样？"

"我们还行，他有什么话都愿意跟我说。"

"你夹在郑浩跟石万山中间踩平衡钢丝，也真够难的。"朱彩云心疼起来。

"是啊，有时候是真为难，只好装糊涂。不过，好在他们都不是品格低下的小人,只是脾气个性和行事风格有冲突,何况,领导艺术本来也就是平衡艺术,夹到他们中间,对我也是个锻炼。"

"他们怎么会这样呢?"

"咳,他俩都是难得的能人和强人,本来就谁也不让谁,一直都在较着劲,偏偏中间还夹着个林丹雁,事情就更麻烦了。男人间最较劲的是什么? 主要还不是为了权力和女人。郑浩多聪明的人,能意识不到林丹雁不接受他主要是因为中间夹着个石万山? 真是邪门,这两桩全都摊到他俩身上了。也不知道为什么,最近郑浩做事突然生猛起来,以老石的脾气,他能一味退让? 他也不会跟郑浩打什么太极拳,所以我得防患于未然,尽力把他们的矛盾和冲突扼杀在萌芽状态中。"

"你这么一说,还真是个事儿。"

"不只是个事儿,还是个大事。老婆哎,这事还得靠你帮我。"

"这事我怎么帮你?"

"咳,靠女人,经常能把坏事消弭于无形。你想啊,工程进展不顺,老石肯定不会休假,而按以往惯例,小青母子暑假来过了,寒假老石肯定不会再让他们来队,你说怎么办? 小青是老师,寒假不来,再来又得等半年。咱们今年就给他来个先斩后奏,编个理由,只要过年时小青又出现,肯定能避免……"

"肯定能让林丹雁死了这条心?"

"我老婆就是聪明,看问题透彻得很。春节是个大节,我怕老石孤身一人在外,想法难免跟平时不一样。吴三桂冲冠一怒为红颜,他们两个在爱情上就没有私心? 人嘛,都吃五谷杂粮,都有七情六欲,谁也不是圣贤。所以得靠你想办法,一定把小青他们弄过来过年。"

朱彩云很来精神,"你放心吧,保证当好贤内助。"

"这事可不能说破了。"

朱彩云瞪他嗔他,"我又不是傻子。"

春节前夕,在团政治处和朱彩云等人的张罗下,"大功团军民春节联欢晚会"热热闹闹地开场,几百官兵和家属把一营多功能大厅塞得满满当当,气氛非常热烈。

担任节目主持人的郑浩和林丹雁一登场,台下立刻报以经久不息的热烈掌声。

联欢晚会在曾副团长家属小温独唱的《好日子》中拉开序幕,小温清脆欢快的歌声获得了热烈的掌声。《好日子》之后,由二连连长骆玉中的家属江小惠表演独舞《雀之灵》,小惠身材高挑四肢修长,跳傣族舞蹈很好看,赢得满堂喝彩。接下来的节目是由朱彩云领舞的舞蹈《黄土坡的婆姨们》,七个舞蹈者的服装和动作都土得掉渣,却很有大西北婆姨韵味,引起场下一阵阵笑声、掌声和喝彩声。

坐在前排正中的汪小青看得开心,好几次笑得前仰后合,惹得石万山不时温柔地看她一眼。节目间隙中,汪小青满脸欣慰地跟丈夫咬耳朵,"哎,你看丹雁跟郑浩,真是天生一对的金童玉女,你看他们在一起多亲热,看样子能成。郑浩比光亮好,光亮太年轻,还得丹雁去疼他照顾他,郑浩岁数大些,懂得疼女人,你看他对丹雁那样,将来肯定都听丹雁的……"

石万山哭笑不得,"哪儿跟哪儿啊,郑浩也不一定入她的眼呢,我说你就别瞎操心了好不好?"

"哟,郑浩都不入她的眼啊?她都三十多了,还真能等个白马王子吗?"

"三十多怎么了?丹雁在北京工作,又不是要一辈子呆在七星谷,北京那地方,比郑浩优秀的人成千上万,她还能找不到一个如意郎君?你啊,就少瞎琢磨这些吧,真是皇帝不急急煞太监。"

石万山汪小青夫妇浓情厚意这一幕,被林丹雁从舞台边幕布缝隙中看得清清楚楚,她顿时情绪低落。

　　舞蹈结束了,在满场的掌声和叫好声中,除了朱彩云,其他六个穿着红袄绿裤的家属都是捂着脸跑下台,扭扭捏捏坐回各自丈夫身边。朱彩云则很大方地一路笑着,还不停地与熟人打着招呼,抑制不住兴奋地走到洪东国身边。

　　坐在洪东国右手旁的石万山朝她跷起大拇指,"没想到政委夫人还有这一手,跳得很专业啊。"

　　"哪里,我献丑了。你家小青才是真人不露相呢,不行,你不能只欣赏别人家属的节目,把自己老婆金屋藏娇,呆会儿小青得上去露一手。"

　　汪小青立刻急红了脸,"彩云你可别寒碜我,我唱歌五音不全,跳舞根本不开窍,走猫步整个一顺腿,上去的话,只会丢家属的人。你就饶了我吧。"

　　场下响起一阵掌声,石万山和汪小青抬头看,原来是林丹雁正仪态万方地往舞台中间走。她的步伐、微笑、眼神、动作,都显示出报幕的训练有素,气质的高雅超拔。她往台上一站,台下很快就鸦雀无声,这就是行内人说的"震场"。"请听相声:《戏说装备术语》。作者,一营一连集体创作。表演者,方子明、王小柱。"报幕完毕,林丹雁朝舞台一侧做个"请"的手势,姿势很优美。

　　掌声中,方子明王小柱走到台前,齐齐朝台下敬个军礼。台下又是掌声一片。

　　表演开始。方子明上上下下打量着王小柱,"请问你是哪个厂出品的?"

　　王小柱嗔道,"你这人说的什么话? 我是人,你该问我出生在哪里。"

　　方子明不予理睬,"请问你是什么牌子的产品?"

　　王小柱恼道,"黑眼睛、黑头发、黄皮肤的中国人! 批号二○○○,中国军人。嗨——有你这么说话的吗? 你说的这叫人话吗？"

满场哄堂大笑。

方子明朝王小柱作个揖，"开个玩笑，恕罪恕罪。最近，我在研究装备术语，我发现我们导弹工程兵的生活，有很多都可以用装备术语来表达。"

"是吗？什么都能用装备术语？"

"没错。"

"吹牛不上税。"

"不信？你试试。你说一个，我就能给你对一个装备术语。"

"我说了？"

"你说吧。"

"每天早上出早操。"

"这叫出入库。"

"勉强及格吧。我洗完脸抹了点护肤霜。"

"这叫擦拭保养。"

"嘿！还难不住你了！"

"服了吧？"

王小柱来个自由发挥，"我难不住你我把王字倒着写。我倒着写还是姓王，你信不信。"

台下笑倒一片。

方子明得意，"你认输算了吧。"

"且慢。同年兵叫什么？"

"这叫同一批号。"

"找对象叫什么？快说快说！"

"这叫装备补充。"

"我王小柱还没目标呢？"

"这叫没有定人定位。"

"姑娘三个月没回信呢?"

"你得排除故障。谈恋爱呀,安全防事故工作很重要,一般故障不及时排除,就会造成等级事故。"

"哟,还真一套一套的。我每周给她写封信呢?"

"这叫周保养。"

"姑娘要是跟我拜拜呢?"

方子明做同情状,"有没有发生第三者插足这种悲惨的小夜曲?"

王小柱梗着脖子,"没有。我收到了莫名其妙的断交信。"

方子明夸张地,"兄弟,你真惨,你只能退役报废了。"

"啊!"

两人脱下军帽,朝台下鞠躬,在热烈的掌声、叫好声中下台。

轮到郑浩上台报幕,郑浩宣布,"请听男女声对唱:《夫妻双双把家还》,演唱者,本人……"

台下掌声热烈,呼哨声四起。

"还没说完呢,演唱者:本人以及他一个秘密搭档。"

台下哄然大笑。

郑浩走回舞台一侧,牵着林丹雁的手,一直到舞台中间才停住步子,笑眯眯的,"我的秘密搭档就是——美丽的主持人林丹雁小姐!请大家给我鼓励的掌声!"

掌声雷动。

林丹雁朝台下灿烂一笑,大方地唱起来,"树上的鸟儿成双对……"唱得很投入很动听,并且伴以严凤英式动作,台下立刻报以热烈的掌声。

当晚大功团最出彩最高潮的节目,就是郑浩与林丹雁对唱带表演的《夫妻双双把家还》,他们相得益彰的体貌,珠联璧合的演唱,让观众津津乐道,使人们回味无穷,以致春节过后很长时间,很多人还对他们当初的情形记忆犹新。

纷纷扬扬的雪花，从苍茫昏黑的天穹飘落下来。

打下最后一排炮眼，浇完最后一车混凝土，魏光亮等走出洞库坑道时，七星谷已是一片银装素裹。呼啸刺骨的山野寒风，挟着雨雪和沙尘，泼洒到他们冷硬沉重如盔甲的棉衣上，使这些精壮的小伙子不由得哆嗦起来。不远处的营房里，灰白色的炊烟袅袅升起，清脆响亮的鞭炮声此起彼伏，爆裂空中的焰火璀璨夺目，弥漫于山谷里的硝烟香味，直往魏光亮他们的鼻孔里钻。

除夕夜到临了。

寂寥的山谷里，凛冽的寒风中，弯曲的山路边，伫立着一个身材高挑的年轻女子，格外引人注目。她打着碎花红伞，包着大红色头巾，穿着墨绿羽绒服，鲜艳而生动。每当有人从她身旁路过，她都要引颈翘首凝眸观望，每当来人擦肩而过，她被冻得紫青的脸上便流露出忧戚和失落。这年轻女子正是骆玉中的新婚妻子江小惠，在前几天的大功团春节联欢晚会上，她以独舞《雀之灵》给人们留下了深刻印象。

骆玉中从队列中飞奔而出，向她扑去，"小惠，你怎么会在这里？你来这儿干什么？怎么不回家去？"

眼前这个从头到脚犹如泥塑兵马俑般的男人，竟然是自己的丈夫？望穿秋水的小惠，百感交集的泪水潸然而下，"我等你一个小时了。"

"我下工不就回去了？你跑这儿来干什么，瞧，嘴唇都冻乌了。走，赶快回家去。"骆玉中心疼得如同刀割，牵起妻子冰凉的小手。

"饺子我早都做好了，左等右等不见你回来，我实在忍不住想出来接你。没想到你们都这么苦，跟在泥坑里捞出来的似的……"小惠哽咽得说不下去。

"别,别哭,你看,弟兄们都在笑话了,"骆玉中看看稍远处正朝他们挤眉弄眼的战友们,不好意思起来,"放心吧,平时也不是这个样子,只是遇到泥石层时,才会这么脏。脏点没关系,二十四小时都能洗澡,脏衣服又有专人洗,没事的,啊? 走,去跟我战友们打个招呼去。"

小惠赶快擦干眼泪,强装出笑脸,两人朝队列走去,魏光亮带头热烈鼓掌。

魏光亮第一次在七星谷里过年,他有些许兴奋,有些许怅惘,有些许憧憬。有那么一刻,前女友那娜在他的脑海里跳了出来,他闻得到她的声息,却看不清楚她的表情。两人已久不通音讯,彼此生死不知两茫茫。她在美国怎样度过中华民族的最大传统节日? 是独自守夜,还是与男朋友一起狂欢? 她会否像他一样,直到佳节才思情,此时也惦念起自己的前恋人来?

一走进热气腾腾的浴室,赤裸冰凉的脊背被暖乎乎的水流一浸淫,魏光亮的情绪立刻亢奋起来,刚才的"小资情调"被一扫而光。他顽皮地取下莲蓬头,把水柱对着左邻右舍的齐东平和王可一通猛射,自然遭到这两个人的自卫还击,浴室里展开一场水龙头酣战,其他人惟恐天下不乱,都嗷嗷地叫着起哄,骆玉中更是浑水摸鱼,趁机在后面对王可大放"黑枪"。

"老骆,你他妈的对兄弟倒戈,太不够意思了! 本来我还守口如瓶呢,现在我不想帮你保密了……"王可大叫。

方子明顿来精神,"老骆有什么隐私,王可你快说!"

"你放不放血? 你要不请我吃饭,我马上就说了!"王可留给骆玉中最后机会。

"你小子想敲诈我? 我不上你那当! 我有什么怕你说的,我又没有桃色事件,就是有,我也不是大明星,上不了报纸的花边新闻。你说吧,我还想看看你王可狗嘴巴里能吐出个什么牙齿来呢。"

"好,你有种,我也不含糊了! 昨晚上,十点多钟时,你是不是洗澡洗了几十分钟,而且打了好几遍香皂?"王可高声广播,浴室里所有人都不打闹了,全竖起耳朵听着。

"你这是什么意思?"骆玉中莫名其妙。

"我什么意思? 你别难得糊涂。你媳妇儿有没有对你说,'上床前要洗干净,局部卫生更要注意'?"王可学着小惠的腔调。

魏光亮一脸坏笑,"王可,你王八蛋是不是听房了?"

骆玉中脸红耳赤,窘态毕现。稍后,满屋子追着王可打,浴室里顿时鸡飞狗跳。

"哎哟,饶了我吧,"王可一边躲一边笑,"对不起,我是无意中听到的,昨晚我值班,这板房隔音也忒差了点……"

骆玉中停止追打,气喘吁吁的,"王可,你不仁,别怪我不义。哼,等你媳妇来队了,你看我怎么整治你! 弟兄们,你们见过王可媳妇没有? 丰乳肥臀的,那个性感,啧啧! 到时候,我要让你王可眼馋得流口水,就是找不着机会下手,除非你同时备上几条毛巾!"

王可反给骆玉中一巴掌,"闭上你的臭嘴! 这里面还有好几个未婚青年呢。"

"备那么多毛巾管什么用?"王小柱傻呵呵地问。

"王可媳妇爱叫啊! 用毛巾当消音器呗。"骆玉中煞有介事地说。

哄堂大笑。雄浑恣肆的笑声,简直能穿透浴室的屋顶。

经过郑浩和洪东国的提议,参加大功团党委扩大会议的成员的全体表决,大功团党委会通过了把汪小青树为导弹工程部队军嫂典型、推荐参加"全国百名好军嫂"评选的决议,并决定由江建华对汪小青进行先期采访和报道,同时,由洪东国负责上报师政治部。会议还决定:对汪小青的先期采访报道工作完成后,再请《火箭兵报》和

《解放军报》记者前来进一步挖掘她的事迹,在整个二炮系统乃至全军大力宣传。会上,石万山以大功团党委副书记的名义反对无效,只好表明自己的"三不"态度:不反对,不支持,不干预。

会后,江建华立刻来到石万山家,不料汪小青面对他,还有眼前的录音笔,手足无措,什么也不肯说。

为了打消她的顾虑,江建华尽量用随和的口吻说,"嫂子,咱们随便聊,聊哪儿算哪儿。"

汪小青局促不安,"真的没什么好说的。我也不想出风头。"

"嫂子,你这话可不对,这是组织上决定的事情,怎么能叫出风头呢? 宣传你的事迹,是为了让更多的军嫂热爱和支持我们的导弹工程事业,意义重大啊。"

"可是,我真的没做什么,实在没什么好说的啊。"

"那是你太谦虚。你十几年如一日地伺候卧病在床的公公婆婆,为他们送终,独自挑起家庭的重担……"

"哪个儿媳妇都是这么做的。"

"那可不一定。你还把儿子教育得这么出色,现在小山都打进国奥数学队了,对一个在县城中学读书的孩子来说,这是多么难得的事情啊,要没有你的呕心沥血,能行吗? 因为各种原因,咱们导弹工程兵子女的教育存在不少问题,有种说法不知道嫂子听说过没有:导弹工程兵,献了青春献终身,献完终身献子孙。"

一说到儿子,汪小青的话匣子就不由自主地打开了,"咋没听说过? 所以,对小山的学习我一点不含糊。万山远天远地的,一年才见儿子一两次,我要再不费心血,孩子就毁了。江干事,世上的父母都是这样,没有不望子成龙的。"

"你不但把自己的儿子教育得好,还教育好了那么多乡村孩子。你们学校现在有多少学生?"

说到自己的学校和学生,汪小青的话也多了起来,"上学年末是五十八个。这个学年增加了九个一年级学生,我又劝了四个退学学生回到学校,现在总共有七十一个。"

"嫂子你瞧,你在这方面做出的成绩,一般军嫂能比吗?"

汪小青发现自己上当了,"我不上你的当,我不说了。"

下班回家的石万山进到屋里,一见这架势,马上调侃妻子,"哟嗬,真准备当大明星啊!"

汪小青脸腾地红了,"你就会笑话人。谁想当大明星了? 我正劝江干事不要在我这儿浪费时间呢。"

江建华站起身,"石团长,宣传嫂子是上午的团党委扩大会决定的,请您这个团党委副书记支持我的工作,您总不会看着我交不了差吧?"

"小江,会上我已经表过态了,你别找我。这是她的事,我不管。"石万山打心眼里不乐意。他总隐隐觉得郑浩这么做似乎别有用心,但究竟是什么用心,他也只有朦朦胧胧的感觉,难以把它理清楚。

他闪过一个念头:难道他是为了林丹雁?

第 十 七 章

说不清是出于什么样的心绪，当郑浩邀请林丹雁一同回北京过春节时，本来打算在七星谷过年的林丹雁，几乎不加考虑就答应了。两人一起乘车离开七星谷，乘同一架飞机飞往北京，一路互相照应，国事家事天下事谈得也颇投机，这样的情形，使郑浩自信心大增，似乎看到了曙光在地平线上冉冉升起。

两人一出机场，守候在外的郑浩的战友加朋友金庭就迎了上来，看到林丹雁，他似乎一愣，随即上上下下把她打量一番，然后把他们的行李接过去，领着他们走到自己的奔驰车前。

"吃西餐中餐?"金庭坐进驾驶室，准备发动汽车时间。

"丹雁，你说。你想吃点什么?"郑浩温柔体贴地看着她，心里升腾起男朋友甚至准丈夫的感觉。

"很遗憾，我已经跟秦老师说好了，下了飞机直接去他家。谢谢了。"

金庭又用探究的目光从后视镜里扫她一眼。

车到秦怀古家楼前停下，郑浩和林丹雁从车上下来，郑浩从奔驰车后备箱里把林丹雁的皮箱拎出来,林丹雁接过来,回身向金庭打招呼,"金总,谢谢你。"

"甭客气。以后用车,说一声。"一束光芒瞬时从金庭眼睛里射出来。

"好。"林丹雁转身向郑浩挥手,"也谢谢你,再见。"

郑浩扬起手,"再见。随时欢迎打我手机。"

"好的。"

林丹雁一走,金庭就撇起京腔,"想不到咱导弹工程兵队伍里也有了这种级别的女人,操,早知如此,我就不脱军装了。"

郑浩瞪他一眼,"言不由衷。你现在身家亿万,还缺绝色佳人?"

"咳,那多半是风月场上的逢场作戏,没劲,而且也没有这种成色的啊。这是极品女人,我拿江山换也值。"

郑浩气得骂道,"你不是什么优秀企业家,都当人大代表了吗?还是狗嘴里吐不出象牙!"

金庭嬉皮笑脸,"那些头衔都是虚的,除了哄别人玩,没屁用。喂,晚上能约她出来吗?"

"谁约? 干什么?"郑浩把脸沉了下来。

金庭半眯起眼睛,斜睨着他,似笑非笑,"别紧张,当然是你约,我当埋单的冤大头就是了。你放心,本人是好色,可好之有道,朋友妻我从来不欺。我倒是建议你赶紧约她一块打打高尔夫,洗洗温泉,早一天拿下,早一天安生。"

郑浩哭笑不得,"我自己都想不通,怎么会跟你这样的人交朋友呢? 看来生意场真是个大染缸,我现在庆幸自己还没有脱军装,还保持了共产党员的先进性。"

林丹雁刚走到秦怀古家门口,门就打开了,秦夫人笑吟吟地迎出来,接过她的行李箱。"我在阳台看见你了。"秦夫人说。

"师母。"林丹雁亲热地叫一声,心里泛过一股暖流。

　　见林丹雁进了屋,秦怀古结束跑步机上的跑步练习,笑容满面地朝她走过来,"不是说要在七星谷过年吗?"

　　"老师不欢迎啊?"林丹雁像在父亲面前一样撒娇。

　　"求之不得。怎么不让那个英俊的上校上来呀?"

　　"英俊的上校?"林丹雁一下反应不过来。

　　秦夫人解释,"就是刚才送你到楼下的那个,我告诉老头子了。"

　　"哦,说郑浩呀。咳,他是七星谷师前指总指挥,回北京过年,我们一趟飞机,他有朋友在机场迎接,我又蹭了一下他的车,就这样。向老师和师母汇报完毕。"

　　"关键问题没汇报。他是单身吗?"秦怀古问。

　　"的确是钻石王老五,不过这跟我没关系,所以忽略了向老师师母汇报。"

　　"不会一点关系也没有吧?"秦怀古狡黠地笑,"老师敢肯定,他是我女弟子的追求者,只是还没入我学生的法眼,对吧?"

　　林丹雁不得不承认,"什么都躲不过老师的火眼金睛。"

　　秦夫人插上一句,"他挺不错,不过丹雁没看上他也好,一家两口子都当兵,也太单调了。"

　　"师母说得是,"林丹雁顺应着秦夫人,笑笑,回头看着秦怀古,挑病人和老人喜欢听的话说,"老师,您比上次胖了,气色也很好。"

　　"哈哈,我的目标是明年能去几个主要阵地走一走看一看,不知道老天爷同意不同意。"

　　"看您这样子,十年后再爬山都没问题。"

　　"哈哈哈哈!这话不可信,但我爱听,"秦怀古开怀大笑,转入正题,"丹雁,七星谷的石质有没有大的变化?"

　　"这座山肯定有泥夹石层,最近出现了一点问题。不过您放心,我已经给他们打了预防针,出现的小问题也已经处理好了。"

　　秦夫人站起身来,"真是三句话不离本行,一见面就是大山啊石头啊,可惜大山和石头当不得饭吃。行了,你们谈大山谈石头吧,我去弄吃的。"

林丹雁对师母抱歉地笑笑。

"开春后这一段是事故多发期,真想跟你一起去阵地看看。"看见老伴进了厨房,秦怀古的脸色凝重起来。

"老师对我不放心?"

"不是,我是怕自己看不到这条世纪龙了。美伊之战虽然早就结束了,但这个世界恐怕太平不了。地球村,地球村,现在这个地球上,一旦发生战争纠纷,谁想置身事外都难。我祈祷上天能再给中国三十年的太平,那样,世界局势怎么变恶,咱们都不怕了。目前,咱们修了世纪龙,但中国还远远不能高枕无忧。我们必须顺应世界新军事变革的大势,构造新的防御体系,否则肯定还会挨打,不挨打也会受制于人。丹雁,我心里着急啊。"

看着眼前这个面容憔悴风烛残年的老人,听着这个老人对祖国的一片赤忱之言,林丹雁为之动容,却说不出任何话来。

"丹雁,你春节后带队去检查世纪龙工程,不要把眼光局限在这一个工程上,要看远些。咱们该为新的防御体系做点基础工作了。"

"是。"

"有机会的话,你应该多出去走走,走出国门,和俄、美等国的同行多交流。我感觉到我们的防御思路太单一了。这么大个国家,防御是一个思路,可只靠单纯防御肯定不行。也许我的思想有些超前了,但我绝不是危言耸听。我相信我的思路终究会起作用的。丹雁,我们搞战略导弹阵地设计,属于国家战略的基础工作,就应该多想出一些方案,供领导者决策者选择。"

"我一定按您说的去做。对了,您新招的几个博士生,研究方向好像就是这个吧,有他们的努力,以后情况会好起来的。"

秦怀古露出欣慰的笑容,"是啊,像你一样,他们都很努力,也都很优秀。这是我最大的欣慰。我现在最放心不下的是导弹阵地的自然防护能力和隐蔽伪装，如果咱们的阵地方位被敌人的卫星侦察清楚了，那就前功尽弃了。上天若还能给我三年时光，我就能多做点贡献，少留下些遗憾。"

林丹雁凝视着眼前这个可亲可敬的老人，泪水渐渐迷蒙了双眼。

一营的泥夹石问题尚未得到解决，二营和三营正在施工的弹头库又遇上了泥石流。整个工程进度迟缓，两个多月里，三个营总共才掘进两百四十多米主坑道。

面对这种状况，石万山心里很窝火，把一、二、三营三个营长张中原、赵成武、王德田找来，铁青着脸训了一通话：我再提醒你们一遍，世纪龙是咱们国家目前天字第一号国防工程，事关中国在世界战略格局中的地位，咱们弄的是龙头，现在龙头的进度跟蜗牛在爬似的，这样下去，龙头还不得把龙的后腿给拖住？明年年底贯通不了，你们都知道会是什么样的后果吧？个人什么结果是小事，问题是影响国威军威！

三个营长垂眼低眉，默不作声。

骂人也解决不了问题，石万山当然清楚，他只是必须发泄掉心头的火气。郑浩和林丹雁双双回到团里的第二天，石万山就召开工程碰头会，与会者除郑浩和林丹雁以及团以上领导外，还有张中原赵成武王德田三个营长。

石万山开门见山，"同志们，过去两个多月里，我们走了弯路，以致主坑道迟迟通不过泥夹石层。作为龙头工程指挥长，我承担主要责任，今天首先作出自我检讨。可是这些天我日日夜夜地想，觉得除了边被覆边通过泥夹石层，实在没有别的辙。今天请大家来开会，就是讨论边被覆边通过泥夹石层的可行性。"

主管二、三营工程的两个副团长对视一眼，几乎异口同声：边被覆边掘进,工程材料的需求量是平常的三倍,这么大面积的被覆,我们上哪弄钢筋木材水泥?你指挥长要弄来了,我们没意见,否则,我们巧妇难为无米之炊。

他们的话不无道理。按原计划,工程款和主要被覆材料都由师里统一调配,主坑道打通后,钢筋、木材和水泥才能运到,只是需要应付突发局面时,团里才有权力使用调拨资金购置钢材、木材和水泥,并且这个权力有限,最高只能动用总工程款的百分之二十五。

洪东国和三个营长一会儿看看石万山,一会儿看看郑浩。林丹雁两眼直视正前方,谁也不看。

"老郑,老石提的这个方案,需要得到你的大力支持。向师里伸手,还得师前指出面,我们才更有信心和希望。"洪东国又当起他的"鸽派"。

郑浩微笑着,"石团长,洪政委,说实话,本人目前无法表态。"

石万山情绪有些失控,"为什么?"

郑浩平静地看着他,"因为我能力有限,无法判断出你这个方案的利弊。何况,工程款的划拨有严格的规定,想提前半年多动用上千万被覆工程款,师前指的意见没有用,因为师前指不管经费。更何况,按照分工和习惯,驻大功团师前指的主要责任是督查安全生产。"

室内顿时鸦雀无声,一个副团长一个副政委三个营长甚至显露出紧张的神色。

稍顷,石万山淡淡地说,"郑副参谋长,我能否把你的态度理解为:你投的是弃权票,而不是反对票?"

"可以这么说。我也希望早日把阵地建成。"

"那我石万山就代表大功团谢谢你了!谢谢郑副参谋长体谅。"

"石团长又把我当外人了,我郑浩现在也是大功团一员嘛。"

石万山又一次被呛住。室内再次鸦雀无声。

　　救火队长洪东国赶紧转移话题,以转移大家的视线,他把目光投向林丹雁,"小林,你这个技术总监的意见很重要。"

　　"很抱歉,政委,我刚回来,不十分了解现况,还没有发言权。我现在要说明的是,对于以前我主持制订的、目前被石团长全盘否定的施工方案——通过泥夹石段的施工指导方案,我承担全部责任。"林丹雁绵里藏针。

　　本来就黑着脸的石万山更挂不住了,话一出口就很冲,"今天大家来不是讨论责任问题。再说,你们制订的这个施工指导方案有问题,不是我说的,而是被无可辩驳的事实证明的。"

　　"我是按总部一九九〇年下发的工程质量标准制定的……"

　　"现在中央领导在讲要与时俱进,我们看问题做事情也应该与时俱进吧?九十年代初期以前,因为被覆技术落后,挖坑道遇到泥夹石层时,那样做是先进的。可现在情况完全不同了嘛,水泥的凝固时间比十年前缩短了百分之七十,喷了砼之后,完全可以马上被覆。有这样的条件了,还照过去方针办,是不是太教条?"

　　"老石!"洪东国见石万山对林丹雁口无遮拦,急了。

　　"好,我教条死板,你与时俱进!"林丹雁气得满脸涨红,声音有些发抖,"你是与时俱进的指挥长,什么样的施工方式你都有权力否定或者决定,不必问我。"

　　石万山像个知道自己做错事的孩子,不安地低下头,"对不起,我没有别的意思,只是希望得到你的支持。"

　　"你的要求,已经超出了我这个技术总监的职责范围,我无能为力。"

　　"我的理解,老石是请林工对新的施工方式继续实行全程监督,老石,你是这个意思吧?"洪东国打圆场。

　　"就是这个意思。"石万山赶紧下台阶。

　　"这是我的职责,自然不敢懈怠,请政委放心。"林丹雁看着洪东国说。

郑浩不改神态,只是向林丹雁投去目光复杂的一瞥。

张中原再三犹豫后,还是把话说了出来,"团长,边开掘边被覆,劳动强度要增加一倍多,兵力不足也是个大问题。"

"我已经考虑到了。龙头工程是整个大功团的事情,不管一营二营三营,大家都捆在一条船上,困难当头时,不分彼此。施工后,二营和三营各抽出一个加强连来支持你们。现在你要告诉我的是,技术操作上会不会遇到问题?"

"这个问题倒不大,过去我们这样干过,工程质量没出过任何问题。泥夹石层的爆破,对两米外的被覆不会产生不良影响。"张中原回答。

"那我就彻底放心了。"石万山说,暗地里有种扬眉吐气的感觉。

一个副团长拉着不紧不慢的腔调,"即使二营和三营各抽出一个加强连来支持一营,一营的兵力也还是不足。战士们拼个十天半个月还可以,但要对付泥夹石,任重而道远。"

"这不是解决不了的问题。张中原,赵成武,王德田,从明天起,让你们的人马加强锻炼,同时增加营养。怎样才能让战士们锻炼得更强健,由你们去琢磨,我只管给足营养。从明天早上起,每人再加半斤牛奶,中午晚上多加两个荤菜。我手里还有点小银子,恶战期间,每月能拿出两万块补贴到伙食上,我相信在座的每一位都会同意我这么做。"石万山说。

除林丹雁和一个副政委不表态,其他人纷纷表示附和。

"谢谢各位对我的支持! 现在,能不能提前从工程部要到这笔被覆工程款是关键。要不到这笔钱,一切都等于零。钱,由我来想办法。"石万山一副一夫当关万夫莫开的神态。

石万山之所以敢在众人面前夸下海口,是因为他胸有成竹,这

"竹",就是他对师领导的了解和信任,就是他对工程部的了解和信任。他认为这些领导肯定会认可他的方案。他知道在顾长天眼里,悠悠万事,唯导弹阵地的工程质量最大,"狮子王"绝对不会置坑道里出现泥石流的状况而不管。

"师长,导弹阵地早一天晚一天建成不一样。你看美国对付伊拉克,就像秋风扫落叶一样,伊拉克要是有战略导弹,至于被打得落花流水、落到现在这么窝囊的地步吗?"

顾长天把脸一扭,"别给我声东击西的,我不吃这一套。"

"师长,如果龙头工程不能及时竣工,那可就真的是毁了你一世英名。"

"少给我来激将法,没用! 如果龙头工程不能及时竣工,你石万山该自宫!"

不管顾长天怎么抵抗,只要他一空下来,石万山就对他软缠硬磨,三十六计里除了美人计,几乎全用上了,把个"狮长"弄得烦不胜烦,最后自然是大手一挥,同意由师里先给大功团调拨一批钢筋水泥,"差额部分,你自己找工程部去。最后给你们多少钱、多少吨钢筋水泥,决定权在工程部。拿出对付我的手段去对付他们,要不到,是你石万山没本事,要到了,我睁只眼闭只眼。话说在前头了,我可没有大张旗鼓支持你越级行事啊。"

石万山不仅要到了急需物资配额,还领到了尚方宝剑,他兴奋得恨不得扑过去抱住"狮子王"猛亲几口,当然,他表现出来的动作,只是以最庄重的姿态向顾长天行了一个最标准的军礼。

雷厉风行的石万山,第二天就向工程部快递了申请追加工程款项的报告。才过去几天,他等不及批示,便直奔"天庭"。

二炮工程技术部部长王远庆是二炮系统有名的侠客,性格豪放旷达,为人仗义热肠,能喝善饮,不仅自己痛快喝酒,而且喜欢别人喝酒痛快,认为够朋友的其中一条就是能跟他喝得酣畅淋漓。

王远庆爱酒，但绝非"从酒风看作风，从酒瓶看水平"的酒精领导，更不是那种一喝多就会办出违背原则的事情来的糊涂蛋。

石万山早想好了争取王远庆支持的策略：这些年，工程部对大功团支持很多，大功团自然应该在北京设宴答谢，然后趁机提要求。报告打上去后，石万山带着能喝善饮的张中原李和平奔赴北京。王远庆很爽快地答应赴宴。

豪华宴席设在富丽堂皇的贵宾楼大包厢。

王远庆往上座一坐，"几个月前，我也在这个厅吃过，司令员就坐在这位子上，我只够格叨陪末座。我是做梦都想坐这个位子啊，今天总算山中无老虎，我猴子称霸王！"

满堂哄笑。

杯觥交错。石万山站起身，"我先敬首长一杯！感谢王部长和在座的各位领导，感谢你们多年来对大功团的关怀与照顾。大功团转战南北，这是第一次在北京设答谢宴，也是第一次在北京设宴，可见我们的诚意。我先干为敬了。"

他仰起脖子，一饮而尽。

"我了解你石万山，你也是个不会弯弯绕的实心眼儿，客气话就别说那么多了。有什么，都在酒杯里，行吗？"王远庆说。

"行，我听首长的！中原，和平，今天首长喝得高兴不高兴，就看咱们表现得好不好了。该你们上了。"

张中原和李和平答应着，各自端着酒杯站起身，左右夹攻王远庆，异口同声，"首长，我们先干为敬！"

咕噜一声，两人酒杯立刻见空。

"首长，下面我来跟您喝，我每喝两杯您喝一杯，您看行吗？"张中原说。

"干什么干什么！石万山，我看你们今天是来者不善，想把我放倒是吗？这样对待首长，你们还想不想要钱？不行，我们工程部不跟你们大功团混战,你石万山有种的话,就跟我王远庆单挑!"

"好。我就按我们张中原营长的标准,我喝两杯您喝一杯,首长没意见吧?"

"这怎么行!你是团长,不能比照营长的标准看齐嘛。"

"那好,我三杯首长一杯。服务小姐,来,给我满上!"石万山知道自己今天必须豁出去了。

他一口气连喝三杯。

"好!说话痛快,做事痛快,喝酒也痛快,我就欣赏这样的人。你们那个报告我看了,记得最牢的是这句:七星谷导弹阵地早一天还是晚一天建成,大不一样!我完全赞同,所以,我们工程部不遗余力支持你们。"

"谢谢,谢谢首长!"石万山眼里闪烁着希冀的光芒,转而又黯然叹气,"唉,早知这样,打报告时真应该多要点,我太老实了。"

"老实?哈哈,这个词用到石万山身上可真有趣。不过,老实人并不吃亏,而且你现在也可以不老实。还想要多少,你说。"王远庆说。

"真的可以还要啊?"石万山几乎从位子上蹦起来,"那我就得寸进尺了。但具体多少,由首长定夺。"

"大家瞧,石万山狡猾得很,一点也不老实对吧?"王远庆笑道。

在座的都看着石万山笑。王远庆觑起眼睛,"工程预算内的钱,工程部可以做主,反正这笔钱早晚都是用在七星谷。不过,提前拿这笔钱走,总得有点条件吧?"

"首长有什么指示,请讲。石万山赴汤蹈火,万死不辞!"

"没那么严重,我不会灌你辣椒水,而是请你喝琼浆。"王远庆吩咐司机,"小赵,去把车上的茅台拿来。"

国酒茅台很快拿了上来。服务员启开茅台瓶盖,王远庆把酒瓶往石万山面前一放,"这是我珍藏了二十年的宝贝,今天奉献出来,

美酒犒英雄。喝多喝少,决定你大功团能拿到的钱是多是少,你自己
看着办吧。”

看着眼前的茅台,石万山两眼渐渐发直:喝,为了早日拿到这笔
工程款,今天喝死了也心甘!他一把将酒瓶攥到手里,“如果我包干
的话,首长给什么说法?”

除了忧心忡忡的张中原和李和平,在座的人都齐声大叫,“好!”

王远庆大叫,“痛快!到底是石万山,名不虚传。喝完它,你要
还能自己走出这间房,我一周内给你们划过去两千万。另外,工程急
需用钢筋水泥时,同意你们就近自主购买。前提是,你大功团得尽快
和高质量地把龙头工程给建成!”

“首长,军中无戏言!君子一言,驷马难追!”石万山霍地站起
来,拿起酒瓶,对着嘴巴咕嘟咕嘟往喉管里倒酒,把所有人都看得惊
呆了。

“团长!”张中原和李和平大惊失色,跑过来夺他的酒瓶。

“别担心,我没事,你们都给我坐回去!”石万山停止灌酒,嗔斥
他们,然后把酒瓶往王远庆眼前晃晃,“就剩这么多了,我留下它敬
首长,敬在座的各位,以表达我和大功团对首长和各位的由衷谢
意。”

满桌人纷纷起身站起来,真诚地与石万山碰杯。他们对他充满
了敬佩。

“好,石万山果真是条汉子,也果然好酒量,我早就听说了,所以
才敢让你这么喝。我王远庆交定了你这个朋友。现在言归正传。小
张,把批件拿出来。”

秘书小张从公文包里取出几张纸,递给王远庆,王远庆又递给石
万山。

石万山摊开纸张,不敢相信自己的眼睛,这是自己打上来的报告
吗?他使劲揉眼睛,看了一遍又一遍,声音发抖,“真的批了?两千

万？不可能吧？中原，我喝晕了，你给我看看是两千万还是两百万。"

"不用看了，千真万确两千万。你们的报告，司令部党委非常重视，昨天为此召开专门会议，决定特事特办，今天上午，主管副参谋长马上就给批了。"王远庆说。

"谢谢，谢谢部长，谢谢各位首长！"石万山感激不尽。

"别以为只有你石万山一个人忧国忧民。前年伊拉克挨打时，很多国人甚至包括军人都在看热闹，这是很可悲的。当然也有些人看出了忧患，生出落后就要挨打的心得，可都不过纸上谈兵而已。实干兴邦，空谈误国！你们是以实际行动来告诉国人什么叫居安思危，我能不全力以赴地支持？修战略导弹阵地是经国大事，你为了早日建成一流的导弹阵地，押上身家性命来做出这个决定，我们能含糊？你们要求先划拨一千万，我觉得太少了，边被覆边掘进很费材料，不能让你们施工时缩手缩脚，花钱时捉襟见肘，就建议多给你们拨一千万，通过了。我们的态度很明确：我们愿意为这个决定共同承担责任。"王远庆一脸庄严。

石万山眼圈一红，再也说不出任何话来。

"服务员，来，换大杯，我要以工程兵的方式，给工程部队的官兵敬酒——'点大炮'！"王远庆站起来，手指点一点石万山，"别紧张，张秘书已经把账给结了。我们工程部早就想请你们大功团喝顿酒了。实话说吧，你们团做工程，从不超支，工程质量又好，我们最省心。来，石团长，咱俩先点一炮！"

这回是王远庆先干为敬。

一大杯子高度茅台下了肚，他控制不住话匣子，"这两千万也不是追加投资嘛，如果你大功团要的是追加投资，你们就是请我喝王母娘娘瑶池里的琼浆玉液，我们也不会给一个子儿！这两千万可得好好用啊，早点给我把龙头工程建好，否则，我找你石万山算账！"

"首长放心!"石万山一仰脖,酒顺着他喉咙咕噜下去了。把酒杯一放,他突然间泪流满面。他喝得实在太多了,也太激动了。

石万山一行回到七星谷后一周内,王远庆划拨的款项就到账了。很快,一列列驮着钢材和水泥的火车,往汉江行进;卡车队在汉江接过火车的"接力棒",往七星谷深处挺进。

卡车队到来前的七星谷里,为了贮备充足的体能,以对付即将来临的恶战,张中原每天都带领着一营官兵,进行艰苦的负重越野拉练。

卡车队到来前的七星谷里,大功团一千多号官兵召开誓师大会。站在石阶上的石万山振臂高呼,"同志们,从今天上午十点起,突破主坑道泥夹石段的会战正式打响。我相信,在我们大功团人面前,没有攻不破的堡垒,没有拿不下的阵地! 别的我不多说,下面就看大家的了!"

"首战用我,用我必胜!"台阶下吼声震天,胳膊举得如同密集的森林。

欢天喜地的锣鼓声中,一个又一个方阵,向着一号洞库出发。

周末,郑浩要上汉江办事,邀请林丹雁一同前往。林丹雁正好需要买些书籍和生活用品,便同意了。

希望的星星在郑浩眼前更加明亮地闪烁起来。

两人在汉江各自办完事后聚首时,郑浩见时间尚早,建议去打保龄球,林丹雁突然想起黄白虹来,觉得两人之间从来都是黄白虹主动热情,相形之下,自己似乎显得挺冷血,心里有些过意不去。她走向公共电话亭,给黄白虹拨打手机。

正在城郊别墅休息的黄白虹听到林丹雁的声音,兴奋得从床上一跃而起,"师姐? 听到你的声音,我真是太高兴太激动了!"

当她得知林丹雁就在汉江、想约她一起打保龄球时,她兴奋得全身都扭动起来,让林丹雁去汉江最高级的保龄球馆"蓝稻",说自己会以最快的速度赶过去。

放下电话,黄白虹开心得在孙丙乾脸上叭叭叭连亲几口,"她现在开始主动跟我联系了,说明我已经取得了她的信任。"

"祝贺你!快去吧,我的宝贝。"孙丙乾眉开眼笑。

"根据这次在北京跟她的接触和了解,我可以断定她现在是秦怀古的得力助手。她脑子里装的东西太值钱了,我们今天要不要冒一次险?"

"你是说绑架她?"

"对啊,你看今天的机会多好!"

"女人的思维就是简单。你也不想想,她脑子里的东西是很多很值钱,可她要不说出来,或者说出来的不是她脑子里的东西,就是把她绑架了又有什么用呢?除非她今天带着一箱设计图纸出来了,才值得绑架。"

黄白虹有些泄气,"也是。通过绑架的手段,让她自愿地把脑子里的东西倒给咱们,恐怕难于上青天。"

"所以啊,不到实在无路可走的时候,不要轻易考虑暴力手段,如果引起对方强烈反弹,效果不好不说,还容易打草惊蛇,暴露自己。还是打感情牌最好,人都是感情动物,精诚所至金石为开,只要在感情上把她笼络过来了,还有什么目的达不到?应该想办法让她成为我们的人,现在她开始主动跟你联络了,我们朝这个目标又前进了一步。还有,鸟为食亡人为财死,她也未必就不食人间烟火,只要功夫深铁棒磨成针,小数目打动不了她,大数目呢?凡事要把眼光放远,你想啊,她才三十多岁,以后还要参与设计多少重大的国防工程?对她,必须得放长线钓大鱼,这才物有所值。"

孙丙乾一席"高屋建瓴"的话说得黄白虹五体投地,如果不是急于赶去见林丹雁,她真要像圣徒对真主一样,立刻虔敬地把自己全身心捐献给对方。

　　黄白虹驱车风驰电掣到"蓝稻"。她走到第三球道,林丹雁正在掷球,郑浩看到她,猜到她应该就是黄白虹,很友好地对她笑笑,做个潇洒的手势,"请坐。"

　　"谢谢。我是黄白虹。"黄白虹眼睛里秋波荡漾。

　　"我猜到了。黄小姐你好,我是郑浩,丹雁的同事。"看似不经意间,郑浩已把黄白虹身上的主要风景一览无遗:这是一个尤物级的女人。

　　见林丹雁掷球回来,黄白虹立刻扑上去,紧紧拥抱住她,"师姐,我想你想得好苦啊!"

　　"师妹,你让我好感动啊!"林丹雁笑着学她的腔调。

　　黄白虹纵情大笑。

　　郑浩没想到这个风情十足的尤物性格如此豪放,忍不住看着她笑了起来,然后,转身拎起一个最重磅的球,起步,扔,一下全中。这个女人身上有一种能摄取男人魂魄的东西,郑浩感觉到自己正被一股神秘的力量所吸引。他有些困惑,有些心虚,便赶紧往远处走上几步。

　　"哇,真棒!扔球的姿势也很酷。"黄白虹眼睛斜睨着郑浩,"师姐真应该去当女特工,这么能保密。"

　　"什么保密?"

　　"我准姐夫啊。这么英俊潇洒风流倜傥的帅哥,早该让我见识见识嘛,还一直骗我说没有男朋友。"

　　"别胡说,人家是我的领导,一起来汉江办事。"

　　"师姐就别再骗我了,你们之间,至少有感觉有默契,我看得出来。"

　　"白虹,你最近都忙些什么?"林丹雁岔开话题。

　　"收购两家国企,忙得不可开交。我现在已经是个彻头彻尾的商人了,很多时候,我自己都讨厌自己身上的铜臭味。也只有跟你在一起时,我还能想起来自己也算是个知识女性。师姐,说实话,你不转业也好,留在部队里,至少还能过一份清高的生活,还能保持住清新脱俗的高贵气质。你看我,整个都成一俗物了。”

“不是俗物,是尤物,风情万种颠倒众生的尤物。”林丹雁笑。

这话被掷球回来的郑浩听见了,他暗自笑了笑,忍不住瞥黄白虹一眼。

郑浩的反应,全被黄白虹注意到了。她看出来了,郑浩与林丹雁并不是恋人。职业习惯使然,黄白虹对郑浩有了探究的欲念。

三个人每人掷完三局,林丹雁提醒郑浩该回去了,郑浩立刻要去埋单,黄白虹说,“已经交代服务员给买过了。我们公司是这儿的定点消费单位。”·

“怎么能让你埋单呢? 真不好意思。而且,我早就说过要请丹雁打保龄球的,这一回又没实现。”郑浩不安。

“帅哥首长就别客气了,能请你们,是我的荣幸。真舍不得你们走,两位留下来住一晚吧,好不好? 我在这个小地方根本没有朋友,太寂寞了,像今天这样开心的时候太少了。”黄白虹嗲声嗲气,似怨似尤。

“谢谢黄小姐美意,但我们必须赶回去。”郑浩说。

黄白虹的眼神暗淡下去,稍顷,悄悄对林丹雁说,“师姐,要不,让你的帅哥领导先回去,你留下来好不好? 我有太多的话想对你说。”

“不行不行,我已经在外面跑两个月了,积压的事情多如牛毛。”

“不就是打个山洞嘛。”

“隔行如隔山。白虹,我们走了。”林丹雁脚下开始挪步。

“好吧,”黄白虹无奈,飞快地闪郑浩一眼,“何日君再来?”

林丹雁笑笑,“别搞得这么缠绵。以后来汉江,还会跟你联系的。走吧。"

三个人说说笑笑往外走,告别时,黄白虹说着"师姐再见,首长再见",与林丹雁亲密拥抱,与郑浩热切握手。她的中指在郑浩掌心里轻轻勾了两下。郑浩的脸色蓦然变深。黄白虹意态不明地笑了,话语也暧昧起来,"师姐,可别放过你这位帅哥首长啊,你要放过他,我都不答应。"

郑浩顿时脸发热心乱跳。

一直跟踪着黄白虹到"蓝稻"、化装成流动摊贩的姜柱国和冯倩倩见到这种情形,大吃一惊。

"我的天,黄白虹怎么会跟林丹雁和郑浩认识呢? 特别是跟林丹雁,两人好像还很熟。"冯倩倩压着嗓门惊呼。

姜柱国盯着他们上各自的车,"想都想不到吧?"

"他们要是知道林丹雁的身份可不得了,头儿,咱们必须给她提个醒。"

"我的判断是,他们很可能已经知道了她的身份,接近她,就是想弄清楚七星谷阵地的规模和用途。但我们目前还没有确凿的证据,能证明孙丙乾和黄白虹在从事间谍活动,现在提醒她不合适。"

"可是不提醒又太危险了,他们要是铤而走险绑架她怎么办? 一旦林丹雁出了事,后果不堪设想。黄白虹已经走了,要不,我现在去见见林丹雁?"

"不能轻举妄动,何况还有郑浩跟她在一起,你怎么对郑浩解释? 经常都是道高一尺魔高一丈,你怎么知道他们就没有反侦察? 万一打草惊蛇惊动了他们,七星谷的反间作战就可能前功尽弃。"

冯倩倩着急,"那怎么办呢?"

"一方面,把情况上报部里,请求把林丹雁的安全等级由 B 级上升到 A 级;另一方面,我们明天就去七星谷,把情况告诉石万山和洪东国,他们是七星谷反间保密工作的负责人,以后她来汉江,让他们派人陪同,不方便的话,至少也得暗中保护。咱们再给她配上红豆胸针状全球卫星定位器,告诉她使用方法,如果她还没有手机,我们也给她配上,让她以后离开七星谷时,尽量穿便服,一定戴上红豆胸针,而且二十四小时内不能关手机。这样多管齐下,不会有事的,只是,我们要找到让她自愿接受而不起疑的充足理由。"

冯倩倩频频点头,暗暗盘算着自己与顶头上司的差距。

第 十 八 章

转眼就到了又一个盛夏。

盛夏时节，南方的阳光无比毒辣，地表温度高居不下。官兵们在闷热的坑道和洞库里，从泥水和石渣里将不断流淌出来的泥泽打包，然后一包一包地往外背，衣服上的泥巴干了还湿，湿了再干，不多长时间，一身衣裤泥乎乎湿漉漉，贴到身上又湿又冷又粘又沉，干活时十分的碍手碍脚。后来，小伙子们干脆把全身扒得只剩下一条大军裤衩干活，浑身干脆也被泥巴被覆，人被糊得只露出一双乌溜溜的眼睛，半天下来，粘在头上和身上的泥巴结成盔壳和铠甲，蹭得全身奇痒难当。下工后，一点点一层层地"丢盔弃甲"，冲凉时，才发现泥巴和褐石中的有毒元素早已渗透到了皮肤毛孔中。

就这样日复一日，几乎没有人身上不溃烂，而最让他们难堪难言难受的则是烂裆，走路成了别扭难看的罗圈腿不说，别的地方奇痒溃烂流黄水还好办，想抓想挠要治要晒，都不用避讳别人，可烂裆起来，谁好意思没完没了地往那个地方抓抓挠挠的？治起来不方便，要晒时更麻烦，毕竟营区里有女兵有家属。

晚上,山沟里吹不进一丝凉风,板房里闷热得像蒸笼,官兵们根本没有办法入睡,尤其从北方来的小伙子,一个个热得坐在床上伸长着脖子直喘气。外面虽然也不凉快,但至少不像板房里那么闷,因而,战士们都穿着大裤衩出来,四处游荡。

这种情形,被由张中原陪同过来视察的石万山和洪东国尽收眼底。

"营区有女兵,谁让你们穿着内裤出来的? 你们自己看看,像个什么样子!"平常睁只眼闭只眼的张中原,当着团领导的面自然要有态度。

魏光亮赶快说,"对不起营长,是我做主同意的。我们在路口放了女宾禁入的告示牌。这鬼天气,一点风都没有,只穿个内裤还烂裤裆呢,要是再捂得严严实实,还不知道会是什么样的情况。"

"行,反正七星谷里女的少,少数服从多数。我特别批准:天黑后,你们只穿内裤不犯忌,不过活动范围只限于一营营区,不得越雷池半步。"石万山冲着魏光亮喊,"光亮,你听见没有?"

"报告团长,我听见了。不过我要抗议团长,为什么你只点我的名字? 好像我就会越雷池似的。"魏光亮不满。

"这叫防患于未然,知道吗? 对了光亮,裸睡防烂裆,苦楝树树皮熬水再加上狼毒汁涂抹,对治烂裆有效果,你们不妨试一试。"石万山拍拍他肩膀,以示抚慰。

"团长,政委,我们为什么不能装空调呢? 现在咱们中国绝大多数城镇居民都用上了空调,美国士兵几十年前就在用空调、睡席梦思床,他们并没有垮掉嘛。"魏光亮登鼻子上脸。

"装空调的事情,我们正在搞调研,等调研结果出来再说。小魏,你们还是早点休息吧,明天还要辛劳呢。"洪东国笑眯眯。

张中原陪同石万山和洪东国往坑道里去,张中原倒是第一次发现,居然有十多个战士坐在坑道内歇息,还有人躺在地上睡着了。

"起来！坑道里睡觉,像话吗?"张中原这回是真生气。

坐着的早站起来了,睡着的被惊醒,都鲤鱼打挺起来,一个一级士官嗫嚅,"报告首长,宿舍太热,我们实在睡不着,坑道里凉快……"

"坑道是工作区域,而且要考虑安全因素,再凉快也不能睡觉,你们都回去,以后不能再来这儿休息了,听见没有?"张中原说。

战士们如获大赦,争先恐后朝外跑。

等战士们都跑远了,洪东国说,"看来这睡觉的问题不解决确实不行。战士们劳动强度太大,长时间缺少睡眠,身体受不住。"

"就是啊,身体是革命的本钱嘛,所以我说必须尽快买空调。老洪,你那个调研就到此为止吧,期望你尽早投我一票。"石万山说。

洪东国没有回答,脸上依然笑眯眯。

三个人走了过去,谁也没发现身旁的被覆模具里有人在酣睡,而他们的脚步声和谈话声也没能吵醒他。模具里的人是连日来劳累过度又严重缺乏睡眠的方子明。很快,过来十几个战士搅拌泥浆,骆玉中把拌浆机与管子接好,两个战士拿着灌浆大管子登上脚手架,把两个喷头塞进模具里。自动化搅拌和灌浆设备启动,冒着热气的水泥石子浆慢慢灌入,渐渐把方子明的双脚埋住。

方子明迷迷糊糊地做了个梦,梦见自己长出了两个翅膀,往家里飞去,却因为双腿灌了铅般的沉重,怎么也飞不动,他很恼火,拼命挣扎着纵身一跃,这一跃,没有让他飞上天空,却让他彻底醒了过来。他想翻身,双腿却怎么也动不了,他半抬起身子一看,顿时毛骨悚然哭爹喊娘,"救命啊,我被活埋了,快来人啊——"

骆玉中吓了一跳,"怎么回事?"

一个战士竖起耳朵听,"好像模具里有人。"

"啊!"骆玉中大惊失色。

几个人赶快爬上模具架子,果然见到方子明在里面拼命挣扎。

一见到他们,方子明哭了起来,"妈呀,我的腿完了,我完了……"

骆玉中和一个战士架着方子明的胳膊,用力把他拽了出来,再抬到地面,方子明把腿缩起来,用手摸着腿,哼哼唧唧,"老天保佑我,千万别高位截瘫啊……"

见他的腿能伸缩自如,骆玉中知道没有问题,便在他腿上狠捶一拳,方子明疼得哇哇乱叫,骆玉中笑,"瘫不了,能照常娶漂亮媳妇。"

方子明放心了,刚咧开嘴笑,一见石万山他们过来了,马上又把脸绷起来,做出一副痛苦不堪的样子,骆玉中暗自发笑。

"赶快带他去处理一下。"石万山吩咐。

骆玉中他们赶紧抬着方子明离开。

"老洪,买空调的事不能再拖了,咱们要是继续调研下去,还不定要出什么事呢。"石万山神色忧虑。

"我现在就投你的票。搞调研不过是想找点实例,堵堵反对者的嘴。这样吧,我提议明天召开党委会,专门研究这个问题。"

洪东国说的反对者是郑浩,石万山心底涌上一股暖流,"谢谢政委!"

洪东国白他一眼,"你谢我干什么?难道他们就不是我的兵吗?"

两人相视而笑。

"张中原,马上把你们营需要多少台空调统计出来,另外,装空调前这几天,让下班回去的战士住进多功能厅,那个地方电扇多,又宽畅。"石万山吩咐。

"是!"

石万山回到自己的板房,没想到郑浩正在门口等着他,诧异地连说"稀客",郑副参谋长有什么重要指示?

郑浩笑说我哪来的指示，是有事要请石兄帮忙，咱们去吃夜宵吧，一边吃一边聊。石万山忙说不饿，还是请郑副参谋长光临寒舍吧。

"石兄，我想请你帮我做一回红娘。"甫一坐定，郑浩笑着开门见山。

实际上，为走不走这步棋，郑浩犹豫过很久。石万山在二炮系统的影响力和运作能力，自己以前都低估了。事到如今，自己如果继续韬光养晦下去，肯定不会有什么好结果。想来想去，郑浩决定用林丹雁投石问路，看看石万山到底是个什么态度。如果对方答应帮这个忙，至少说明他对自己还算光明磊落襟怀坦白，自己在七星谷再忍辱负重下去，也才有意义。

"要我做红娘？你不是拿我开涮吧？"

"我哪敢拿石团长开涮呢？给你说实话吧，我现在有比较强烈的结婚冲动。"

"郑副参谋长，你这个钻石王老五不至于病急乱投医吧？你找谁做红娘也找不到我头上啊，我上哪给你找姑娘去？"

"我是真的需要你帮忙，只有你才能帮这个忙。"

"什么意思？你就直说了吧，我实在受不了你这弯弯绕。"

"好，我直说了。自从认识林丹雁女士以来，我始终认为她就是我理想中的那一半，一直想向她求婚。可是我又怕贸然求婚会遭到拒绝，不瞒石兄说，我在这方面脸皮太薄，心理承受力很差。万一遭到她拒绝，我担心自己这一辈子都会惧怕婚姻，所以想劳兄台大驾。"

石万山紧盯着他眼镜片后的眼睛，"林丹雁你又不是不认识，还需要红娘吗？再说，你为什么会选择我呢？做思想工作，洪政委比我强多了。"

郑浩坦然迎着他逼人的目光，"我听说她与你和嫂子的关系非同一般,而且看得出来,她比较听你的。"

"你说的都是历史了,林丹雁的脾气,你也了解一些,什么事她会听别人的安排? 我的话同样不管用。对不起,我实在帮不了你这个忙。"

"石团长实在不肯帮这个忙,我也不能强人所难,算我打搅了。但关于安装空调的事情,我还想说几句。我不同意给战士宿舍安空调。"郑浩决定唱黑脸了——石万山根本没把我这个师前指总指挥放到过眼里,自己不能一忍再忍。

"郑副参谋长,天太热了,战士们都睡不好觉,而我们偏偏又在打恶仗。觉都睡不好,当然不会有战斗力,所以——最典型的例子就是前天晚上,士官方子明因为长时间缺少睡眠,竟然在被覆模具里睡着了,差一点……"

"这事我也听说了,它与安不安空调没有直接关系。我一直反对你们打疲劳战,而方子明差点被被覆在坑道里,恰恰是因为你们进行了长时间的疲劳战,他们的身体承受不住造成的。我做了调查,这一个半月里战士们每天平均工作近十三个小时,他们是人,不是机器! 我告诉你,你这么做迟早会出事的,而且难免会出大事!"说着说着,郑浩激动起来。

"现在是在打仗,而且,我们也注意到了战士疲劳的问题,正在想办法解决。给他们宿舍装空调,正是为了解决这个问题。郑副参谋长,在关心战士的问题上,我们殊途同归嘛。"

"石团长,我们部队做事不能不算政治账吧? 我提醒你考虑一下这事的政治影响。我们所在的这个县是国家级贫困县,人均年收入不足一千元,我们驻扎在这样的穷地方,干部战士都住装有空调的房子,合适吗? 买个几台柜式机,给食堂和会议室安上,这个还说得过去。军队要忍耐,要吃苦,不能和别人攀比。"

"战士们为国家付出了那么多,我看也没什么不合适的。郑副参谋长不是在下命令吧？"

"我在尽师前指总指挥的职责。组织上没赋予我否决大功团党委决议的权力，我没资格下达这个命令，但是，驻大功团的师前指，有权监督大功团工程款的使用情况！"郑浩站起身来，头也不回地拉门出去。

就购买和安装空调的事情，第二天的团党委会争论激烈，支持者和反对者几乎各占一半，势均力敌。但在洪东国的支持下，在石万山的力挺下，党委会最后以四分之三的票数通过决议：装空调，不装进口的，装国产名牌机，官兵一致一视同仁。根据统计，每个营共需三匹的柜式空调十八台，一点五匹的壁挂式空调六十台，大功团共有三个建制营，另有团部和师前指，共计需要柜式空调八十一台，壁挂式空调二百七十台；按国产名牌空调机的均价计算，每台环保健康型的柜式空调大约需要七千到八千块，每台一点五匹的环保健康型空调大约需要两千块。一次性装备到位，大约需要一百万出头，加上线路改造等费用，总共需要一百二十万左右。

石万山作出阐释：空调不是生活奢侈品，而是为了提高工程效率的基本生活用品；他提出建议：为了防止夜长梦多，咱们明天就去办，每个营去三台车，把这一百多台空调一次性买回来。

没人再提出反对意见。

团党委会的最终决议，郑浩是事后才得知的。这一次他几近震怒：石万山太不把他当回事了，他石万山凭什么不把他堂堂师副参谋长放在眼里？这不仅仅是挑战他郑浩的个人尊严，简直是无视师前指的存在，甚至是对师领导集体设置师前指决策权威的蔑视！

后来一直闲置在抽屉里的香烟，再次被郑浩翻腾了出来。

接连抽完几支烟，郑浩抑制住了狂乱的情绪，调整好了心态和状态，他站起身来。他去找石万山。

推开石万山的门，郑浩笑吟吟的；见到笑吟吟的郑浩，石万山心里犯了嘀咕。

"稀客稀客！郑副参谋长大驾光临,有何指教?"石万山迎过来。

"岂敢岂敢！专门来向石团长表示敬意。陆、海、空三军,我还没听说过哪一军给战士宿舍装空调的,只有我们二炮的大功团敢吃这只螃蟹。石团长到底是石团长,敢为三军先,郑某深表佩服!"

"郑副参谋长的意思我明白。实话实说,我们确实跟他们都不一样,我们是战略导弹工程兵,和平年代里,只有我们还天天在打仗。"

"天天在打仗一说以后可以商榷,即便天天在打仗,空调也不是武器吧? 照此下去,战士的木床板以后没准还得换成席梦思?"

"不瞒郑副参谋长说,前年我就有这种想法,只不过目前条件还不成熟。条例上好像也没有明令禁止战士不能睡席梦思嘛,只要硬度合适,睡席梦思肯定比睡木板舒适。"

郑浩强忍住不快,"石团长真是我二炮的弄潮儿啊,什么潮流都敢领,连贪图享乐方面也不甘人后。"

"郑副参谋长过奖。我石万山自惭还没达到你说的这么高境界。我今天也把话撂这儿了,除非立刻就撤我的职,否则,三天内,大功团的官兵都能住进装有空调的房间。你要不这么说,我们还未必有这么高的效率,谢谢你的提醒,我现在就开始交办!"

"我知道在你这儿我的话横竖不起作用。不过我告诉你,你石万山眼里可以没有我,没有师前指,但只要还在师前指总指挥这个位子上呆一天,我就要尽到一天的职责。我说话不管用,还有上级组织嘛,我就不相信大功团能凌驾于导弹工程兵师之上!"

"郑副参谋长请便。我早已有话在先:一切后果,由石万山一人承担!"

郑浩拂袖而去。

营房里,食堂里,团部办公室,官兵们的宿舍……到处都在安装空调。到处的热火朝天,在郑浩的眼里是无法无天。他十分恼怒,奋笔疾书一份上诉师部的报告,江建华认为措辞过于激烈,建议他修改后再上呈。郑浩固执己见,说原则问题绝不能让步,并说假如结果是石万山正确,自己立马走人。他郑重地在报告上盖上大功团师前指的公章,让江建华马上传真给师部值班室。江建华说服不了他,只好无奈地从命。

敲门声响起,是两个战士抬来了空调机,要给师前指办公室安装。郑浩面无表情,声音不怒而威,"这儿不需要空调,请你们抬回去。"两个小战士感受到室内压抑的气氛,不敢多说话,更不敢违抗他的命令,赶紧抬着空调离开。

意气难平的郑浩起身去找洪东国。

石万山正在洪东国办公室商量空调费用开支问题,见郑浩进门,石万山和洪东国都站起来,郑浩说,"洪政委,石团长,明人不做暗事,我特地来告诉你们,我刚才给师党委呈了一份报告,申明了师前指对装空调的态度。我转述一下报告主要内容:工程尚在进行中,挪用工程款购买大批空调的做法是错误的,必须马上纠正。"

"郑副参谋长,挪用工程款装空调的帽子太大了,我石万山承受不起。买空调的钱是从施工管理费中开支的,作为工程指挥长,我有开支施工管理费的权力。"

"施工管理费? 一百多万?"

"没错。工程竣工后,如果审计出这笔钱有问题,责任由我这个法人负。"

洪东国说,"郑副参谋长,购空调款走施工管理费账目,是团长和我刚商量出来的办法,我们正想向你汇报呢。为了节省出这笔钱,我们制定出了一个提高效率、节约开支的细则……"

"难道你们要先挂账,找到名目了再冲减?"

石万山说，"关于这一百多万如何开支，我们也向师里请示了。"

"谁批准的？"

"还没等到批示。战士们太艰苦了，我们搞先斩后奏也是迫不得已，何况工程施工条例中有规定，指挥长拥有先斩后奏的特权。"石万山态度强硬。

"既已先斩后奏，你们还说什么向我汇报？"郑浩铁青着脸，转身就走。

"老郑……"洪东国追出去。

石万山当即抄起电话，"张中原，我命令你，二十四小时内，改造好一营和团部所有房间的线路，保证大家明天晚上一定用上空调！"

"买回来的是空调，又不是豆腐，放上一两天，能变馊不成？"张中原乐呵呵的。

"郑浩告状了，万一师里下令停止安装，我可不敢抗令不遵。"

"对呀！"张中原一拍大腿，"我赶快告诉光亮他们，别调试了，先打开所有包装箱，把室内机挂上，再把包装箱扔得越远越好。"

"混蛋！哪来这么多馊主意？"石万山笑骂。

张中原得意，"名师出高徒啊，我师傅是石万山啊。"

"你可别栽赃！我啥时候教过你这么损的招？"

"青出于蓝胜于蓝嘛。团长再见，我得赶快找光亮他们去。"

魏光亮正在殷勤地为林丹雁和周亚菲安装调试空调，"好了，两位小姐今晚可以享受幸福的睡眠，做个甜蜜的美梦了。"

"只要梦里出现了你，准是噩梦，绝对甜蜜不了。"周亚菲斜他一眼。

"这好像是有感而发啊，是不是以前梦见过我啊？"魏光亮很惬意。

周亚菲情知失言，脸热了热，把头一扭，"去去去，谁梦见你啊，别臭美！"

空调驱逐了七星谷里昼夜阴魂不散的仲夏潬热,战士们睡觉甜了,吃饭香了,精神自然饱满了,用上空调第一天,战斗力增加了近三成。

这样一来,师前指办公室的摇头风扇,便成了大功团团部十几间简易板房里硕果仅存的电扇。电扇风是热的,郑浩和江建华经常汗流浃背,一天一夜过去,他们全身多处长满了痱子。

看见江建华热得不时拿报纸扇风,郑浩很过意不去,"对不起建华,让你跟着受苦了。"

"领导说哪儿的话。不用空调挺好,至少我们享受的是原生态的空气。"

两人都笑了。

郑浩说,"其实,我并不是非要反对改善战士的生活条件,也不是非把装空调这事弄黄了才罢休。我反对他们采取的方式。用工程管理费来说事就行了?工程管理费又不是破箩筐,什么烂菜帮子都能往里扔。"

"郑哥,我真不忍心看着你这么苦自己。其实你一边享受着空调,一边等待着上级的裁决不好吗?白天还好过一点,通宵热得睡不着觉最熬人了。你看你瘦了这么多,眼睛都凹进去了。"

"不行,我有我做人做事的原则。在上级对这件事没下结论前,我绝不会放弃自己的立场。唉,这么明显的问题,师里怎么就不管呢?照这样下去,石万山以后什么事不敢干?"

"也是,他胆子确实太大了。"

"建华,我呆在七星谷的日子恐怕不会长了,当初真不该劝你来这个鬼地方。"

江建华吃惊,"你真的铁了心要走吗?去哪儿?回师部?我倒没事,反而觉得很值,因为这儿让我长了不少见识。"

大功团请求为官兵宿舍安装空调的报告,郑浩请求辞去大功团师前指总指挥的报告,同时呈到了顾长天和成南方的案头。

石万山振振有词:买空调的一百多万不是工程款,而是施工管理费,并且我们不是把它用在吃喝玩乐上,而是购买能提高工程效率的基础用品;七星谷又不存在空调电费问题,七星溪每年都水量很足,我们的小水电站发的电足够用了。如果出了问题,我这个龙头工程的指挥长担当全部责任。石万山列举出因天气太热、劳累的官兵们严重缺乏睡眠的种种苦楚,煽情处差点让"狮子王"落下泪来,恨不得自己能掏出钱来给战士们安装空调。

郑浩的阐述也很在理,他历数自己在去到大功团后的种种际遇,说自己始终很尊重石万山和洪东国,凡事都与他们沟通,征求他们意见,从来都顾全大局不计较个人得失,现在也绝不是感情用事;我们导弹工程兵是一支有着光荣传统的部队,这个传统就是艰苦奋斗敢打硬仗,我们'工兵精神'的前两句是什么?扎根山沟,拼搏奉献!这次是面对建设什么样的军队的大是大非问题,所以自己绝不做任何妥协。石万山根本不听劝告,因此而导致师前指已无法在大功团开展工作,即便这样,自己的请辞也完全是出于公心而非私怨。

两人针尖对麦芒到这种程度,实在让顾长天和成南方感到为难,无奈之下,他们只好关起门来商量计策。照例,成南方等着顾长天先开口。

"成政委,看来咱们的如意算盘打错了,原来想的是石万山和郑浩两人的性格一刚一柔,正好能够互补,处事风格不一样也不容易产生冲突,以为他们会是黄金搭档,没想到会是这种状况。你看这事怎么处理?我听你的高见。"

"我倒是想先听听顾师长对大功团安装空调的态度。"

"说实话,看了石万山请求为大功团官兵宿舍安装空调的报告,我真不忍心反对,再说,他的理由非常充分。以前我们工程兵住什么房?干打垒的土房,现在呢,住上了活动板房;最早我们是用钢钎打干眼,后来我们装备了风钻,现在我们又装备了凿岩台车;还有运送石渣和被覆,也全部都实现了机械化。社会在进步,生产力也在大力发展,石万山装空调是为了提高效率,也是与时俱进的历史观。三十八九摄氏度的高温下,我们自己也不能正常办公嘛,为什么就不能让辛劳了一天的战士们睡个好觉呢?装备出效率是真理。美伊战争,伊军的脆败就与美英联军装备精良关系最大。都二十一世纪了,我们究竟该怎么样建设白领工兵队伍,我认为还需要解放思想。这事如果处理不当,我们可能会犯错误。"

顾长天对石万山的祖护不出成南方所料,成南方拿起桌子上郑浩的报告,遮住自己的眼睛,"我同意你的说法,不过郑浩历数的桩桩件件也都有理有据,小郑你我都了解,他是个有度量有涵养的人,不到忍无可忍,不会出语如此激烈态度如此决绝,他阻止安装空调也不能说毫无道理,而且师前指意见也是上级意见,他石万山完全当成耳旁风,甚至都不屑于解释和沟通一下,这也太自以为是了吧?我的看法是,空调可以装,但石万山也得敲打,老是搞先斩后奏,搞将在外君命有所不受,怎么行?再不敲打,以后他的眼里还能有谁?"

"完全同意!我早就想敲打石万山了,不敲打敲打他,他不知道马王爷长几只眼!就他对待师前指的态度,这次得让他作出检讨,在全师中层以上干部会议上作出公开检讨。在这之前,他先得向郑浩作深刻检讨,否则,郑浩要是不肯回大功团师前指的话,我真要建议撤他石万山的职!"

成南方笑笑,"郑浩的工作我来做。再说,他也不是不通情理的人,顾师长就请放心吧。"

桌上的红机电话铃声响起,是钟怀国听了魏光亮的电话"告密"后打来的。

钟怀国一口气说了很多,态度很明朗:

顺应新军事变革潮流的事情,是符合最广大官兵根本利益的事情，这也是群众利益无小事。什么是新军事变革？新军事变革后，我们的军队将是什么样子？都需要探讨和摸索。大功团提出的以人为本的治军理念，也许能引发一场治军观念上的革命。军人也有普通人的需求，光荣传统当然要讲，不搞与时俱进的改革，是没有出路的，这样的军队早晚要被淘汰掉。我们的军队靠小米加步枪打出一个新中国，但如果死守着小米和步枪这两个大宝贝不放手，我们的国家也发展不到今天，也不可能有今天给国人带来安全的战略导弹部队。作为一个老工程兵，我个人认为，精神的力量不能削弱，物质的力量也不能低估，美英联军能在伊拉克取得速胜，我看就归功于物质的胜利。当年，我们引进大型机械设备时也遇到过阻力，经过这么些年的实践证明，这条路走对了。我们的战斗力提高了很多倍，但我们这支部队的性质并没有改变……

顾长天恭恭敬敬，不断点头，"我完全同意老首长的看法。对，我也认为，大功团的尝试是不是成功的，不宜过早下结论，要看它是不是真正能提高部队的战斗力，是不是真正代表了新军事变革的方向，是不是能受到广大官兵的欢迎。端正了这个认识，费用的开支情况就不是主要问题。"

于是，"空调事件"既没有受到批评，也没有得到表扬，就这么无声无息地过去了。正所谓天下事了犹未了，何妨以不了了之。

七星谷里有个神奇的小湖泊，无论怎么下雨，它永远不会涨水，多少年来，它只是默默地惠泽当地百姓，从来没有过泛滥成灾，被老百姓尊崇为"神湖"。每逢晴好天气，"神湖"则波光潋滟五光十色，真是美不胜收。

休息日，魏光亮呼朋引类去"神湖"边"晒裆"。十几个战士前呼后拥着他，来到"神湖"。魏光亮一声令下，小伙子们嘻嘻哈哈地脱去衣裤，赤条条地躺到草地上或大石头上晒太阳，害羞一点的则给自己的羞处盖上一枚荷叶。魏光亮说他自己并没有烂裆，只是想来给美丽的"神湖"做个自然之子。他自由自在地裸泳一通，然后穿上大军裤衩，躲到一块巨石后的阴凉之地，一边读《计算机世界》，同时兼给大家放哨。

盛夏七月的太阳毒辣灼人，晒上一阵后，王小柱被烤得受不了了，揭开脸上遮阳挡光的荷叶，大喊，"连长，我晒得受不住了，你还要我晒多久嘛？"

"早着呢，要治烂裆，你就慢慢晒吧。没有我的命令，不准起来。"魏光亮把头埋在书里，连眼皮都不抬。他根本没把所谓"放哨"放到心上——除了偶尔迷路的放羊娃，谁会涉足这样一个落英缤纷云蒸霞蔚的世外桃源？

远处，林丹雁和周亚菲沿着小溪朝上游走来，一路上，周亚菲不时蹦蹦跳跳地采着野花，突然，她想起来上游有潭清冽的湖水，马上又蹦跳回林丹雁身边，"丹雁姐，上面有个潭，可以游泳，咱们游泳去好吗？"

"哎呀，你早不说，咱们都没带泳衣啊。"林丹雁很遗憾。

"咳，现在时兴裸泳，咱们今天干脆也时尚一把，怎么样？"

"裸泳？我可不习惯，万一来人怎么办？"

"哎呀没事的。姐姐给我放哨，我给姐姐放哨，不就没事了？走吧走吧。"周亚菲撒着娇，对林丹雁生拉硬拽，林丹雁只好半推半就地跟她走。

两人绕过一块巨石，正好绕到魏光亮的身后。战士们的全裸图顿时映入两人眼帘，周亚菲"啊"的一声，捂住双眼，林丹雁脸红耳赤，赶快把眼睛看向别处。

七星谷的两个美女居然从天而降！战士们慌作一团，不要命地"扑通扑通"往水里跳。魏光亮听到动静，从书上抬起眼睛，看到林丹雁和周亚菲，吓了一跳，知道大事不好，忙跑过来鞠躬，"对不起，实在对不起。你们是从哪里钻出来的啊?"

周亚菲气愤地,"你们裸泳,为什么不放哨?"

"对不起,是我在放哨,可我只顾看书了,没注意到你们过来,都怪我。大家是在治烂裆,哪有工夫裸泳,哎,对不起,请你们回避一下好不好?"

周亚菲马上进入当医生的状态,"管用吗?"

"比你们医生说的管用。"魏光亮说完,小心翼翼地看着她脸色。

"营区里又不是没有女人,附近还住着老百姓,你们怎么就这么不讲究斯文呢? 就是治病,至少也得派两个岗哨嘛。"周亚菲又找茬。

"是,遵命。两位小姐,你们是不是来游泳啊?"

"不用你管。"周亚菲眼波一横,樱唇一嘟。

魏光亮心里怦然一动,突然不敢正眼看她,也说不出任何话来。

一号洞库的主坑道六千八百米到七千米高度的被覆段,出现了裂缝和渗水,按照以往专家的堵漏方案,怎么堵漏都不行,石万山和洪东国心急如焚地赶往现场,石万山摸着墙体上的裂缝问张中原,"里面还有吗? 什么时候发现的?"

"还没有发现。那边供水管的接头有点漏水,开始大家都没在意,再说现在上下班都坐这种板车,一晃就过去了,所以到今天早上才发现。"

"一共有多长?"洪东国问。

"裂纹从六千七百八十一米开始出现,一直到七千零三十三米,都有。一共有两百五十二米出了问题。"

"愚蠢自大,废物点心!"石万山咬牙切齿,一拳砸到墙体上。

张中原惊惧地看着他,变了脸色。

洪东国不满,"老石,你怎么骂起人来了? 骂人能管用吗?"

"我没骂别人,我在骂自己!每被覆一米就得花一万两千多块,两百五十二米,一下子就栽进去三百多万!可我们连什么时候出现了裂缝都不清楚,我这个团长总指挥长不是废物又是什么?"石万山痛心疾首。

"好了,骂人骂己都无济于事,还是抓紧想办法解决问题吧。"洪东国说。

石万山冷静下来,问张中原,"泥夹石段通过了?"

"前天晚上已经打到了花岗岩层。"

"从现在起,先停止被覆,恢复正常开掘,二营和三营的增援部队暂时归建。"石万山吩咐张中原。

"是。"

"老石,这是个不明原因的重大事故,咱们得立即上报,必须尽快查明原因。在上级调查小组到来之前,团里要成立事故调查小组,先进行自查。"洪东国说。

"对!老洪你当团里的事故调查小组组长。咱们先查施工日志,看能不能查出来问题到底出在哪里。"

在石万山和洪东国向师里报告之前,郑浩已经把情况向成南方汇报,请求师里尽快派工作组进驻七星谷,在工作组到达之前,希望师党委授予他查封大功团施工日志和来往账目的权力。有句话溜到了嘴边,但郑浩还是硬生生把它给吞咽了下去,那就是:我认为这是一起责任事故,背后很可能存在着严重的渎职和腐败问题。他对自己说——沉住气,谁能在水落石出的那一天笑出来,谁就笑得最美。

应郑浩的要求,李和平把由作训股保管的各种原始资料都搬了出来,来往账目,第二季度的施工日志原件,主坑道施工监控录像带,近几个月主坑道所用的钢筋水泥等入库清单原始件等等,由郑浩和林丹雁一起查阅。

几天下来,各种资料都看了,事故原因依然不明了,林丹雁忍不住自言自语，"问题会出在哪里呢？"

"一切问题的根源都是人本身。"郑浩看着她，脸上挂着高深莫测的笑容。

林丹雁惊讶地，"你是说这不是一次技术事故，而应该属于责任事故？"

"或许还是一起重大责任事故。"郑浩收起笑容，严肃认真地说。

"重大责任事故？不经过调查，恐怕不好下这样的结论吧？"

"当然需要调查。一切用事实说话。不过，两百多米被覆过的坑道出现严重质量问题，直接经济损失少说也有三百万，这已经是重大责任事故了吧？总该有人为它负责吧？首先我就该负责。"

"可是，这次事故究竟是天灾还是人祸，现在还并没有查明嘛。"

"我们没有查明，不等于上级调查小组来也会得出同样结论。库房里还能取到样品吧？"

"应该没有问题。"林丹雁淡淡地回答。

"丹雁，我们不查了，请你现在跟我一起去师前指办公室，把这些来往账目、施工日志、施工监控录像带、被覆用主材料进出库清单等，放到保险柜里封存起来。封条上写上我们两人的名字。"

林丹雁的语气和表情都冷冷的，"郑副参谋长，对不起，恕我难以从命。我是技术总监，有责任尽快查清事故原因，所以我需要随时查看这些施工日志。"

"丹雁，我以朋友的身份提醒你，被覆用的水泥和钢材，从出厂到用在主坑道里，是经过了不少环节的，如果其中任何一个环节出了问题，都有可能导致今天的后果。在这种非常时期，我们还是先回避为好，于公于私都有益处。"郑浩温情脉脉看着她，温言软语。

林丹雁震惊地看着他，"你的意思是——？"

"除了让事实和调查结果说话，我没有别的意思。"

郑浩的语气并不强硬，却让林丹雁突然打了个冷颤。

晚饭后掌灯时分,林丹雁敲开石万山的门。石万山把身体堵到门口,"请问林工程师有何贵干?"

"让我进去说话。"林丹雁用力推他。

石万山纹丝不动,"对不起,不能让你进去。就算你现在不打算回避我,我也得回避你,请你给我留条活路吧。"

"你什么意思?"林丹雁沉下脸。

"你要真不明白我什么意思,那我就坦白相告。我现在分不清你是自己来的,还是代表别人来的,如果你是别人的代言人,那我祝贺你这个未来的将军夫人。"

林丹雁恼羞成怒,"石万山,你堂堂一个大男人,说这么些酸溜溜的话,你就不嫌丢人吗?"

"好好,我丢人,反正我现在丢人丢到家了,无所谓。你要没什么事,那我就请你回去,行吗?"

林丹雁又气又恨,"真是狗咬吕洞宾,不识好人心! 要不是看在小青嫂子对我的恩德上,我真不想管你的闲事! 外面说话不方便,你让我进去。"

想到的确是隔墙有耳,石万山只好闪开身体。

"我问你,听说你对洪政委说'大功团以后就靠你了',这是什么意思?"一进屋,林丹雁的目光就几乎逼到了石万山的脸上。

一股热流涌上石万山心头,他松开紧绷的脸,语气软了下来,"丹雁,你是真傻还是装傻?"

"真傻。"

"干的永远斗不过看的,这是颠扑不破的真理。"

"我智商低,请你解释清楚。"

"干的人会出错,多干多错。丹雁,我的军旅生涯怕是要画上句号了,你好好干吧,干成个女将军,也算不枉我一片苦心。"

"我暂时还没这个奢望。我问你,你是不是贪污受贿了?"

"你抬举我了，我没那个能耐。"

"那就是你毫无责任心，修出了豆腐渣工程?"

"你夸奖我了，我命苦，活不出那种潇洒。"

"那你说这些丧气话干什么? 乌鸦嘴!"林丹雁瞪着他，眼里涌上泪水。

"丹雁，看来你真的是傻。三百多万打了水漂，我这个团长还能当下去吗? 再加上身边还有那么一个玩弄权术的高手，我这身军装还能穿几天?"

泪水顺着林丹雁的脸颊慢慢流淌下来。

"丹雁!"石万山颤抖着声音，突然捧起她的脸，温柔地为她拭去泪水。

"万山哥!"林丹雁心底的呼唤冲口而出，她再也控制不住火山熔岩般喷发的感情，把头扎进他宽阔坚硬的胸膛里。感受到石万山微微颤动的身体，幸福和颤栗，多年来的期盼和委屈，一齐涌上林丹雁心头。她"呜呜"地哭了起来。

第 十 九 章

由顾长天率领的联合调查组,浩浩荡荡进驻七星谷。

调查组成员组成复杂,有二炮各部门领导,有纪检方面干部,有师部高层干部,有工程技术人员,其中包括因再次化疗而身体极度衰弱的秦怀古,老人家是自己坚决要求前来的。

还有一个人也是主动请缨的,他就是王远庆。

自从两千万工程款由他大手笔提前半年划拨到大功团,背后七七八八的小话就时不时地传到他耳朵里。有说石万山靠吃吃喝喝拉拢工程部,大功团的被覆工程款来路不正;有说王远庆与石万山是喝过拜把酒的异姓兄弟,所以对大功团格外垂青。尤其当石万山不管三七二十一而大购空调时,不仅背后的嘀咕多了,甚至当面的质疑也有了,认为正是由于他大笔一挥挥得潇洒,才导致石万山如此慷国家之慨。这些,他王远庆都不以为意。他同情那些奉献太多获取极少的工程兵,觉得整个导弹部队就属他们最苦,打心底里赞成给战士们安装空调;何况,他欣赏石万山为兵请命敢为天下先的勇气。

然而,两千万到手后,世纪龙龙头工程竟然被石万山修成了"豆腐渣工程"！这一来,黑黢黢的传闻更是满天飞,最难听的话都出笼了,说工程部之所以在这件事情上装聋卖傻,是因为吃了人家的嘴软,拿了人家的手软……这些,他王远庆也不在乎:只要款项划拨程序无误,使用途径正确,我即便划出去两个亿,又怎么了? 为人不做亏心事,半夜敲门心不惊!

王远庆坚信石万山绝对不会干出祸国殃民的丑恶事情,可他还是坐不住了。他必须去七星谷,只有亲耳亲眼闻听到真相,他才能完完全全地放心。

走在去往一号洞库的路上,王远庆暗暗拉石万山一把,石万山会意,两人开始有意识地与人群拉开一段距离。

"石大胆啊石大胆,这些年,钢筋混凝土做成的民用豆腐渣工程,已经搞得全国人民胆战心惊了。你的导弹阵地是不是想跟九江抗洪大堤媲美啊? 你说,到底是怎么回事?"

胡子拉碴满脸憔悴、眼里布满血丝的石万山神情痛苦,"部长,这些天我每天都只睡三四个小时,可绞尽脑汁也想不出到底是什么原因。"

王远庆看看他,"我对你对大功团怎么样,你心里有数,你也给我掏个实话,是不是为了省出空调钱,你就偷偷降低了水泥标号,把粗钢筋换成了细钢筋?"

石万山几乎跳起来,"这么做是要掉脑袋的! 部长,我就是活得不耐烦了,也不敢用这么个死法啊,就算我不怕身败名裂,我也不愿子子孙孙代遭人唾骂啊。"

"那你说会不会有内鬼?"王远庆更坚定了对他的信心。

石万山愁眉苦脸,"也不会。在潜意识里,我不仅仅是在修导弹阵地,还在打造咱们国防工程的艺术精品,所以关键环节都是我亲自把关。就算这七星谷里有鬼,它也作不了恶。"

"行,我相信你! 咱们加快点步子,跟上去。"王远庆拍拍他肩膀。

"谢谢部长！爱莫大于信任，您对我的大恩我一直铭刻在心，只是我不但没给您争气，反而给您添够了麻烦，实在对不起。"

"你不用操我的心，我没事。说句实话，到哪儿都是大码头没事，小码头遭淹。不管最终情况如何，你都站直喽别趴下，这才是我希望看到的。"

"是！"石万山端端正正恭恭敬敬向他行个军礼。

浩浩荡荡的人马到达出事地点，一直黑着脸走在队伍最前头的顾长天，扭头问秦怀古，"秦院士，能修复吗？"

被林丹雁搀扶着的秦怀古颤抖双手，一遍遍摸着墙壁上的水泥缝隙，轻轻摇头，声音虚弱而清晰，"不行，战略导弹最怕潮湿，这些地方都必须敲掉，需要重新被覆。"

望着墙壁和拱顶上的巨大裂缝，盯着一滴滴从墙壁缝隙中沁出的水珠，顾长天突然暴怒，"奇耻大辱，真是工程兵师的奇耻大辱！我这个几十年的老工兵，感到无地自容羞愧难当！这样的豆腐渣工程，怎么向中央和军委交代？石万山，你把工程修成这个样子，怎么向十几亿人民交代？啊？你说！"

石万山笔直地矗立，嘴唇的线条绷得紧紧的，如同一座沉默的石山。

见他不回答自己，顾长天更加恼怒，"你口口声声你做事有原则，什么上不愧党国，下不愧兵民，你自己说，你做到了吗?！"

"我承担全部责任。哪怕被推上军事法庭，哪怕枪毙我，我也毫无怨言。"石万山沉痛地低下头。

"什么叫枪毙你？你还很有情绪，是吧？枪毙你，能挽回我师里的损失吗？"顾长天火冒三丈地吼起来，"就是枪毙掉十个石万山，有用吗？"

王远庆拽他一下，"老顾，你现在就是打死他也没用，事情已经是这样了。"

"是啊,顾师长,在查清事故原因之前,请你不要急于下结论。"秦怀古祥和地说。

"对不起,"顾长天悻悻然,"我实在是生气,怎么会出这种事呢?!"

调查进行了整整一个星期。决定石万山命运的会议,在调查组来到七星谷后第八天上午开始了。

圆桌会议气氛紧张肃穆。

坐在会议桌中间的顾长天拉着长脸神情肃杀,一副铁面无私的判官形象。

围绕着事故的性质,会上出现两种迥然不同的意见,两派与会者几乎吵成一锅粥。主张"因自然因素造成事故"的人以林丹雁为代表,据理力争以图证明事故为天灾,后来他们被戏称为"天灾派";认为"是人为因素造成事故"的人以郑浩为核心,坚决认为"三分天灾七分人祸",后来这帮人被戏称为"人祸派"。

争来吵去,最终由秦怀古作出技术结论:被覆主材钢材、沙石和水泥,完全符合施工设计要求;施工部队在被覆过程中严格执行了有关规定,没有出现技术上的失误;事故真正原因待查。

石万山暗暗长出一口气,郑浩的脸开始苍白。

秦怀古说,"我与石头和泥土打了几十年交道,从来不敢说自己已经完全了解了它们的脾性。你对它们稍有疏忽,它们就会让你付出代价。我的初步判断是,大功团在决定边被覆边开掘之际,对这座山的特殊性可能重视不够。"

石万山的脸又阴了下去,郑浩暗暗长出一口气。

接下来,顾长天宣布联合调查小组的调查结论:经查,大功团在购买钢筋水泥等被覆主材的过程中,不存在损害工程利益的行为,在协调钢材水泥的调运期间,大功团曾派人与供货方进行过沟通,相互间有互相请客互赠礼品的行为,但大功团去人所收的礼物早已交公,此事属于正常业务往来,与行贿受贿和吃要回扣无关。

"但是,"顾长天加重语气,"几百万的巨大损失,与大功团仓促采用边被覆边开掘的施工方法有着直接关系,为此,师党委决定——"

所有人屏声静气,石万山努力保持住一动不动的坐姿。

师党委的决定内容如下:

　　在世纪龙七星谷工程主坑道的修建过程中,大功团主要领导未经充分论证,仓促改变施工计划,致使主坑道六千八至七千米段出现严重质量问题,直接造成巨大损失。为严肃纪律,依照《世纪龙工程质量管理细则》之规定,责成大功团党委写出书面检查,给予大功团党委副书记、团长石万山同志党内严重警告处分一次。鉴于石万山同志在组织领导实施龙头工程中的种种表现,师党委认为目前他不宜再担任大功团团长职务,责令其停职反省。石万山同志停职反省期间,大功团团长职务,由工程兵师司令部副参谋长郑浩同志兼任。

各种各样的目光齐刷刷射向石万山,林丹雁则惊得目瞪口呆。

"石万山同志,你有什么要说的?"顾长天提高声音。

"执行命令,深刻反省自己的一言一行,除此没有别的。"石万山抬起头来,表情沉痛。

"对石万山同志的处理,不是我们的目的,而是希望大功团能吸取教训,强化质量意识,优质高效地完成好龙头工程建设,最终把它修成一流的样板工程,向祖国和人民交一份合格的答卷。郑浩,你有这个信心吗?"

"请首长放心,保证完成任务!"郑浩站起来,向顾长天行个军礼。

夏日的黄昏傍晚,夕阳将群山万壑点染得万紫千红。

大功团上层发生的沧海桑田巨变,基层官兵还一无所知,一切工作和活动都在按部就班照常进行。

每周三晚上,是一营文化学习时间。这天该由魏光亮上课。七点半,一营学习室里座无虚席,四十几个新老战士坐在课桌前,兴奋地注视着黑板。魏光亮在黑板上写下"情书写作的八个要点"一行大字,转过身来,一本正经地清清嗓子,"开讲如何写情书之前,我先对上两堂课作一下点评。林工和周医生都是大美女,来讲课时又化了点淡妆,当然也就比平时更漂亮了。她们是按照国外'女士化妆是对别人的尊重'的习俗来做的,化妆是对你们的尊重,因为她们是我特邀的客座辅导员。然而,老师用心良苦,效果却适得其反。我认真观察了一下,只有四个人认真记了课堂笔记。其他人是很专心,可心都专在两位女老师身上了。有个别人,眼珠子始终在老师身上沾着,真是不像话。你们是大功团一营文化补习班的学生,不是世界选美大赛的评委。以后这两位美女老师再来讲课,这些细节你们一定要注意,可不能再给一营丢脸。"

下面有人发出咻咻的笑声,有人羞愧地低下头去,有人冲着左邻右舍做鬼脸。

魏光亮问,"金庸的武打小说和电视剧,大家看过没有?"

大多数人回应,"看过!"

"那你们应该懂得内外兼修,才能成为绝世高手。打个比方吧,两位美女老师的课就是教大家如何修炼内功,我的课就是实战拳脚套路,两者结合起来才行。下面讲如何写情书。首先说它的意义。写情书,可以说是我们导弹工程兵的必修之课,为什么呢?因为我们导弹工程兵像常人一样,渴望美好的爱情,向往幸福的生活。但我们的工作地点在人迹罕至的大山,见个姑娘很不容易,想找到一个好妻子更难。怎么办? 就得通过写情书,让鸿雁传书为我们传情达意。写情书虽然没有一定之规,但也有它的窍门……"

战士们全神贯注,笔尖疾飞;笔尖划过纸张的沙沙声,让魏光亮很受用。

九点钟,课结束了。魏光亮一出门,马上看见了张中原的一张黑脸。

"结果很坏?"魏光亮惊问。

"团长停职反省,郑浩代理团长。命令明天宣布。"

魏光亮一下嘴巴张得老大,话也说不利索了,"大,大地震。团长呢?"

"找不见他,估计上了百花岭。"张中原幽幽地叹气。

"走,咱们也上百花岭!"魏光亮忙拉张中原。

"算了,他肯定想一个人静一静。消息已经露了,你赶快找排长班长和骨干开个会,先把人心稳住。"

魏光亮抬头看看天边那轮皎洁的月亮,愤愤地,"见鬼! 还他妈的教什么写情书!"

军令如山倒。命令一宣布,郑浩立刻走马上任,成了大功团的主帅。

石万山把工作交接完,便以再呆在七星谷不便于新团长开展工作为由,交上一份请求回家休假的报告。洪东国叹着气提起笔,沉重地签署下"同意"二字。

石万山把自己关在房间里,拒不见人,只破例为张中原魏光亮打开过门。对他们两个,石万山也只说了一句话:别把部队带散了。

张中原心里头那个难受! 第二天早上,他把魏光亮齐东平拉上了百花岭。

从山顶俯瞰峰峦叠嶂的群山,魏光亮由衷感慨,"会当凌绝顶,一览众山小。杜甫的诗词中,我最喜欢这两句了。古人说山能镇俗,说的真好! 当你站立在这超拔青翠的山峰上时,什么尘世俗念都会荡然无存。相对于宇宙,相对于大自然,人实在太渺小了,人生也实在太短暂了,这么一想,你会觉得世界上没有什么值得人们斤斤计较的……"

齐东平打断他,"树争一张皮,人争一口气!"

"都别扯那些不着边际的了,咱们是人,是人就躲不过俗事,"张中原从怀里掏出两张表,"东平,团长要回家休假,还念念不忘你的事,他都给政委交代好了。光亮,明天你陪东平去体检,可不能再出意外了。"

齐东平庄重地接过表格,眼圈一红,"营长,团长到底犯的什么错?"

"三百多万泡汤了,能不问责吗? 我只是感到奇怪,为什么就不让政委兼团长呢?"魏光亮依然眺望远处的峰峦。

"骑驴看唱本,走着瞧! 姓郑的未必能玩得转。"齐东平狠力拉扯一根树枝。

"别胡说八道! 什么姓郑的姓郑的,对一个团长连起码的礼貌和尊重都没有,像话吗?"张中原语气严厉。

齐东平不甘,"命令是命令,可命令能不能服人,执行起来效果大不一样。郑浩在这事上做得不地道,师首长在处置上也考虑不周……"

"齐东平,你给我闭嘴!"张中原大喝一声,"郑浩、郑团长表示他也感到意外,你不能这么瞎说胡说。"

齐东平看看他,吓得赶快闭嘴。

"郑大团长也确实只会纸上谈兵……"魏光亮见势不妙,赶快声援小兄弟。

"魏光亮,你也闭嘴!"张中原恼怒,"老猫不在家,小猫上篱笆,你们还真无法无天了?! 齐东平,你这些话要是传出去了,别人只会说你是出于私怨,因为郑浩曾经卡过你的提干,你怨恨在心。你这次还想不想提干? 你是不是又想辜负石团长的一片苦心? 告诉你们,以后说话小心些,明天咱们营就有教导员了……"

"教导员学完回来了?"魏光亮问。一营教导员一直在西安政治学院学习。

"没有。郑团长认为一营现在正处于非常时期,而一营的政治思想工作却很薄弱,提出让江建华干事兼一营教导员,以加强一营的领导力量,让一营总结教训,再创新的辉煌。团党委会前天研究通过了,昨天师党委也批准了。"

"一朝天子一朝臣。打仗亲兄弟,上阵父子兵,看来,我以前那个郑叔叔也很懂用兵之道嘛。"魏光亮拉腔扯调。

"你少给我阴阳怪气的,"张中原横他一眼,"我把话撂给你们两个了:石团长目前还只是停职反省,如果在这个节骨眼上咱们再捅出什么娄子,弄不好明年他跟咱们就成军民鱼水情了,我们千万不要感情用事。"

工作交接完了,行李装好了,火车票也托朱彩云买好了,一切准备停当后,石万山的心陡然空洞下来。他往床上一躺,双手紧抱后脑勺,盯着白茫茫的天花板,心绪一片茫然。

初秋的晴空天高云淡,明媚的阳光从窗户透进来,照射到石万山的脸上,晃着他的眼睛,也勾起他的思绪。昨天,他专程去了魔鬼谷烈士陵园,去祭奠那些曾经与自己并肩作战后来与青山融为一体的壮士英魂。当他慢慢穿行于一排排一层层的墓地荒冢,静静伫立在斑驳残落的墓碑枯草前,凝眸墓碑上魏铁柱林丹阳等自己触目惊心的名字,他感觉到从坟茔中正探出一双双明亮的眼睛,它们在审视自己。蓦然之间,他的心灵无比平静和超然,一切的荣辱毁誉,一切的功名利禄,都化作飘荡在天际的浮云。是啊,比起他们,比起这些年纪轻轻就抛头颅洒热血的英烈,自己是多么的幸运啊。他责问自己:石万山,比起他们,你还有什么坎是过不去的?!

　　石万山的思绪又转到了故乡。先是为了魔鬼谷工程,现又为了七星谷工地,他五年没回家了。五年里,世事兴衰更替,人际沧海桑田,父母高堂二老相继过世,儿子从孩童长成少年……家乡的天空斗转星移,故土的地里花荣花枯,自己对故乡对亲人却是久违五年了啊!忠孝不能两全的时候,舍孝取忠是大孝,然而……作为儿子,不能为父母送终,这是不孝;作为团长,给国家损失三百多万,这是不忠。我石万山,现在居然成了不忠不孝的人!一股悲怆之情顿时涌上心头,石万山闭上眼睛,一泓清泪从他眼角慢慢流了下来。

　　石万山不想伤感,不愿伤感。他立刻坐起来,拿起电话拨号码,"请找汪小青老师。"

　　正是汪小青接的电话,"万山,是我。你怎么样? 今天有空了?"

　　"我还那样。想你了。"

　　电话那头出现了沉寂。稍顷,又传来汪小青温柔、带点鼻音的声音,"谢谢你万山。有你这句话,我就心满意足了。"

　　"小青,你怎么了? 感冒了吗?"

　　"没有。"

　　汪小青是哭了。朱彩云早已经打过电话给她,对她说石万山立了大功,上级领导特批他休一段长假,火车票她已经帮他买好了,后天晚上石万山就能到家,要她汪小青悉心照料好五年都没回过家的丈夫。汪小青心里清楚,自己丈夫以前也屡立大功,从来没听说过上级部门奖他长假,这次肯定是出了什么事,而且,虽然朱彩云竭力否认,但她从朱彩云的话里音外能感觉得到。虽然汪小青从心底里巴不得丈夫能永远留在自己身边,可她不敢想象石万山的心境和处境,她习惯了丈夫不明说的事情自己从来不主动去问去挑破,只是暗地里几次伤心流泪。

石万山感觉到了妻子的异样,顿了顿,他说,"小青,明天我就回家了,后天就能见到你和小山了,你高兴吧? 五年没回家了,我想家、想你想得厉害。告诉你吧,昨晚我做梦都梦见你了,做的还是个春梦,内容我都不好意思说……不说这个了,反正咱们马上就见面了。你放心,这一次我的假期会挺长。"

"有多长?"

"不能肯定,反正不会短。"

"你一路注意安全,保重身体。我和小山在家等着你。"

"好。我挂了,后天见。"

放下电话,石万山两眼茫然看着窗外。发了一会儿呆,他开始检索还有什么未尽事宜。他回想起自己对郑浩的工作交接,工程上的事情他毫无保留地交了出去,惟有对于林丹雁的特殊保卫措施守口如瓶。这无关于个人感情纠葛和是非恩怨,而是因为他石万山并没有被免去七星谷防间保密领导小组组长的职务,他需要遵守纪律,也必须尽到自己的职责。

明天务必得带丹雁去见姜柱国和冯倩倩。他想。

俗话说,夜里不能念鬼,白天不能想人,你一念想,他们就会不请自来。此刻,林丹雁就踩着他思绪的步伐飘然而至。

这些天林丹雁的心情既乱且糟。绝大多数女人天生同情弱者,她也没能例外,何况,她认为在这次大功团"城头变幻大王旗"的震荡中,新登基的"皇上"得位不正,这一点,使她彻底把郑浩从心房里驱赶了出去。不光是感情天平完全倾向于石万山,从理性上说,她觉得自己有责任有义务把事故原因查清楚,只有把事故原因查清楚了,才能还石万山以清白,也才不至于给上面来的调查组留下一笔糊涂账。为此,她再次仔细调阅了一号洞库主坑道过去几个月来的施工日志,分析总结出来:从四千八百米到七千四百米的泥夹石段,用石万山提出的边开掘边被覆的办法,最后总账算下来,能节约出一个半月的工期,也就是说,石万山为今后在遇到泥夹石段时如何科学施工摸索出了一套成功的经验。弄清这一点后,她对石万山更增添了敬佩之情。

石万山是有功之臣,应该受到表彰和得到嘉奖才是,怎么能反而落得这种结局呢?这对他太不公平了。自己应该向上汇报,必须采取补救措施。林丹雁想。她认为这不算马后炮,就算是,它也是杀伤力很强的武器,正如在中国象棋的攻击辞典里,马后炮是一种无解绝杀手段一样。

感情上,林丹雁对石万山即将回到汪小青的温柔之乡舔伤口感到酸楚,但理智上,她又不希望本不情愿交出玉玺的石万山,滞留在七星谷眼睁睁看对手烧新官上任的熊熊烈火。她感到心被撕裂成两瓣。

然而,这个心灵世界无比丰富的女人,只是默然看着眼前这头受伤的狮子,问道,"什么时候的票?"

"明天中午。"

"需要我做什么?"

"跟我一起去汉江。明天你请个假。"

两人都找不到话说了,屋子里沉寂下来。

为了排除尴尬,林丹雁说,"我会查出真相的。"

"谢谢。"

"你谢谢秦老师吧,他在病床上还想着帮你查原因呢。你不是孤家寡人。"

石万山的心田和眼睛都湿润了,"请你代我好好谢谢秦老师。"

第二天上午十一点钟,石万山林丹雁出现在冯倩倩的办公室里。

一见面,冯倩倩就把一个精巧的手机和一个精美的凤凰形胸针交给林丹雁,"丹雁姐,这是配发给你的装备。"

林丹雁很感意外，"我不用手机，更不戴这些玩意儿……"

姜柱国笑笑，"倩倩，让林博士看看她师妹。"

冯倩倩拉上窗帘，打开幻灯机。投影屏幕上出现了黄白虹早期在国外不同场合的变色龙般照片，以及她后来与孙丙乾在一起的各种活动记录，林丹雁的眼睛瞪得几乎像酒盅一般大。系列资料表明：黄白虹加入其间谍组织的时间大约在一九九九年六月间，之后立即进行了一系列谍报人员的专业训练；二〇〇一年二月，孙丙乾在美国注册成立寰宇华夏公司，该公司注册资金来源尚未查清；同年年底，孙丙乾和黄白虹由深圳海关入境，直接到达经济欠发达地区汉江市，开始"生态旅游"和国际贸易等投资贸易活动。

"黄白虹加入反华间谍组织的大背景，正是中国驻南联盟大使馆被炸事件。那时候，中美关系因此而极度恶化，恶化之后，中国也并没把美国怎么样，所以那段时间里，中国留学生和海外移民，投靠反华组织和间谍组织的人数剧增。"姜柱国加以说明。

石万山惊出一身冷汗，"他们的主子是谁？"

"目前还没查清。可以肯定，他们最初的目标是我们已经退役的魔鬼谷导弹阵地。前年秋天，寰宇公司与汉江市政府草签了开发魔鬼谷的协议，不过项目已于去年四月被强行叫停。去年五月份，他们又一度想在七星谷外围开发生态项目，没有得到批准。毫无疑问，他们的目的是窃取我们导弹阵地的情报，那批电脑就是他们的杰作。"姜柱国道说。

林丹雁不寒而栗，"他们知道了我的身份？"

"基本上可以这么断定。不过你别紧张，有我们大家呢。"冯倩倩朝她笑笑。

"谢谢。既然已经明了他们的身份和企图，为什么不把他们抓起来呢？"

姜柱国道，"证据不充足，捉贼得捉赃嘛。他们有合法商人身份,虽然刺探军事情报是他们的主要目的,但表面上,他们在做正当买卖。"

"想不到黄白虹竟会叛国! 我们学校怎么会出这种败类呢?"林丹雁恨得直咬牙。

"她可不一般,连绑架杀人这些事她都干过。这下你明白了为什么要给你配备几种通讯工具吧? 林博士,从今天开始,你享受 A 级保卫,以后你离开七星谷必须二十四小时打开手机,必须着便服并佩带这枚胸针。胸针里有全球卫星定位装置,开关在凤头上,你如果感到有危险,马上让凤凰的嘴巴张开。不过它有局限性,我们的人只有在距你一千米之内,才能知道你的准确位置。"姜柱国从林丹雁手里拿过胸针,做着示范动作。

"我已经到了这么危险的地步吗?"林丹雁略微变了脸色。

"别紧张,到处都是我们的人。目前他们还没有觉察到我们的布置,为了引蛇出洞,还得请你把戏演下去,当然,前提是保证你的绝对安全。"姜柱国说。

"好。我真想亲手把黄白虹抓起来!"

"亲手抓特务,你林丹雁没那个本事。不行,你得向我保证绝不会乱来,否则,我走得也不安心。"石万山认真焦急地说。

林丹雁生他的气,"哎呀,我至于那么糊涂吗? 再说,即使我被绑架了,你怎么知道我就不会像刘胡兰和江姐一样,宁死不屈呢?"

姜柱国赶忙说,"可别说这种大话,现在问口供的先进技术太多太高明,你千万不能冒险。"

"你们就放心吧。"林丹雁没好气。

"你别不服气,现在就试一试你的本事。你现在就跟黄白虹联系,怎么表演由你自由发挥。"石万山说。

姜柱国点点头以示赞同。

林丹雁拿出手机,给黄白虹拨电话,"白虹你好,我是丹雁。"

"师姐？又哪阵风把你给吹出来了？你开始用手机了？"

"是呀,刚买的。"

"嘻嘻,肯定是为了与郑帅哥联系方便吧？你在哪儿？郑帅哥来了没有？晚上我请你们吃饭,今天可不能再把你放跑了。"

"别瞎说。我不在市区,在汉江机场,一会儿就飞南京了。"

"又要走？什么时候回来啊？"

"说不准,大概得一个多月吧。我的工作是钻山沟,手机老没信号,所以平常我也懒得用。这样吧,回来后我跟你联系。我要登机了,再见。"林丹雁把手机电源关掉,脸有得色地问石万山,"怎么样？我表演功夫如何？"

"不怎么样,记住,言多必失。"

林丹雁不悦,"我哪儿失言了？露什么破绽了？"

冯倩倩宽慰她,"别的都挺好,问题出在你不该说马上要飞南京。"

林丹雁辩解,"下午四点确实有飞南京的飞机。"

"可是如果他们多个心眼,到机场查出这个航班没有你,岂不是打草惊蛇？"

林丹雁这才意识到自己的确缺乏经验,跌足直叹,"坏了,坏了。"

"问题也不大,可以补救。两个小时后,你记得还用你的手机给她打电话,就说你已经到了南京,这个电话暂时不用了。"冯倩倩面授机宜。

石万山一看手表,"对不起,我得去赶火车了。丹雁,你可别忘了开手机啊。姜处长,小冯,再见了。"

姜柱国站起身,"走,咱们送石团长到火车站。"

四个人一起出了门。

大功团一营素来有铁一营的美誉。在过去的几十年里,铁一营为祖国的导弹阵地建设事业立下了赫赫战功。

郑浩决定进驻一营,坐镇一线指挥。

对于能够亲自指挥铁一营作战,郑浩感到很兴奋。一营虽然正处于非常时期,但正因为如此,自己才临危受命,才要来挽狂澜于既倒。郑浩坚信,在他的带领下,经过全营官兵的努力,一营肯定能够很快走出这个低谷。

郑浩认为,一营要打翻身仗,一营要走出一条涅槃崛起之路,就必须脱胎换骨;而一营要在短时间内脱胎换骨,就必须从炸掉那两百五十二米问题被覆段开始。

林丹雁坚决不同意炸掉被覆段重新被覆的施工方案,她与郑浩发生第一次激烈的争执。

"郑团长,你是不是嫌损失三百多万还不够多?"林丹雁紧绷着脸责问。

"这是什么意思?"

"没别的意思,大功团目前的主要任务是掘进。"

"早晚都得敲掉重新被覆嘛。"郑浩显示出宽容的笑。

"那不一样。"

"丹雁,毛主席说过,一张白纸,好画最新最美的图画。我就是要……"

"郑团长,郑总指挥,郑副参谋长,我没有你那么高深的理论水平,说不过你。但作为这个工程的技术总监,我必须对它负责任。对于施工方案,我有发言权,也有否决权。"

"丹雁,我把不合格的被覆段彻底根除掉,就是本着对龙头工程负责任的态度啊,就是为了给国家打造出更好更优的地下核防护工程啊。"郑浩口气柔和下来。

"郑团长,请你别忘了,我是这个龙头工程的设计者。我这么做,并不是要保护现场,好为石万山翻案,而是基于两点考虑:一、我必须查出事故真相,这是我的职责,二、怕你重蹈覆辙,再白白扔掉国家三百多万。如果你执意不听我的意见,万一重新被覆后又出现同样的问题,你的后果恐怕就不只是停职反省了,因为你是明知故犯!这是我以朋友和工程技术总监双重身份对你的提醒。"

郑浩一下被噎住了。思前虑后,郑浩作了妥协,服从了林丹雁停止被覆朝前掘进的工程技术决定。

轰轰烈烈的主坑道掘进大会战开始了。

出师前的誓师大会上,郑浩把主攻营的锦旗授予张中原后,振臂高呼,"同志们,洗刷铁一营耻辱的时候到了。我们导弹工程兵的口号是什么?"

兵阵齐吼,"扎根山沟,无私奉献,攻坚克难,敢为人先!"

"大家有没有信心?"

"有!"

这样的阵容和气势,让郑浩感到很满意。形式的力量不能忽视,这是他的一贯经验。

郑浩要求在团部和每个营部的大门外,以及每个洞库出口外,立上一块"世纪龙龙头工程倒计时牌",每块牌上还有一行小字"距要求竣工期还有 天",空白处每天由人用红粉笔填写。阳光灿烂的日子里,填写的"200"或者"198"这样的阿拉伯数字,就会分外醒目。掌子面附近的坑道两侧,也挂满了标语:阵地一天不建成,我们一天不休息;首战用我,用我必胜! 等等。

战时氛围必须天天营造,也是郑浩的要求。凡有营以上干部讲话的正式场合里,郑浩都要求战士们高喊"首战用我,用我必胜!"的口号;每当做战前动员,他都要求江建华起草动员令。有时候,他嫌江建华写的动员令气势不够,便亲自操刀,甚至夜以继日地赶出来。

长久鼓舞士气的办法也有,那就是每天给官兵们不停地放映影片,全都是革命传统教育故事片,使理想主义和英雄主义的崇高精神,充盈于他们的胸膛,充斥于他们的脑海。精神和物质文明两手抓,两手都要硬。郑浩制定了奖励制度:各营各连各排,要把个人表现和年终评功评奖结合起来,在这次会战中表现优秀的士兵,便可以优先转为士官;对于会战中表现突出的士官,优先考虑晋级。

　　为了夺回损失,也为了受奖晋级,官兵们开始不分昼夜地连轴转,没有了休息日,几十个日日夜夜里,他们每天三顿都在坑道里吃,困了,就地打个盹,醒了,立刻接着干。

　　主坑道掘进接近万米时,恰逢二炮机关检查团不日将来七星谷检查施工进度,郑浩踌躇满志,希望那时一号洞库主坑道能突破万米大关。

　　他召集各连连长开会,"万米大关就在眼前,现在就看哪个连能把一万米处的石头拿下了。我希望五天之内,能在主坑道内看见一万米的标志线。哪个连冲刺过去了,先拿下了,哪个连就立集体三等功,连长报个人二等功。"

　　官兵们的情绪,更是被煽动得如同鼓胀的风帆。

　　然而,长时间以来,阵地战时气氛太浓,官兵心理压力过大,早已使洪东国深为担忧,目前,官兵们过于激昂的情绪,近乎亢奋的状态,更是使他焦急。洪东国找到郑浩,说出自己的忧虑,"老郑,这主坑道,一营至少还得修三千米。这三千米都是花岗岩,一鼓作气也拿不下来。部队一下累垮了,怎么办?尤其是大家如果都想着立功晋级提干,问题可就大了。再说,打坑道是接力赛,怎么能只奖励最后一棒呢?"

　　已经走火入魔的郑浩,根本听不进他的意见,"老洪,你也知道,人的潜能是不能低估的,为什么叫铁一营?就是因为他们拖不垮打不烂。重赏之下必有勇夫,功勋历来只认结果不看过程。孙子兵法就说过:一鼓作气,再而衰,三而竭。现在是冲刺阶段,我们不能让大家把气和劲给泄了。"

洪东国无奈,只盼望石万山赶快出山。可怎么才能使石万山重出江湖呢?想来想去,他想到了钟怀国。对,就请老首长"曲线救国"!

幽深僻静的山谷里,华盖如伞的古木掩映着两座杂草丛生的坟墓,这是石万山父母双亲的坟茔。两座坟墓上,各有高高的一堆新土,是石万山刚刚添加上去的。

放下铁锹,石万山在坟前摆上各种供品。

火光中,一片片金黄色的冥纸,被焚烧成一只只黑色的蝴蝶,凄凄切切翩翩跹跹地四下飘去。石万山猛然跪下去,重重地磕头,"爹,妈,儿子终于回来看望你们了。你们都走这么些年了,我不但没有为你们送终,甚至这么些年来都没能为你们烧把纸钱,儿子不孝,儿子不孝啊!"

泪水模糊了汪小青的眼睛,她跪到石万山身边去,一起向九泉之下的二老磕头。

石小山默默地跪到父亲的另一边。

"爹,妈,你们生前常对我说,为国尽忠就是大孝,妈还经常拿岳母为岳飞刺字'精忠报国'的故事来激励我。可是,可是,儿子也没能好好尽忠,给您二老丢脸了⋯⋯"泪珠从石万山眼里大颗大颗滴落而下。

在汪小青的记忆中,英武刚强的丈夫从来没有掉过眼泪。她惊呆了,抬起婆娑的泪眼愣愣地看着他,找不到一句问询和安慰的话语。

石小山吃惊得眼睛瞪成两只铜铃,怯怯地看着父亲,然后低下头去。

"爹,妈,儿子憋屈得太久了,今天,你们就让我说个痛快吧!儿子不中用,又不知天高地厚,白白糟蹋了国家三百多万,如今落了个削职为民,儿子真是不忠不孝啊。儿子对不起你们,让你们在九泉之下失望了。这身军装,儿子也不知道还能不能穿了。国有国法,军有军规,你们不争气的儿子浪费了国家三百多万,现在是罪有应得啊!"石万山涕泪纵横,放声大哭起来。

一只柔软温暖的手悄悄伸了过来,紧紧攥住石万山粗糙坚硬的大手。这是妻子汪小青传递爱意和力量的手。这是能抚平男人伤痛的手,这是能熨帖男人灵魂的手,这是与他石万山一起拽着命运甘苦往前走的手啊。一个男人在最落魄最痛苦的时候,能被这样的手搀扶和牵引着,这个男人是幸运的,也是幸福的。

萧瑟秋风中,夫妻俩相互牵着手,同时牵着儿子的手,三人相偎相依地下山。

每天,石万山都是沉默寡言呆呆出神。汪小青很担忧,一心想给他找点事情干,以转移他的注意力,便拉他去她的学校里为孩子们军训。在妻子的苦苦相求下,石万山终于同意了。

石万山把几十个孩子按个头高低分成三个队列,教他们练齐步走。乡村的孩子从来都野惯了,又没见过世面,男孩子们嘻嘻哈哈,女孩子们扭扭捏捏,走起路来全都不成样子。

石万山开头还想尽量宽容点,但越看越忍不住生气,他眉头紧蹙,面部紧绷,突然大喝一声,"停!"

这一下,还真把孩子们给镇住了,一个个老实下来。

"面朝我站好! 松松垮垮,蔫头蔫脑,嘻嘻哈哈,扭扭捏捏,像什么样子? 人,必须坐有坐相,站有站相,走有走相。你们自己看看,有的走起来像螃蟹,有的像山羊,有的像小兔子,有的是罗圈腿,有的是八字脚,要多难看有多难看。人要别人瞧得起你,首先得自己争气,否则,你别怨别人怨恨社会。我再给你们示范一下,立正——抬头挺胸,目视前方,双脚并拢,齐步走——先出左脚……"

他被汪小青的喊声打断。汪小青慌慌张张,边跑边喊,"万山,快点,老首长的电话!"

"马上来!"石万山冲她喊道,回头对孩子们说,"你们自己接着练,记住,我们是农村的孩子,农村的孩子凡事更要努力,明白吗?"

"明白!"清脆稚嫩的童声,让他心里润滋滋的。

石万山满意地笑了,跑步进到汪小青办公室,抓起话筒,"首长好。对不起,在给孩子们军训,让您久等了。"

钟怀国接到洪东国电话后,尤其听他说起朱彩云通过汪小青了解到的石万山的情况后,考虑再三,才打这个电话。这个历来自律的老人很憎恶林彪,但对于林彪送叶群的话"做事别越权,说话莫啰嗦"却觉得很在理。自己既已不在位,就应该识趣些,不要到处指手画脚讨人嫌,即使是还在位,也不能随便说话表态,人毕竟是感情动物,说话难免带出感情,轻易说话表态,难于保持自己的个性和立场。他认为,龙头工程出了这么大的问题,作为团长和指挥长的石万山难辞其咎,处罚他是应该的;可是,千军易得,一将难求啊!他担心被革职回乡的石万山一时撑不住,从意志上崩溃掉。

"堂堂大功团前任团长,当起了山村编外教师,你自我感觉很好,是吗?"钟怀国语带讥讽。

石万山一愣,"首长怎么知道?"

"你别管我怎么知道的。石万山,我警告你,这点委屈都受不了,你还能干什么?何况也没委屈你。所谓大事难事看担当,逆境顺境看胸襟,是喜是怒看涵养,是舍是得看智慧,是成是败看坚持,你连这点担当和胸襟都没有吗?我今天送你十二个字:天作孽,犹可恕,自作孽,不可活。"

石万山不做声。他也不敢做声。

"不过,听说你对新军事变革还很关注,而且颇有心得,这点嘛,还像原来的石万山。"

"首长真是躬耕卧龙岗的诸葛亮,天下的事无所不知啊。心得是有,有没有价值不知道,算是一个新军事变革的发烧友吧。"

"不敢比诸葛亮,不过还没老朽而已。说说你的想法。"

"浅陋之见,请首长指正。我认为,如果在世纪龙阵地布置上一到两百枚 DF－88,中国的生存环境又会改善很多。伊拉克战争爆发前,大多数人都以为美国既然没有得到联合国的授权,肯定不会发动这场战争。结果呢? 美国不仅冒天下之大不韪而发动了战争,也打赢了战争,而且还有不少追随者拥护者。"说到军事,石万山顿时兴致勃勃。

"实力说了算,这是亘古不变的真理。外国有一位政治家就说过,强权就是一切,只有弱国才需要外交。无论人类社会还是动物界,都崇尚强权,从来都是弱肉强食。国防落后的国家,在这个世界上自然没有地位。"

"是啊,所以我特别焦虑。有人说中国非常大,好比是一头大象,虎狼轻易不会主动攻击大象,所以中国很安全。这种大象理论还挺有市场。其实,国家越富裕,就越需要强大的军事力量来保护她,因为虎狼们都知道,杀死一头大象的诱惑力,要比吞吃几十只小白兔大得多,所以大象自己不能犯迷糊。大象呢,吃植物只用鼻子和嘴,于是很多人只把象牙当成可有可无的装饰品,事实上,如果没有那两颗尖利的牙齿,大象种族可能早就被灭掉了。拿象牙打比方,说句不好听的话,我认为过去二十年里,我们没有好好武装我们的牙齿。也许我是杞人忧天吧。"

"你杞人忧天一回,就把团长的小乌纱帽给弄丢了,后悔不后悔?"

"一个国家,一个社会,一个民族,总得有人忧天。我无怨无悔。"

"你能这么想,我就放心了。"如释重负的钟怀国压了压嗓门,"你入伍二十多年,除了出去读几年书,没有离开过大功团。郑浩呢,年轻气盛,又缺乏工程施工管理经验,不如你沉稳全面。万山,导弹阵地小口子长脖子大肚子的特征你清楚,如今修阵地,口子越开越小,脖子越长越长,肚子越搞越大,口子脖子肚子,哪一块都不能出问题,阵地修建正处在关键时期,我担心郑浩镇不住,弄不好会出大事。你回七星谷吧,你现在回去给郑浩和洪东国当个参谋,行吗?"

石万山迟疑一下,"遵命。"

第 二 十 章

　　七星谷之行的长途颠簸和劳累,使秦怀古病情加剧,健康状况更加恶化,一回到北京,就被抬进了医院。

　　躺在病床上的秦怀古,依然时刻萦怀于大功团的工程事故。这天午间休息,昏昏沉沉的他突然从迷迷蒙蒙中惊醒,猛然坐起身大叫,"找到了,找到了!"

　　秦夫人吓了一跳,跑过来给他掖好被子,"怎么了?"

　　彻底清醒过来的秦怀古,两眼迸射出兴奋的光芒,"刚才不知道是梦还是神的启示,脑子突然灵光一闪,大功团的事故元凶出现了。你赶快打电话给丹雁,告诉她,七星谷事故的元凶很可能是膨胀围岩,让她马上带上采来的样品去做浸水试验。"

　　"好,我马上去。"

　　接到秦夫人电话,林丹雁自责不已:对呀,膨胀围岩有什么不可能呢?! 自己几乎方方面面都考虑过了,惟独没有想到它,就因为自己主观认定这一带的石头不应该有膨胀围岩,这种先入之见不仅让自己走了弯路,更让石万山付出了那么大的代价。

　　林丹雁立刻取出石头样本,与工程院实验室技术人员一起做浸水实验。经过再三的实验和测量,他们得到了结果:这石头确实遇水膨胀,小块样本,四十八小时内直径增加了六毫米,大块样本,四十八小时内直径增加了十四毫米。为了确保万无一失,林丹雁把大小两块石头样本从水里捞出来,把水快速烘干后,再做上四十八小时浸水实验。

　　又一次的实验和测量结果表明,膨胀围岩导致龙头工程一号洞主坑道被覆段裂纹渗水的结论是正确的。

　　林丹雁愧疚又欣慰地往医院去。

　　憔悴衰弱至极的秦怀古正在输液,他颤巍巍地捧着林丹雁递过来的检测报告,看见上面写着结论:……适逢梅雨季节,这种膨胀岩石疯长,将七星谷一号洞库主坑道里被覆好的墙壁和拱顶顶裂……

　　"我支持这个结论。"秦怀古强撑起虚弱乏力的身躯,哆嗦着手签上自己的名字。

　　林丹雁接过报告书,"我算过了,被覆层再加一层八毫米的钢筋网,再加厚五厘米,就可以治住这种膨胀围岩。"

　　秦怀古露出欣慰的笑容,"丹雁,你去准备一下,然后以二炮工程设计院的名义通知各阵地,要求每个阵地在被覆前,都必须仔细检查有没有这种岩石存在。"

　　"通知已经拟好了,就等着附上由您签字的检测报告。"

　　"现在拿到了就尽快办,办完赶紧回七星谷。"

　　林丹雁忧戚地看着他,看着他蜡黄的面容,深陷的眼窝,瘦骨嶙峋的手臂,轻声说,"等您好一点我再走吧。目前挖到的主坑道石头都还是花岗岩,没事。"

　　"你每天来看我,我这病就能好吗?快走吧!回七星谷之前,你先去一趟工程兵师,给顾师长他们说明一下膨胀围岩的情况。看来,石万山是受了委屈。从全局来看,他不但没过而且有功,有大功。大功团这三百万学费交得值。丹雁,去吧,老师死不了,我还等着设计天网工程呢。"

声音越来越微弱,用尽力气说完最后一句话,秦怀古疲惫地闭上眼睛。

谁能料到,还不待林丹雁离开北京,第二天,秦怀古就永远地闭上了眼睛。弥留之际,他留下遗言:把骨灰撒到大江南北自己主持设计的二十四个导弹阵地上,让自己永远伴随和守护着祖国的地下长城。一旁的秦夫人和上级领导含泪答应。林丹雁哭得几乎昏厥过去。

秦怀古的遗体安放在鲜花松柏之中,身上覆盖着鲜红的中国共产党党旗;低沉的哀乐声中,人们屏心静气聆听二炮有关领导的悼词,"……几十年来,他画过数十万张导弹阵地工程设计图样,没算错过一个数字,没出错过一张图样,没报废过一个项目,没浪费过国家一分资金。几十年来,他写啊画啊,就这样一笔一画,画出了一个又一个支撑我们中华民族脊梁的地下长城!"

直升机腾空而起,穿云破雾,飞向浩淼的苍穹。受秦夫人委托,林丹雁将共和国导弹阵地设计功臣秦怀古拌着花瓣的骨灰,从飞机上往下抛洒,撒向深山,撒向峡谷,撒向他足迹遍布的战略核导弹阵地。

郑浩没再阻拦齐东平提干,让张中原如释重负。魏光亮得知齐东平的提干报告已顺利报到师里,心里的一块石头也落了地。一连离不开齐东平,这是张中原魏光亮的共识。

这也是好事多磨吧,齐东平看到了自己命运天空的一抹鱼肚白。

周一下午,一件突发事件从天而降,砸到魏光亮头上。钟素珍打来电话:那娜从美国回来了,执意要见魏光亮一面,已经买了明天北京飞汉江的机票。养母提醒儿子要认真对待,不能感情用事。

顿时,魏光亮觉得头大如斗。那娜可不是个容易对付的角色,躲着不见肯定不行。怎么处置才好呢? 心里一团乱麻找不到头绪的他急得像热锅上的蚂蚁。

虽然历来在齐东平面前充当爱情导师,但这会儿,魏光亮也只能硬着头皮去向齐东平讨主意。他把正在领班的齐东平拉扯到主坑道入口,哭丧着脸,把情况说了一通,让齐东平帮他拿主意。

面对这样的难题,齐东平哪能有主意,同样哭丧着一张脸,"老魏,这事,我连馊主意都没有,只是要是让周医生知道了,你跟她肯定也没戏了。主意你自己拿,你只管抓紧去处理难题,这边,郑团长悬的赏,我和兄弟们都盯着呢,跑不了。"

"唉,这事也确实指望不上你,"魏光亮唉声叹气,苦着脸拍拍齐东平的脑瓜子,"要动脑筋,离万米大关还有两百多米,三个连轮班,一天打二十几米,一定要把账算好。我想了几个方案,你拿着,敌变我变。"

齐东平接过纸片看,一下就开颜了,"骆玉中,王可,他们哪有你这种心眼,都跟你差着几个档次呢。你只管放心去吧,这个赏肯定是咱的。老魏,我还想劝你一句……这个……"

"说吧。生死兄弟,什么话不能直说。"

"那好。美国可开放得很,这个那娜在美国呆了一年多……"

"洋鬼子用没用过,已经不关我的事了。"

齐东平龇牙咧嘴地笑,"你这么说我就放心了,我还真怕你把持不住,又踏进那个同一条河流。如今你瞄上了周医生,地球人都知道! 她可不是省油的灯,她至今还在对你横挑鼻子竖挑眼,是在考验你。这种节骨眼上,你可不能玩火啊! 说实话,周医生这种女人才靠得住。"

魏光亮也展颜笑了,捣齐东平一拳,"一套一套的,有板有眼,都在理上,行啊东平!"

"是你这个老师教得好。老魏,我还得说一句,你是七星谷的公众人物,你的前女友来看你,又是个留洋的大美人,周医生那边恐怕瞒不住,这事也瞒不得,你可要掂量好了,现在就……"

"放心吧!我现在就去找营长请假。"一溜烟没了人影。

齐东平无比羡慕地自言自语,"一个小吴,我都应付不过来,看看人家!七星谷这边刚按下葫芦又起瓢,那边又有人从美国来看他……"从口袋里小心掏出小吴的照片,"你什么时候能来看看我啊?"

难得张中原有时间有心情整理抽屉,正收拾着,一个笔记本掉到地上,夹在里面的几张高丽美旧照散落到地上。张中原一愣,慢慢蹲下去,从地上拿起一张照片细细地久久地端详。

门口,魏光亮刚要喊报告,见张中原对着一张照片出神,便蹑手蹑脚过去,一把抢过照片,"不错嘛营长,丰乳肥臀,蜂腰长腿。哎,谁介绍的?赶紧想办法拿下,气气那个高丽美。"

张中原夺过照片,"胡扯什么!她就是高丽美。"

"这就是高丽美?"魏光亮又把照片抢过去,仔细端详一番,"怪不得会出点情况,这种成色,男人见了哪有不动心的。所以,也不是她一个人的错。旧情难忘,我理解。营长,珍藏起来吧。"

张中原弯腰把照片都拾起来,夹好,"唉,人真是怪球得很,不瞒你说,我这些天累个贼死,还梦到她好几回。"

"春梦吧?"

"正经点!一日夫妻百日恩嘛。走到这一步,我也有责任,唉,要是没出那些事,也许我现在也当爹了。也不知道她现在有没有工作。"

"她不是在外企吗?"

"彩云嫂子说她被假洋鬼子炒了。唉,真是让我不放心。"

"你还对她牵肠挂肚?想破镜重圆?你真有佛心呀,营长。"

"瞎说什么!我是遇到了难题,就又想起她来了。去年她怀孕的事,我告诉了爷爷,离婚的事,我瞒了。后来,老人家问过好几次是生了男还是生了女,没办法,最后我只好撒谎说生了个小子。”

“美丽的谎言。”

“爷爷快不行了,等会战结束,我想回去看看。”

“我还没听出来你的难题是什么。”

“难题就是说了谎啊。说一回谎,就得想十个谎来圆。爷爷说‘不把我重孙子带回来,也得把他照片给我看一眼。’你说我怎么交差?孙媳妇都没了,哪来的重孙子?不说了。光亮,东平提干一解决,一连就没什么大事了。”

“方子明呢?这小子想一毛二都想疯了。我看他不大适合在部队长干。今年老兵退伍,他是个老大难。”

“方子明的难题交给我吧。你来肯定有别的事,说正事吧。”

魏光亮又开始哭丧着脸,一五一十把前女友明天要到汉江的事给说了一通。

“行啊光亮!牛皮还真不是吹的,美国的前女友也没忘掉你呀!”张中原先是戏谑,又突然敛容,“说实话,你是不是还想圆你的美国梦?”

“营长,这哪儿跟哪儿呀!你看我有多久没摸英语了?美国的大学又不是自由市场,想进进,想出出。”

“那她来干什么?难道不是来拖你后腿的?你这么急急慌慌去见她,就没点破镜重圆的想法?光亮,那可是个吃了一年多洋面包的女人!”

“她还是一个抛弃过我的女人!营长,我不是一匹爱吃回头草的孬马!凡事总得有个结束吧?明说了吧,你给假我要去,不给假我也要去。”魏光亮把头盔拎起来,气鼓鼓的,“去年她把我像垃圾一样扔了,这事没完!我必须面对面对她说:小姐,这回你迟到了!”

“迟到了?周医生答应了?”

"你管这么多干什么！你能撒谎，我就不能骗骗人？放心吧，我前腿后腿都在七星谷，已经生根发芽了！她回来蜻蜓点水一下，拖得走吗？"魏光亮拎着头盔往外走。

张中原笑起来，"我要的就是这句话！去吧，给你两天假。等等——"

"我还有要事没办呢！"魏光亮边跑边甩话。

张中原追出去，"石团长后天到，你正好去车站接一下。记着，你代表的是一营官兵。"

闷到被窝里足足一小时，魏光亮终于想出了个一石三鸟的方案。如果这个方案能够顺利如愿进行，自己的情感史将会留下一段改朝换代的华彩乐章。想到这儿，魏光亮不由偷偷乐了起来。

他一跃而起，脚下生风地去找周亚菲。华彩乐章能不能奏响，周亚菲是个不可或缺的合作者。

半山腰老榕树下，周亚菲还没听完魏光亮的构思，就一瞪杏眼，"魏光亮，别净整些包子皮，露露馅吧。你明天要见的是何许人？要我扮演个什么角色？干脆点。"

魏光亮一狠心一咬牙，"就是我的前女友。"

"她不是在美国吗？"

"回来了，哭着喊着要见我。"

"有病！嗬哟，你的魅力不小嘛，真是让我刮目相看啊。让我去见你的前女友，不，女友，目的是什么？"

一不做二不休。魏光亮横下一条心，"亚菲，这几个月里，我活明白了一件事：我已经找到了生命的另一半，那就是你。我现在不想浅薄地说我爱你三个字，只想用一生的行动来实践它证明它。我知道，我有很多很多毛病，但我相信，这些毛病会在你这位高明医生的及时诊治下……"

周亚菲的脑子乱了，渐渐地，她再也听不清魏光亮在说些什么。

她是一个爱情和婚姻的完美主义者,像魏光亮这种多情甚至滥情的公子哥,她见识过不少,从来没有把他们纳入到自己的爱情婚姻平台上加以考量。认识魏光亮后,渐渐地,莫名其妙地,她的完美主义者立场开始动摇,开始转变。为此,她私下暗暗咒骂过自己无数次。魏光亮疯狂追求林丹雁的那些日子里,她辗转反侧度过了许多个不眠之夜。她曾在日记里咒骂自己竟有"下贱"的一面,并为此而羞愧难当而自怨自艾,然而,她又无力改变魏光亮在心里占据着越来越重要的位置这个事实。自己真正是爱上这个人了,爱情就是这么莫名其妙,这么没有道理可讲。为了证明这份爱在内心里是否结结实实存在着,她利用探家出差到北京的几次机会,有意见过亲朋好友为她精心挑选热心介绍的精英男人。然而,完全因为她的"没感觉",这些见面全都没有后续。越来越糟糕的是,她发现自己时常有向魏光亮表达和倾诉的冲动,她只好用力压制住这种冲动,与魏光亮交往时竭尽全力保持着自己的一贯风格。

魏光亮一口气说了十几分钟,见周亚菲神情异常心不在焉,急得直拽她胳膊,"怎么了?你听了没有?"

"啊!"各种念头正在周亚菲脑子里闹腾得不可开交,魏光亮猛然一拽,把她吓得失声叫起来,脸腾地红了,"听了,我听了,也基本上听明白了。你去年被这个那娜甩了,很丢面子,现在她主动送货上门,你当然想趁机把面子找回来。你觉得一个人找效果不好,所以要拉我去做个帮手和证人,有观众,你才有成就感嘛。你想让我明天扮演你的现任女友,以此告诉她也气气她:我魏光亮三步之内的确有芳草。"

"亚菲,你错了,我不是让你扮女友,而是希望你能答应做我的妻子。"

周亚菲哈哈大笑,"你今天说得太多,我记不住。不过你的想法很好玩,我愿意在你前女友面前扮演一回你的现任女友角色。这台戏会很刺激很过瘾。"

"不不不,你就是现任女友,不,是女友,不对,是未婚妻。"魏光亮急得语无伦次。

周亚菲更是笑得恣肆放任,直笑到捂着肚子"哎哟哎哟"地一阵叫唤,好容易总算平息下来,"这样吧,我要是没变卦,明天早上就会出现在你面前,不过,我可不一定去啊。我走了,拜拜!"

她撇下魏光亮,颠颠地跑走了。

尽管没能得到明确答复,魏光亮还是喜不自禁:如果这丫头心里没有自己,她是不会趟这潭浑水的。

那娜乘坐的班机擦着晚饭时间抵达。魏光亮周亚菲设宴为她接风洗尘。都是年轻人,又都是有知识明事理的人,三个人一见面就明确了各自身份,饭桌上宾主关系明确,气氛不冷不热。

总得让魏光亮对旧情人把事情挑明了吧? 周亚菲善解人意,主动提议饭后到汉江江边的老情人酒吧坐坐。魏光亮那娜都不表示异议。

没想到这一坐,两个女人间的战争便不可避免地爆发了。酒精的作用,使得战事一开始,两个女人就把试探性进攻阶段跨了过去。

那娜到底在强大的美利坚生活过一年多,不仅进攻性强,而且善于先发制人。她举起酒杯,半眯着醉眼开始挑衅,"你俩演技太差了。光亮,周小姐根本不是你的未婚妻,甚至也不是性伙伴,可以说连密友都谈不上。"

周亚菲吃了一惊,身体下意识朝魏光亮身上靠,虚张声势地一声冷笑,"理由呢?"

那娜不理睬她,目光深情款款聚集到魏光亮脸上,"光亮,我知道你自尊心很强,伤不得。你别忘了,本人也一样。我那娜能吃回头草,也算破天荒。出去了这一年多,我才明白你是真不错,现在看到你身上有了军营熏陶出的英武之气,我更喜欢,更丢不下你了。这样吧,我不再要求你脱军装出国了。再有一年多,我就能拿到博士学位,为了你,我学成后回国。"

魏光亮笑笑,伸手揽住周亚菲的纤纤细肩,"小娜,过去了的,就让它永远过去吧。我和亚菲真的订婚了。我并不生你的气。人生无常,世事变幻,爱情会死亡,也会新生。你我以后做个朋友吧。"

周亚菲却较真起来,"那小姐,你还没有回答我的问题呢。我尊重你们的历史,也希望你能正视我们的现实。"

那娜以洒脱不羁的姿态仰头喝下一杯红酒,"你先回答我两个问题。你们干那种事儿,他喜不喜欢关灯? 有什么习惯动作?"

魏光亮猛地把脸一沉,厉声喝道,"小娜!"

那娜放荡地笑了,"周小姐学医,什么不清楚? 什么没见过? 别再演戏了! 光亮,你跟我泡吧时,你的手在哪里放? 不管有没有别人在场,它几乎不离我的身体! 你现在给我的感觉呢,周小姐有没有口臭,你都没有发言权!"

"你太过分了!"魏光亮气白了脸,把酒杯朝桌上狠狠一顿。

那娜狂笑起来,伸手指着周亚菲,"别装了,她的脸都红成鸡冠了! 周小姐,请你回避一下吧,佣金由我付给你,人民币,美金,你要哪样? 开个价。"

她拉开坤包拉链,取出钱包。

魏光亮猛然站起来,眼睛里闪着怒火,"你醉了,我们不跟你计较! 亚菲,结账,咱们送她去酒店。"

周亚菲用力一拉,把魏光亮按回凳子上,突然抱住他,狂吻起来。

那娜魏光亮都愣住了。

周亚菲放开魏光亮,志得意满朝那娜一笑,"那小姐,你问问她,我有没有口臭? 我也是父母的掌上明珠,在家里从来都是小霸王,我看上的东西,也不会轻言放弃。现在,为了维护我的主权和领土完整,我也会不择手段不遗余力的。那小姐,你在光亮的感情世界里,

已经走进历史了,你必须接受这个现实。我有幸拜读过你给光亮的
绝交信,很佩服你的拿得起放得下,希望你能持之以恒。三步之内定
有芳草,这是你曾经对光亮的祝福,对吧? 我算不算芳草,你我都说
了不算,只有他说了算。有句话说得好:相见不如怀念。聪明如你,
怎么会不懂得这个道理呢?"

那娜没想到对手这么厉害,她被深深刺激了,求胜的欲望顿时压
倒一切。她表现出不屑,表现出轻蔑,"接吻算什么? 美国街头随处
都有热吻的男女! 现在国内也很开放,北京上海这些大城市街头,年
轻男女也都这么干。接吻之后,你还打算干什么? 能不能也让我见
识见识? 恐怕你黔驴技穷了吧?"

周亚菲冷下脸,冷冷地把一张房卡伸到她眼前,"请你看清楚,
这也是汉江大饭店的房门钥匙。怕墙壁隔音效果不好,怕我们的动
静影响到你的情绪和睡眠,我们特意不住你隔壁而住到你对门。不
用我再证明什么了吧? 否则,你就是无理取闹了。"

两双血红的眼睛狠狠地对视着。

最终,那娜败下阵来,"行,你厉害,你赢了,我愿赌服输。"她把
凳子一掼,冲出门去。

魏光亮拿过房卡,又惊又喜,双眼放射出异样的光芒,一把搂住
周亚菲,"亚菲,你真行啊! 什么时候开的房啊! 嘿嘿,时间不早了,
咱们也回宾馆吧。"

"拿开你的脏爪子!"周亚菲疾言厉色,"别碰我!"

魏光亮讪讪地缩回手,"我又哪儿招你惹你了?"

"假女友,真受气,这就是你给我招惹的好事! 行了,我的利用
价值没了,你准备怎么打发掉我?"

"亚菲! 海枯石烂,我娶你的心不变。亚菲,你真行,处处都高
她一筹……"

"少拍马屁! 我答应嫁给你!"

"太好了！真好啊，实在是好！"

"魏光亮！"

"到！"

"你少给我嬉皮笑脸！坦白地说，我从没想到过我会嫁给一个情史复杂的男人。既然命运把我推到你这儿了，我也认了。我答应嫁给你，是有条件的，先得看你能不能接受我的条件。"

"什么条件？你说！你要月亮，我不敢摘星星！"

"我要那些东西干什么？我只要你答应我的约法三章。第一，在拿到结婚证之前，你不能碰我的身体，包括手掌和肩膀。"

"这……"

"你要做不到，咱们永远只能做战友。第二，你必须改掉一见漂亮女人就挪不动腿的臭毛病。"

"哪有的事啊！你放心吧。"

"我不放心。第三，什么那妹妹林姐姐，都是历史人物了，如果我发现到你藕断丝连死灰复燃的蛛丝马迹，咱俩立马一刀两断。"

"都没问题。我的意志坚强得很，今晚住到饭店就可以验证了。"

"别做美梦了！我不会给你提供任何犯错误的机会。今晚我们去大本营住。"

"这几百块钱就白扔了？"

"花几百块打败了一个什么小娜，已经很值了。别急，还有一个补充条款。结婚后，如果你移情别恋红杏出墙，我会亲手把你废成个太监。你能答应吗？"

魏光亮鬼怪地笑，做个鬼脸，"我答应。"

"好。"周亚菲站起来，"现在咱们回大本营。为了满足你的报复心理，你应该连夜给那小姐写封告别信，让宾馆服务生明天一大早送交她。哭丧着脸干什么？是不是觉得出了狼窝又入了虎穴？"

　　魏光亮赶紧挤出一脸笑,"信早写好了,你看看吧。我也不喜欢拖泥带水。"

　　周亚菲开心得俯在他脸上亲一口,"我碰你不算你犯规。咱们现在就去,把信留给宾馆总台。信我不看了,我相信你。走,咱们结账走人。"

　　第二天,两人早早守候在火车站站台上,翘首盼望着石万山的身影。当石万山出现在他们的视野里,两人激动得连呼带叫地奔跑过去。

　　不在其位,不谋其政。回到七星谷两天,石万山深刻地领悟到了这句话的含意。不在其位,想谋其政,你谋得了吗? 我石万山想给郑浩当好参谋,可谈何容易!

　　重赏之下,必有勇夫。一营挖掘主坑道的进度在短时间内是上去了,可重赏把连与连排与排之间良好的协作精神给弄没了。打坑道是接力赛,怎么能只重奖跑过一万米这个点的队员呢? 这会造成什么样的局面和后果? 石万山为之深深担忧。

　　他不得不提醒郑浩。

　　石万山说得挺委婉含蓄,郑浩的回答则很直接简单:即便我错了,现在也只能一错到底,带兵的大忌是朝令夕改。

　　没有了决策权和号令权,石万山只能无可奈何。

　　魏光亮一回到七星谷,立刻发现每个连都制定出了让本连挖出一万米标志线的详细计划。是啊,二连长骆玉中三连长王可也都不是傻子。离一万米只剩一百二十米了。这一百二十米怎么挖,决定着哪个连能立集体三等功,决定着上至连长下到列兵两三年内的命运走向,哪个连长甘落人后?

　　魏光亮坐的是连长的位置,屁股决定脑袋,他在连长其位,当然谋连长之政。周三,该轮到一连一排值早八点到下午四点的班。一起床,魏光亮就把齐东平方子明几个召到自己房间,劈头就问,"知不知道 NBA？"

都说知道。

方子明表现欲最强，"不就是美国篮球赛嘛。"

魏光亮又问，"知道 NBA 最后十几秒钟是怎么打的吗？"

都说不知道。

齐东平说，"连长，有话你就直说。你怎么说，我们怎么干。"

魏光亮起身从抽屉里拿出一条烟，给每人发上一盒，这才慢慢开腔，"这最后的一百二十米，才是关键。NBA，两支实力相近的队打球，胜负往往由最后十几秒、几秒甚至零点几秒决定的。咱们眼前这个仗，也应该打细点。按这几天的进度估算，后天晚上应该能挖到一万米。兵不厌诈，现在是非常时期，咱们就得用非常手段，不玩点心眼不行。东平——"

"到！"

魏光亮咬咬牙，"没办法，为了这个集体三等功，咱们只能做回小阴谋家了。等会儿接班后，你们该画九千八百八十米的线了。这线别照实写成九千八百八十米，只能写成九千八百六十五米，明白吗？"

方子明脑子转得快，"不行啊，连长，少写十五米，差不多等于一个班组八小时的工作量，除非咱们今天不干活。二连三连，一百多双眼睛盯着呢。"

魏光亮脸孔板得像块钢铁，"执行吧！他们听的是炮声。炮，还照旧放。记着，每一炮只装四分之一的药。更要记住，这事是咱们连的最高机密，咱哥们儿坐的是同一条船。"

几个人鸡啄米似的点头，都一脸的庄严。

回到宿舍收拾了一下，齐东平带着一排人马进了坑道。

他们走后，魏光亮又把三个连未来三天的排班情况和可能的进度推演了一遍，确信没有误差和漏洞后，美滋滋地哼着小调朝一号洞主坑道洞口走去。

不远处,二连的十几号人喊着口号下山。

魏光亮朝骆玉中喊,"老骆,这一夜凿了多少米?"

骆玉中笑,双手围住嘴做话筒状,"不告诉你! 十五,十八,二十,都没准。"

浑身泥浆的战士们都笑起来。魏光亮也笑。

见石万山独自从百花岭方向走过来,骆玉中赶紧跑过去,"报告团长,一营二连……"

看见骆玉中身上的泥浆,石万山顿时脸色大变,立刻走进战士们队列,逐个摸他们的衣服。

"怎么了,团长?"魏光亮觉得奇怪。

"衣服穿几天了?"石万山没答理魏光亮,朝骆玉中问。

"昨天、前天换的,都有。怎么了,团长?"骆玉中紧张起来。

石万山又摸摸一个战士头盔上的黄色斑块,"发没发现泥汤水渗出? 快说!"

骆玉中嗫嚅着,"在赶进度,没留意……"

"混账!"石万山大怒,"眼睛是树窟窿啊! 只能看见集体三等功是不是? 坑道里有人吗?"

魏光亮抢答,"有。一排刚接班。"

石万山不再理睬他们,撒腿朝洞口跑去。魏光亮骆玉中对视一眼,赶紧跟过去。战士们不知所措,愣了愣,也都慌慌张张跟着跑。

进到洞里,石万山拨通电话,厉声问,"九千米处怎么没安电话?"

对方怯怯地,"我,我也不知道。"

石万山"啪"地挂掉,又赶快拿起话筒再拨号,"李和平吗? 我是石万山,主坑道出现了泥石流先兆,快点派技术员来,尽快!"

放下电话,石万山擦把汗喘口气,开始指挥,"光亮,你开板车。

小骆,还有你,你,你,你们上车。"他指着跟进来的几个三连的士兵,转身又吩咐卫兵,"守在这儿,等我们的电话。知不知道怎么报警?"

"知道。"

"好! 光亮,开快点!"

平板车疾驰了一段,石万山大喊,"停车! 报警! 让他们快点撤出掌子面! 快!"

此刻,主坑道里的齐东平已经感受到了洞里的异样,攀到台车臂上方正准备按照魏光亮指示画线的他,转过身仰着脸观看拱顶的石壁。他看见了几条正在朝下渗出泥水的石缝,心里一惊,再伸手一摸,神色大骇。

王小柱气喘吁吁从外面跑进来,"排长,八千米处的电话坏了,没法报告。"

齐东平猛然从台车臂上跳下,一屁股摔倒地上,他顾不得疼痛,也顾不上站起来,躺在地上大喊,"子明,快,快把台车开出去!"

方子明探出头,"开出去? 为什么? 真的要磨洋工啊?"

"少废话! 快开出去!"

方子明赶紧开着台车离开了掌子面。

齐东平没想到自己摔得这么重,几次想站都站不起来,几个战士见状,都朝他跑过来。齐东平冲他们摆手,又示意他们赶快往外跑,自己挣扎着站起来,忍着疼痛一瘸一拐往外跑。

远处,隐约传来报警的铃声。

拱顶和掌子面同时发出瘆人的声响。紧接着,掌子面开裂了,从里朝外涌动着泥汤和石头。接着又是一阵怪响,拱顶也开裂了。几个新战士吓得呆若木鸡。

齐东平扭头一看,驻足声嘶力竭地喊,"快! 你们快往外跑!"

三个战士反应过来,哭喊着疯了般朝外狂跑,两个战士被吓傻了,只是用手抱住头,泥胎石塑似的呆在原地一动不动。

　　齐东平急得跺脚,拔腿往回跑,猛力推他们,吼他们。两个战士如梦初醒,用力拽出被泥流吸住的双脚,像受惊的野马往洞外狂奔。

　　齐东平稍稍歇口气,接着一瘸一拐地朝外跑。刚跑出几步,拱顶上突然落下一块大石头,把他砸倒在地。他挣扎着想爬起来,像洪水浊浪一样的泥石汹涌而来,很快把他掩埋住了。

　　一群人挣扎着往外逃命的途中,有两个战士再也没力气拔出深陷在泥石中的双脚。一见到赶过来援救他们的石万山魏光亮等人,两人顿时哇哇大哭起来。

　　石万山黑着脸呵斥,"大男人,娘们似的嚎,像什么样子?! 给我闭嘴! 听我的口令,用力拔左腿,对! 再拔右腿。你们快拿竹片来,递给他们——"

　　一阵忙碌,总算把两个泥人般的战士从危险地带救了出来。魏光亮拧开一个水龙头,拿起皮管对着两张泥脸冲起来。

　　石万山背靠着石壁喘粗气,"看看,人齐不齐?"

　　犹如一道炸雷在耳旁响过,王小柱被猛然震醒,顿时跳起来大叫,"排长! 排长呢? 团长,排长不见了!"

　　魏光亮眼光朝兵们一扫,"东平! 天哪,快找东平!"立刻深一脚浅一脚朝里面冲。

　　"你找死!"石万山吼,"快拉他回来! 全体后撤一百米。"

　　警报声大作时,郑浩正在接电话。师部刚刚接到工程院对七星谷上次事故的分析报告:罪魁祸首是遇水则体积变大的膨胀围岩,与施工并无关系。这份报告因秦怀古的突然辞世而延迟了发出时间。

　　听到满营区刺耳的警报声,郑浩一屁股瘫坐到椅子上,"李参谋,谁报的警?"

　　"石团长,不,石万山。"李和平答。

　　广场上乱成一团。周亚菲以百米冲刺的速度朝一号洞方向冲去,跑着跑着,她双腿一软,瘫倒在地。

第二十一章

一营官兵奋战了二十多个小时,才把齐东平的遗体从泥淖中挖找出来。

噩耗传来,一营被悲痛淹没了,一连被痛苦淹没了,一排被泪水淹没了。"东平!""排长!""排长,你醒醒,你醒醒啊!""东平,你睁开眼睛看我们一眼啊!"椎心泣血的呼唤,嘶哑失声的哭喊,在七星谷里久久低回。

"东平!东平!"魏光亮抱着齐东平的躯体,一遍又一遍呼喊着。齐东平双目紧闭,嘴角紧抿。魏光亮放下他,一次次摸他的胸口,希望还能感受到他的心跳,一次次轻拍他的脸颊,希望还能看到他睁开眼睛。终于,他无望了。终于,他死心了。终于,他被巨大的悲痛击倒了。他一下瘫坐到地上,呼天抢地号啕大哭起来。

他恨,恨那些丑恶的泥石流,夺去了他最亲密战友的性命;他悔,悔不该被郑浩的悬赏迷住了双眼。巨大的悲愤,致使他无端生出"我虽不杀伯仁,伯仁因我而死"的强烈自责。他诅咒郑浩的"重赏"游戏规则,也诅咒藏在每个人心里的自私自利。如果不是为得重赏而一味抢进度,一味把兄弟连队当对手,如果大家认真留心坑道里的情况变化,这悲剧会发生吗? 这到底是谁的错? 这到底是谁的错啊?!

终于,魏光亮强忍着悲痛吞咽下悔恨,仔细清洗着齐东平的身体,把自己一套尉官服给他穿戴整齐。周亚菲泪流满面地给齐东平整容化妆。王小柱与几个战友抬着齐东平,脚步缓慢沉重地往简易灵堂走去。

齐东平女朋友小吴火速从南京赶来了,哭得死去活来的她只有一个要求:为齐东平守灵。

齐东平姐姐齐东玲以最快的速度从广州赶到七星谷。没能来得及换装卸妆的她衣着时尚发型前卫,描眉画眼涂满脂粉。齐东玲整夜枯坐弟弟身边,不流一滴泪,不说一句话,偶尔看人一眼,眼睛里流露出的是哀恸,是冷漠,是麻木,是绝望。齐东玲的衣着打扮和异常举动引起了一些非议。

死人的重大事故惊动了上层,顾长天成南方乘坐直升机亲抵七星谷。

"零死亡你守住了吗? 工程兵团的团长,不是你这种当法!"顾长天铁青着脸,劈头掷给郑浩的第一句话又冷又硬。

成南方白郑浩一眼,"灵堂设在哪里?"

"一营活动室。"郑浩垂首低头,声音怯懦。

"石万山呢?"顾长天问洪东国。

"在做墓碑。"

石万山夜以继日昼夜不眠,不让任何人插手,亲手一锤一钎打凿墓碑。他小心虔敬地在墓碑中间镌刻上"齐东平烈士之墓"七个大字,在墓碑左、右下方分别凿下"工程兵师大功团公元二〇〇四年十月立"和齐东平生卒年月"一九七八年十二月—二〇〇四年十月"两行小字,然后用绒布仔细地擦拭着。

张中原魏光亮到来,把别人对齐东玲的议论反映给石万山,石万山顿时怒火上蹿怒目圆睁,"谁规定的打工妹就不能穿件像样的衣服?就不能描眉毛染头发?没有流眼泪怎么了?痛苦到了极致才会欲哭无泪!你们两个记着,要再听到谁在背后嚼舌头不说人话,告诉我,我处分他!"

"'我处分他!'底气很足嘛!"顾长天一步跨进门来,"看来,该让你石万山官复原职了。"

跟着进屋的成南方抚摸着墓碑,"看来,你做得非常用心。你们有几年没做墓碑了?"

"快四年半了。"石万山回答。

"棺材准备好了吗?"顾长天问。

"正在油漆,用的是上等红杉木,规格是五五四。"张中原回答。

石万山说,"我们早就拟提拔齐东平同志为一连副连长,已经上报了师里。"

成南方一脸痛惜,"我们遗憾的是,他的任职命令下晚了。齐东平是世纪龙工程开工以来全师牺牲的第一位同志,但愿也是最后一位。"

"走,去看看齐东平同志!"顾长天迈开大步。

顾长天亲自为齐东平烈士选定了入土为安的日子。

低回沉痛的哀乐声中,八个手持冲锋枪的战士分列道路两旁,护卫着制作精美的上等红杉木黑漆棺材,庄重肃穆地往百花岭去。一队队手捧军帽臂佩黑纱胸缀白花的军人,拖着沉重的双腿,迟缓地默默地走在落叶缤纷的山间曲径上,为世纪龙工程开工以来导弹工程兵师牺牲的第一位英烈送行。

烈士的墓穴距百花潭不远,四周松柏掩映,四季鲜花盛开。

张中原魏光亮把灵柩缓缓放入墓穴,久久不肯松手。全体送葬战友跟着石万山,围着墓地缓缓绕行三周,庄严默哀三分钟。洪东国将一捧捧寄托全团官兵哀思的小白花撒进墓坑,每个人都捧起一把泥土,恭恭敬敬撒入墓坑。

墓穴填平,墓碑竖立。

"东平!"百花岭山谷里回荡着小吴撕心裂肺的嘶喊。

石万山面对墓碑肃立,一字一顿地念,"命令:任命工程兵师大功团一营二级士官齐东平任大功团一营一连副连长,授陆军中尉军衔。师长,顾长天,政治委员,成南方。二○○四年九月二十八日。"

这是一份迟到的命令。这是齐东平生前朝思暮盼的提干命令。这是一份寄托了齐家全部希冀和期望的命令。这是齐东平用汗水泪水用青春年华乃至用鲜血和生命换来的命令啊!

齐东玲默默走过去,从石万山手中拿过命令,面无表情地跪到墓碑前,用打火机点着。一纸提干命令,顷刻间化为灰烬随风飘散。

"东平!"又是一声催人肠断的嘶喊,小吴随即昏倒在周亚菲的怀中。

入夜,突然间电闪雷鸣狂风暴雨。莫非苍天也为壮士的英年早逝而哀恸?莫非苍穹也为烈士的英魂飘逝而哭泣?

风雨,凄凄厉厉;林涛,呜呜咽咽。

一个身影出现在齐东平墓前,一道闪电照亮一张苍白木然的脸:是齐东玲!

她肃立着,任雨水将脸颊抽打得生疼,任雨水洗刷着身上的风尘。

她跪下去,双手来回抚摩着"齐东平烈士之墓"七个字。"弟弟!我可怜的弟弟啊!你的命怎么就这么苦呢?你怎么连提干都等不到呢?老天,老天爷,你不公,你不公啊!……"

她起身仰天,悲泣悲诉变成痛断肝肠的凄切哭喊,"老天爷,你瞎了眼啊,该死的是我啊,你怎么会把我弟弟给带走呢?只要你让他活过来,你用雷打死我电劈死我,我也愿意啊!老天爷——"

电闪雷鸣狂风暴雨渐渐停息。

齐东玲哭着哭着，昏倒在墓碑前。

齐东玲的凄厉哭喊划破幽寂的夜空，传到一营营区。活动板房的门一扇接着一扇打开，官兵们纷纷走出来，伫立在各自门口，内心痛楚地凝听那催人肠断的啼血悲泣。不知是谁把两支点燃的红蜡烛放到门外，表达着对战友的哀思。很快，满院子到处摇曳着跳动着红色的火苗。

周亚菲和小吴流着泪水跑过来，周亚菲拉着魏光亮就往山上跑，小吴在后面紧跟。周亚菲和小吴抱起齐东玲，魏光亮背着她，跟跟跄跄跌跌撞撞下山。

身体稍稍恢复了元气，齐东玲就要离开七星谷，离开这个彻底碾碎她心灵的地方。行前，她把领到的两万元抚恤金和慰问金交给魏光亮，"麻烦你每月给我爹寄一千块回去。他知道弟弟提干了，不知道他去世了，爹生病后，一直是在为我弟弟活着，不能让他知道我弟弟走了。"说罢，泪如雨下。

"姐，你放心吧。"魏光亮鼻尖发酸。

周亚菲喉咙哽咽，"东玲姐，你，你回家吗？"

齐东玲盈满泪水的眼睛一片空洞茫然，"只要我爹换肾的钱还没凑够，我就还得四海为家。我只有爹一个亲人了，这辈子恐怕也只能跟他相依为命了，我不能没了弟弟又没了爹……"她泣不成声，再也说不下去。

周亚菲早已哭成了泪人。

停职反省一个多月的石万山，再次回到了大功团团长的岗位上。

本来张中原早就想请假回去看望爷爷，可石万山刚官复原职，大功团、一营的气象都要更新，这种时候怎么好意思走？自己必须留下来，先甩开膀子大干快上一番，等一切都恢复了秩序上了正轨再离开。

　　无奈，人算不如天算。他接到妹妹小秀的电话：爷爷不行了，赶快回来！

　　张中原只好惴惴不安地向石万山请假，顺便讨要石小山一周岁前的照片，以向爷爷交差。

　　请假获得批准，但照片没有。石小山三岁以前没有照片。幸而洪东国及时为他解决了难题。洪东国说，"用我儿子小峰冒充吧。你嫂子把小峰当未来的总理养，月月给他照相，说是搞什么写真全纪录。"

　　张中原喜上眉梢，心中的这块石头终于落了地。

　　去汉江乘坐火车前，张中原上大本营向朱彩云要了两张小峰几个月大时光屁股的照片，为的就是让爷爷对"重孙子""验明正身"。

　　送张中原到火车站后回来，朱彩云在门口遇上了高丽美。

　　高丽美从寰宇华夏公司辞职后，一直没有找到正经的工作，反而处处受到欺凌，她发誓再也不去找工作了。可长期没工作坐吃山空不是个事儿，走投无路之下，她横下心来，干脆当起了卖内衣内裤的流动摊贩。

　　起初，高丽美从不推着三轮车上大本营公司这一带来，无论从哪方面来说，她都不愿意遇到与张中原有关的一切人。然而，当她意外发现离婚前夕张中原给她的存折上竟然有两万块钱时，她心情久久不能平静了：一起生活时，他的工资大部分都交给了自己，那么，这两万元就是他从牙缝里省下来的全部积蓄啊！他是个有情有义的男人，是个宽宏大量的男人，是个可以终生依靠的男人啊！自己当初怎么就会鬼迷心窍好赖不识忠奸不分呢？自己实在是对不起他啊！

　　高丽美动了把存折原封不动还给张中原的心思。她不能直接去七星谷，也不好意思找朱彩云，于是，她开始每天都上大本营这一带来，希望能与张中原不期而遇。

眼前的高丽美蓬头垢面旧衣烂衫,让朱彩云惊讶不已,"真是小高呀! 怪不得说人靠衣裳马靠鞍啊,差点都不敢认你。"

高丽美下意识地低头看自己的衣服,"摆这种流动摊,地位太低,顾客三教九流,地痞流氓也多,不往老丑里打扮,容易惹祸。"

"这也不是个长法啊。"朱彩云心里什么滋味都有。

"惯了,也不觉得丢人。总得活吧。"

"做个体,早不丢人了,你忙吧,我走了。再见。"想起高丽美对张中原的无情无义,朱彩云心情败坏下来,再不想理她了,转身就走。

"嫂子!"高丽美怯怯地却又是坚决地叫住她,嗫嚅着,"嫂子,我不是个坏女人……我是个傻女人。我……我也不知道该说什么。中原他……还好吧?"

朱彩云心里恨起来:你不是坏女人谁是坏女人? 她没给高丽美好脸色,"好个屁! 他爷爷可能不行了,我刚送他到火车站。老人家一直盼着能见到重孙,我这些天给中原物色了一个对象,姑娘条件挺不错,二十九岁,大专文化,汉江市机关的公务员,长得清清秀秀大大方方,她对中原很满意,就等中原回来见面了。要是他爷爷能挨到明年,说不准能抱上个重孙子呢。算了,给你说这些干什么?"

她一扭身,撇下高丽美,噔噔噔进了门。

高丽美像根木桩子戳在那儿,木呆呆了好一阵,才低下头来挪动步子,心里乱糟糟地推着三轮车慢慢回去。

张中原到家不足一天,爷爷手攥"重孙"照片,含笑无憾地离世。

办完爷爷的丧事,张中原立刻带着妹妹小秀启程回汉江。初中毕业后,小秀就辍学在家一直照顾年迈的爷爷,张中原认为妹妹是在代他尽敬养照顾爷爷的义务,自己不能尽孝,才耽误了妹妹的学业,现在,自己必须对妹妹负起责任来。他不放心妹妹一个人留在家里,作为哥哥,他要给她找到个好归宿。

回到汉江,张中原把小秀交给前来接站的朱彩云,独自直奔七星谷。把行李一扔,他就把方子明从宿舍里叫出来。

"子明,这就是我要给你介绍的对象。"张中原把小秀的彩照递给方子明,"你的情况她都知道,她没意见。现在就看你了。"

方子明仔仔细细反反复复地端详照片,"长得这么水灵,真好看。营长的眼力真没得说。"

张中原松出一口气,"真人更水灵些。其实你见过真人。"

"我见过?不可能吧?我能在哪儿见过她呢?"方子明吃惊得几乎跳起来。

"见过。五年前,咱们在东北修阵地时,你还捉过鸟儿给她玩,说过要她赶快长大呢。那时她上初二,是个小黄毛丫头,如今长成大姑娘了。"

"小秀?她是小秀?你妹妹?"方子明一连串的惊问,又举起照片仔细端详,这才相信张中原没有骗他,"还真是小秀。小秀那时就水灵,女大十八变,现在更漂亮了。我的天,打死我我也不敢想你会给我介绍小秀,不瞒你说,营长,你说要从家乡给我介绍一个姑娘,我就一直在心里求老天爷保佑,保佑让营长一定介绍个脸型像小秀的姑娘给我。说实话,我就怕你给我介绍个长着大饼脸的河南丫头。小秀,那还有什么说的。嘿嘿,营长,以后你就是我的大舅子了。"

张中原拿白眼翻他,"别臭美!小秀嘴上不说,我看得出来,她心里对你狗日的喜欢得很。反正你们五年前就认识,就在一起玩得开心,现在两个人又你有情我有意的,那就不算我搞包办了。我说过你的对象包我身上了,现在我兑现了,你呢?退伍的事,你也得给我一个说法……"

"营长大舅子,放心吧。"方子明从口袋里掏出一张纸,"你看,今年脱军装的报告我都打好了,就等着你回来。东平的去世,让我想了很多,我早就想开了。我不是怕死,我是……"

"知道你不怕死,但提干政策变了,你留在部队的出路只是转三级士官,所以我也劝你走啊。士官干多少年都只是个士官,如今要建白领工兵队伍,你我这种人,迟早会被淘汰……"

"你别说了营长,"方子明神色黯然,"这些我都知道。营长,我不是说大话,其实我也不只是想提干,我实在是舍不得离开部队啊!算了,不说这些了,说着就心里伤感。"

他突然看到了张中原右臂上佩戴的黑纱,惊问,"爷爷他不在了?"

"嗯,不过,八十九岁高寿,又是笑着去世的,是喜丧。"

"小秀一个人留家里了? 这怎么能行?"

张中原感到欣慰,"我没看错你,你心里是真有小秀。别急,她在大本营呆着呢。退伍后你带小秀回你们老家吧。她很能干,能帮着你打天下。"

"营长,你掐我一把。"方子明把张中原的胳膊拽过来。

"好端端的,掐你干吗?"张中原莫名其妙。

"看我知不知道疼,我总觉得像是在做梦。"

张中原笑了起来,"浑小子,心眼真多! 不过你小子要是长个榆木疙瘩脑袋,我也不敢把妹妹交给你。子明,你会有出息的。好了,去,把你申请退伍的报告,抄成大字贴到宣传栏里。团长老说'榜样的力量是无穷的',不想走的战士实在是太多了。"

方子明把胸脯拍得咚咚作响,"包在我身上了。方子明这个干部苗子都主动要求走,谁还好意思赖着不走。高,营长大舅子实在是高。"

张中原往他背上捶一拳,"欠揍!"

方子明嘿嘿地乐,像只快乐的小鹿,撒开欢快的步子蹦跳着下山。

一营的老兵复退工作进展得很顺利,方子明这"榜样的力量"起了不小的作用。

　　就要告别相依相守八年的军营了,方子明对七星谷的一树一木一花一草都恋恋不舍,临行前最后一天,他带着小秀上了百花岭。

　　他去看齐东平。

　　方子明点燃三支香烟,恭恭敬敬放到墓碑顶部,再把小秀采来的一大束鲜花敬献到墓碑前,拉着小秀一起跪下,喃喃絮语,“东平,我的好兄弟,我退伍了,以后不能经常来看你了。我们一起入伍,一批入党,同年转士官,我们朝夕相处了八年啊!我们比亲兄弟还亲啊!可是,可是我却做出过对不起你的事情,当我们成为提干的竞争对手时,我起过坏心,给你使过绊子,我对不起你啊!我一直为这事良心不安心里有愧,多少次我想当面向你道歉,每回都是话到嘴边又给咽了回去。树要皮人要脸,我实在是开不了这个口。后来我就想,等我离开部队了,写信给你时,一定向你道歉,向你赔罪。我怎么能想得到,你竟然会撇下弟兄们就这么走了。东平,我的好兄弟,我的亲兄弟,你怎么就不给我一个道歉的机会呢?我这个愧悔,就这样永远留在了心里,它一辈子都会揪我的心啊,东平!”

　　方子明呜呜地哭了起来,哭得涕泪纵横,哭得肝肠寸断,哭得惊天地泣鬼神。

　　小秀流着泪水,默默地为他送上两片纸巾。

　　方子明重重地磕头,又让小秀磕头,继续喃喃着,“东平,你肯定看到小秀了,当年,小秀是我们的小妹妹,管你管我都叫哥,现在,她是我的未婚妻了,是营长做的媒。东平,说给你听这些,绝不是在你面前显摆,而是想告诉你:我和小秀决定想尽一切办法生出双胞胎儿子,老大算你的,姓齐。我会常来看你的,可我死了呢?就让咱们的儿子来看你吧……”

　　一阵山风吹过,树梢簌簌抖动。方子明抬起头来,恍惚间,他似乎看到齐东平正端坐于云端,宽厚悲悯地俯视着他。

老兵走了，新兵还没到。

大功团一年一度人手最缺的特殊时期里，郑浩却成了一个闲人。

与石万山的竞争胜负已分。谢参谋长升任某基地副参谋长也已成定局。郑浩自然明白，工程兵师参谋长的位置，即便不是非石万山莫属，自己也彻底与它无缘了。

受此打击，郑浩的心理开始发生变化，他甚至考虑过是否脱军装。老战友铁哥们金庭十二年前脱下了军装，结果呢？几年前成了亿万富翁。论学识论智慧论综合素质，自己都在金庭之上，他能在商界打出一片天地，自己也不至于一入商海就被呛死吧？可究竟该何去何从，他感到很茫然。

连续几天，每天日出时分，郑浩都会伫立于百花岭最高峰，鸟瞰自己命运的滑铁卢——七星谷。自己这次败走麦城，真是比拿破仑当年败走滑铁卢还要惨烈啊，在滑铁卢失去权杖的拿破仑，至少还有四个亲密接触过的女人可以回忆，自己呢？正是自己真心痴爱苦心追求的女人林丹雁，为了解救她心中的爱人，才把自己推向了命运的深渊。一想到林丹雁，郑浩心底就充满了苦涩。他不恨她，平心而论，她并没有做错什么。郑浩只是恨自己，恨命运的嘲弄，恨上天对他的不公。

七星谷已是一片伤心之地，可"龙头"尚未竣工，师前指撤不了，自己就还得呆下去。郑浩真正感受到了人们常说的"为人不自在，自在不为人"。苦闷之极，周末他驱车到汉江散心。黄白虹这个风情万种性格开朗见多识广善解人意的女人，会不会成为自己新生活的起点呢？从郑浩决定要上汉江起，这个念头就始终缠绕着他，挥之不去。车进汉江市区，在十字街口等候绿灯亮时，与黄白虹握别时那种奇特的感觉旋即冒了出来，郑浩下意识把右手捂到胸口。

郑浩马上打开手机，拨通黄白虹的电话，他怕稍一迟疑，自己又会失去勇气。

金风玉露一相逢,便胜却人间无数。

当晚,黄白虹带着一脸的兴奋,回到市郊欧式豪华别墅。

"看样子,开篇不错嘛。"孙丙乾探究地看着她,"说说感受。"

"谈吐不俗,训练有素,守口如瓶。"

"一个团职军官,七星谷的前指总指挥,必须具备这种素质。我问的是别的。"

"我感觉到他似乎很失意,情绪很低落,他几次把话题引到经商上,好像他有离开部队的打算。"

"有点意思了。他作为一个男人呢?"

"你问哪方面? 我们并没越界。他很矜持很拘谨,但对我试探性的亲昵举动好像感到很受用。可以断定,他是个谨慎行事的男人,但不是柳下惠转世,而且,怎么说呢? 他太压抑自己了,实际上他渴望女人。"

"更有意思了。"孙丙乾的神情越发诡秘,"他什么时候再来汉江?"

"你不是想用美人计吧?"黄白虹似笑非笑似嗔非嗔。

"天时,地利,人和,全都具备了,为什么不呢?!"

黄白虹心里一阵失意,一阵兴奋,一阵难受,一阵憧憬,到底是什么心境,她自己也说不清。半晌,她幽幽地问,"你真舍得?"

"舍得舍得,有舍才有得。直觉告诉我,危险正在一步步向我们逼近。白虹,我早对你说过,干我们这一行,肉体的贞操可以忽略不计。我也告诉过你,干我们这一行,异性同事之间不能保持永恒的感情,不能产生太深的爱情,即使产生了,它也得让位于我们的事业,这是我们的职业要求。"

泪水涌出黄白虹的眼眶,她是真的伤心了,她为自己的感情遭到践踏而悲哀。孙丙乾走过去,抬手擦去她脸上的泪珠,"对不起白虹,我说的是真话,真话往往会伤人。"

黄白虹拨开他的手，自己擦干泪水，语调平静地说，"你下命令吧。过两天他还会来汉江。"

"好！坐标我们已经掌握，我们需要从他嘴里知道七星谷导弹阵地的规模。征服他，这就是你的使命。如果他不听话，那就采取别的办法让他屈服。"

郑浩再次来到汉江时，黄白虹过分的主动热情，主动热情后面隐隐透露出的急躁功利，使郑浩开始警觉，他固有的理性力量和怀疑精神又占了上风。在灯光昏暗氛围魅惑的酒吧里，黄白虹美目盼兮巧笑倩兮邀请他去参观她的欧式别墅，黄白虹满以为任谁也难以抗拒自己的魅力，不料却遭到了郑浩的坚决谢绝。

极度失望到近乎绝望的黄白虹，真正对男人产生了困惑。

告别了黄白虹，郑浩径直往大本营去。在大本营门口，他意外遇到姜柱国。

"郑副参谋长，请留步，我有事要找你。"

"姜处长？找我有事？"郑浩感到疑惑。

姜柱国取下手腕上的手表，"我新买了一款表，记得你好像也是戴这牌子的，想看看跟你的有什么不同。"

郑浩把手表取下来，递给姜柱国。

姜柱国把两块表放入掌心，看了又看比了又比，"你这块一万几？"

"一万五千三。去年买的。"

"什么狗屁朋友，狗日的杀熟，生生宰了我八千块！"姜柱国气得大骂，把手表还给郑浩，仍余怒未息，"买东西千万别买熟人的，他把咱卖了还让咱数钱，可恶！"

郑浩刚进房间，黄白虹的电话打过来了，一通娇嗔，一通幽怨，直到把郑浩的手机电池耗了个干净。躺在床上，黄白虹的音容笑貌、今天发生的一切，全都历历在目，郑浩怎么能睡得着？辗转反侧到深夜,他忍无可忍,用房间的军线电话给钟怀国秘书小吕打电话,向他诉说失意听取安慰,也意外地听到了林丹雁明天由北京飞汉江的消息。

放下电话,一个念头从郑浩脑子里突然冒出来:黄白虹不是老念叨着要请林丹雁打高尔夫球吗? 明天不就是个绝好的机会? 对,明天去接林丹雁,然后一起去见黄白虹,这样,既了了黄白虹急切见林丹雁之愿,又无言地向她表明了自己与林丹雁仍有瓜葛。

世纪龙工程尚在紧张施工,规模更大的天网工程又已立项。林丹雁被任命为天网工程的副总设计师。在西北东北来回跑了一个来月,林丹雁瘦了不少,看上去略有些弱不禁风。她早已得知七星谷发生的变故,对于石万山的官复原职,她感到很欣慰,可一想到郑浩,就百般滋味涌上心头,这里面又以内疚和怜悯为主要元素。她内疚,是因为郑浩深爱自己,自己却不但无情可报,某种意义上来说,还促成了他的下台石万山的出山;她怜悯,是因为郑浩是那么的看重面子爱惜羽毛,这样一个表面坚强内心脆弱的男人遭受到如此重挫,情何以堪? 她真心希望郑浩能从这段经历中吸取教训,迅速成熟起来大气起来。如果郑浩能朝这个方面转变,自己是不是可以考虑接受他呢? 她想。

随着年龄的增长,心无所属的孤独失落感无边无垠,常常压得林丹雁喘不过气来。她读大学期间,女同学间流传着一句"座右铭":与自己爱的男人谈恋爱,与爱自己的男人结婚。是的,选择爱自己的男人作为终身伴侣,才是人间正道,才能修成正果。林丹雁苦笑一下。

拎着密码箱走下飞机舱梯时,林丹雁满脑子都是对婚后生活的种种设计。机场出口处,猛然间看见怀抱鲜花笑吟吟向自己招手的郑浩,她顿时心跳加速面颊绯红。也许是怕郑浩窥破了自己的内心世界?

　　郑浩的包容和痴心让林丹雁很感动,也更为内疚。与自己对他的生硬态度相比,他对她依然保持着君子风度。她默默地想:这个世界的确没有安排好,爱和被爱总是这般的阴差阳错,这般的造化弄人。

　　汽车驶出机场高速,拐向通往汉江市区的道路,林丹雁疑惑地问,"这是去哪儿? 怎么不直接回七星谷?"

　　"跟你师妹说好了,她要为你接风洗尘,请你去打高尔夫球。"郑浩冲她一笑。

　　林丹雁变了脸色和声调,"黄白虹? 你跟她有过单独联系?"

　　"有啊,但不多,也正常。"见林丹雁居然这样失态,郑浩以为她对他与黄白虹的"私相授受"心生醋意,不禁心下窃喜。

　　"我并不是吃醋。"话刚出口,林丹雁就感觉这话很不妥当很失水准,简直有此地无银三百两之嫌,脸上立刻隐隐发烧,她赶快调整一下表情和语气,"行,我也正想见见她。"

　　她掏出手机,给姜柱国拨电话,"你好。我回到了汉江,刚出了机场,我的朋友黄白虹小姐要请我打高尔夫球,我们现在正在往球场赶,没问题吧? 哦,郑副参谋长接的我。好,我会的。再见。"

　　郑浩感到奇怪,"谁呀?"

　　"一个朋友。"林丹雁从坤包里取出胸花,别到左胸前。马上就要与间谍短兵相接了,她的心脏"怦咚怦咚"剧烈跳动起来。

　　市郊欧式豪华别墅里,黄白虹做好了一切准备:子弹上了枪膛,蒙药入了小瓶。唯一让她扫兴的是,对她的孤注一掷计划,孙丙乾始终不明确表态。

　　看着蹙眉坐在沙发里不发一言只猛抽古巴雪茄的孙丙乾,黄白虹气不打一处来,一把把雪茄从他嘴边夺下,"你倒是说话啊!"

　　"别闹,我再想想。"

　　"光是一个林丹雁就价值连城,何况还搭上一个解放军堂堂大校师副参谋长。这样的机会千载难逢,还有什么好犹豫的?"

"这种事情可容不得半点疏忽大意,必须确保万无一失。"孙丙乾起身,不断在客厅里踱来踱去,突然一挥手,"好吧,你的方案我批准了,只是我们还得周密部署,绝不允许有任何纰漏存在。我们先把他们拖住,晓白和黑子先假扮我的司机和秘书,晚上再下手。"

两颗脑袋又凑到了一起。

一个多小时后,林丹雁郑浩黄白虹孙丙乾的身影,先后出现在汉江唯一的高尔夫球场上。没过多久,球场又进来一对戴着墨镜拿着球杆的时尚男女,停留在距离他们的不远不近处。蓝天白云下,芳草绿茵上,几个气质超拔的俊男美女谈笑风生挥杆舞袖,这幅画面真令人赏心悦目。

小憩时,孙丙乾笑道,"林小姐悟性真好,才打了八个洞,差不多就算入门了。"

林丹雁也笑道,"惭愧,我还是第一次实地练习,献丑了。不过高尔夫球还真有它的魅力,怪不得那些达官贵人都迷恋它。"

孙丙乾说,"林小姐喜欢,今天才算不枉此行。白虹,给你师姐和郑先生办两张会员卡。林小姐,以后双休日时,你们就可以来打球了。"

林丹雁郑浩都赶紧谢绝,"不行不行,高尔夫会员卡太贵了。"

黄白虹粲然一笑,"唯其高贵,才与英雄美人相得益彰啊。二位跟我们就不要客气了。"

不远处的酷哥潇洒地抡手挥杆,小白球一路蹦跳到林丹雁面前,靓妹跟过来捡球时,一抬头,突然失声叫起来,"表姐,你怎么在这儿啊!"

林丹雁也惊喜地叫起来,"是倩倩! 你怎么会在这儿啊?"

"天下事怎么就这么巧呢! 几年没见表姐,我都快想疯了! 我和老公还有我妈昨天从南京专程绕道汉江来看望你,真没想到,还不用进山就遇到你了。"冯倩倩兴奋不已，马上拨手机，"妈，你猜我在高尔夫球场碰见谁了？表姐！好像还带了个帅哥。您急着想见外甥女？好，我们就回去，您马上就能见到她。"

她收好电话，对林丹雁说，"我妈有令，要我立刻押上你和帅哥去酒店，她在等我们。"

林丹雁露出很为难的表情，"倩倩，你看，我们都跟朋友有约在先了，晚上要一起吃饭，怎么办？"

"这倒也是的，亲人固然重要，朋友也是无价之宝。"冯倩倩甜甜地对孙丙乾黄白虹笑，"这样吧，这位先生，这位小姐，我代表我母亲，邀请二位一起参加我们的家庭聚会，请你们一定赏脸。"

孙丙乾勉力笑笑，"谢谢，我们就不去了。长辈为尊，你们走吧。"

林丹雁只好无奈而歉意地看看孙丙乾，又看看黄白虹，"孙总，白虹，谢谢你们的款待。再见。"

他们走后，黄白虹恨得咬牙切齿；孙丙乾狠命一挥杆，一个小球疼得跳起来，拼命往远处逃窜。小白点很快不见了。"天不灭曹啊！"孙丙乾哀叹一声。

郑浩林丹雁出了球场，郑浩疑惑地看着冯倩倩，"黄白虹有问题？"

冯倩倩面无表情，"姜处会告诉你。丹雁姐，咱们走。"

郑浩惴惴不安地朝不远处的姜柱国走去。

上了车，林丹雁说，"倩倩，我手机一直开着，你为什么不打电话？那个孙总可是个老狐狸，你就不怕他嗅出点什么味道来？"

"博士就是博士，思维缜密。丹雁姐，你要是干我们这一行，肯定也是高手。"

"别夸我了。打草惊蛇吗？"

"猜对了。"

"郑浩是不是……他是不是见过黄白虹多次了?"林丹雁心情灰暗下来,神情沮丧。

"你听听吧。"冯倩倩打开监听装置,"种种迹象表明,他们想拉郑浩下水。"

监听器里传来郑浩的声音,"姜处长,你说话呀!"

姜柱国用开玩笑的口吻说话了,"郑兄,有个段子不知你听没听过,说的是当年我们一个地下情报人员,因叛徒出卖被捕了,他成功逃脱后这么讲述自己被捕后的经历:他们给我上老虎凳,我没说;给我灌辣椒水,我还是没说。他们没辙了,后来,他们给我用了美人计,我将计就计,最后还是没说。"

"我听不明白。"郑浩的声音有些虚,有些怯。

"黄白虹酒量惊人,昨天她喝四瓶嘉士伯不过是热热身,你没送她回家,真是明智之举。你们泡酒吧时,她的两个住处全都做好了布置,布下了埋伏。前两天,你们畅游江边公园时,你说了不少话,我难得见到郑兄有这么好的兴致……"

林丹雁长叹一声,痛苦地闭上眼睛,"又一出拙劣的英雄难过美人关!"

监听器里久久没有动静,想必郑浩在那边同样痛苦地闭上了眼睛。终于,林丹雁冯倩倩听到郑浩哀伤的声音,"我这辈子,恐怕再也不敢接近女人了。"

林丹雁一阵伤感一阵心酸,泪珠从她紧闭的眼角一颗颗滴落下来。

冯倩倩看看她,心里涌起一股对这个大姐姐的怜惜之情,好一阵,她不知道该说什么才好。监听器里再也没了声音,冯倩倩把它关掉,轻轻地说,"丹雁姐,咱俩现在去见石团长,与他共进晚餐。"

石万山! 他也来凑我的热闹? 还是来看我的笑话? 林丹雁不做声。她感到了情殇。

"他来跟咱们一起收网。"好像看穿了她的心思,冯倩倩立刻补上这一句。

孙丙乾来到寰宇电脑城地下室,全神贯注看完一盘精剪出的录像带,吩咐黄白虹,"这儿的所有东西,连夜搬走。"

"这是通向七星谷的唯一通道,导弹也得从这里运进去,还是留着吧?"

"不,不能留!"孙丙乾斩钉截铁地,"人不能太贪,不能得寸进尺,凡事都得有度。很多人就毁在只知进而不知退上。这些东西不撤掉,哪天一旦被人赃俱获,我们就完了。"

黄白虹频频点头。

他们刚回到别墅,黄白虹就接到了郑浩的电话。郑浩打这个电话是姜柱国和石万山的安排。

黄白虹用手捂着话筒,悄声问孙丙乾,"郑浩说林丹雁的姨妈给她介绍了个对象,他像是喝多了,我要不要去见他?"

孙丙乾不假思索,"不见,我们没那么多时间了。稳住他。"

黄白虹转而对话筒嗲声嗲气,"对不起,信号时好时坏。很抱歉,我现在正忙。我知道你深爱我师姐,你现在感情上受不了。等我有空了,我一定去安慰安慰你,再见啊郑哥,See you later!"

次日一大早,冯倩倩穿着税务制服,带着税务执法队,以查走私电脑为名,搜查了寰宇电脑城地下室仓库。同时,国安局和公安局联手行动,逮捕了汉江市国资委的任副主任,汉江市经贸委的李副主任,这两人都曾给孙丙乾出卖过情报。

孙丙乾再也撑不住了,带着十几个装满了七星谷导弹阵地虚假数据的电脑U盘,携同黄白虹连夜仓惶出逃,几经周折,由上海浦东机场出境飞抵香港,很长一段时间都龟缩着不敢轻举妄动。

姜柱国冯倩倩专程去到七星谷,向石万山林丹雁洪东国明建中通报反间谍战取得阶段性胜利的消息。几个人正说着话,郑浩穿着脏兮兮的迷彩服出现。他明显地消瘦了,憔悴了,神情少了以往那种时隐时现的倨傲,增添了几许沧桑。

郑浩紧张、局促、惶惑,"姜处,你找我?"

"郑副参谋长,别把我当成你的噩梦!"姜柱国大笑起来,把手表从手腕上褪下来,递过去,"郑副参谋长,你的手表完璧归赵,我的虽然不值钱,但你也得还给我。"

郑浩一头雾水一脸茫然。

"我这块是仿制表,价值八十块,里面的窃听装置价值两千。我要不换回来,你这表就是我的不义之财,哈哈!"

郑浩目瞪口呆,神色狼狈,不知所措。

林丹雁心情复杂,目光悲悯,语气平和,"姜处收回他的手表,意味着你已经从悬崖边止步,回归到了平坦的康庄大道,可喜可贺。"

郑浩默默地接过手表,又默默地取下腕上的手表,递给姜柱国。他满心酸楚。林丹雁,只不过是自己曾经做过的一场梦,如今春梦已了无痕迹,只剩下,只剩下什么呢? 他脑子里陡然冒出白居易的两句诗来:天长地久有时尽,此恨绵绵无绝期。

花开花谢,草荣草枯,又一个元旦到来了。

世纪龙龙头工程进入了最后的攻坚收尾阶段。为确保龙头工程主坑道按计划高质量全线贯通,元旦一过,顾长天成南方御驾亲征,对大功团进行决战前的鼓动动员。

大功团四百多名官兵代表早早集合到广场上。石万山在队列里慢慢走着,托托这个勾得低了的下巴,捅捅那个不够挺拔的腰身,大声喊,"都给我把胸挺起来,把头抬起来! 锣鼓队,用力敲!"

主帅号令一出,锣鼓震天一响,兵阵顿时精神抖擞起来。

在郑浩洪东国陪同下,顾长天成南方向队伍走来。

石万山高喊,"立正!"

鼓声停息。

石万山跑过去敬礼,"报告首长,队伍集合完毕,请指示。"

顾长天很满意,"听你们的鼓声,看你们的腰杆,就知道大功团官兵没被困难吓尿裤子。世纪龙龙头工程遇到的这座山是个地质博物馆,这是秦怀古院士对太阳山的评价。你们战胜过塌方,战胜过泥夹石,战胜过泥石流,你们了不起! 不过,更大更严峻的考验,可能还在后面等着你们。我要说的是:龙头工程必须按期完成!"

兵阵吼声直穿云霄,"首战用我,用我必胜!"

"狮子王"声音更高了,"胜利是需要付出代价的,齐东平副连长倒下了,他为祖国战略导弹阵地的英勇献身,是死得其所,死得比泰山还重! 人过留名,雁过留声,祖国和人民会永远怀念他! 也许,下一次危险就会降临到你们某个人头上,但我相信,你们不会退缩,不会当孬种!"

广场上掌声雷动,经久不息。

"我们选择了当兵,也就选择了牺牲。一位伟人说过,如果中国没有两弹一星,就不可能有今天的大国地位,就不可能在全世界赢得广泛的尊重。同样,如果中国没有导弹阵地的守卫,就根本谈不上民族的伟大复兴! 所以,我们导弹工程兵参与的是一项伟大的工程! 我相信你们一定能保质保量按时把这个龙头阵地建设好。上级首长对世纪龙工程的进展表示满意。一个月前,DF-88 战略导弹,已被中央军委确定为今后五到八年保卫国家安全的重要武器级别的装备。整个世纪龙阵地全部装备 DF-88 战略导弹后,中国的战略防御能力,可以再迈上两到三个台阶。护国长剑躺在仓库里是无法威慑敌人的,这些护国长剑能不能按时甚至提前掌握到发射部队手中,就看你们大功团了!"

"狮子王"的话被山呼海啸般的掌声淹没了。

　　待掌声终于平息,"狮子王"接着说,"世纪龙工程最重要的一仗,就要在这里打响了! 为了更好地打仗,首先要加强大功团的领导力量。下面,由成南方政委宣读命令。"

　　广场上立刻静谧得庄严肃穆。

　　成南方展开几份命令,逐一宣读,"任命:导弹部队工程兵师大功团团长石万山为该师参谋长兼大功团团长,任命:工程兵师大功团一营营长张中原为该团参谋长兼一营营长;任命:工程兵师正营职参谋江建华为大功团一营政治教导员;任命:大功团一营一连连长魏光亮为该团一营副营长。命令宣读完毕。同志们,决战的时刻到了,我知道你们面临的困难很多很多,但我相信,你们一定会克服一切困难,按时高质地完成任务!"

　　石万山郑浩的上下级关系已然泾渭分明。

　　石万山身份变了,郑浩的去留成了问题。是撤销七星谷师前指让郑浩回师部另外安排,还是让他留在七星谷继续当师前指总指挥? 顾长天成南方态度迥异各有考虑。这种情况下,石万山的表态最为关键。

　　与郑浩进行推心置腹的沟通后,石万山明白了郑浩的真实想法:在哪儿跌倒,就在哪儿爬起来,否则,自己在大功团面前永远没有面子。

　　对于郑浩的"面子"之说,石万山不以为然,但对于他的坚强意志和顽强毅力,石万山深为欣赏。他感到郑浩成熟了,纯粹了,可堪大任了。他由衷地为之欣慰。

　　于是,石万山向顾长天成南方表示:请师首长把郑浩继续留到大功团,这既是他本人的意愿,也是我的愿望。我不能永远兼任大功团团长,而郑浩留在大功团把一线工作经历补上后,能当此任。他学历高知识面广综合素质强,比我石万山更有发展潜力,能为导弹工程阵地做更大的贡献。至于他曾经犯过的错误,并不是出于主观故意;与女间谍交往的不慎,也没有造成不良恶果,作为单身汉,他被一个年轻美貌的女子吸引也情有可原,请首长对他既往不咎。毛主席就说过:只有死人和刚出生的婴儿不会犯错误。人,谁不会犯错?郑浩以后或许还会犯这样那样的错误,但我相信一点,他不会在大是大非的问题上栽跟头了。

郑浩如愿留在了大功团。他对石万山充满了感激之情。

成南方离开七星谷前,给郑浩写下八个字:警钟长鸣,仍可大成。捏着字条,郑浩哭了。这是他到大功团后第一次流泪,这是他自少年更事以来罕有的流泪。

兼当团参谋长的张中原更忙了,会议、施工、训练……尤其当主坑道打到溶洞区,溶洞中陡现出一条三十米宽的地下河流时,压到他身上的事情就更多了。大大小小的事情忙得他头昏脑涨,忙得他不可开交,忙得他几乎没有时间精力去想到高丽美了。可当他听朱彩云说高丽美每天化妆得又丑又老在街上当小摊贩时,他顿觉心如刀绞。他这才意识到:高丽美是他一辈子丢不下忘不了的女人。

张中原请求朱彩云务必把高丽美招进大本营服务公司,他央求说:嫂子,你就还当她是我的家属,就当是帮我的忙,我对你千恩万谢,行吗?

朱彩云纵使再不愿意,拒绝的话也说不出口,只能在洪东国面前发牢骚,抱怨张中原是鬼迷心窍,长了颗榆木疙瘩脑袋,简直就是糊涂到家的糊涂虫糊涂蛋!他张中原到底还想不想再成家?!

洪东国温言软语劝慰妻子,"一日夫妻百日恩嘛。这正说明中原是条有情有义的汉子啊!就算不成夫妻了,仁义还在嘛,还有友情嘛。你知道当年法国影星阿兰·德隆抛弃演《茜茜公主》的那个女明星时,说了句什么话吗?二十年过去了,我至今记忆犹新!早上一觉醒来,他给还在睡梦中的'茜茜公主'留了一束鲜花一张字条,上面写着:爱情已逝,友情永存。你看人家外国人多潇洒! 你就不兴人家中原对前妻'友情永存'? 打个不恰当的比方,如果哪天我们两个……"

"你敢!"朱彩云真翻脸了。

"哎呀呀,说了只是打个比方嘛。老婆大人息怒!"

"洪东国,我再次警告你,你犯别的什么错误,我都可以宽宏大量,你住监狱,我等你。只有一点,这也是我的一贯立场:你要敢红杏出墙移情别恋……"

"行了老婆,我第一万次向你保证,只要你喜欢,我这把牙刷一辈子都是你的专用品,就是西施王昭君貂蝉杨贵妃四大美人转世,也休想染指!"

然而高丽美死活不肯到大本营服务公司上班,她觉得人穷不能志短,自己既已与张中原离婚了,却还顶着"家属"的帽子去隶属于大功团的大本营服务公司当员工,不仅名不正言不顺,简直就是寡廉少耻! 何况,她不愿再欠张中原的情。

朱彩云因而对她改变了一些看法。

得到高丽美的这个消息,张中原再次急得发跳,心疼得难以言表。他决定把自尊心放低些,等坑道通过地下河流的施工阶段宣告结束后,亲自去找高丽美谈谈,告诉她,生存是第一位的,其他的不要顾虑那么多。他想:我一定要把她劝过来。

不料,就在搭建坑道穿过溶洞区跨过地下河的支架时,日夜到场督战的张中原,被一块凶恶的大溶岩砸断了左腿。

当高丽美从朱彩云处得知张中原腿断住院时,顿时心痛不已心急如焚。晚饭后,经过了一番激烈的思想斗争,她最终下定决心:去看望他,把存折还给他,把自己心里的悔恨告诉他!

高丽美捧着一大束鲜花,拎着一大袋水果和营养品,惶然而又决然地前往汉江市人民医院。

左腿打着石膏绷带、躺在床上不敢动弹的张中原几乎不敢相信，来人真的是自己经常梦到的高丽美吗？他想坐起来看个清楚看个真切，却"哎哟"一声疼痛得倒了下去，额头上沁出了冷汗。

高丽美红着眼圈把东西放好，下意识伸手去扶他，突然意识到不对，手停在了半空，身体僵在了俯姿上。她的脸一下红了。

"丽美！"张中原轻轻地呼唤，情不自禁地拉起她的手。

高丽美顿时热泪盈眶。

"丽美，你终于来了，来看我了，我真高兴啊，我好久没这么高兴过了，"张中原拉她坐到床边，一直拉着她的手不放，"丽美，你瘦了，也黑了，是不是日子过得太难了？肯定是，你看，手都比以前粗糙多了。你这样吃苦，我心疼啊。"

高丽美顿时热泪滚滚。

"丽美，你别哭，我最怕你哭，你一哭，我这心里就乱了套，就难受。你还是去大本营上班吧，好吗？在大本营，最起码安全，而且收入也有保障……"

高丽美顿时放声大哭。

别的男人——包括那个欺骗了自己感情的王八蛋王辅文——在意的都是自己是否漂亮性感，只有这个男人，在意的是自己的平安冷暖啊！高丽美现在才真正明白了张中原有多么爱她，在她生命中具有多么重要的意义。

"中原！"她扑到张中原身上，哭得肝肠寸断，哭得泪水滂沱。就让这些纯净的泪水洗刷掉自己的耻辱吧，这样，自己才能抬起头来正视这个有着金子般心灵的男人。

春寒料峭，春节又至。

汪小青带着石小山又来到了七星谷。

　　天地间气象万新之际,世纪龙龙头工程迎来了历史性时刻:主轴坑道一号洞二号洞贯通。在大功团党委全体成员的盛情邀请下,正在大西北为天网工程奔忙的林丹雁挤出时间,飘然而至七星谷。她依然孑然一身,依然光彩照人,依然眉眼间凝聚着淡淡的忧伤,依然举手投足间流淌着美的韵律。

　　一号洞里,石万山拿起对讲机喊,"胡成武,你那边准备好了吗?"

　　二号洞里,胡成武回应,"准备好了!"

　　"开始吧,准备——"

　　石万山的号令被郑浩打断,"石团长,石参谋长,这么重要的历史时刻,你应该讲上两句。"每天泥一身汗一身的劳动,使郑浩黑壮敦实了许多,褪去了以往他身上的书生意气。

　　洪东国含笑颔首。

　　魏光亮率先鼓掌。

　　拄着拐杖的张中原脸上洋溢着兴奋和幸福。

　　"好,那我就讲两句。"石万山雄视四方,"世纪龙'石破天惊'龙头工程的主坑道就要贯通了。七星谷阵地能够按期完工,归功于全团一千六百七十二名官兵的尽心尽力流汗流血。我这个团长、工程指挥长,在这里要对每一个人衷心说一声'谢谢'!同时,对齐东平同志的在天之灵致以最崇高的敬意!我还想说,如果没有以林丹雁同志为首的技术人员的精心指导,没有二炮首长、师首长和师前指首长的关怀支持,我们团没有办法完成这么艰巨的任务。在这里,我代表大功团也向他们衷心说一声'谢谢'!作为为共和国战略导弹筑巢的工程兵,现在,我们可以骄傲地说上一句,我们在七星谷为党和人民交上了一份问心无愧的答卷!我相信,这一段经历将会成为我们大功团人人生中最最美好的回忆!胡成武,听我的口令,预备——起爆!"

一声巨响,石破天惊。

没等烟尘散尽,主坑道两侧的人迫不及待地欢呼着涌出来,官兵们紧紧拥抱在一起,叫着,跳着,笑着,流下激动的泪水。

一年后,世纪龙"石破天惊"龙头工程被国家评为金牌工程,五十枚 DF-88 型战略导弹在七星谷完成布防。此时,大功团已经开赴大西北,开始修建天网导弹阵地。

天网阵地主坑道切口首日,一营代营长魏光亮双喜临门。他主持设计的高效除尘装置,有害气体自动监测报警装置,分别获得国家科技进步二、三等奖,军队科技进步一等奖。更让他笑得合不拢嘴的是,周亚菲发来一份加急电报:光亮,你当爹了,儿子净重八斤一两,小名叫八一。